FOLIO SCIENCE-FICTION

K. J. Parker

LA TRILOGIE LOREDAN, III

La forge des épreuves

*Traduit de l'anglais
par Olivier Debernard*

Gallimard

Titre original :

THE PROOF HOUSE

© *K. J. Parker, 2000.*
© *Éditions Bragelonne, 2007, pour la traduction française.*

K. J. Parker est anglaise. Elle a été juriste, journaliste et numismate. Elle a déjà publié une dizaine d'ouvrages de *fartasy*, dont *La trilogie Loredan* et *La trilogie du Charognard*, publiés aux Éditions Bragelonne. Elle passe son temps libre à fabriquer des trucs en bois et en métal.

*Ce livre est dédié à GoE,
le plus petit géant du monde.*

Et à l'indispensable Jan Fergus.

NOTE DE L'AUTEUR

Je n'aurais pas pu écrire ce roman sans l'aide de Roger Lank-ford, qui m'a appris à fabriquer des armures et, ce faisant, m'a servi ce livre sur un plateau — en acier trempé, bien entendu. Le travail négligé et approximatif des ouvriers de l'arsenal impérial ne reflète évidemment en rien celui de Roger à l'Armurerie de Lancaster où il fabrique des tenues décontractées en acier — les meilleures armures qu'on puisse trouver sur le marché. Je remercie également Michael Peters de l'armurerie de l'Hydre noire (si, si, elle s'appelle vraiment ainsi) pour ses conseils d'expert («Te donner un coup de marteau sur le pouce quand tu en es là, c'est une *très* mauvaise idée.»), ainsi que Thomas Jenning qui m'a laissé jouer dans son atelier quand j'avais besoin de taper sur des plaques d'acier sans provoquer une émeute chez mes voisins.

K. J. P

Chapitre 1

En règle générale, on commence par mourir. Mais dans ton cas, on va faire une exception.

Bardas Loredan était dans le tunnel le plus récent quand la galerie s'effondra. Il entendit une série de craquements secs accompagnés par le grincement du bois sur le point de rompre. Un choc sourd et puissant le projeta à genoux et il atterrit dans la glaise molle.

Et puis plus rien.

Étendu par terre, il resta immobile et écouta. Si ce boyau devait s'écrouler à son tour, il mettrait un certain temps avant de se décider. Plusieurs facteurs entraient en ligne de compte : la galerie et la voûte de l'intersection avaient-elles résisté ? Dans le cas contraire, plus rien ne retenait le poids s'exerçant sur le plafond, sinon les planches de soutènement alignées contre les parois, et l'habitude. Le tunnel pouvait s'effondrer d'un coup, mais il pouvait aussi prendre le temps d'y réfléchir, de calculer avec peine et lenteur — comme un élève attardé — les pressions et les forces en jeu. Il arriverait alors à la conclusion qu'il n'avait plus aucune raison de résister. Alors, le gémissement plaintif du bois torturé préluderait à la catastrophe ; un peu de terre tomberait des étais cintrés sous des tonnes de pression et le plafond se fissurerait entre les poutres. Il ne s'agissait que de spéculations, bien sûr. De toute façon, Loredan se retrouverait bloqué sans la moindre échappatoire entre la galerie effondrée et un mur de glaise infranchissable. À moins que quelqu'un dégage le passage, installe de nouveaux poteaux de soutènement, évacue les déblais à l'extérieur et localise l'entrée du boyau avant que l'air soit épuisé.

Sinon, Loredan était déjà mort et enterré.

En règle générale, on commence par mourir. Mais dans ton cas, on a fait une exception.

Il prit conscience de l'obscurité pour la première fois depuis des mois. Après trois ans dans les mines, ce labyrinthe sans fin de tunnels creusés sous les remparts de la cité d'Ap' Escatoy par les assiégeants et les assiégés, Loredan passait parfois des semaines d'affilée sans apercevoir la lueur du jour et sans même le remarquer. Il n'y avait que dans les moments de terreur abjecte — comme aujourd'hui — que le besoin de voir se rappelait à son bon souvenir.

T'as envie d'un peu de lumière ? Alors ça, c'est pas de chance !

Ses mains étaient pleines de petits morceaux de glaise qui s'étaient effrités. Il sentit l'argile contre sa joue : une matière froide et morte d'une texture répugnante. Il fut surpris : il travaillait dans ces mines depuis trois ans et il ressentait toujours de la répulsion avec force. Il aurait juré qu'il avait dépassé ce stade depuis belle lurette.

Soit ! Il n'y avait pas moyen de revenir en arrière !

Il estima qu'il y avait assez d'air pour tenir pendant la plus grande partie d'une journée de travail. Compte tenu des circonstances, c'était à la fois rassurant et inquiétant. Les hommes qui ont perdu la capacité de craindre quoi que ce soit depuis longtemps étaient encore terrifiés à l'idée de mourir étouffés après un éboulement.

Il n'y avait pas moyen de revenir en arrière. Et rester sur place avait tout de l'attrape-nigaud. Loredan songea que l'unique solution sensée consistait à avancer. Après tout, si les sapes de l'ennemi étaient toutes proches, il y parviendrait peut-être avant d'être à court d'oxygène.

C'était idiot ! Ses compagnons et lui essayaient de les atteindre depuis des mois, alors comment pouvait-il espérer réussir aujourd'hui, seul et sans aide ?

La situation se résumait ainsi : *creuse ou reste là !* Loredan y réfléchit un instant et se décida pour la première solution. Au pire, il consommerait l'air disponible plus vite et son agonie en serait d'autant plus brève.

La cité d'Ap' Escatoy avait été construite sur une strate de glaise épaisse et les sapeurs de Sa Majesté royale avaient vite compris qu'ils n'avaient aucune chance d'y forer des galeries avec des outils et des techniques classiques. Ils avaient essayé pendant trois mois, au cours desquels ils n'avaient réussi qu'à émousser leurs pelles et à s'arracher les cheveux. Et puis ils avaient rencontré par hasard un membre du convoi de ravitaillement, un vieil homme qui leur avait expliqué comment procéder. Il leur avait parlé de son expérience de gratteur d'argile avant la guerre, il avait été un spécialiste du percement de tunnel en milieu argileux. Il avait participé pendant trente ans à la construction du réseau d'égouts d'Ap' Mese — une cité que l'armée de Sa Majesté royale n'avait mis que six jours à piller et à raser lors de la première année du conflit. S'il y avait une technique qu'il ignorait sur la manière de faire des trous, c'était qu'elle ne valait pas tripette.

Il leur apprit que, pour creuser la glaise, il faut un solide poteau en bois de coupe carrée, quelque chose comme le montant de porte d'une ferme, avec une bordure goujonnée à environ quinze centimètres de la base — on appelle cela une « croix » dans le métier. Vous devez la caler en diagonale entre le plafond et le sol du tunnel, avec le siège improvisé vers le haut et à une trentaine de centimètres du mur d'argile. Ensuite, vous perchez vos fesses sur le rebord, vous plaquez le dos contre la poutre et vous vous servez de vos bras et de vos jambes pour planter la pelle dans la partie à forer. Une fois le fer de l'outil enfoncé, il suffit en général d'un coup de genou sec vers le haut pour libérer un bloc d'argile compact. Vous le dégagez alors, et le laissez tomber pour que les nettoyeurs, derrière, vous le récupèrent avec un crochet monté au bout d'un long manche. Ils le jettent dans un wagon à déblais, un petit chariot trapu et équipé de cordes et de poulies à l'avant et à l'arrière. Il sert à transporter les blocs d'argile dans la galerie principale où ils sont chargés dans une charrette qui fait tant bien que mal l'aller-retour jusqu'au monte-charge toute la journée. Derrière les gratteurs et les nettoyeurs viennent les menuisiers, les mineurs qui scient et tapissent de planches le sol, les parois et le plafond de la sape. À l'exception de la coupe, ils doivent accomplir leur tâche dans l'obscurité la plus complète, car même une lampe-tempête suffit à faire exploser les poches de gaz souterraines — et, par malheur, celles-ci sont nombreuses dans les mines.

Loredan était trop grand pour faire un bon gratteur. Il avait presque le menton entre les genoux quand il ramenait les jambes en arrière pour pousser sur le manche en T de sa pelle. Pour ce genre de travail, il fallait des hommes petits, trapus et bâtis comme des barriques, pas d'anciens bretteurs longs et svelte. Mais dans les circonstances présentes, il n'avait pas le choix : il n'y avait que lui pour se charger de cette besogne. Il soutint son outil en appuyant doucement son extrémité en forme de grande feuille contre la paroi devant lui. Avec les pieds, il frappa sur le manche en T si fort que la violence de l'impact l'ébranla des chevilles jusqu'au cou.

Bien entendu, le gratteur n'est pas censé travailler seul. Son rôle consiste à évacuer les blocs d'argile compacts et à les dégager de sa pelle avec les pieds. La corvée — si pénible pour le dos — de tirer les déblais en arrière échoit au nettoyeur avec son crochet. Mais celui qui assistait Loredan était resté là-bas, dans le tunnel, sous quelques centaines de tonnes d'éboulis. Dans ces conditions, il était donc excusé — même d'après le règlement très strict en vigueur dans l'armée de Sa Majesté royale. Mais cela ne facilitait pas la tâche de Loredan : après trois ou quatre pelletées, il devait descendre de la croix, s'agenouiller et évacuer les déblais avec les pieds, comme un lapin creusant un parterre de fleurs.

Laisse tomber, Bardas ! Abandonne ! Cesse de gratter la terre comme une taupe. Meurs étouffé, mais dans la dignité.

La situation était tout à fait ridicule. Il était un oisillon fripé enfermé dans un œuf en marbre et essayant en vain de briser la coquille à coups de bec. Il était vraiment le prince des radins, l'empereur des avares : *que chacun creuse sa propre tombe ! Pourquoi gaspiller son argent en payant les honoraires exorbitants des fossoyeurs quand on peut se charger du travail soi-même ?* Il était le plus insignifiant des vers se frayant un chemin dans la plus grosse noix de galle du monde. Il était déjà mort, mais il refusait de l'admettre et continuait à lutter.

Soudain, la sensation changea. Le fer de la pelle ne s'enfonçait plus comme le hachoir d'un boucher dans une vieille carcasse filandreuse : il rencontrait maintenant une certaine résistance, comparable à celle de l'argile compactée de la paroi d'un tunnel. Davantage de secousses et de chocs lui remontaient jusque dans les chevilles et les tibias. C'était différent, et toute différence était porteuse d'espoir. Loredan plia les genoux jusqu'à ce qu'ils effleurent les coins de sa bouche et détendit brusquement les jambes. Quelque chose était sur le point de céder. Quelque chose avait cédé au lieu de rester immobile en attendant d'être tranché par le fer de la pelle. Bardas ne prit pas la peine d'évacuer derrière lui les déblais qui le gênaient, il continua à asséner des coups de pied. Il était trop préoccupé par le temps qui s'écoulait pour travailler avec soin — *ça, c'est tout à fait toi, Bardas ! Un jour, ton manque de conscience professionnelle causera ta perte !* Finalement, une puissante frappe des talons propulsa le fer dans le vide. Loredan fut brutalement entraîné en avant et atterrit douloureusement sur la base de la colonne vertébrale.

Je suis passé ! Par tous les dieux, j'ai trouvé cette putain de sape ! Ça arrive à point nommé !

Bien entendu, il n'y avait pas la moindre lumière, mais l'odeur changea du tout au tout. L'endroit sentait la coriandre. Le tunnel dans lequel il venait de débarquer empestait la coriandre. Il glissa avec précaution son pied gauche par la brèche qu'il avait pratiquée à coups de pelle. La semelle de sa botte se posa contre une planche verticale. Il ne put s'empêcher de sourire. Que se passerait-il s'il la défonçait du talon et que la galerie s'effondre sur sa tête ? Mourir comme ça, ça serait vraiment à hurler de rire !

Une odeur de coriandre. Parce que les boulangers de l'ennemi en parfumaient leur pain alors que ceux de Sa Majesté royale utilisaient un mélange de sel, d'ail et de romarin. Dans l'air humide des tunnels, vous pouviez sentir les relents de coriandre ou d'ail dans l'haleine d'un homme à cinquante mètres. C'était la seule manière de savoir qu'il y avait quelqu'un et de déterminer si c'était un adversaire ou un ami. Les effluves de coriandre, et de saucisse au poivre pour les officiers, étaient synonymes de danger et de mort. Ceux d'ail et de romarin annonçaient votre camp, l'approche de secours ou bien de l'équipe de relève qui remontait la galerie en rampant vers vous. Loredan appuya la semelle de sa botte bien à plat contre la planche et commença à pousser avec précaution et régularité, jusqu'à ce qu'il sente enfin les clous sortir des lattes. Il était passé, oui, mais il arrivait au milieu de la coriandre. Il tombait de Charybde en Scylla.

Il se traîna sur les fesses en cherchant son chemin avec les talons. Il se glissa à travers la brèche jusqu'à ce que ses pieds touchent le plancher. Son arrivée avait provoqué un sacré vacarme, mais peut-être que cela n'aurait pas d'importance. Il se demanda pour la première fois pourquoi la galerie s'était effondrée. C'étaient des choses qui arrivaient, un point c'est tout ! Mais, parfois, des sapeurs ennemis les minaient : ils creusaient leur propre tunnel juste en dessous et aménageaient une petite cavité — qu'on appelle un «camouflet». Ils y empilaient ensuite des barils et des pots de suif gras, rance et très chaud — une substance particulièrement inflammable. Lors de la combustion, le plafond du camouflet se desséchait, l'argile se contractait. Le sol de la galerie du dessus se retrouvait soudain privé de soutènement, un trou se formait et tout le souterrain cherchait à s'y engouffrer, comme de l'eau aspirée par un siphon. Le passage s'effondrait. Le travail était terminé.

Eh bien, si l'ennemi — coriandre — perce quelques sapes de notre côté, il y a moins de chances qu'il soit en train de déambuler dans ses propres tunnels. Un individu isolé — ail et romarin — qui s'est infiltré par une brèche réussira peut-être à s'y promener un bon moment avant de rencontrer un enfoiré qui lui tranchera la gorge.

— Seuls les dieux le savent !

Des voix approchaient — coriandre. Deux hommes avançaient rapidement à quatre pattes sur le sol tapissé de planches.

— Si ça se trouve, on est si près de leur tunnel que notre mur se tasse dans le trou. Si c'est le cas, on va prendre tout ce bordel sur la gueule si on ne l'étaie pas en vitesse !

Bardas s'aperçut qu'il acquiesçait à cette remarque. Ce type-là connaissait sa mine comme sa poche. C'était le genre d'homme qu'on avait envie d'avoir dans son équipe — sauf qu'il appartenait à l'autre camp. Ils étaient deux et continuaient à approcher. Avaient-ils perdu le sens de l'odorat ? se demanda Bardas. Et puis il se rappela que son groupe n'avait pas eu de rations — entre autres choses — depuis deux jours. Pas de pain, pas d'ail et donc pas d'odeur pour vous trahir. Cessez de manger et vous vivrez éternellement !

— Quelle que soit la situation, c'est un vrai bordel ! dit la voix qui accompagnait la première paire de genoux.

Bardas posa la main sur le haut de sa botte et chercha le manche de sa dague. Si le premier ne le sentait pas, son compte était bon, aucun doute sur ce point. En revanche, son petit camarade s'occuperait de Loredan aussitôt après. Sacrifier le Cavalier pour prendre la Tour de l'adversaire, ce n'était pas très enthousiasmant si vous étiez le Cavalier. Enfin ! Au diable ces considérations ! Chaque soldat a le devoir de chercher et de tuer l'ennemi. Eh bien, allons-y, dans ce cas !

Il laissa la première voix le dépasser et quand la seconde l'eut presque doublé, il tendit la main gauche avec précaution en espérant trouver un menton ou une mâchoire. C'était le genre d'exercice dans lequel il excellait, bien sûr. Ses doigts effleurèrent une barbe, juste assez longtemps pour qu'ils se referment dessus et s'assurent une bonne prise. Avant que son adversaire ait eu le temps de proférer un son, Bardas l'avait poignardé dans la cavité triangulaire à la jonction du cou et de la clavicule, là où la mort survient plus vite et plus discrètement que partout ailleurs. Dans les mines, la mode était au court : les poignards, les hommes, les pelles et même l'espérance de vie. Le style long n'avait pas sa place ici. Loredan avait opéré avec une telle délicatesse que le premier n'avait sans doute rien remarqué.

De toute façon…

— Merci, murmura Bardas en tournant le poignet pour libérer la lame.

C'était une règle immuable chez les mineurs : on remerciait toujours celui qui était tué à votre place. En parlant, Bardas avait bien sûr trahi sa présence, mais il gardait cependant l'avantage. Son second adversaire — coriandre — était devant lui et n'avait pas la moindre chance de se retourner dans le tunnel étroit. Cela signifiait qu'il n'avait que deux options : soit il ne bougeait pas et essayait de ruer comme une mule, soit il cherchait à s'enfuir aussi vite que possible à quatre pattes — comme un petit enfant se précipitant sous une table — en espérant trouver une issue avant que son ennemi ait le temps de réagir.

Mais dans ce cas, c'est moi qui me retrouverais bientôt dans le rôle du gibier. Vidée n'est pas vraiment alléchante ! Je préférerais autant éviter.

Bardas rampa sur le corps de l'homme qu'il venait de tuer — coriandre — avec un petit grognement dégoûté. Il sentit ses paumes et ses genouillères s'enfoncer dans la chair molle du ventre et des joues du cadavre. Il renifla comme une fouine pour localiser sa proie et entendit la semelle d'un sabot heurter une pierre — presque à bonne distance, mais pas tout à fait. Il continua à avancer par petits sautillements, bras tendus et se propulsant en avant avec les jambes comme un lapin, jusqu'à ce qu'il sente que son visage n'était plus qu'à quelques centimètres des talons de son adversaire. Il bondit alors dans sa direction — dans un mouvement qui ressemblait davantage à celui d'une grenouille que d'un félin. Il atterrit avec lourdeur et ses coudes cognèrent violemment contre les omoplates de l'homme. Quand tout fut terminé, il le remercia.

Et maintenant ?

Il n'avait aucune idée de l'endroit où il était, bien sûr. Dans ses propres galeries, il était capable de se repérer sans grande difficulté. Dans sa tête, elles formaient un gigantesque nid d'abeilles percé de tunnels, de puits et d'embranchements qu'il n'avait jamais vus, mais qu'il connaissait néanmoins sur le bout des doigts. Quand il rampait dans son territoire, il n'avait pas besoin de compter ses mouvements de genoux pour trouver les carrefours, l'extrémité d'un boyau ou son raccordement à une galerie principale. Il savait tout cela d'instinct, comme un jongleur capable d'exécuter son numéro les yeux fermés.

Mais dans cette fourmilière-là — coriandre —, il était perdu. Ici, l'obscurité lui paraissait vraiment impénétrable. Il prenait conscience du manque de hauteur et de l'étroitesse des tunnels, comme si c'était son premier jour dans les ténèbres.

Réfléchissons ! Réfléchissons ! Si je me trouve bien dans une galerie principale — elle est trop large et trop haute pour être secondaire —, elle relie peut-être le puits d'entrée au fond de la mine.

Ce qui amenait aux problèmes suivants : comment s'orienter et, ensuite, quel chemin était-il préférable de prendre ? La priorité était sans nul doute d'éviter les mauvaises rencontres, mais pas si cela devait l'entraîner plus loin en terrain ennemi. À sa connaissance, le seul point de jonction entre ses tunnels — ail et romarin — et ceux des défenseurs d'Ap' Escatoy était le trou par lequel il s'était faufilé. Il n'y avait donc pas moyen de repasser par là. S'il continuait à avancer — quelle que soit la direction choisie —, il finirait inévitablement par tomber sur un camp adverse ou une équipe de travail. Et même lui ne pouvait pas tuer tout le monde.

En règle générale, on meurt d'abord...

Si seulement il avait senti l'air de l'extérieur, il aurait su de quel côté se trouvait le puits d'entrée. Mais il n'y avait que les effluves persistants de coriandre et l'odeur, plus lourde, du sang de ses deux victimes sur ses vêtements et ses mains. S'il ne se décidait pas à réagir vite, la peur finirait par le rattraper et le paralyser. Il avait déjà rencontré des adversaires — coriandre — dans un tel état : recroquevillés contre une paroi, les paumes plaquées contre les oreilles, incapables de bouger. À gauche, alors ! Il irait à gauche, parce que dans ses propres tunnels, il aurait tourné à droite pour gagner le puits d'entrée. Cette logique était tout à fait aberrante, mais personne n'émit la moindre objection. Il ne savait pas vraiment pourquoi il voulait atteindre cet objectif. En supposant qu'il réussisse à se glisser discrètement dans un panier à déblais et qu'on le hisse à l'extérieur sans que personne le remarque, une fois dehors, il se retrouverait à l'intérieur de la cité ennemie. Or il était crasseux, couvert de sang et n'était pas parfumé aux bonnes herbes et épices. Mais s'il prenait l'autre direction, vers le fond de la mine… Mais où était le fond de la mine déjà? Sans doute à l'extrémité du boyau où l'ennemi avait creusé son camouflet. Au bout du compte, il ne ferait que tourner en rond; pourtant, il avait une chance de regagner son camp, à condition — et pourquoi pas? — que cette galerie secondaire — coriandre — en longe une autre — ail et romarin — sur une certaine longueur. Et quand bien même, il y avait toujours le risque fâcheux de revenir dans une portion de tunnel située au-delà de l'effondrement. Si cela devait arriver, Loredan resterait prisonnier. Il n'y avait qu'une seule manière d'en avoir le cœur net. Il irait à droite et verrait bien ce qui se passerait.

— Un autre de ces délicieux moments, n'est-ce pas? dit une voix dans son dos.

Bardas sut qu'il s'agissait d'une simple illusion. Il n'avait pas entendu la vraie depuis des années.

— C'est à vous de me le dire, répondit-il en prenant soin de murmurer aussi bas que possible. Après tout, c'est vous l'expert, non?

— C'est ce que tout le monde ne cesse de me seriner, dit la voix sur un ton contrit. Je le répète pourtant depuis une éternité: je suis comme une personne qui vient d'acheter une nouvelle machine hors de prix: je sais m'en servir, mais je n'ai pas la moindre idée de son fonctionnement.

— En tout cas, répliqua Bardas sur un ton distrait, vous en connaissez davantage que moi là-dessus.

La voix soupira. Elle n'était pas réelle. Ce n'était qu'une chimère, comme les amis imaginaires que s'inventent les enfants.

— Je crois que c'est un autre de ces moments, répéta-t-elle. Un choix décisif, une cupside — n'est-ce pas le terme qu' convient? J'ai parlé de cupsides pendant trente ans et je n'en connais toujours pas la définition exacte. Une cupside dans le flux, une intersection. Il semblerait que le Principe soit tout simplement incapable de fonctionner sans elles.

— Si vous voulez, murmura Loredan en se glissant dans un minuscule interstice derrière une planche latérale mal fixée. C'est une cupside. Continuez donc à faire ce que vous faites et, si ça ne vous dérange pas, je ferai de même.

— Vous avez toujours fait montre de scepticisme, dit la voix. Je ne peux pas vous le reprocher. Il y a bon nombre de choses dans ce domaine que j'ai du mal à croire moi-même. Et j'ai pourtant écrit un livre sur le sujet.

Loredan soupira.

— Vous savez, vous étiez moins rasoir en vrai.

— Veuillez m'excuser.

Tout le monde entendait des voix imaginaires au bout d'un moment. Pour certains, c'étaient celles de nains ou de gnomes, des créatures prévenantes qui venaient vous avertir de la proximité de poches de gaz ou de l'imminence d'un effondrement. D'autres étaient interpellés par des parents ou des amis décédés. Les mauvaises gens entendaient celles des personnes qu'elles avaient assassinées, violées ou torturées. Des mineurs faisaient comme les enfants avec les hérissons : ils leur offraient des bols de pain ou de lait ; certains se mettaient à chanter pour ne plus les entendre ou à crier jusqu'à ce qu'elles aient disparu ; il y en avait qui discutaient avec elles pendant des heures, car ils estimaient que c'est une bonne manière de passer le temps. Tout le monde savait qu'elles n'étaient pas réelles, mais dans les mines, il faisait toujours noir et chaque individu était réduit à une voix désincarnée — imaginaire ou non. Alors, on apprenait à ne pas rester trop dogmatique sur ce qui existait ou n'existait pas. Que cela lui plaise ou pas, Loredan entendait celle d'Alexius, l'ancien Patriarche de Périmadeia, un homme qu'il avait fréquenté pendant un court moment plusieurs années auparavant — et qui était sans doute mort aujourd'hui. Sauf ici, bien entendu. Ici, c'étaient les vivants qui étaient enterrés alors que les morts se nourrissaient de pain et de lait, comme des grands malades.

— Si j'étais à votre place, dit Alexius, j'irais à gauche.

— C'est ce que je m'apprêtais à faire, répliqua Bardas.

— Oh! parfait alors.

Loredan tourna à gauche. La galerie était plus étroite de ce côté et le plancher moins lisse. Il n'avait pas encore été poli par le passage de mains gantées et de genouillères. Il y faisait chaud, ce qui laissait penser qu'il y avait peut-être du gaz.

— Non, pas à ma connaissance, dit Alexius.

— Tant mieux! J'ai déjà assez de problèmes comme ça!

— En revanche, sauf grossière erreur de ma part, il y a quelqu'un un peu plus loin, annonça le Patriarche. Environ soixante-dix mètres devant vous — désolé de me montrer si vague, mais je n'y vois absolument rien, comme vous vous en doutez. Je crois qu'il s'est arrêté et qu'il observe quelque chose. Sans doute une planche branlante.

— Bien. Je vous remercie. De quel côté est-il tourné?

— J'ai peur de ne pas en avoir la moindre idée.

— Ce n'est pas grave. Et c'est une cupside, lui aussi?

— Je suis incapable de vous le dire. C'est une possibilité, mais sa présence ici peut fort bien n'être qu'un simple concours de circonstances.

— Parfait.

Loredan ralentit. Pour éviter le moindre bruit, il déplaçait avec précaution le poids de son corps chaque fois qu'il avançait un genou. Il dégageait une odeur de sang — bien sûr — et sans doute de transpiration. L'autre homme sentait le poivre et la coriandre.

— C'est ça! Vous l'avez localisé. Soyez très prudent à partir de maintenant.

Bardas ne répondit pas, l'ennemi était trop proche.

Et où étiez-vous tout à l'heure? Quand j'avais vraiment besoin de parler à quelqu'un?

Il entendait désormais l'homme respirer, ainsi que les petits grincements des genouillères de cuir pendant qu'il travaillait.

— Il vous tourne le dos.

Je sais! Maintenant, laissez-moi tranquille! Je suis occupé!

Il se rapprocha — il devait être à un mètre. Il posa la main sur le haut de sa botte pour saisir la garde de sa dague. En sortant, la lame produisait parfois un léger crissement contre le tissu de son pantalon. Par bonheur, elle s'en abstint cette fois-ci.

Quand tout fut terminé, il remercia son adversaire.

— Pourquoi faites-vous cela? demanda Alexius, intrigué. Pour être franc avec vous, je juge cette habitude plutôt morbide.

— Vraiment? (Bardas haussa les épaules — un mouvement inutile dans l'obscurité où même les êtres imaginaires ne pouvaient pas voir son geste.) Pour ma part, je trouve que c'est une tradition plaisante.

— Une tradition plaisante? répéta Alexius. Telle que ramasser les mûres ou suspendre des pots de primevères au-dessus de votre porte pendant le festival d'été?

— Oui! déclara Loredan d'un ton ferme. Ou disposer de petites écuelles de lait pour les gens comme vous.

— Je vous en prie! Ne vous donnez pas cette peine pour moi. S'il y a une chose que je ne supporte pas, c'est bien le pain trempé dans le lait tourné.

— Dites donc, vous ne voudriez quand même pas qu'on gaspille ce qui est mangeable?

Il rampa par-dessus le cadavre. Il n'avait toujours pas idée de ce que cet homme avait pu faire ici, si silencieux et absorbé. Mais cela n'avait pas d'importance. Il ne devait plus être très loin de l'extrémité de la galerie.

— Si vous n'êtes que le fruit de mon imagination, avait-il un jour demandé à la voix, comment se fait-il que vous me racontiez des choses que j'ignore ? Comme la présence d'un ennemi ou de poches de gaz devant moi ? Et surtout que vous ne vous trompiez presque jamais ?

Alexius avait réfléchi un moment avant de répondre.

— Vous interprétez peut-être inconsciemment des indices si ténus que vous ne les remarquez pas : des petits bruits que vous n'avez pas l'impression d'entendre, une odeur à peine perceptible... Alors, votre esprit me fait apparaître pour vous communiquer ces informations.

— Je suppose que c'est possible, avait reconnu Bardas. Mais est-ce que ce ne serait pas plus simple d'admettre que vous existez pour de bon ?

— Peut-être. Mais ce n'est pas parce qu'une solution est la plus probable qu'elle est vraie.

Parfois, Bardas essayait de faire le point ; il tentait de se situer par rapport à la cité, au camp de Sa Majesté royale, à la rivière et à l'estuaire. Il croyait encore à leur existence — un peu —, mais de temps à autre, sa foi était sérieusement ébranlée. Peut-être devrait-il leur offrir un bol de lait de temps en temps, à eux aussi ?

Il entendit creuser. Quatre, voire cinq bruits distincts. Il sentit une odeur de coriandre, de sueur, d'acier, d'argile tout juste coupée, de cuir, de vêtements humides, d'urine et de sang — celui qui couvrait ses mains et ses genoux ; il y avait aussi un vague relent de gaz, mais pas assez fort pour se révéler dangereux. Il ne parvint pas à estimer la distance qui le séparait de ces hommes — il était peut-être trop près de l'extrémité de la mine : le mur d'argile compacte qui en marquait la fin étouffait les sons, ou le plafond de la galerie était plus haut que d'habitude et générait un léger écho. Quatre sapeurs creusaient ; il y aurait donc un nettoyeur pour chacun et au moins deux menuisiers. Pourtant, il n'entendit pas le raclement des crochets ou le bruit des scies et des marteaux. Cela signifiait qu'ils venaient de se mettre au travail. Si c'était le cas, quelqu'un allait bientôt remonter la galerie avec une corde pour l'accrocher au wagon à déblais. Il tendit l'oreille, mais Alexius n'était plus là — c'était toujours la même chose, mais on savait bien qu'on ne pouvait pas compter sur les voix. Il essaya de contenir son angoisse et tâtonna sur les parois à la recherche d'un embranchement, d'une aire de dégagement, d'un endroit assez large pour pouvoir s'y plaquer et laisser passer le porteur de corde. Il se serait même contenté d'un espace suffisant pour faire demi-tour et rebrousser chemin. Si le pire devait se produire, il lui faudrait reculer à quatre pattes. Mais c'était la solution de dernier recours, car il y avait toujours le risque de rencontrer quelqu'un — coriandre — arrivant dans l'autre sens.

Par chance, il y avait un coin assez large à l'endroit où les mineurs avaient dû forer un rocher pendant le percement du tunnel. Les charpentiers n'avaient pas pris la peine d'étayer cette partie et les tailleurs avaient fendu la pierre en profondeur avec le feu et le vinaigre ; par conséquent, il y avait une fissure assez grande pour s'y faufiler — à condition de ne pas trop respirer.

Il n'eut pas longtemps à attendre : il entendit bientôt la corde traîner derrière l'homme qu'il sentit aussitôt après. Il le laissa avancer encore un peu et, quand tout fut terminé, il le remercia. Si quelqu'un descendait la galerie, il trébucherait sur le corps et ferait assez de bruit pour que Bardas s'en aperçoive. Ce serait bien aimable de la part du cadavre. Dans les mines, il fallait se faire des amis où on le pouvait.

Quatre hommes creusaient. Il y avait aussi deux nettoyeurs et un charpentier. Loredan entendit les crochets et le bruit d'une scie. L'ennemi manquait sans doute de main-d'œuvre. Il était débordé et les ouvriers qualifiés n'étaient pas assez nombreux. C'était un problème récurrent dans les deux camps — coriandre d'un côté, ail et romarin de l'autre. Le charpentier était le plus près. Ses camarades se douteraient que quelque chose n'allait pas quand ils entendraient la scie s'arrêter sans raison. Mais les nettoyeurs ne pourraient pas se retourner et Loredan n'aurait aucune difficulté à se débarrasser d'eux. Le problème, c'étaient les gratteurs qui pouvaient s'aider de leur croix pour faire face au danger.

Il avait oublié le wagon à déblais. Il ne s'en souvint qu'en posant la main dessus — une erreur d'autant plus impardonnable qu'il se guidait avec le filin qui y était attaché. Il escalada l'obstacle — une manœuvre lente et difficile — et, pendant un moment, il envisagea de s'allonger sur le véhicule et d'approcher les mineurs en tirant la corde de devant. Il abandonna cependant le projet : le bruit des roues serait l'allié de l'ennemi et, par conséquent, un danger pour lui ; et le chariot lui servirait de sentinelle s'il le laissait sur place.

Il referma l'index et le pouce sur la garde de sa dague et tira celle-ci de sa botte. Il considérait son arme comme son unique bien matériel, et il ne l'avait pourtant jamais vue. Du bout des doigts, il chercha les fines encoches qu'il avait creusées dans le manche de bois pour déterminer la meilleure prise. Sa main se referma sur la garde. Il y avait trois hommes à tuer et, ensuite, quatre de plus. Puis il aurait enfin l'endroit pour lui tout seul.

Dans les mines, il est évident que chaque avantage crée un risque. Tout ce qui peut vous être utile est aussi dangereux. Les épaisses couches de feutre couvrant ses genoux et les semelles de ses bottes étouffaient le bruit de ses déplacements avec une efficacité presque totale — comme le charpentier en avait fait la douloureuse expérience —, mais elles le privaient aussi de la plus grande part de son sens du toucher. Il était incapable de deviner où le terrain changeait, où le plancher laissait place aux morceaux d'argile épars.

Il repéra le premier nettoyeur au bout de son crochet. Quand l'homme tira son outil vers lui, le long manche frappa Loredan en pleine poitrine. Le mineur comprit au choc que quelque chose n'allait pas, mais il n'eut pas le temps de faire quoi que ce soit pour y remédier. La technique était toujours la même : main gauche sur la bouche de la victime pour l'empêcher de crier et basculement de la tête pour exposer le creux à la jointure de la gorge et des clavicules — l'endroit où on pouvait frapper au plus vite avec un minimum de risques. Quand tout fut terminé, il remercia le cadavre en silence et le tira prudemment en arrière. Il l'allongea sur le sol comme une robe tout juste repassée.

Le second nettoyeur sentit qu'il était arrivé quelque chose : le bruit du crochet de son camarade raclant l'argile avait fait place au silence. Mais il ne le remarqua qu'une seconde avant que Loredan détermine sa position. Il eut néanmoins le temps de lâcher son outil et de tendre le bras pour tirer son poignard. Tout à fait par hasard, sa lame toucha le côté de la main gauche de Loredan et y ouvrit une plaie étroite, mais profonde. L'homme mourut sans comprendre à quoi correspondait la légère résistance rencontrée par son arme. Bardas attrapa le couteau de sa victime avant qu'il tombe par terre et donne l'alarme.

Un des gratteurs contourna tant bien que mal sa croix.

— Moaz ? Hé, Moaz ? Espèce d'enfoiré ! Pourquoi t'as arrêté de bosser ? cria l'homme d'une voix nerveuse.

Ennuyeux ! pensa Loredan. *Ça va le rendre plus difficile à trouver. Mais d'un autre côté, il aura tout autant de mal à me localiser. Et j'ai l'avantage !*

Il prit sa dague de la main gauche, celle qui saignait. Si une goutte de sang tombait dans le cou de son adversaire tandis que Bardas cherchait sa bouche et son menton, cela n'arrangerait pas ses affaires. L'homme pouvait avoir un mouvement de recul instinctif et Loredan raterait sa cible, une erreur qu'il ne pourrait pas corriger par la suite — comme disaient les commerçants des marchés périmadeiens, avant que la cité soit prise et qu'ils meurent tous. Sa blessure le handicapait : il n'avait pas la même sensibilité dans la main gauche que dans la droite.

Un autre facteur à inclure dans ses calculs. Comme si la situation n'était pas déjà assez compliquée.

— Y a une espèce d'enculé qui traîne par là ! déclara quelqu'un. Moaz ? Levka ? Répondez-moi, par tous les dieux !

Loredan fronça les sourcils. La voix lui donnait un avantage : elle lui indiquait la position exacte de son adversaire ; mais s'il avançait droit dessus, il risquait de gros ennuis : l'homme s'attendrait à ce qu'il arrive par là. Pourtant, s'il essayait de le contourner, il avait de grandes chances de buter contre une des autres croix, ou d'être bloqué par un tas de déblais qui constituerait un problème supplémentaire. Pour que la voix devienne son amie, il devait trouver une approche différente.

— À l'aide ! dit-il.

Le silence retomba.

— Moaz ? C'est toi ?

Loredan laissa échapper un gémissement — une véritable œuvre d'art.

— Ne bouge pas ! dit la voix. J'arrive ! Est-ce que tu l'as eu ?

Elle se rapprocha en faisant beaucoup de bruit et Bardas sentit des doigts écartés se poser sur son visage. Il effectua alors les calculs nécessaires avant de frapper vers le haut. Aucun doute possible : il avait un talent inné pour ce genre de travail.

— Merci, dit-il à voix haute.

Puis il roula sur le côté pour se plaquer contre la paroi.

— Mais putain, qu'est-ce qui se passe derrière ? demanda une nouvelle voix. Moaz ? Yan ? Bordel de merde ! Que quelqu'un aille chercher une lampe !

— Attends ! dit une autre. J'ai mon briquet à amadou.

Loredan entendit le petit grattement indiquant que le couvercle du briquet était ramené en arrière. Cela ne s'annonçait pas bien du tout.

— Attends ! cria-t-il.

Il fit de son mieux pour estimer la position du sapeur.

Comme un nageur, il poussa contre la paroi avec ses jambes et bondit en avant. Ses calculs étaient bons : sa main tendue effleura une oreille — et à proximité d'une oreille, il y a en général une gorge. Le cas présent ne fit pas exception.

Ses calculs étaient bons, mais son geste le fut beaucoup moins — bien que dicté par les circonstances. Alors qu'il tirait sa dague, il sentit un coup le frapper en travers du dos avec assez de force pour lui couper le souffle. Une petite douleur aiguë éclata à hauteur de la clavicule gauche, à l'endroit où la lame avait entamé la chair. Bardas attrapa aussitôt la main de son assaillant. En partant du principe que l'homme était droitier, cela lui donnait un bon point de repère. Il poursuivit son travail. Cinq de moins.

Il s'occupa du sixième alors que celui-ci essayait de le dépasser discrètement en longeant la paroi de l'étroite galerie. Le septième mourut frappé dans le dos : il avait perdu la trace des déplacements de Bardas sans s'en apercevoir.

Mission accomplie !

Mission accomplie et plus rien à faire. Bardas donna quelques coups de pied dans le mur d'argile au fond du tunnel, mais il se heurta à une résistance affligeante. Même si la galerie principale — ail et romarin — était parallèle à cette sape, la paroi entre les deux était sans doute trop épaisse pour qu'il la perce. Il s'adossa à la croix et laissa ses épaules s'affaisser. Il se demanda comment expliquer à ses victimes que leur mort avait été inutile.

— Ce n'est pas grave, lui répondirent-ils. (Les yeux fermés, il les vit enfin pour la première fois.) Tu ne pouvais pas savoir.

— C'est très aimable à vous de le prendre ainsi.

— Tu as fait de ton mieux, lui dirent-ils. Dans une telle situation, il n'y a pas grand-chose d'autre à faire. On ne peut rien te reprocher.

Ils lui sourirent,

— J'essayais juste de rester en vie. C'est tout.

— On comprend. On aurait fait pareil à ta place.

Loredan se débarrassa d'eux. Il savait qu'ils n'étaient pas réels, mais il se garda bien de le dire à haute voix de peur de les chagriner. Dès qu'il avait aperçu leurs visages, il avait compris que ce n'étaient que des illusions, des produits de son imagination. Dans les mines, tout ce qu'on pouvait voir avec les yeux n'existait pas, par définition.

— Il en va de même pour moi ?

— Il en va de même pour vous, Alexius. Mais vous êtes assez vieux et assez laid pour affronter la vérité en face.

— Oh ! très bien ! Puisque c'est ainsi, je ne vous ennuierai plus. Merci pour le pain et le lait.

— De rien. Et vous ne m'ennuyez pas. Je suis content d'avoir un peu de compagnie.

Alexius sourit.

— Vous savez, cela me rappelle un de mes professeurs quand j'étais tout jeune étudiant. Il avait l'habitude de marmonner sans cesse dans sa barbe, et un jour, mes camarades m'ont mis au défi d'aller lui demander pourquoi. Alors, je l'ai fait. Je lui ai dit : « Pourquoi est-ce que vous parlez toujours dans votre barbe ? » et il m'a rétorqué : « Parce qu'il n'y a personne d'autre ici avec qui partager une conversation digne de ce nom. » J'ai trouvé sa réplique excellente.

Loredan secoua la tête.

— C'est de l'humour d'intellectuels. Je me demande parfois si vous faites autre chose, vous autres les grands savants. À mon avis, vous passez vos journées à l'affût, impatients d'entraîner un collègue dans une embuscade verbale préparée avec soin. Pour ma part, je trouve ce comportement curieux pour des adultes.

Alexius acquiesça.

— Presque aussi curieux que de ramper dans des tunnels étroits, mais pas tout à fait.

— Alexius.

— Mmmh ?

Loredan ouvrit les yeux.

— Y a-t-il un moyen de sortir d'ici ou bien est-ce que, cette fois-ci, le chemin va s'arrêter là ?

Il ne voyait pas Alexius, mais sa voix restait claire et audible.

— Vous n'allez pas commencer vous aussi ! s'exclama l'ancien Patriarche. J'ai passé ma vie à m'expliquer là-dessus : je suis un scientifique, pas un diseur de bonne aventure ! Comment voulez-vous que je réponde à votre question ?

— Vous savez, dit Loredan, vous ne réagissez pas du tout comme l'Alexius que j'ai connu. Vous avez l'air plus jeune.

— C'est un des avantages d'être une illusion. Je peux choisir l'âge que je veux. J'ai décidé d'avoir quarante-sept ans. C'est celui que j'ai préféré dans ma vie.

Loredan hocha la tête.

— J'ai toujours eu une théorie là-dessus : nous naissons avec un âge optimum prédestiné, celui que nous sommes faits pour atteindre. Et une fois que nous y sommes, nous ne vieillissons plus. Dans notre tête, je veux dire, là où c'est vraiment important. Pour ma part, j'ai toujours eu vingt-cinq ans. Et avoir vingt-cinq ans, c'est ce que je faisais de mieux.

Alexius soupira.

— Dans ce cas, vous avez de la chance d'avoir trouvé cet âge optimum alors que vous étiez encore assez jeune pour en profiter. Il eût été dommage que vous soyez né pour avoir quarante-sept ans. Parce que j'ai bien peur que vous ne les atteigniez jamais.

— Ah ! dit Loredan. J'ai quarante-quatre ans.

— Pas du tout ! Vous en avez quarante-six. Vous avez perdu le compte.

— Ah bon ? (Loredan haussa les épaules.) Je crois

que je suis sous terre depuis trop longtemps. Et je pense que je vais y rester définitivement vu les circonstances.

— Cela épargnera à vos amis le chagrin et les frais d'un enterrement.

— Vous avez raison. J'avais seulement espéré qu'on ne m'enterrerait pas avant que je sois mort.

— Il faut bien reconnaître que, en règle générale, on meurt d'abord. Mais dans votre cas, il semblerait qu'on ait fait une exception.

— Je crois que je vais faire un petit somme, maintenant, dit Loredan en bâillant avec ostentation. Je ne dors pas très bien depuis quelque temps.

— Comme il vous plaira.

Loredan ferma de nouveau les yeux. Y avait-il meilleure façon de mourir que dans la paix et la tranquillité ? songea-t-il. Avec tous ses amis autour de soi. Ils étaient tous là. Ils étaient venus lui faire leurs adieux — ou lui souhaiter la bienvenue, selon la manière d'envisager la situation. Ils étaient assis sur les bancs de la galerie réservée au public et débordaient même sur le sol dallé de la cour d'audience. Bardas choisit une épée dans le sac que lui présenta son clerc. Il n'eut pas besoin de lever les yeux pour connaître son adversaire.

— Gorgas, dit-il avec un bref signe de tête.

— Salut, dit son frère. Ça faisait longtemps.

— Un peu plus de trois ans, répliqua Bardas. Mais je dois reconnaître que tu n'as pas changé.

— C'est gentil de ta part, mais je crois que tu te trompes. J'en ai moins sur le crâne et un peu plus sur le ventre. C'est toute cette bonne nourriture à base de féculents qu'on me sert dans le Mesoge. J'avais oublié à quel point j'aimais ça.

Gorgas leva son épée, une longue et fine Habresche qui valait une petite fortune. Bardas s'aperçut qu'il avait choisi la Guelan, sa préférée pour les procès. Il l'avait cassée quelques années auparavant dans ce même tribunal. C'était aussi une arme ancienne, rare et recherchée

— mais son prix était loin d'atteindre celui de la dernière série des Habresche.

— Tu es vraiment sûr que nous devons faire ça ? demanda Gorgas d'une voix plaintive. Je suis certain que si on s'asseyait à une table et qu'on mette les choses à plat…

Bardas sourit.

— Tu as peur, n'est-ce pas ?

— Évidemment ! (Gorgas hocha la tête avec un air grave.) Je suis absolument terrifié à l'idée de te blesser. Pour un peu, je lâcherais cette épée ridicule et je te laisserais me tuer. Mais bon, tu ne le ferais pas, n'est-ce pas ?

— Tuer un homme sans arme et agenouillé à mes pieds ? Normalement, non. Mais dans ton cas, je ferais une exception.

Gorgas porta une botte et Bardas para de revers en haut à droite. Leurs lames s'entrechoquèrent.

— Je savais que tu n'aurais pas le moindre mal à bloquer ce coup-là, dit Gorgas. Si j'avais pensé le contraire, je ne l'aurais jamais porté.

— Cesse de me traiter comme un gamin, Gorgas ! l'avertit Bardas. Je suis bien meilleur que toi avec une épée.

— Bien sûr, Bardas. J'ai une totale confiance en tes talents d'escrimeur. Sinon, nous ne serions pas là.

Bardas riposta. Il tourna le poignet pour frapper vers le bas. Mais Gorgas eut amplement le temps de parer. Il maniait son épée plus vite que jamais.

— Je me suis entraîné, dit-il.

— Je vois ça, lâcha Bardas.

Il regarda la lame se précipiter vers lui tandis que Gorgas portait une nouvelle botte. Il devina aussitôt le piège et réagit en conséquence. Il para d'un mouvement ample pour couvrir toute la zone potentiellement dangereuse ; puis il recula le pied droit sur le côté pour changer d'alignement avant de lancer un assaut court et puissant vers le visage de son frère. Gorgas eut à peine le temps de parer. La pointe acérée de la Guelan ouvrit une petite plaie fine juste au-dessus de son oreille.

— Quelle classe ! dit Gorgas. Tu te débrouilles comme un chef aujourd'hui. Au fait, est-ce que je t'ai dit que Niessa était morte ? Je veux parler de ma fille, Niessa. Pas de *notre* Niessa.

— Je ne l'avais jamais rencontrée, répondit Bardas. Juste son frère.

— Une pneumonie, tu te rends compte ? Elle n'avait que neuf ans, la pauvre petite chose !

— On ne t'a jamais dit que c'est impoli de bavarder pendant un duel ?

Gorgas rompit. Sa lame partit en sifflant droit vers la tempe de Bardas. Ce dernier sauta en arrière pour éviter le coup.

— Détends-toi, dit Gorgas. Ce n'est pas réel. Tu ne fais qu'imaginer ce combat.

— Ça n'excuse pas le manque de savoir-vivre. Si tu dois combattre dans mes rêves, tu le feras en respectant mes règles.

Gorgas soupira.

— Tu as toujours été horripilant avec ça : tu inventes systématiquement des règles quand ça t'arrange.

Il était en position pour contre-attaquer à l'aine. S'il avait frappé à ce moment, Bardas aurait eu toutes les peines du monde à parer. Mais son frère se contenta d'attendre qu'il se remette en garde.

— C'est comme quand on était enfant, continua-t-il. Dès que tu commençais à perdre, paf ! tu sortais une nouvelle règle.

— C'est un pur mensonge ! protesta Bardas. Je veux bien reconnaître que j'ai commis délibérément quelques coups bas, mais je n'ai jamais triché. Ce n'était pas la peine de se donner ce mal : à ce petit jeu, je n'avais aucune chance contre toi. Au moindre problème, tu te précipitais dans les jambes de père en pleurant : « C'est pas juste ! C'est pas juste ! » Et il te donnait toujours raison.

— Tu crois ? J'avais l'impression que c'était plutôt le contraire.

Profitant d'une occasion, Gorgas se fendit et lança une botte courte et rapide. Il la porta *en passant* tandis qu'il se remettait en garde après sa dernière parade. Bardas n'aurait jamais pu éviter un tel coup, quelles que soient les circonstances. Il sentit…

… Il sentit que la croix vibrait légèrement. Il ouvrit soudain les yeux. Quelqu'un descendait le tunnel à toute vitesse dans sa direction.

Malédiction ! songea-t-il. *On croit qu'on a pensé à tout et il y a toujours un truc imprévu qui vous tombe sur le dos.*

Il porta la main à sa botte pour saisir son couteau et constata qu'il n'était plus là. Il sourit. Il avait passé trois ans dans les mines et il n'avait encore jamais perdu son arme. Était-ce une coïncidence ? À d'autres !

Il ferma les yeux et se concentra. Qui que ce fût, les nouveaux venus avançaient vite, progressant dans la galerie à quatre pattes comme s'ils appartenaient à une nouvelle espèce de créatures très étranges. Bardas songea que s'ils venaient dans le seul dessein de le tuer, ils s'y prenaient avec une rare maladresse. Dans les mines, on ne se livre pas à des charges de cavalerie. Quand on travaille soigneusement, la victime n'entend rien d'autre que les remerciements de son meurtrier. Mais s'ils n'étaient pas à sa poursuite, que diable venaient-ils faire dans ce tunnel ? L'équipe de relève n'aurait pas mis autant d'enthousiasme à rejoindre son poste. En fin de compte, ce n'était peut-être pas l'ardent désir de le tuer qui motivait les arrivants. Et s'ils fuyaient un danger : un commando ennemi ou un éboulement imminent ?

De toute façon, ils se dirigeaient vers lui et quand ils découvriraient sa présence, ils lui régleraient son compte. Il se tourna vers les corps de ses sept amis et tâtonna en direction du plus proche. Il trouva le poignard de l'homme et s'en empara. En règle générale, il était plutôt mal vu de détrousser les cadavres, mais dans les circonstances présentes, Bardas fut certain que ses compagnons feraient une exception.

— Attention ! cria quelqu'un.

Il devait s'agir d'Alexius ou de l'un des sept corps. Bardas ne réussit pas à identifier la voix.

Un grand tremblement parcourut tout le souterrain comme s'il s'éboulait. Le nez et la bouche de Bardas se remplirent de poussière. Une deuxième secousse le fit tomber à genoux et une troisième provoqua l'effondrement de la galerie sur sa tête.

— Camouflet ! cria quelqu'un. Un camouflet de derrière les fagots ! On a sapé leur tunnel ! Hourra !

Bardas eut l'impression de se retrouver dans un sablier : la terre se mît à pleuvoir autour de lui et remplit tout l'espace disponible.

— Merveilleux ! s'exclama-t-il en disparaissant sous les déblais.

Chapitre 2

Ail et romarin.

— ... putain de héros de guerre comme on n'en fait plus ! On a déterré ce maudit bâtard comme une truffe ! Au départ, on a cru que c'était un des leurs. Et puis quelqu'un a remarqué ses bottes !

Bardas Loredan ouvrit les yeux et la lumière lui brûla la rétine. Il les referma aussitôt, mais pas assez vite. Il cria de peur et de douleur.

— Regardez ! Il revient à lui ! dit une voix dans la lueur éblouissante.

Comment des êtres vivants pouvaient-ils vivre dans un brasier projetant des éclats aussi aveuglants qu'insupportables ? Cela ne pouvait pas exister. Il délirait sans doute.

— Bordel, c'est à tomber sur le cul ! Il n'aurait jamais dû survivre à un truc pareil ! Il aurait dû être tué sur le coup !

Voilà qui montre que tu n'es pas très futé. On ne tue pas un homme qui est déjà mort et enterré.

Il essaya de bouger, mais son corps n'était que douleur. La lumière le brûlait à travers ses paupières.

— Sergent ? Sergent, vous m'entendez ?

La voix lui rappelait quelque chose et cela le surprit. Quel était le nom de ces étranges petits lézards qui vivaient dans le feu, déjà ? Des salamandres. Mais où diable avait-il pu faire la connaissance d'une salamandre ? Et pourquoi l'appelait-elle « sergent » ?

— C'est normal, dit une autre voix. Il vient de se ramasser toute une ville sur le crâne. Pas étonnant qu'il se sente un peu dans les vapes.

Celle-ci aussi lui était familière. Deux salamandres

Alexius ? Alexius, est-ce que c'est vous ? Arrêtez vos conneries et éteignez-moi cette putain de lumière !

— Sergent ? Ça y est ! Regardez, il revient à lui. Qui c'est, cet Alexius ?

Qui êtes-vous ? Vous devez être réels puisque je ne peux pas vous voir. Est-ce que je viens de vous tuer là, dans la galerie ?

— Par tous les dieux ! s'écria une troisième salamandre. Il est complètement barré ! Fou à lier !

— Comme je l'ai dit, il vient de prendre Ap' Escatoy sur le crâne. Tu t'attendais à quoi ? Il sera complètement remis d'ici un jour ou deux.

Il n'y avait pas moyen d'y échapper : il allait devoir ouvrir les yeux à un moment ou à un autre. De toute manière, la lumière s'infiltrait sous ses paupières pour remonter jusqu'au cerveau.

Alexius, est-ce que je suis mort ? Et que je me suis transformé en salamandre, moi aussi ? Vous auriez pu m'avertir.

Il se décida à regarder.

— Mais qui diable êtes-vous ? demanda-t-il en battant des paupières.

Tout d'abord, il ne distingua qu'une forme : un grand ovale brun suspendu au-dessus de lui. Un humain devait ressembler à cela aux yeux d'une carpe au fond de son bassin. Pas étonnant que ces sales bêtes déguerpissent dès qu'elles vous aperçoivent.

— Sergent ? dit la forme. C'est moi, Malicho. Le caporal Malicho. Vous vous souvenez ?

Loredan secoua la tête — opération qui se révéla fort douloureuse.

— Ne racontez pas n'importe quoi ! Vous ne lui ressemblez pas du tout !

— C'est moi, sergent ! En chair et en os ! Dollus, dis-lui, toi, que c'est bien moi !

Il y avait un deuxième ovale sur le bord du vivier des salamandres.

— Réfléchis un peu, Malicho ! Il t'a jamais vu avant. Il n'a jamais vu aucun d'entre nous. D'ailleurs, quand on y réfléchit, c'est la première fois qu'on le voit, nous aussi.

— Alors comment on sait que c'est vraiment lui ? demanda quelqu'un d'autre. Si ça se trouve, c'est un ennemi. Hé, ne me regardez pas comme ça ! Je dis juste que c'est possible !

— C'est lui, affirma la salamandre prénommée Malicho. Je reconnaîtrais cette voix n'importe où. Sergent, réveillez-vous ! Tout va bien. C'est nous. C'est l'équipe numéro sept — enfin, ce qu'il en reste. Vous allez vous en tirer. On vous a déterré après que le camouflet a pété. La guerre est finie. On a gagné !

L'effort de garder les yeux ouverts était insurmontable. Il sentait les muscles se déchirer comme du tissu.

— On a gagné ?

— C'est ça ! On a fait s'écrouler le bastion. La porte a suivi. On s'est emparé de la ville. On a gagné !

— Oh ! (*Mais de quelle guerre me parle-t-il ? Je n'ai aucun souvenir d'une guerre quelconque.*) Tant mieux. Bon boulot.

— Il n'a pas la moindre idée de ce que tu racontes ! dit une salamandre. Allez, Malicho. Laisse donc ce pauvre gars se reposer un peu.

Le légat reconnut le goût de la cannelle et du clou de girofle, bien entendu. Il y avait aussi un soupçon de gingembre, d'huile de violette et une minuscule pointe de jasmin. Mais il n'arrivait pas à identifier l'ingrédient spécial. C'était rageant.

— Il semblerait que la famille soit assez célèbre, dit le colonel. Sa sœur dirigeait la Banque de Scona…

— Scona ! (Le légat reposa la petite tasse en argent avec précaution.) Je crois que j'ai déjà entendu ce nom quelque part. Il n'y a pas eu une guerre par là ?

— À peine une escarmouche, répliqua le colonel. Mais ce fut assez pour provoquer un bref flottement dans les échanges commerciaux. Il a aussi un frère, une espèce de seigneur de guerre insignifiant qui règne sur un endroit du nom de Mesoge. Et, bien entendu, notre homme était chargé de la défense de Périmadeia avant sa chute.

— Tiens donc ? (*Du chèvrefeuille ? Non, c'est bien sucré, mais le goût est différent. Ce n'est pas aussi sec.*) Une famille illustre, dites-moi !

— Eh bien, non, en fait, répondit le colonel en souriant. Leur père était un simple métayer quelque part. Pas davantage. Ce Loredan est un homme remarquable — pour un étranger. Nous devrions faire quelque chose pour lui. L'armée apprécierait.

Le légat inclina légèrement la tête.

— Il va falloir que j'y réfléchisse. Dans de tels cas, il est bien difficile de faire la différence entre récompenser le héros comme il se doit et encourager le culte de la personnalité. Notre politique…

Du miel ! C'était du miel parfumé à quelque chose. Pas étonnant que le goût soit si subtil.

— … Notre politique, répéta-t-il, consiste en ce moment à mettre l'accent sur le travail d'équipe et la réussite d'un groupe. Et d'après ce que j'ai compris, cela convient très bien à la situation.

Le colonel hocha la tête.

— Certes. Dans une certaine mesure, c'est ainsi qu'il faudrait procéder. Mais le sergent Loredan est déjà devenu une véritable légende au sein de l'armée. Si nous ne reconnaissons pas officiellement son mérite, le faire pour l'ensemble de son unité risque de se révéler contre-productif. Les soldats font montre de beaucoup de loyauté envers les leurs. C'est ce qui les rend si efficaces, bien entendu.

— Tout à fait.

Le légat ne fronça pas les sourcils bien qu'il n'appréciât guère ce discours. Mais ce n'était qu'un point sans importance, au fond. Il leva de nouveau sa tasse.

— Je ne pense pas que ce soit un drame si nous accordons à cet homme son heure de gloire. Je propose qu'on lui offre une couronne de lauriers et une bonne place dans le défilé de la victoire — s'il est rétabli à temps. Et une promotion.

Le colonel reconnut que la suggestion était très pertinente. Une promotion entraînerait un transfert qui éloignerait l'homme des soldats qui l'avaient choisi comme objet immédiat de leur loyauté.

— La citoyenneté ? Non, peut-être pas. Bien qu'il y ait eu des précédents.

— Il faudra que j'en réfère au bureau des Provinces, dit le légat. Un précédent ne signifie pas une règle, voire une habitude de service. Ce n'est pas parce que c'est déjà arrivé que cela doit nécessairement se répéter.

Le colonel resta silencieux, mais il laissa le problème en suspens entre lui et son interlocuteur. Le légat devait composer avec ses supérieurs politiques, mais lui, il avait une armée à motiver. Et après tout, il avait quand même réussi à prendre Ap' Escatoy.

— Pardonnez ma question, dit soudain le légat, mais il faut absolument que je sache. C'est bien du miel ?

Le colonel sourit.

— Votre palais est d'une grande finesse, dit-il. Oui, vous avez raison. C'est une denrée rare, une spécialité de cette région. Enfin, elle n'est pas vraiment d'ici. Les gens l'importent du Nord. Mais c'est la seule utilité qu'on lui a trouvée. C'est de la bruyère.

— De la bruyère ? répéta le légat comme si son interlocuteur venait soudain de lui parler de serpents de mer.

— Les abeilles la butinent, expliqua le colonel. Et c'est ce qui donne au miel ce goût si particulier. Cela ne fait pas une grande différence, mais dosé avec soin, c'est plutôt agréable. Vous ne trouvez pas ?

Du miel de bruyère, songea le légat. *Mais que vont-ils inventer ensuite ?*

Il eut la tentation de céder sur cette histoire de citoyenneté, mais le bureau des Provinces n'était pas si décadent — du moins pas encore.

— Votre sergent, dit-il. Je vais vous dire ce que je vais faire à son propos. Je vais lui accorder une citoyenneté probatoire basée sur la longueur de sa carrière de soldat. Je trouve que cette solution est un juste milieu entre reconnaissance et motivation, vous n'êtes pas de mon avis ?

Le colonel sourit.

— C'est parfait. Je suis sûr que la nouvelle va gonfler le moral des troupes. (Il souleva une carafe argentée et remplit de nouveau la tasse du légat.) J'ai toujours pensé qu'il était indispensable de bien contrôler les conséquences d'une victoire.

Quand ils apprirent la nouvelle de la chute d'Ap' Escatoy après trois années de siège et de privations, les marchands îliens réagirent avec cette promptitude et cet esprit de décision qui leur étaient propres. Ils augmentèrent sur-le-champ le prix du raisin (d'un quart de sol le bushel), du safran (de six sols la livre), de l'indigo, de la cannelle et de la céruse. En conséquence, les marchés se stabilisèrent avant d'avoir l'occasion de s'effondrer. Le taux de prêt plancher de la banque de Shastel termina même la journée en hausse d'un demi pour cent et la majorité des gens gagnèrent plus d'argent qu'ils en perdirent. Quand le marché ferma, on put affirmer sans crainte qu'il y avait eu plus de peur que de mal.

— Quand même ! dit Venart Auzeil en se servant une nouvelle coupe de vin corsé. Je dois reconnaître que, pendant un moment, j'étais inquiet. Nous avons risqué gros dans cette affaire. Je suppose que nous devrions nous réjouir que la situation ait aussi bien tourné.

— Ce n'est pas fini ! grommela Eseutz Mesatges en s'essuyant la bouche d'un revers de poignet.

La tenue en vogue pour les femmes marchandes était à peu près la même que celle de princesse pirate qui l'avait précédée d'un an, mais avec un peu moins d'or et davantage de cuir. Elle allait à Eseutz comme un gant, mais, par malheur, elle se révélait peu adaptée au transport de mouchoirs.

— Il n'y a pas la moindre raison de croire qu'ils vont s'arrêter là. Sauf si quelqu'un les y oblige, ajouta-t-elle d'un ton ferme. Ces types sont un véritable fléau pour le commerce. Il faut faire quelque chose. Et je ne vois pas ce qui te fait sourire, Hido. Si l'armée impériale décide de remonter la côte au lieu de la descendre comme tout le monde le prévoit, tu n'arriveras jamais à te débarrasser de ces fameuses concessions de poivre dont tu nous rebats les oreilles sans cesse.

Venart fronça les sourcils.

— Mais c'est un scénario improbable, tu ne crois pas ? Enfin, je pense que le seul but de ces manœuvres est de sécuriser leur frontière ouest. S'ils marchaient vers le nord plutôt que vers le sud, ils l'agrandiraient au lieu de la renforcer.

— Par tous les dieux, Venart ! Ce que tu peux être naïf ! s'exclama Eseutz avec impatience. Sécuriser leur frontière ? Mon cul, oui ! C'est ni plus ni moins que de l'expansionnisme en règle — comme n'importe qui avec la moitié d'un cerveau aurait déjà pu te le dire il y a trois ans ! Non, nous aurions dû les arrêter à Ap' Escatoy. Merde, nous aurions même dû les arrêter plus tôt, à Ap' Ecy, ou avant qu'ils franchissent la frontière. Plus ils progressent, plus ce sera difficile. C'est l'évidence même.

Hido Glaia bâilla et attrapa une nouvelle poignée d'olives.

— Si seulement tu m'écoutais, tu saurais que je suis assez d'accord avec toi. Je pense qu'ils sont pires qu'une invasion de sauterelles. Ils représentent une véritable menace. Heureusement — bénis soient les dieux —, nous vivons sur une île. Mais ce qui m'amuse, c'est que tu crois que nous pouvons faire quelque chose contre eux. (Il ouvrit la bouche pour y attraper un noyau d'olive.) Nous aurions une chance en nous alliant à Shastel, *et* à Gorgas Loredan et sa joyeuse bande d'assassins du Mesoge, *et* au peuple du roi Temrai — ce sont eux qui devraient commencer à s'inquiéter maintenant, car si j'étais à la tête du bureau des Provinces, je sais de qui je m'occuperais en premier. Oui, si nous nous rassemblions et si nous joignions nos forces, nous pourrions aller à Ap' Seny et leur dire que ça suffit. (Il haussa ses larges épaules.) Je suppose que ça pourrait les calmer autant que les énerver, ça dépendrait de leurs autres sources actuelles d'approvisionnement. C'est une information que nous n'avons pas, alors que nous devrions le savoir — et pareille ignorance est tout à fait scandaleuse. Mais soyons lucides, cette alliance est une utopie. Non, la meilleure chose qu'il nous reste à faire, c'est entamer des discussions très polies avec les provinciaux, à propos de pactes de non-agression, de droits de douane et peut-être d'un statut privilégié pour la libre circulation des marchandises. Ce ne sont pas des sauvages, tu sais. Si nous avons appris à apprécier le peuple des plaines, nous pouvons nous entendre très bien avec ces bâtards.

Vetriz, la sœur de Venart, était restée allongée sur son divan pendant la conversation, faisant semblant de s'ennuyer. Elle se redressa soudain.

— J'espère que tu plaisantes, Hido. Nous, copiner avec le peuple des plaines ? Après ce qu'ils ont fait à Périmadeia ?

Hido grimaça un sourire.

— Nous commerçons avec eux. Tu commerces avec eux. Même la banque de Shastel commerce avec eux

— et pourtant, les dieux en sont témoins : si quelqu'un est en droit de leur en vouloir, c'est bien sa directrice. (Il se pencha en avant pour se gratter la plante du pied.) Et où est Athli, au fait ? Je pensais qu'elle serait là.

Eseutz se renfrogna.

— Oh ! elle est quelque part, occupée à se rendre terriblement indispensable. Je ne sais pas. Elle dirige sa succursale comme si toute cette maudite banque lui appartenait.

— Eseutz a essayé d'obtenir un crédit pour prendre une option d'achat sur les épices, expliqua Hido. Et Athli le lui a refusé tout net, la brave fille. J'aurais pu t'épargner le déplacement si tu m'avais demandé conseil. (Il adressa à Eseutz un grand sourire condescendant.) Athli s'habille peut-être comme une Îlienne, elle parle peut-être comme une Îlienne, mais elle a un sens des affaires plus aiguisé que la plupart d'entre nous qui sommes nés et avons été élevés ici. Et quand il s'agit d'un prêt, elle est périmadeienne jusqu'à la moelle des os, et il n'y a pas de risque que ça change.

Eseutz renifla avec mépris et tendit la main par-dessus la table pour attraper la carafe de vin.

— D'abord, c'est entièrement ta faute ! dit-elle à Vetriz. C'est toi qui l'as amenée ici. Oh ! et puis ça suffit ! Vous pourrez lui dire que j'ai obtenu mon prêt ailleurs — et à peine à un pour cent au-dessus du taux plancher.

— Mais tu as été obligée de gager ton navire, remarqua Hido. Je n'aimerais pas être à ta place. Pour ma part, je pense qu'Athli a voulu te rendre service. Qui diable paiera ton poivre et ta cannelle à de tels prix quand le bureau des Provinces inondera le marché au comptant d'épices moitié moins cher que ce que tu les achètes maintenant ?

Eseutz grogna et reposa brutalement la carafe sur la table.

— Si c'est ainsi que tu vois les choses, tu ferais tout aussi bien de commencer à mémoriser le nom de toutes leurs putains de Grandes Majestés. Comme ça, tu pourras les débiter aux provinciaux pour les impressionner quand leurs soldats débarqueront ici avec leurs grosses bottes.

Hido baissa la tête.

— En fait, ce serait peut-être prudent de le faire. Si nous sommes amenés à faire du commerce avec ces gens-là — comme ça semble de plus en plus probable —, il ne serait pas inutile d'apprendre à faire des ronds de jambe à leurs représentants.

Quand la soirée tira à sa fin et que leurs invités furent rentrés chez eux, Vetriz se débarrassa de ses chaussures avec vigueur et se servit le fond de la carafe de vin.

— Je n'arrive pas à comprendre ce qui se passe entre ces deux-là. Ils le sont ou pas?

Son frère haussa les épaules.

— Autant l'un que l'autre, répondit-il. C'est d'ailleurs curieux, je te l'accorde. Ses sentiments à lui crèvent les yeux, mais la réciproque n'est pas vraie. Et elle ne le sera jamais.

Vetriz haussa un sourcil.

— C'est drôle, remarqua-t-elle. J'imaginais plutôt le contraire. Enfin, je suppose que ça veut dire qu'ils sont faits l'un pour l'autre. Mais dans ce cas, je ne comprends pas pourquoi ils passent leur temps à se faire des coups bas en affaires.

Venart bâilla.

— À mon avis, c'est leur manière de se montrer leur affection. Mais ce qu'elle disait à propos de l'empire n'était pas idiot — enfin, dans un sens. D'un autre côté, le point de vue d'Hido était intéressant, lui aussi. La chute d'Ap' Escatoy nous place en première ligne.

— Si tu le dis, répondit Vetriz en se levant avec lenteur. Je vais me coucher tant que je peux encore bouger.

— D'accord. (Venart hésita un instant avant de poursuivre.) Quand je suis allé aux Clous, cette après-midi, j'ai entendu un truc bizarre sur cette histoire d'Ap' Escatoy.

— Hm ? Tu me raconteras ça demain matin.

Venart secoua la tête.

— Je crois que j'aurais dû t'en parler avant — mais ce n'est qu'une rumeur, bien entendu, et je ne sais pas du tout d'où elle vient, ni si elle est fondée. J'attendais de voir si Hido ou Eseutz en avaient entendu parler, mais apparemment, non.

Vetriz bâilla.

— Oh ! pour l'amour des dieux, Ven ! Cesse de tourner autour du pot et va au but.

— D'accord. (Venart détourna légèrement le regard.) Il se trouve qu'il y avait quelqu'un qui parlait de la chute d'Ap' Escatoy. Il racontait comment ça s'était passé. Il a dit que l'homme qui a enfin réussi à percer les tunnels de la ville et à abattre la muraille s'appelait Bardas Loredan.

Vetriz ne se retourna pas.

— Ah bon ? dit-elle. C'est intéressant.

— J'ai pensé qu'il fallait que tu le saches. Alors, voilà. Comme je te l'ai dit, il n'y a pas la moindre confirmation ou quoi que ce soit. C'est juste une rumeur.

— Bien sûr, répondit Vetriz. Bien, je vais me coucher. Bonne nuit.

Après avoir appris la nouvelle, il était inévitable que ses rêves la ramènent dans les mines. Elle les connaissait par cœur maintenant, si bien qu'elle avait déjà mal aux genoux et à la paume des mains rien qu'à y penser. Et que dire de l'obscurité, de l'air confiné et de ces odeurs d'argile et de fines herbes ? Une fois de plus, elle avançait à quatre pattes et à l'aveuglette en direction du bruit — ce chaos indescriptible de sons métalliques et de voix. Elle espéra qu'elle reconnaîtrait celle de quelqu'un, mais son vœu était utopique. Ce qu'elle venait d'apprendre expliquait peut-être pourquoi elle revenait sans cesse dans cet endroit, mais elle ne comprenait rien au reste. Ce n'était qu'un rêve dans lequel elle avançait à quatre pattes dans l'obscurité des boyaux d'une mine. Parfois, le plafond s'effondrait sur elle, mais pas toujours. Peut-être que sa première intuition avait été la bonne : les dieux la punissaient pour avoir mangé du fromage bleu avant d'aller au lit.

Mais cette fois, elle cria son nom. Elle ne sut pas exactement si elle lui disait qu'elle venait à son secours ou si elle-même demandait son aide. Toute la nuit, elle se glissa, frappa des pieds et se traîna dans les galeries et boyaux de son rêve. Parfois, elle devait se faufiler et ramper par-dessus des hommes morts depuis bien longtemps — il y en avait qu'elle connaissait depuis une éternité et d'autres qu'elle voyait pour la première fois. Mais elle ne parvint pas à se rapprocher du bruit et les voix restèrent confuses. Elle se réveilla en nage et les draps entortillés autour d'elle. L'oreiller était par terre, où elle l'avait jeté après l'avoir remercié pour sa patience.

Temrai ouvrit les yeux et la lumière le glaça de terreur.

Il secoua la tête comme un chien mouillé pour chasser le rêve de son esprit. À côté de lui, Tilden grogna avant de se retourner en entraînant la couverture — exposant les orteils du jeune chef. Rien ne pouvait la tirer de son sommeil, pas même le cri étouffé qu'il avait poussé en se réveillant. Tilden faisait aussi des cauchemars étranges et terribles, mais à propos de casseroles oubliées sur le feu ou de la réception de tapisseries longtemps attendues et qui, en fin de compte, juraient avec les coussins. Cette pensée le fit sourire malgré lui.

Il soupira et s'assit, déplaçant son poids avec précaution pour ne pas la déranger. En fait, la lumière n'était rien d'autre qu'une vague lueur lunaire qui pénétrait par l'orifice d'évacuation de la fumée. Il était à peine imaginable qu'elle lui ait semblé si aveuglante quelques secondes plus tôt.

Il se remémora le rêve, point par point, comme un témoin consciencieux devant un juge d'instruction. Il s'était déroulé dans les ténèbres, dans une espèce de mine ou de souterrain. Il y avançait à tâtons pour essayer frénétiquement d'échapper à quelque chose — ou quelqu'un. Le danger venait soit d'un effondrement soit de cet homme au poignard, mais la plupart du temps, c'étaient les deux en même temps. Quand son poursuivant l'avait rattrapé, Temrai avait senti une main agripper ses cheveux et lui tirer la tête en arrière pour exposer sa gorge à la lame tranchante. Il avait entendu une voix le remercier, puis une seconde disant que le cadavre était celui du sergent Bardas Loredan, le ravageur de cités, le destructeur de murailles, le responsable de la mort de milliers de gens...

... Ce qui était tout à fait inexact, bien sûr ! C'était lui, Temrai le Grand, qui était le ravageur de cités et l'assassin de milliers de personnes. C'était lui qui avait pris la ville et fait brûler vivants des centaines de milliers de Périmadeiens prisonniers à l'intérieur avant d'abattre les murailles.

Ces cauchemars le poursuivaient depuis la chute de la Triple Cité et l'avaient rendu dangereusement malade. Il avait fait venir de Shastel ce savant docteur aux honoraires exorbitants. Le praticien lui avait déclaré que tout était parfaitement normal, qu'il n'était pas étonnant que dans ses rêves il se mette à la place d'une personne qu'il avait fait brûler. Le savant docteur aux honoraires exorbitants lui avait donné l'impression que ces cauchemars étaient si naturels qu'ils étaient sains pour lui, comme boire beaucoup de lait et faire de l'exercice de temps en temps. Il se demanda ce que le médecin aurait tiré de leurs récents développements : les souterrains, l'homme au poignard qui n'était autre que Bardas Loredan, le ravageur de cités. Il pouvait en partie les décrypter seul : sa culpabilité et le mépris qu'il éprouvait pour lui-même l'avaient conduit à s'identifier avec l'être le plus terrifiant et le plus destructeur qu'il ait jamais rencontré. Dans ses rêves, il devait devenir Bardas Loredan, le stade ultime de la dégénérescence. Inutile de dépenser du bon argent pour s'entendre dire cela.

Il bâilla. Il n'avait pas la moindre chance de se rendormir. Ce dont il avait surtout envie, c'était de compagnie. Il se glissa doucement hors du lit et chercha ses chaussons de feutre soyeux du bout du pied. Puis il enfila son manteau et sortit de la tente sans un bruit.

Qui pouvait bien être éveillé à cette heure de la nuit ? Eh bien, les sentinelles pour commencer — et si ce n'était pas le cas, elles allaient avoir de ses nouvelles —, et puis l'officier de permanence ainsi que son camarade — les militaires avaient un terme spécial pour lui, mais Temrai ne le connaissait pas ; en fait, le travail de cet homme consistait à rester éveillé jusqu'au matin et à jouer aux dames pour empêcher l'officier de permanence de s'endormir. Bientôt, les boulangers se lèveraient afin de préparer le pain pour la journée. Il y avait sans doute quelque part dans le cantonnement une bande de jeunes imbéciles ayant passé la nuit à boire et, ici et là, quelques insomniaques rongés par l'angoisse de leur possible mort dans la bataille du lendemain. Il était improbable qu'il fût le seul homme sur vingt mille tiré du lit par un cauchemar. Une petite promenade dans les allées du camp lui permettrait de trouver quelqu'un avec qui parler.

Il bâilla de nouveau. La nuit était chaude et il y avait une odeur de pluie dans l'air. À sa grande surprise, il s'aperçut qu'il avait faim. En fait, il n'avait pas besoin de compagnie ou d'une personne à qui confier ses problèmes. Non, ce dont il avait surtout envie, c'était une paire de galettes de farine blanche roulées dans la crème aigre et le miel — de préférence avec des groseilles et saupoudrées de noix de muscade. Sa demande n'avait donc rien d'outrancier. Après tout, il régnait sur une nation d'une loyauté inébranlable et son peuple avait spontanément accordé l'épithète « grand » à son nom.

Il avait aussi l'avantage de bien connaître ses sujets. Il savait que les meilleures galettes étaient préparées par

Dondai, le « plumeur ». C'était un vieillard édenté et plein d'entrain. Il passait sa vie à arracher des plumes sélectionnées avec soin sur les ailes des oies qui formaient le corps de réserve des gens de sa profession. Le ressentiment des palmipèdes à son encontre commençait d'ailleurs à se faire clairement sentir. Le travail de Dondai s'arrêtait là. Le tri entre plumes gauches et plumes droites revenait à quelqu'un d'autre, tout comme la tâche de les fendre par le milieu, de les couper à la taille convenable ou de les apporter aux artisans qui les fixaient enfin sur les fûts à l'aide de minces bandes de tendons de récupération. Quand il n'arrachait pas des plumes, Dondai cuisinait des galettes succulentes. Et comme il était trop vieux pour dormir très longtemps, il y avait de bonnes chances qu'il soit debout à cette heure-là.

Sa tente n'était pas très difficile à trouver — même au beau milieu de la nuit. Il vous suffisait de suivre l'odeur et le vacarme des oies. Il y avait bien sûr un petit feu de camp à l'entrée de l'enclos des palmipèdes et, juste à côté, quelqu'un était assis de dos. Il tenait entre ses grosses mains expertes un volatile furieux et peu coopératif. Le jeune chef tapa sur l'épaule de l'homme qui se retourna. Temrai s'aperçut alors qu'il ne s'agissait pas de la personne qu'il cherchait.

— Excuse-moi ! dit-il. Je t'ai pris pour Dondai. (L'inconnu le regarda en fronçant légèrement les sourcils.) Dondai, le fabricant de flèches, répéta Temrai. Il dort ?

— On peut dire ça comme ça, répondit l'autre. Il est mort il y a trois jours.

— Oh !

Curieusement, la nouvelle choqua Temrai bien plus que de raison. Il était vrai qu'il mangeait ses galettes de farine blanche depuis qu'il était enfant, mais le vieil homme n'avait jamais représenté davantage pour lui ; il n'avait été qu'une main tenant avec fermeté un bol de terre ou une crêpière en fer.

— Je suis désolé.

L'homme haussa les épaules.

— Il avait quatre-vingt-quatre ans, répliqua-t-il. Quand les gens atteignent un âge pareil, ils ont tendance à mourir. On ne peut pas dire que ce ne soit pas juste ou autre chose. Au fait, je suis Dassascai, son neveu. Tu étais son ami, alors ?

— Une connaissance, répondit Temrai. Tu t'es engagé dans notre armée il y a peu, n'est-ce pas ?

— Je ne me suis pas engagé, dit Dassascai. Récemment encore, je tenais une échoppe sur le marché d'Ap' Escatoy. Je vendais du poisson. En fait, j'ai passé presque toute ma vie là-bas.

— Vraiment ? Ces dernières années ont dû être terribles pour toi.

Dassascai secoua la tête.

— Pas tant que ça. C'était un port, tu te souviens ? Et le bureau des Provinces n'avait pas assez de navires pour établir un blocus. Par conséquent, il n'y avait pas de pénurie et les gens continuaient à acheter. C'était une guerre agréable par rapport à la moyenne.

Temrai hocha la tête avec lenteur.

— Et qu'est-ce qui t'est arrivé ? demanda-t-il. J'ai cru comprendre que peu en étaient sortis vivants.

— Et c'est bien ce qui s'est passé. Par chance, je n'étais pas en ville quand c'est arrivé. J'étais en route pour rendre visite à mon oncle comme un gentil neveu. Et puis je devais rentrer en passant par Île pour acheter de la morue salée. En fait, je suis parti deux jours avant la fin. Tu vois, je suis un type plutôt chanceux. (Un sourire amer se dessina sur son visage.) Sauf que je n'emmène jamais ma femme et mes enfants en voyage d'affaires. Et puis, il y a aussi la question triviale des biens amassés pendant toute une vie — ce genre de remarque n'est pas de bon ton quand on vient d'annoncer la mort de toute sa famille, mais à dire vrai, je sais bien lesquels je regrette le plus.

Temrai s'assit par terre, de l'autre côté du feu.

— Et qu'est-ce que tu vas faire maintenant ? Prendre la place de ton oncle ?

— Passer ma vie à plumer les ailes des oies ? Merci bien !

Dassascai se leva. D'une main, il tenait par les pattes un volatile qui se débattait furieusement la tête en bas, de l'autre, une petite poignée de plumes.

— D'abord, le duvet de ces bestioles me fait éternuer. Ensuite, elles sentent mauvais. Pour le moment, je remplace mon oncle parce que, si je ne travaille pas, je ne mange pas. Mais une occasion finira par se présenter. Et ce jour-là, je plie bagage.

— Très bien, dit Temrai. Et tu as une idée de la forme que cette occasion prendra ? Dans mon métier, on tombe parfois sur de bons postes à pourvoir qui exigent une personne qualifiée. Je pourrais jeter un œil pour voir s'il y en a un qui te conviendrait.

Dassascai le regarda à travers les flammes.

— Et ça consiste en quoi ton métier ?

— C'est surtout du travail administratif, répondit Temrai. Et j'assiste à des réunions, ce genre de choses.

— Tu es un homme puissant et influent, remarqua Dassascai. Bon ! il faudrait peut-être que je te parle de mes domaines de compétence. J'achète et je vends, j'ai l'habitude de voyager, je sais marchander et, en général, j'obtiens des réductions importantes. Ma mère disait toujours que mon visage respirait l'honnêteté. Voilà, c'est à peu près tout.

Temrai sourit.

— Tu aurais sans doute fait un bon Périmadeien. Ou un bon Îlien. Et au fait, comment as-tu atterri à Ap' Escatoy ?

Dassascai s'accroupit soudain et se redressa avec une nouvelle oie se débattant contre sa poitrine.

— Je me le demande encore, dit-il en s'asseyant. Quand j'étais enfant, je me suis disputé avec mon père à propos de je ne sais plus quoi. Il s'est fâché, alors je suis parti et je ne suis jamais revenu. Un peu plus tard, je me suis retrouvé à Ap' Escatoy, caché derrière une rangée de tonneaux avec un panier de langoustes que je venais de voler. En un clin d'œil, je les avais déjà vendues et j'étais sur les quais pour en acheter d'autres. Ensuite, ma vie est devenue agréablement monotone pendant un temps. J'aime mener une existence ennuyeuse.

Temrai se frotta le bout du nez avec le poing.

— Vraiment ?

— Il semblerait que ça ne soit pas ton cas.

— J'ai beaucoup de mal à m'ennuyer, répondit Temrai. Presque tout m'intéresse. Tiens, par exemple, je trouve fascinant de monter un commerce de poisson à partir de rien.

Dassascai secoua la tête.

— Tu te trompes. Tu restes derrière ton étal de marché toute la journée. Et si personne ne s'arrête pour acheter quelque chose, tu te demandes comment diable tu vas pouvoir te débarrasser de ton stock avant qu'il commence à puer. C'est ta principale activité de la journée, même si tu as tout vendu. Tu as mal aux pieds. Tu contemples des têtes de poisson mort qui te regardent fixement. Dix ans plus tard, tu loues un emplacement couvert par un auvent déchiré. Et cinq ans après, tu t'inquiètes de savoir combien ta femme dépense en tissu. Tu essaies de calculer la somme que ton employé te vole sans que ça se voie dans les comptes. (Il leva les yeux et sourit.) Et encore cinq ans plus tard, une espèce d'enfoiré sape les murailles de ta cité et tu te retrouves à plumer des oies. C'est quand je m'ennuyais que j'étais le plus heureux, il n'y a pas de doute là-dessus.

Temrai se leva.

— Ma foi, tu as peut-être raison. Si j'apprends qu'il y a un poste barbant à pourvoir, je t'avertirai.

— Merci, dit Dassascai. Ça me ferait plaisir.

Quand Temrai regagna sa tente, Bossocai, l'ingénieur, et Albocai, le capitaine des réservistes, l'attendaient. Ils étaient assis sur de petits tabourets pliants juste à côté de l'entrée.

— Je suis désolé, dit Temrai. Vous êtes là depuis long-temps ?

— Non ! Non ! Nous venons à peine d'arriver, répondit Albocai, qui était le roi des menteurs.

— Je viens d'avoir une discussion avec un espion très intéressant, poursuivit Temrai. (Il écarta le pan de toile fermant la tente et leur fit signe d'entrer.) Au fait, parlez doucement. Ma femme dort encore.

— Comment sais-tu que c'était un espion ? demanda Bossocai.

Temrai sourit.

— Ça n'aurait pas été plus évident s'il se l'était fait tatouer sur le front. Un homme bien gentil. J'ai fréquenté son oncle pendant des années.

Albocai fronça les sourcils.

— Eh bien, dans ce cas, nous ferions mieux de l'arrê-ter. Comment s'appelle-t-il ?

— Ce n'est pas nécessaire, répondit Temrai. Ce n'est pas comme si nous avions des secrets de la plus haute importance. (Il eut un sourire que les deux autres ne comprirent pas.) En fait, un espion infiltré dans notre camp mènerait la vie la plus ennuyeuse du monde, alors tout est au mieux. Je ne sais pas trop pour qui il travaille, mais à mon avis, il est à la solde du bureau des Provinces. C'est intéressant, non ?

— Je trouve que tu as tort ou que tu prends la chose un peu trop à la légère, dit Albocai. Tu es sûr que c'est un espion ?

Temrai hocha la tête.

— Ce type se fait passer pour le neveu d'un homme que j'ai fréquenté depuis l'enfance et qui n'avait ni frères, ni sœurs — et encore moins de neveux. Il reste assis et fait semblant de ne pas me connaître alors qu'il sait très bien qui je suis. Et il me demande — presque en ces termes — si je ne veux pas l'employer comme espion.

Alors, je tire la conclusion qui s'impose. Oh ! ça me fait penser à quelque chose. Albocai, trouve-moi ce qui est arrivé à un certain Dondai.

— Le plumeur ? Il est mort.

— Ah bon. Renseigne-toi là-dessus, d'accord ? S'il a été assassiné, tu pourras faire ce que tu veux de cet espion — et avec ma bénédiction en plus. Et la prochaine fois que je le verrai, j'espère bien qu'il sera en plusieurs morceaux. Bon ! assez parlé de lui. Que puis-je faire pour vous ?

— Eh bien…

L'ingénieur se lança dans une longue série de questions pointues et techniques sur la manière de régler les cordes des machines de guerre à torsion — un sujet sur lequel Temrai en connaissait plus que quiconque dans l'armée. Une fois le problème résolu, Albocai harcela le jeune chef pour qu'on décide une fois pour toutes de l'ordre de bataille de l'infanterie légère de réserve. Quand les deux hommes furent partis, Temrai jeta un regard au lit et bâilla. Il avait sommeil, mais il était beaucoup trop tard pour se coucher. Il ramassa son carquois, s'assit sur la presse à vêtements et commença à affûter des pointes de flèche sur un morceau de cuir à rasoir.

Pendant ce temps, près de l'enclos des oies, l'espion Dassascai arrachait des plumes en récapitulant sa première rencontre avec l'homme qu'il devait conduire à la mort.

— Attention ! s'écria le garçon. Regardez où vous allez…

L'avertissement arriva trop tard. Gannadius trébucha sur une branche cassée, partit en avant et tomba dans la boue — une boue désagréable et épaisse sous une fine couche d'humus. Il sentit ses jambes s'y enfoncer jusqu'aux genoux. Il sut qu'il n'arriverait jamais à se dégager, mais il essaya quand même et ne réussit qu'à perdre une botte. Le contact de la vase humide contre son pied nu était répugnant.

Une petite minute, pensa-t-il.

— Tenez bon ! cria le garçon derrière lui. Ne vous débattez pas ou vous allez aggraver les choses !

Il attrapa Gannadius sous les bras et le souleva. L'ancien archimandrite redressa l'autre pied pour ne pas perdre sa seconde botte.

Par l'enfer ! Je me souviens de cette scène. Et je ne crois pas que je vais aimer…

— Voilà, dit le garçon.

Gannadius tourna enfin la tête et vit un jeune homme. Ce dernier n'avait pas dix-huit ans, mais il était bâti comme un colosse. Il avait un visage large, assez idiot, et de fins cheveux blond cendré qui commençaient déjà à se faire rares. Son nez était petit et plat ; ses yeux, bleus.

— Vous devriez vraiment faire attention où vous posez les pieds ! Venez. Il est temps de partir.

Gannadius ouvrit la bouche, mais ne parvint pas à articuler le moindre mot. Il se baissa et tira sur sa botte pour l'extirper du marécage. Elle était pleine d'eau et de terre. Le garçon avait déjà commencé à s'enfoncer dans le sous-bois d'un pas lourd.

Une forêt dense envahie par les ronces et le sol recouvert de boue collante. Oui, c'est bien le même endroit.

Il se dépêcha pour rattraper son sauveur. Il réussit à se frayer un passage en suivant le chemin que le garçon avait ouvert dans le chaos végétal.

— Je n'aime pas ça, oncle Theudas, dit le jeune homme.

Un instant plus tard, des inconnus surgirent des bruyères et des fougères entrelacées. Ils avançaient avec peine, perdant l'équilibre, pataugeant dans la boue et déchirant leurs vêtements sur les épines. Le spectacle aurait été hilarant si, en dépit de leurs difficultés, leurs intentions n'avaient pas été si claires : ils étaient ici pour les tuer, le garçon et lui. Et ils avaient l'avantage de porter une armure et des armes.

— Malédiction ! s'exclama son neveu en se baissant

soudain tandis qu'une hallebarde fendait l'air en sifflant au-dessus de sa tête.

Il se redressa, arracha l'arme des mains de son propriétaire et frappa violemment ce dernier au visage avec l'extrémité du manche. Un nouvel assaillant essaya de se diriger vers lui, mais ses bottes étaient si lourdes de boue qu'il devait avancer en se dandinant comme un canard. Il tenait une grande hache d'armes, mais tandis qu'il la faisait tournoyer en l'air, elle heurta le sommet d'un massif d'églantiers. Avant que le soldat puisse la dégager, Theudas Junior l'avait frappé au ventre avec la hallebarde qu'il venait d'acquérir. Sa victime chancela, lâcha son arme et battit frénétiquement des bras pour retrouver son équilibre, les pieds bien enfoncés dans la terre comme ceux de Gannadius un moment plus tôt. Puis, elle s'effondra sur le dos et resta immobile, agonisant dans une mare de boue visqueuse.

— Allez, cria le géant. (Il se pencha en arrière pour saisir Gannadius par le poignet tout en parant un coup de serpette avec la hallebarde qu'il tenait d'une main, juste en dessous de la lame.) Par tous les dieux ! Si vous n'étiez pas mon oncle, je vous abandonnerais sur place.

Je ne me souviens de rien d'autre. Malédiction !

— J'arrive ! J'arrive ! haleta Gannadius. Attends-moi, par la grâce des dieux.

— Oh ! par tous... (Theudas Junior frappa juste au-dessus de la tête de Gannadius et sa hallebarde fendit le crâne d'un soldat.) Je commence à regretter de m'être lancé dans ce voyage.

Il y avait encore quatre adversaires, mais ils se tenaient désormais à distance respectueuse — allez donc savoir pourquoi.

— Ne restez pas planté là, dit Theudas Junior avec colère. Allez-y ! Je vais les retenir.

Y aller ? Certes, mais où ? Je suis complètement perdu.

Gannadius extirpa avec peine ses jambes de la boue collante et se précipita en avant tête baissée. Derrière lui, il entendit le fracas métallique des armes s'entrechoquant.

Je ne vois vraiment pas l'utilité d'échapper aux soldats pour me noyer dans un marécage.

Il fut tenté de regarder en arrière, mais décida en fin de compte que c'était une mauvaise idée — sans doute parce que le spectacle aurait été trop déprimant. Peu après, il trébucha et tomba tête en avant dans la boue. Il resta allongé là, trop épuisé pour songer à se relever.

— Mon oncle !

Ce ton réprobateur était sans nul doute un trait de famille. Il entendait encore sa mère lui parler ainsi quand elle le réprimandait : *Je pensais t'avoir dit d'écosser les haricots !*

— Mon oncle, vous êtes vraiment un boulet ! Levez-vous, par tous les dieux !

— 'Peux pas.'Suis collé !

— Bon !

Gannadius sentit qu'on lui agrippait le poignet. L'instant suivant, une main d'une force effroyable essaya de lui arracher le bras — et s'y prit fort bien. Par chance, la boue céda avant les muscles et les tendons. Une seconde main s'empara de lui pour le remettre sur ses pieds.

— Vous allez bien ?

— Je vais bien, répondit Gannadius. Excuse-moi.

— Un peu de courage ! Essayez de suivre !

Un franc succès, cette idée de franchir le blocus, songea Gannadius avec amertume. *Et que dire de cette tentative pour se glisser subrepticement entre les lignes ennemies à la faveur de l'obscurité et du brouillard, au moment où ils s'y attendaient le moins ! En théorie, c'était une bonne idée, mais l'amiral de l'empire n'est pas un demeuré. S'il garde ses navires serrés les uns contre les autres par les nuits brumeuses, c'est qu'il y a une raison. Peut-être pour que les gens assez idiots pour tenter de se faufiler entre les rochers submergés du détroit aillent au-devant de gros ennuis ?*

— Est-ce qu'ils sont encore après nous ?

— Aucune idée, répondit le garçon. Si c'est le cas, ce sont vraiment des crétins. Attention à vos pieds, c'est un peu collant.

Et maintenant, Gannadius errait dans un marais au beau milieu du territoire ennemi avec la moitié de l'armée provinciale à ses trousses — un homme de son âge ! Même une personne avec la moitié d'une cervelle aurait compris qu'il valait mieux rester sur Île ; si nécessaire, il y aurait trouvé un travail et aurait attendu sagement que Shastel et le bureau des Provinces règlent leurs différends et cessent de jouer aux petits soldats tout le long de la côte est.

— Nous allons nous arrêter ici, déclara Theudas Junior. Ça vous donnera l'occasion de reprendre votre souffle.

— Merci, répondit Gannadius avec reconnaissance. Tu es sûr que nous sommes en sécurité ?

— Et comment diable le saurais-je ? C'est la première fois de ma vie que je mets les pieds ici !

Gannadius s'adossa à un arbre et se laissa glisser à terre.

— Je sais bien, dit-il. Mais tu as l'air tellement à ton aise dans ce genre de situation...

Le garçon haussa les épaules.

— Pas vraiment, non. Je me contente d'improviser au fur et à mesure.

— Magnifique ! Et moi qui pensais que c'était le fruit de l'enseignement de Bardas Loredan !

Son neveu sourit.

— Pas tout à fait, non. On a eu quelques problèmes avec des soldats un jour, mais on s'est juste caché en attendant qu'ils partent. (Il regarda la hallebarde qu'il tenait dans ses mains et la posa.) Je ne sais pas, peut-être que j'ai hérité cela de mon père. Vous m'avez dit qu'il est pirate.

— Il *était*, le corrigea Gannadius. Il a arrêté. C'est un honnête capitaine de cargo, aujourd'hui.

— Je croirai ça quand je le verrai de mes yeux, répliqua le garçon. Oh ! j'y pense, je suppose que la directrice Zeuxis ne va pas être très heureuse d'apprendre que nous avons perdu un de ses navires.

Gannadius ne put s'empêcher de sourire en imaginant la scène.

— Il n'était pas très gros. Et puis, Athli possède tellement de ces maudits engins, aujourd'hui… Je ne crois pas que celui-ci lui manque beaucoup. Et d'abord, ce n'est pas nous qui avons jeté cette satanée embarcation sur les récifs, c'était ce soi-disant capitaine qui est à son service. Pour ma part, je considère que nous sommes davantage des victimes qu'autre chose dans cette affaire.

Le garçon hocha la tête et sembla rassuré.

— Alors ? dit-il. Qu'est-ce qu'on fait maintenant ?

Gannadius fronça les sourcils.

— Je croyais que c'était toi qui avais des talents innés de meneur d'hommes ?

— Oui, mais c'est vous le sorcier. Invoquez donc un tapis volant pour nous tirer de ce mauvais pas.

— Si seulement j'en étais capable, soupira Gannadius. Cela ne marche pas ainsi.

— Si vous voulez mon avis, ça ne marche pas du tout !

— Tu as le droit d'avoir ton opinion, dit Gannadius avec lassitude. Et au fond, tu as parfaitement raison. Je suis incapable d'invoquer un tapis volant, je ne peux pas pulvériser mes ennemis avec une boule de feu ou les transformer en tritons. C'est fort regrettable, mais c'est ainsi.

Le garçon haussa les épaules.

— Eh bien, dans ce cas, nous marcherons. Ap' Amodi ne peut pas être si loin que ça.

— En fait, dit Gannadius, Ap' Amodi se trouve dans l'autre direction. Je ne suis peut-être pas un sorcier, mais je sais lire une carte. Si nous nous dirigeons quelque part, c'est droit sur Ap' Escatoy. Et je suggère humblement d'éviter cette étape.

— Ap' Escatoy ? répéta son neveu. Ce n'est pas là que... ?

— Si ! Comme je viens de le dire, c'est le genre d'endroit que nous avons tout intérêt à éviter.

Le garçon se frotta le menton d'une main couverte de boue.

— Mais... et si Bardas était vraiment là-bas ? Il nous aiderait, j'en suis sûr. Nous serions à l'abri.

Gannadius soupira.

— Je ne parierais pas là-dessus si j'étais à ta place. Même si nous le trouvions avant d'être capturés, ou que nous réussissions à lui envoyer un message, il n'y a aucune raison de penser qu'il puisse faire quelque chose pour nous. Rien ne prouve qu'il soit officier ou qu'il occupe un poste important.

Son neveu lui lança un regard rebelle.

— Bardas ne tolérerait pas qu'il nous arrive quoi que ce soit. Pas s'il savait que nous sommes en danger.

— Tu as peut-être raison. Mais nous aurions bien des occasions de mourir avant qu'il ait vent de nos ennuis. À mon avis, il vaut mieux essayer de rebrousser chemin et remonter la côte, en direction d'Ap' Amodi. Il faudra faire attention à ne pas aller trop au nord, sinon nous nous retrouverons à Périmadeia.

Le garçon acquiesça.

— Et vous connaissez le chemin, hein ?

Gannadius secoua la tête.

— J'ai un vague souvenir de la carte que j'ai vue, c'est tout. Et inutile de me poser des questions sur la distance à parcourir. Cela peut prendre une journée aussi bien que trois semaines.

— Oh !

Son neveu ressemblait maintenant à un petit enfant effrayé. Gannadius trouva ce changement très déconcertant.

— Et vous ne pouvez vraiment rien faire ? Enfin, avec vos... pouvoirs ?

Gannadius sourit.

— Rien du tout. Désolé.

— Ils ne servent pas à grand-chose, hein ?

— Pas à grand-chose, en effet.

Le garçon se leva.

— Bon ! dit-il. S'ils nous suivaient, ils nous auraient déjà rattrapés. On va où ? En gros, ajouta-t-il.

Gannadius réfléchit un moment.

— En gros, je dirais au nord-est, ce qui devrait être par là. À moins qu'il y ait une montagne, un fleuve ou un autre obstacle sur le chemin. La cartographie n'est pas vraiment une science exacte à Shastel.

Le garçon observa un instant le sous-bois. Puis il leva sa hallebarde et asséna un puissant coup de taille pour faucher le mur compact de ronces.

— Eh bien, dit-il en dégageant son arme coincée dans le fatras végétal. Autant nous mettre en route tout de suite, je suppose. (Il frappa de nouveau et abandonna.) Retournons par où nous sommes venus et voyons si on ne peut pas récupérer le chemin qu'on avait emprunté.

— D'accord, dit Gannadius. Mais... et si nous nous retrouvons nez à nez avec d'autres soldats ?

— Alors, on est foutu, déclara le garçon. Mais on n'a aucune chance de pouvoir traverser ça. Il faudrait une semaine de travail et vingt hommes pour dégager un passage jusqu'à ce grand arbre, là-bas.

Gannadius soupira et lui emboîta le pas.

Alexius, pensa-t-il. *Mais où diable es-tu quand j'ai besoin de toi ? Fais donc un effort pour me trouver et me dire quoi faire !*

Par malheur, cela ne fonctionnait pas ainsi, bien sûr, et il le savait très bien. Trois ans auparavant, il avait eu cette vision aléatoire provoquée par le Principe : il avait vu ce bref affrontement un peu ridicule dans la mare de boue. Il pouvait spéculer tout son saoul sur les motifs de cette prédiction, il n'en restait pas moins que le Principe n'était pas un outil : on ne pouvait pas s'en servir. C'était quelque chose qui tombait du ciel comme un coup de chance — ou de malchance.

Il continua à avancer avec peine, posant les pieds dans les traces profondes de son neveu.

Je suis trop vieux pour ce genre d'expédition. Et la situation ne s'améliore pas, mes vieux os n'auront guère l'occasion de vieillir davantage.

La voix du garçon l'arracha à ses pensées.

— Le chemin devrait être par ici. Nous avons dû le dépasser.

— Sans doute, répondit Gannadius avec un air malheureux. Il commence à faire trop sombre pour le trouver. Je propose de faire une halte ici et d'attendre le matin.

— D'accord. (Le garçon se laissa tomber sur place et lâcha la hallebarde qui s'abattit dans la boue.) J'ai faim.

— C'est ennuyeux. Si tu veux, tu peux essayer de chasser. À supposer qu'il y ait autre chose à tuer que des soldats dans ces horribles marais — ce dont je doute fort.

Le garçon secoua la tête.

— Je n'ai pas vu la trace du moindre animal.

— Alors, il faudra faire sans. Et essayer de ne pas y penser.

— D'accord.

Quelques minutes plus tard, le colosse dormait profondément. Gannadius ferma les yeux, mais sans succès. Il lui fallut un long moment pour sombrer dans le sommeil. Quand il y arriva enfin, il fit de nouveau ce songe — pire que d'habitude.

Gannadius ?

Il était dans le rêve : les toits de chaume étaient en flammes, des poutres s'effondraient et heurtaient le sol en soulevant des gerbes d'étincelles, de la fumée et des cris montaient tout autour de lui.

— Alexius ? demanda-t-il. Que fais-tu ici ?

L'ancien Patriarche se tenait devant lui.

Je ne sais pas. Voilà bien longtemps que je n'étais pas venu ici. Où es-tu ?

— J'espérais que tu pourrais me le dire, répondit Gannadius. Que vois-tu ?

Eh bien, cela. La chute de Périmadeia. Que voulais-tu que je voie ?

Gannadius fronça les sourcils.

— Mon neveu et moi sommes perdus dans un marais, quelque part entre Ap' Escatoy et Ap' Amodi. J'espérais que tu pourrais me dire ce que je dois faire.

Désolé. (Alexius haussa les épaules.) *Tu as bien dit Ap'Escatoy ? C'est curieux. J'y vais souvent depuis quelque temps.*

— C'est fascinant. Je meurs d'impatience de lire ta monographie à ce sujet. Tu ne veux pas faire un effort et essayer de trouver où nous sommes ? Ton aide nous serait précieuse, je t'assure.

Je souhaiterais de tout cœur pouvoir t'aider, mais tu sais bien comment cela fonctionne. Par pure curiosité, que fais-tu donc dans un marais au milieu de terres revendiquées par les deux camps ? La dernière fois que j'ai eu de tes nouvelles, tu avais ce joli petit poste confortable à Shastel.

Autour de lui, Périmadeia continuait à brûler. Gannadius essaya de ne pas regarder.

— J'espère que c'est encore le cas. Mais si je n'y retourne pas dans les plus brefs délais, ils me considéreront comme mort et nommeront un remplaçant. Non, je suis allé sur Île pour rencontrer mon neveu.

Ton neveu... Ah oui ! je me souviens. Le garçon que Bardas Loredan a sauvé à Périmadeia et emmené avec lui à Scona. Cela aussi, c'est curieux.

— Certes, certes ! répliqua Gannadius avec une pointe d'impatience. L'idée était... Tu te souviens d'Athli Zeuxis ?

Bien entendu. C'était le clerc de Bardas. Elle est marchande sur Île, aujourd'hui, n'est-ce pas ?

— C'est cela. Enfin bref, elle a ramené l'enfant avec elle quand Bardas a traversé cette mauvaise passe il y a quelques années — à peu près au moment où elle a obtenu la direction de la succursale îlienne de la banque de Shastel. On peut dire qu'elle s'est bien débrouillée depuis — au point qu'elle doit maintenant ouvrir un bureau équivalent à Shastel, auprès de la maison mère. Elle a donc pensé que ce serait sans doute une bonne idée si le jeune Theudas...

Ton neveu.

— C'est ça. Il a été baptisé en mon honneur.

Ton véritable nom est Theudas ?

— Oui. Theudas Morosin.

Par tous les dieux ! Nous nous connaissons depuis des années et je l'ignorais. Je suis désolé, continue, je t'en prie.

Gannadius poursuivit sur un ton patient.

— Athli a pensé que ce serait une bonne idée que le jeune Theudas aille à Shastel et y réside quelque temps avec son agent. Il pourrait aider à mettre sur pied les nouveaux bureaux et apprendre les ficelles du métier — et nous aurions ainsi l'occasion de faire plus ample connaissance, évidemment. Je suis pour ainsi dire son unique parent. Il a son père, bien sûr, mais celui-ci a encore disparu. Et puis, il n'a jamais été vraiment là pour son fils.

Je trouve que c'était une idée formidable. Qu'est-ce qui a mal tourné ?

Gannadius soupira.

— La malchance. Un jour ou deux après notre départ d'Île, une bataille a éclaté entre les troupes de Shastel et celles du bureau des Provinces à propos d'une misérable petite île. Tout cela est directement lié à cette histoire d'Ap' Escatoy. Il est bien évident que Shastel est terrifiée par la tournure que risquent de prendre les événements. Aujourd'hui, la flotte des provinciaux bloque le détroit d'Escati. Si nous avions eu une once de bon sens, nous aurions rebroussé chemin et fait le grand détour

— pour autant que je sache, cette route maritime est encore accessible. Au pire, nous aurions pu attendre à Ap' Amodi que les sabres regagnent leurs fourreaux. Mais non, il a fallu que nous fassions les malins. Nous avons essayé de franchir le blocus et, au bout du compte, ce sont les récifs qui ont percé notre coque. Une fois à terre, nous nous sommes heurtés à une patrouille. Et nous en sommes là. Dans un marais.

Je vois. Quelle malchance ! Je regrette beaucoup de ne pas être en mesure de t'aider.

— Et moi donc ! Mais tu ne peux pas, et il n'y a rien à ajouter. Au fait, comment te portes-tu ? Tu es en forme ?

La silhouette d'Alexius haussa les épaules — ce n'était pas vraiment lui, enfin pas dans le sens classique du terme, mais il était pourtant présent.

Pas trop mal. (Un piquier agonisant tituba vers lui et l'ancien Patriarche fit un pas de côté pour le laisser passer.) *J'ai néanmoins beaucoup de mal à dormir depuis quelque temps. À cause des cauchemars, tu vois ?*

— Toi aussi ? Tu parles de celui-ci ?

Non, pas récemment. Pas depuis notre dernière rencontre ici, en fait. Je crois que je rêve du siège d'Ap' Escatoy. Le lien Loredan, je suppose — bien que je ne me rappelle pas l'y avoir vu. Il y a surtout d'innombrables tunnels fort déplaisants et noirs comme la nuit. Leur plafond s'effondre et des gens se battent dans l'obscurité. Mais maintenant que la ville est tombée, peut-être que ces cauchemars vont cesser.

— Espérons, dit Gannadius en essayant de prendre un air compatissant de circonstance. Je suis heureux de...

— Mon oncle ?

Gannadius ouvrit les yeux.

— Quoi ? Ah ! c'est toi !

Le garçon le regarda.

— Tu étais en train de parler à quelqu'un.

— Ah bon ? (Il prit un air vague.) Je devais rêver. Euh... et qu'est-ce que j'ai dit ?

Le garçon sourit.

— Je n'en ai pas la moindre idée. Tu marmonnais, et je crois que c'était dans une autre langue. Ça t'arrive souvent ? De parler dans ton sommeil, je veux dire…

Gannadius fronça les sourcils.

— Je serais bien incapable de te répondre. Tu sais, si cela arrive, c'est pendant que je dors. Alors, je ne peux pas vraiment m'en rendre compte.

Chapitre 3

— Alors, c'est vous, hein ? demanda le clerc. (Il lui coula un regard de côté.) Le fameux héros !

Il y avait un scorpion sur le rebord de la fenêtre, une femelle avec ses petits accrochés sur le dos. Bardas en compta neuf. L'animal se déplaça précipitamment de quelques pas avant de s'immobiliser. Il resta alors immobile, les pinces levées. Le clerc ne sembla pas l'avoir remarqué — ou bien il n'en avait cure.

— C'est moi, dit Bardas. Enfin, je suis Bardas Loredan. Et on m'a déjà affublé de titres moins flatteurs.

Le clerc haussa un sourcil.

— Eh bien, eh bien. Il a le sens de l'humour, en plus. Vous allez vous entendre à merveille avec le préfet. Lui aussi a le sens de l'humour. (Il fit une pause.) Enfin, il aime la plaisanterie. Mais il préfère produire plutôt que de consommer, si vous voyez ce que je veux dire.

Bardas hocha la tête.

— Merci.

Le clerc balaya ses remerciements d'un petit geste de ses longs doigts gracieux.

— Nous avons entendu parler de vous, dit-il. Vous êtes sans nul doute un homme intéressant. (Il écrasa une mouche du plat de la main sans même la regarder.) Le préfet collectionne les gens intéressants. Il étudie la nature humaine.

— C'est un sujet fascinant.

— C'est ce que j'ai cru comprendre.

Le scorpion se remit en marche, mais le clerc le repéra du coin de l'œil. Il tendit la main vers le bureau pliant devant lequel il était assis et attrapa une règle en ébène au dos arrondi. Il se pencha en avant et frappa l'animal de toutes ses forces avec le plat de l'instrument, le réduisant lui et ses neuf rejetons en une bouillie compacte et collante.

— Tout va bien, dit-il. (Il balaya les restes du rebord de la fenêtre.) Ils ne sont pas aussi dangereux qu'on le raconte. Bien sûr, s'ils vous piquent, vous avez de grandes chances de vous transformer en baudruche pendant un jour ou deux — et la douleur est intolérable —, mais il est rare que quelqu'un en meure.

— C'est une bonne chose à savoir.

Le clerc essuya la règle sur la tenture murale et la reposa sur son bureau.

— Ainsi donc, vous étiez escrimeur de justice, reprit-il. J'en ai entendu parler. Votre travail consistait à tuer des gens pour clore les litiges.

— C'est cela.

— Remarquable ! Eh bien, je crois qu'il faut reconnaître que c'est une manière efficace de régler les procès. Elle est plus rapide que la nôtre, sans doute plus juste, et sûrement moins douloureuse et éprouvante pour les personnes impliquées. Remarquez, ce n'est pas le genre de carrière qui m'aurait tenté.

— Il y avait de bons moments, répliqua Bardas.

— Sans doute meilleurs que ceux que vous avez connus dans les mines.

— Il n'y a guère pis.

— Je vous crois sur parole. (Le clerc ramassa un petit couteau à lame fine et commença à tailler un crayon.) Vous allez voir que le préfet est un homme assez juste. Pour un officier, il est difficile d'imaginer à quel point il est dépourvu de préjugés. Si vous jouez franc jeu avec lui, il jouera franc jeu avec vous.

— Je vous promets de m'en souvenir.

Les effluves sucrés et capiteux d'une plante — sans doute un poivrier — entraient par la fenêtre. Bardas avait remarqué que tous les murs de la préfecture en étaient couverts. Il y avait aussi une pointe persistante de parfum émanant de l'encens qu'on brûlait dans la pièce pour masquer les autres odeurs fortes et suaves. Sur le parapet, au-dessus de la fenêtre, une espèce d'oiseau poussa un gloussement.

— Bien entendu, la plupart des officiers supérieurs...

Le clerc n'eut pas l'occasion d'achever sa phrase : la porte s'ouvrit et un homme en uniforme entra. Il portait un gambison marron foncé, un gorgerin d'acier, des épaulières de parade, des canons d'avant-bras et des coudières. Il passa devant eux sans leur jeter un regard.

— Il va vous recevoir maintenant, dit le clerc avant de se plonger dans les papiers posés devant lui.

Bardas se leva et entra dans le bureau.

Le préfet était un homme de grande taille, même selon les normes des Fils du Ciel. Sa peau était plus mate que celle des provinciaux que Bardas avait rencontrés à Ap' Escatoy — il était sans doute originaire des provinces intérieures. C'était un homme important. Il était chauve et sa barbe était taillée court. La dernière phalange de son petit doigt gauche manquait.

— Bardas Loredan, dit-il.

Bardas acquiesça.

— Asseyez-vous, je vous en prie. (Le préfet l'examina pendant un moment et fit un signe de tête en direction d'une chaise vide.) Je suppose que vous avez un certificat de votre officier commandant à Ap' Escatoy ?

Bardas sortit le petit cylindre de cuivre de sa manche et le lui tendit. Le préfet ôta les embouts avec délicatesse et retira le rouleau avec l'extrémité de son doigt mutilé.

— Je vous prie de m'excuser un instant.

Il déroula le document et le lut, une expression concentrée sur le visage.

— Votre carrière est fascinante ! dit-il enfin. Vous étiez le commandant en second de l'armée de Maxen ? (Bardas hocha la tête.)

» Remarquable ! Vous avez ensuite travaillé plusieurs années comme escrimeur de justice — un bien curieux métier, soit dit en passant. Puis vous avez occupé les fonctions de général-colonel de Périmadeia pendant une courte période. (Il leva les yeux vers lui.) J'ai déjà lu des rapports à ce sujet, bien sûr. Votre défense était superbe, compte tenu des circonstances. Et l'assaut final ne fut possible qu'à cause d'une trahison. On peut donc affirmer que vous n'êtes pas responsable de la chute de la Cité.

— Merci, dit Bardas.

— Par la suite, continua le préfet, il semblerait que vous ayez joué un rôle plutôt obscur dans le conflit qui a opposé l'ordre de Shastel à Scona. Bien, inutile de nous attarder là-dessus. Tout le monde s'accorde à penser que cette affaire fut un enchaînement d'événements des plus curieux. (Il fit une pause, mais Bardas resta silencieux.) Après quoi vous vous êtes engagé comme simple soldat dans l'armée de l'Administration provinciale. Voyons, vous avez été affecté trois ans — à quelques semaines près — comme sapeur pendant le siège d'Ap' Escatoy. Une période de service tout à fait remarquable, personne ne peut soutenir le contraire. (Il regarda de nouveau Bardas avec un visage impassible.) Votre parcours est digne d'un personnage de légende.

— Je n'ai pas eu cette impression sur le coup, répondit Bardas.

Le préfet réfléchit un moment et éclata de rire.

— Non, bien sûr. Voyons la suite. Qu'avons-nous là ? Ah oui ! votre frère ! Gorgas. Le Gorgas Loredan qui a organisé un coup d'État dans le Mesoge. Il est clair que les membres de votre famille ont la fibre militaire. Sa carrière est tout à fait extraordinaire, à lui aussi. Et il l'a menée avec beaucoup d'habileté, d'un point de vue stratégique. L'importance du Mesoge comme terrain de confrontation potentiel a été gravement sous-estimée, à mon avis.

Bardas réfléchit un instant.

— C'est peut-être ainsi que vous le voyez, mais dans la famille, c'est ma sœur la plus intelligente.

Le préfet sourit de nouveau.

— Vous croyez? N'a-t-elle pas bâti une entreprise prospère pour la perdre en un clin d'œil? Et à la suite d'une série d'incidents tout à fait insignifiants. Bien sûr, je dois reconnaître que je ne connais pas tous les détails de cette affaire. (Il fit une nouvelle pause.) Dans l'ensemble, vous avez un curriculum vitae très impressionnant pour un sergent-ingénieur. Je vous avoue que je suis curieux de connaître ce qui vous a amené à vous engager dans l'armée de l'Administration provinciale. Un homme de votre talent et de votre expérience... Je pense que vous auriez pu trouver des emplois un peu plus stimulants.

— Ah! vous savez comment ça se passe. Il semblerait qu'une guerre éclate dès que je veux m'installer quelque part. Alors cette fois-ci, j'ai décidé de prendre les devants.

Le préfet le regarda comme s'il n'avait pas très bien compris.

— C'est un point de vue intéressant. Dans tous les cas de figure, vos états de service pendant le siège d'Ap' Escatoy méritent une récompense substantielle, et l'Administration provinciale sait combien il est important de prendre soin des siens. Nous devrions pouvoir vous trouver un poste gratifiant qui mette vos compétences plus à profit que dans les mines. (Il jeta un nouveau coup d'œil aux documents posés devant lui.) Je vois que vous avez travaillé comme artisan.

— J'ai fabriqué des arcs pendant un temps.

— Vos armes étaient-elles de bonne qualité ?

— Elles étaient correctes. Le résultat dépend beaucoup des matières premières disponibles.

Le préfet fronça les sourcils et hocha la tête.

— Vous avez tout à fait raison. Les bureaux de l'Approvisionnement vérifient avec soin que nos exigences sont respectées dans les moindres détails. Et nous sommes tout aussi intransigeants sur le contrôle de la qualité, bien entendu. C'est pour cela que la forge des épreuves joue un rôle si important dans la chaîne de production.

— La forge des épreuves ? répéta Bardas. Excusez-moi, mais je ne vois pas de quoi vous parlez.

Son ignorance parut amuser le préfet — sans que Bardas comprenne pourquoi.

— Le contraire m'eût étonné. C'est un service assez spécialisé. Pour résumer, il s'agit d'un endroit où nous mettons à l'épreuve les armures qui équiperont nos troupes. C'est une unité qui dépend de l'arsenal régional d'Ap' Calick, mais nous y testons des échantillons provenant de toutes les provinces occidentales de l'empire. (Les doigts du préfet pianotèrent un petit air rapide et régulier sur le bureau.) Nous avons besoin d'un inspecteur en chef à Ap' Calick. Le poste équivaut à celui d'un sergent commandant un détachement de cinquante hommes, ce serait donc une belle promotion pour vous. Le titulaire de ce poste ne participe pas aux combats, bien sûr ; mais si je peux me permettre, le changement vous serait profitable après un séjour si long en première ligne. Avec vos talents avérés d'administrateur et votre grande expérience en matière de combat, vous apparaissez comme le candidat idéal. (Le préfet sourit.) À condition que vous acceptiez l'offre.

Bardas leva les yeux.

— Oh ! bien sûr ! Tant qu'il ne s'agit pas de tuer des gens au fond de tunnels obscurs, cela me convient à merveille. Je vous remercie.

Le préfet pencha légèrement la tête sur le côté et l'observa. Il ressemblait à un homme forcé de reconnaître son impuissance face à un problème insoluble.

— Je vous en prie. Si vous pouviez repasser demain, à partir de midi, mon clerc devrait avoir préparé votre certificat et les laissez-passer nécessaires. Vous pourrez profiter du service des dépêches pour vous rendre sur le lieu de votre nouvelle affectation. Rien ne presse, mais je dois vous signaler que le voyage peut se révéler difficile quand on circule par des moyens ordinaires.

Le préfet se leva pour indiquer que l'entrevue était terminée. Bardas l'imita.

— Bonne chance, sergent Loredan. Je suis persuadé que vous ferez de l'excellent travail à Ap' Calick.

— Je ferai de mon mieux. (Bardas ouvrit la porte et hésita.) Excusez-moi. Je voudrais poser une petite question. Comment met-on une armure à l'épreuve ?

Le préfet écarta les mains.

— Je n'en ai pas la moindre idée. Je suppose qu'on les torture et qu'on leur tape dessus. Tout ce qu'elles sont susceptibles d'endurer sur un champ de bataille.

Bardas hocha la tête.

— En les frappant avec des épées ou quelque chose de ce genre. Ça devrait être amusant. Je vous remercie.

Il ferma la porte derrière lui avant que le préfet puisse ajouter un mot.

Bardas connaissait tout ce qu'il avait à savoir sur le service des dépêches, bien entendu. Au sein de l'empire, tout le monde y avait déjà eu affaire à un moment ou à un autre — en général pour éviter en catastrophe une estafette lancée au triple galop. C'était de notoriété publique : rien n'arrêtait les chevaux des messagers et ils avaient l'autorisation explicite de piétiner les traînards incapables de s'écarter à temps — ils prenaient d'ailleurs un grand plaisir à jouir de ce privilège dès que cela était possible.

— Il y a trois arrêts par jour pour changer l'attelage, lui annonça le conducteur sur un ton joyeux. Et deux autres la nuit. Nous emmenons à boire et à manger avec nous et si vous avez envie de pisser, il faut le faire par-dessus le bord du chariot. Vous n'emportez que ça avec vous ?

Bardas hocha la tête.

— Oui, juste un sac.

— Pas d'armure ?

— J'étais dans les sapeurs, expliqua Bardas. On ne s'encombre pas de ce genre de chose dans les mines.

Le maître d'attelage haussa les épaules et fit signe à l'escorte de monter en selle.

— Comme vous voulez. Pour une fois, il y a un peu de place dans le fourgon. Il n'y a pas grand-chose à transporter aujourd'hui. Vous pouvez vous asseoir sur le banc avec moi ou vous allonger derrière si vous trouvez assez d'espace. C'est comme vous voulez.

L'homme posa le pied sur le rayon horizontal d'une roue avant et se hissa sur le chariot. Bardas observa sa technique et l'imita.

— Je vais commencer le voyage à côté de vous, dit-il. Ça me donnera l'occasion d'admirer le paysage.

Le conducteur éclata de rire.

— Pas de problème. J'espère que vous aimez les rochers, parce que vous ne verrez pas autre chose jusqu'à Tollambec.

Le chariot était un véritable chef-d'œuvre, avec un avant bas et large ; il était monté sur d'énormes roues — en général réservées à l'arrière — cerclées d'une épaisse bande de fer ; une série de ressorts en acier de la taille et de l'épaisseur d'un arc d'arbalète maintenait le châssis au-dessus des essieux.

— Avec ça, on prend les virages sans le moindre problème, dit le maître d'attelage. Il est presque impossible de renverser le chariot, à moins de vraiment le faire exprès. Et il est construit pour durer, en plus. (Il donna une grosse claque sur le côté du banc.) Faut dire qu'il y a intérêt, vu le nombre de trajets qu'ils font. On dit que nous sommes les veines et les artères de l'empire.

Bardas hocha la tête. Derrière lui, il aperçut des amphores de vin avec des marques fantaisie sur les sceaux, des balles d'étoffes diverses et coûteuses, un tonneau de flèches de fabrication civile et trois ou quatre coffres en bois cadenassés ; on devinait aussi quelques meubles sous les bâches qui les enveloppaient.

— Je vois que vous ne transportez que du ravitaillement de première nécessité, dit-il. Je comprends qu'on ne puisse pas se passer de vous.

Une fois qu'ils eurent quitté le camp, le maître d'attelage fouetta les chevaux pour les amener au galop soutenu. Le chariot devint si bruyant et inconfortable qu'il n'y avait rien à faire sinon rester assis et silencieux. Comme promis, le paysage se résuma à une interminable succession de parois rocheuses. En de rares occasions, le véhicule passait devant un groupe d'hommes et d'ânes — rangés avec prudence sur une aire de croisement. Au passage du chariot, ils détournaient les yeux et essayaient de se plaquer contre les rochers, comme des sapeurs entassés dans une galerie.

— C'est vous le héros, pas vrai ? cria le maître d'attelage.

— Oui, il paraît.

— Hein ? J'entends pas ce que vous dites.

— Oui ! hurla Bardas. Il paraît !

— Ah ! Chacun son boulot, je suppose, rugit le maître d'attelage. (Les parois rocheuses répercutèrent sa voix et son écho poursuivit le véhicule comme des enfants jouant à chat.) J'aimerais pas faire ce genre de trucs, ramper dans le noir.

— Moi non plus.

— Hein ?

— J'ai dit que je n'aimais pas ça non plus. Ces choses ne m'amusaient que très moyennement.

Le conducteur fit une grimace.

— Vous ne devriez pas dire ça, rugit-il. Vous êtes un putain de héros !

Bardas n'eut pas l'énergie de réagir.

— Je crois que je vais aller m'allonger derrière, cria-t-il.

— Comme vous voulez.

Gagner l'arrière du véhicule ne fut pas une mince affaire. Bardas dut descendre du banc et se glisser entre les marchandises. Il trouva enfin un espace assez grand et s'y faufila. Contre toute attente, il s'endormit presque aussitôt malgré les bruits et les secousses violentes du chariot.

Quand il ouvrit les yeux, le maître d'attelage était penché sur lui et souriait.

— Réveillez-vous ! lança-t-il. C'est le premier changement de chevaux. À votre place, j'en profiterais pour me dégourdir un peu les jambes. Le voyage sera long jusqu'au prochain relais.

Bardas grogna et essaya de se lever — une tâche qui se révéla beaucoup plus difficile qu'il ne s'y attendait. Quand ses jambes furent assez dégourdies pour qu'il s'extirpe du véhicule, les garçons d'écurie avaient déjà dételé les chevaux et en attelaient de nouveaux. Les animaux étaient identiques, avec la même robe d'un brun ordinaire, la crinière et la queue coupées court. Chacun portait la marque de l'Administration provinciale et un numéro de série assez grand pour être lisible à bonne distance.

Le conducteur s'aspergea la tête et les épaules avec l'eau d'un seau en cuir.

— Vous voulez vous rincer ? demanda-t-il. Ça enlève un peu de crasse.

Bardas baissa les yeux et remarqua pour la première fois qu'il était sale et couvert de poussière.

— Ce n'est pas de refus, répondit-il.

Le conducteur plongea le seau dans un tonneau et le

lui tendit. Les sédiments en mouvement troublaient un peu la clarté de l'eau.

— Il est l'heure de repartir, annonça le maître d'attelage.

Il se retourna et lança un ordre à un soldat de l'escorte, mais Bardas ne comprit pas ce qu'il disait. Les garçons d'écurie avaient terminé de changer les chevaux. Ils s'activaient maintenant sous le véhicule, vérifiant les goupilles et prenant de la graisse dans de grands tubes d'argile avant d'en enduire les essieux.

— Vous feriez mieux de grimper, dit le maître d'équipage. On part dès qu'ils ont fini, que vous soyez dans le chariot ou non.

Bardas se hissa sur le banc. Il venait à peine de s'installer dans son recoin au milieu des marchandises que le véhicule s'ébranla.

Comme l'avait promis le conducteur, le trajet suivant dura une éternité. Les routes impériales étaient célèbres pour leur rectitude et, dans la mesure du possible, pour leur nivelage. Les ingénieurs du bureau des Provinces ne voyaient aucun inconvénient à trancher dans une colline pour éviter une déviation — et dans le seul dessein de prouver qu'ils en étaient capables, semblait-il. Bardas observa les marchandises empilées autour de lui : des bocaux de dattes, de figues et de cerises confites dans le miel, des tabourets et des boîtes à chapeau, d'innombrables coffrets à livres et des cylindres de cuivre contenant des peintures sur soie. Il songea qu'il avait fallu beaucoup d'efforts pour creuser la montagne afin d'obtenir une route plate, et tout cela pour qu'un préfet puisse savourer quelques grappes de raisin frais et, à l'occasion, la dernière anthologie de poèmes. Mais l'empire avait les moyens de réaliser de tels exploits, alors pourquoi s'en priver ? Et puis, ces collines n'avaient rien d'extraordinaire.

Lors de la troisième étape de la journée, le chariot embarqua un nouveau passager.

— Faites-moi un peu de place, dit la femme.

Bardas la regarda et obtempéra.

— J'ai apporté mes propres provisions, poursuivit-elle. (Elle plongea la tête dans un gigantesque panier en osier qu'elle avait glissé tant bien que mal entre les piles de boîtes maintenues par des cordes.) J'ai fait ce trajet trop souvent pour m'empoisonner avec les rations réglementaires.

Elle réapparut comme un rat jaillissant d'un trou dans le mur. Elle tenait un paquet plat et épais fait en feuilles de vigne. Du miel perlait des plis.

— Bien sûr, il vous faut un estomac en acier trempé pour ne pas vomir quand vous voyagez avec le service des dépêches. Toutes ces secousses vous remuent le ventre plein, c'est bien pis que le mal de mer, je peux vous l'assurer.

Elle était petite, avec des cheveux gris et des yeux foncés ; elle était enveloppée dans un épais manteau de laine pourvu d'un col en fourrure et fermé au cou par une broche énorme et inquiétante. En raison de la chaleur, Bardas ne portait déjà plus que sa chemise. Il ne put s'empêcher de fixer la femme : elle ne transpirait pas le moins du monde.

— Vous trouvez que je suis trop habillée ? demanda-t-elle sans lever les yeux. (Ses petits doigts pliés défirent le nœud du paquet.) Attendez un peu d'avoir passé deux ou trois nuits sur la route et vous regretterez de ne pas avoir emporté des vêtements plus chauds. Vous êtes soldat ? (Bardas hocha la tête.) C'est bien ce que je pensais. Pas besoin d'être une reine de la logique pour le deviner. Qui d'autre pourrait-on trouver sur un chariot du gouvernement, sinon… un étranger comme vous ? Ce n'est pas que ça me gêne, bien entendu. Aujourd'hui, ce genre d'attitude n'a plus sa place, pas si nous clamons haut et fort que nous sommes un empire uni et tout le reste. Je suis certaine que d'ici à une vingtaine d'années, les gens n'y prêteront même plus attention. Et ça ne sera pas plus mal, si vous voulez mon avis. C'est comme cette histoire des Fils et des Filles du Ciel, personne n'y croit plus. Et il en va de même pour vous — ou alors vous êtes un peu plus crédule que je le pensais. Et dans ce cas, quel intérêt ? Les gens sont les gens, un point c'est tout.

Elle écarta les feuilles de vigne et un gros morceau de gâteau marron doré apparut. Il suintait de miel et était parsemé d'éclats de noisette.

— C'est impossible de manger ce truc proprement. Ah ! et puis au diable ! À l'attaque ! (Elle ouvrit la bouche aussi grand que possible, y enfourna un quart de la part et mordit avec énergie.) Pas mauvais, ajouta-t-elle dès qu'elle fut de nouveau en mesure d'articuler. Mais bon ! c'est mon avis. En principe, c'était pour mon fils qui habite Daic, mais comme il n'est pas au courant, ça ne lui manquera pas. Vous n'êtes pas bavard, pas vrai ?

— Je préfère écouter les autres, répondit Bardas.

— C'est une attitude sensée. Une bouche et deux oreilles, comme nous disait ma mère quand nous étions enfants. Vous allez jusqu'où ?

— Sammyra, dit Bardas. Je crois que je dois y prendre un autre chariot pour Ap' Calick.

Sa compagne de voyage mâchait son gâteau.

— Ap' Calick, hein ? Je m'y arrêtais quand j'étais plus jeune. Le responsable de la briqueterie gouvernementale était un bon client. J'étais dans le parfum, ajouta-t-elle en guise d'explication. Vingt ans dans le métier, avant et après la période où j'ai dû m'occuper de mes enfants en bas âge. J'ai repris l'affaire de mon père à dix-sept ans et j'avais racheté les parts de mes frères à vingt. J'espère que ma benjamine me succédera le moment venu. Elle se débrouille bien pour ce qui est de la production, mais elle n'aime pas voyager. Moi, bien sûr, c'est le contraire. Alors, on forme une bonne équipe toutes les deux. Mon fils ne supporte pas l'idée que je sois encore sur les routes, évidemment. À mon avis, il trouve que ça lui porte préjudice. Mais qui fait attention à moi ? Enfin, je dois reconnaître que ça aide d'avoir un enfant qui travaille à la commission du réseau routier. D'abord, ça me permet d'emprunter un chariot du service des dépêches chaque fois que j'en ai besoin, et c'est un gros avantage. Je ne sais pas si j'aimerais autant voyager si je devais me traîner sur ces chemins sur une mule. Vous êtes déjà allé à Sammyra ?

Bardas secoua la tête.

— Je ne connais la ville que de nom.

La femme renifla.

— Il n'y a pas grand-chose d'autre à savoir, je vous assure. La cité ne cesse de péricliter depuis qu'elle a perdu le commerce de l'indigo. Les bains valent le coup d'œil si vous avez le temps, mais inutile de vous rendre au marché. Vous trouverez exactement les mêmes articles à Tollambec et vous les paierez moitié prix.

Bardas hocha la tête.

— Je m'en souviendrai.

— Mais ce qu'il y a de mieux, à Tollambec, c'est le ragoût de poisson. Seuls les dieux pourraient expliquer comment les habitants se sont découvert un penchant pour ce genre de nourriture, car la ville est loin de la mer. Mais pour vous dire la vérité, je préfère les poissons salés à la mode de Tollambec aux frais, et je me fiche de ce qu'en pensent les gens. On mange beaucoup de poisson, là d'où vous venez ?

— J'habitais Périmadeia.

— Périmadeia, répéta la femme. Alors, vous avez dû manger des tonnes de morue et de maquereau, du thon, et des anguilles, bien sûr…

Bardas haussa les épaules.

— J'ai peur de ne pas savoir. On appelait juste ça « du poisson ». C'était gris et on le servait sur une tranche de pain.

La femme soupira.

— Mon fils est exactement comme vous, dit-elle. Il ne

serait pas fichu de faire la différence entre un mets délicat et une ration de l'armée. Quelle honte ! Car enfin, boire et manger ne font-ils pas partie des grands plaisirs de la vie ? Si on ne s'y intéresse pas, c'est du gaspillage.

— Vous avez sans doute raison.

Comme la femme l'avait annoncé, le froid arriva en même temps que l'obscurité. Par chance, il y avait une peau de bœuf supplémentaire pliée dans un coin du chariot et Bardas s'y enroula. Les cavaliers de l'escorte s'arrêtèrent et allumèrent des lanternes. Puis le convoi repartit — à un rythme guère plus lent qu'en plein jour.

— C'est un des avantages d'avoir une route droite et plate, remarqua la femme. Ce n'est pas important de ne pas voir où on va.

Les rations réglementaires — que la voyageuse avait évoquées avec mépris — se composaient d'un pain d'orge long et mince aromatisé à l'ail et à l'aneth, d'un morceau de fromage fort et d'un oignon.

— On dit qu'on peut repérer à plusieurs mètres une personne qui a voyagé quelques jours d'affilée dans un chariot des dépêches, commenta la femme. Juste à l'odeur. Reconnaissez-le, ceux qui préparent ces rations sont des vicieux.

Bardas sourit bien qu'elle ne puisse pas le voir dans l'obscurité.

— J'aime bien l'odeur de l'ail.

— Ah bon ? C'est… Eh bien, chacun ses goûts, je suppose. Remarquez, dans mon métier, vous dépendez complètement de votre nez.

— Ça doit être étrange, dit Bardas.

— Oh oui ! Je n'arrive pas à croire que les gens ne fassent plus attention à leur odorat. C'est sans aucun doute le plus fainéant des cinq sens, mais on y remédie très bien avec un peu d'entraînement. Au fait, je m'appelle Iasbar.

— Bardas Loredan.

— Loredan, Loredan… J'ai déjà entendu ce nom,

vous savez. Il n'y a pas une banque qui s'appelle comme ça à... dans un trou quelconque?

— Il me semble, en effet.

— Ah! voilà l'explication. Est-ce que tout le monde porte deux noms, là d'où vous venez?

— C'est assez courant, répondit Bardas. Est-ce que tout le monde n'en porte qu'un, chez vous?

La femme éclata de rire.

— Oh! c'est un peu plus compliqué que ça. Attendez que je réfléchisse. Si j'étais un homme, je m'appellerais Iasbar Hulyan Ap' Daic — Iasbar pour moi, Hulyan à cause de mon père et Ap' Daic pour le lieu de naissance de ma mère. Mais comme je suis une femme, je suis juste Iasbar Ap' Cander. L'idée est la même, mais Ap' Cander indique l'endroit où mon mari est né. Si je ne m'étais pas mariée, je serais encore Hulyan Iasbar Ap' Escatoy — qui est mon lieu de naissance. Ne vous inquiétez pas si vous avez du mal à suivre, les étrangers mettent une éternité à saisir les différentes subtilités.

— Vous êtes née à Ap' Escatoy? demanda Bardas.

— Oui, c'est ça. Quand mon père y avait encore son commerce. J'avais l'intention d'y retourner un jour, vous savez; mais maintenant, c'est trop tard, bien sûr. C'était étrange de grandir dans cette ville.

— Ah?

— Oh oui! Ils avaient une soupe d'une consistance incroyable, à base de lentilles et de crème fermentée. Nous avions l'habitude d'aller au marché avec un de ces gros coquillages incurvés et on le faisait remplir pour un demi-sol; alors, on s'asseyait sur les marches des halles et on buvait tant que c'était encore chaud. Il y avait quelque chose dans la recette, un ingrédient secret. Je n'ai jamais réussi à l'identifier. Bien sûr, si j'avais pris la peine de demander à ma mère, je le saurais aujourd'hui. Mais l'idée ne m'a jamais effleurée. À cet âge, on ne pense pas à ce genre de chose, pas vrai?

Bardas s'endormit tandis qu'elle parlait encore.

Quand il se réveilla, elle n'était plus là et le chariot quittait le premier relais de la journée. Elle lui avait laissé une demi-tranche du gâteau collant encore enveloppée dans les feuilles de vigne, mais les chaos du véhicule l'avaient renversée par terre et elle était couverte de poussière.

— Temrai?

Il reprit aussitôt ses esprits et ouvrit les yeux.

— Quoi?

— Tu rêvais.

— Je sais. (Il s'assit.) Et tu m'as réveillé juste pour me dire que je rêvais?

Sa femme le regarda.

— Ça ne devait pas être un rêve très agréable. Tu te tortillais dans tous les sens et on aurait dit que tu gémissais.

Temrai bâilla.

— Il est temps que je me lève. Kurrai et les autres ne vont pas tarder à arriver et je me sens toujours ridicule quand j'enfile ce truc devant des gens.

Tilden laissa échapper un petit rire.

— C'est tout un spectacle, en effet. Je me demande vraiment pourquoi tu te fatigues à mettre ça.

— Parce que ça m'évite de me faire tuer, répondit Temrai en fronçant les sourcils. Je ne porte pas une armure pour le plaisir, tu sais.

Il sortit les jambes du lit et traversa la tente en sautillant pour atteindre le porte-cuirasse.

— Les gens ne s'en donnaient pas la peine par le passé, remarqua Tilden. Avant que nous arrivions ici. Enfin, ils n'enfilaient pas un tel attirail.

Temrai soupira. Il détestait porter une armure — et c'était un euphémisme. Elle rendait ses gestes lents et maladroits, et il se sentait idiot. Depuis qu'il s'enfouissait sous cette masse de métal, il était convaincu qu'il faisait plus d'erreurs qu'auparavant.

— Je ne sais pas ce que tu en penses, dit-il en enfilant

la chemise matelassée qui constituait la première couche de son cocon, mais je trouve que tout ce qui accroît mes chances de survie est bon à prendre. Et maintenant, tu vas te décider à venir m'aider, ou bien je dois me débrouiller tout seul ?

— D'accord, dit Tilden. Tu sais, je prendrais ces machins plus au sérieux s'ils ne portaient pas toutes sortes de noms ridicules.

Temrai sourit.

— Alors là, je suis d'accord avec toi. Je ne suis pas encore certain de connaître celui de toutes les pièces. D'après le vendeur, ce truc est un gousset, mais tout le monde l'appelle un « gorgerin ». Est-ce qu'il y a une différence ? Je me le demande. Et si c'est le cas, quelle est-elle ?

— Je suppose qu'un gousset coûte plus cher, dit Tilden. Et pourquoi on n'appelle pas ça un « col » ? Parce que c'est bien ce que c'est, non ? La seule différence, c'est qu'il est en métal. Là, tiens-toi tranquille ! Je me demande pourquoi ils ne mettent pas des boucles plus grosses sur ces sangles.

Le gousset — ou gorgerin — rendait la respiration difficile.

— Quand même, ça ne les écorcherait pas d'installer des lanières plus longues !

Temrai aurait pu rétorquer que si les pièces n'étaient pas plaquées contre le corps, il était inutile de porter une armure, mais il décida de s'abstenir. Il finirait bien par enlever cette carapace maudite, et il savourerait ce moment.

Le chef d'état-major, Kurrai, arriva avec ses jeunes subalternes au visage resplendissant alors que Temrai enfilait ses bottes — *mais il ne faut pas les appeler ainsi, ce sont des « solerets »*. Kurrai portait son armure comme s'il n'avait jamais rien revêtu d'autre de sa vie — ce qui était peut-être bien le cas, songea Temrai.

— Ils sont encore là-bas, dit Kurrai. J'ai l'impression qu'ils n'ont pas bougé d'un pouce.

Temrai fronça les sourcils.

— Je pense encore que c'est trop beau pour être vrai.

Kurrai haussa les épaules.

— Je crois juste qu'ils sont d'une bêtise rafraîchissante. Je dois avouer que s'il s'agit d'une ruse particulièrement subtile, je ne saurais dire laquelle même si ma vie en dépendait. Ils sont au milieu d'une plaine et sans la moindre couverture. Il est impossible qu'ils aient pu dissimuler deux escadrons de cavalerie lourde, ni rien qui puisse briser notre élan. Telle que je vois la situation, ils sont juste plantés là à attendre qu'on vienne les cueillir. (Il s'assit sur une chaise qui grinça de façon inquiétante.) L'excès de prudence est un défaut, tu sais ?

Temrai haussa les épaules.

— Peut-être. J'ai essayé de penser à ce que je ferais à leur place, et je dois reconnaître que je n'ai pas trouvé de plan extraordinaire. Remarque, j'espère que je ne me retrouverais jamais dans leur situation.

— Ils croient au courage individuel, dit Kurrai en se grattant le nez. Et dans la justesse de leur cause. On va les massacrer, tu verras.

Temrai laissa échapper un faible sourire. Pour une raison curieuse, il avait du mal à s'enthousiasmer à l'idée de massacrer un petit groupe de gens qui, quelques années auparavant, appartenaient encore à la même alliance de tribus que lui. Ces hommes avaient combattu à ses côtés lorsqu'il avait rasé Périmadeia ; ils l'avaient aidé à construire ses machines de guerre ; ils avaient perdu leur lot de parents et amis quand Bardas Loredan avait déversé sur eux le feu liquide du haut des murailles. Il ne comprenait toujours pas pourquoi ils avaient choisi de se retourner contre lui. D'après lui, c'étaient eux qui avaient raison, pas lui. Comme tant d'autres choses, la situation avait changé quand son peuple avait brûlé la Triple Cité et s'était installé sur les pâturages généreux en face des ruines. Ainsi donc, tout était sa faute en fin de compte. Cette idée rendait la perspective d'une victoire facile plutôt désagréable. La remarque de Kurrai à propos de leur juste cause le dérangeait aussi un peu ; il avait remporté une grande et célèbre bataille quelques années plus tôt et, à ce moment-là, lui aussi avait cru que sa cause était juste. Depuis, il s'était souvent demandé si une telle chose existait — et si c'était le cas, avait-elle prévalu un jour sur les autres.

— Évitons de nous montrer trop téméraires, dit-il en se levant. (Il sentit le poids de l'armure sur ses épaules.) Le pis qu'un général puisse dire, c'est : « Mais comment en est-on arrivé là ? »

Kurrai sourit avec discipline.

— Je ne sais pas, dit-il. Entre l'excès de prudence et la témérité, comment les gens parviennent-ils à remporter des batailles ?

— En général, ils ne le font pas. Ils se contentent souvent d'attendre que leur adversaire perde.

Elle avait écrit : « *Mon cher oncle* ». Il lui avait fallu beaucoup de temps et d'efforts pour y parvenir. Elle serrait la plume entre les moignons de ses doigts et ses lettres ressemblaient à celles du cahier d'exercices d'un petit enfant.

Mon cher oncle. La pensée la fit sourire. Elle lui écrivait avant tout pour agacer sa mère, car celle-ci lui interdisait d'avoir le moindre contact avec ses oncles ; avec les trois qui venaient de prendre le pouvoir — un pouvoir dérisoire et à peine suffisant pour vous faire vivre — dans cet endroit où elle n'était jamais allée, mais que sa mère appelait parfois « chez nous » par inadvertance ; et surtout avec son autre oncle, celui que la jeune fille était encore déterminée à tuer à la première occasion. Un fait n'en demeurait pas moins : elle ne s'était jamais sentie aussi bien que dans la maison de son oncle Gorgas, à Scona. Ce sentiment d'avoir un foyer n'avait duré qu'un temps assez bref et puis tout s'était effondré, comme il fallait s'y attendre. Elle avait d'ailleurs joué un petit rôle indirect dans la mise en scène de cette catastrophe.

Mon cher oncle. Elle regarda la mer par la minuscule fenêtre étroite. Il devenait de plus en plus difficile de trouver des messagers pour porter ses lettres, à cause de l'attitude de sa mère, de divers conflits et de la stagnation globale du commerce entre l'empire et ses victimes potentielles. Le vendeur de truffes avait été le plus digne de confiance, mais il était mort. Il faisait sans doute partie des innombrables personnes qui avaient péri lors de la chute d'Ap' Escatoy. C'était la faute de son autre oncle — le méchant. C'était lui qui avait creusé comme une taupe sous les murailles avant de les faire s'effondrer sur sa tête. Personne ne semblait intéressé par la reprise du commerce des truffes entre le Mesoge et Ap' Bermidan. Les grands seigneurs du bureau des Provinces les importaient d'ailleurs : elles étaient meilleur marché, plus grosses et plus fraîches. Et sans les truffes, qui diable s'amuserait à faire l'aller-retour entre ici et là-bas ?

Mon cher oncle, il ne s'est rien passé d'intéressant depuis ma dernière lettre. Était-il vraiment nécessaire de prendre toute cette peine pour écrire cela ? Elle réfléchit à la question et décida que oui, cela en valait la peine — juste pour ce bref regard inquiet que sa mère lui lançait en coin chaque fois qu'elle la soupçonnait d'avoir envoyé un message.

« Mais qu'est-ce qu'elle peut lui raconter ? Cette petite garce doit m'espionner et lui révéler mes secrets. Mais de quels secrets s'agit-il donc ? Je n'imaginais pas qu'il y eût des choses qu'il veuille savoir sur mon compte. Mais il semblerait que je me sois trompée, sinon, pourquoi diable lui écrirait-elle ? »

Et puis, de toute façon, la jeune fille n'avait rien de mieux à faire.

Bien des années auparavant, quand elle n'était encore

qu'une enfant, un vieil homme venait la voir. C'était un ami de la famille — pas de cette famille-ci, mais de l'ancienne, car les Loredan n'avaient aucun ami. Il lui racontait des histoires de belles princesses enfermées dans des donjons par leur méchante belle-mère. Elles étaient immanquablement délivrées par un beau et jeune héros qui se frayait un chemin jusqu'à leur prison à force de ruse ou à coups d'épée. C'était dans l'ordre des choses — ce qui expliquait pourquoi l'héroïne restait calme et à sa place : elle savait que son sauveur arriverait tôt ou tard et que tout reviendrait à la normale. Lorsqu'elle était encore petite, la jeune fille pensait que ce serait agréable d'être une de ces princesses, avec sa propre tour — sans personne pour la gronder et lui dire de ranger sa chambre — et la pensée rassurante que son prince attitré était sans doute déjà en route.

Ces belles histoires avaient cessé quand son méchant oncle avait tué son autre oncle — le frère de son père, celui à qui elle était promise depuis qu'elle était une enfant qui écoutait des contes de fées. Après cet assassinat, elle ne leur avait plus accordé la moindre attention jusqu'au jour où, soudain, elle s'était retrouvée dans cette tour, une tour bien à elle qui surplombait la mer bleu sombre à Ap' Bermidan. Bien sûr, la jeune fille n'était pas une princesse au sens strict. Sa mère n'était qu'une simple marchande, même si elle était très riche — enfin, sa fille le supposait, car elle n'avait aucun moyen de le savoir, enfermée dans son donjon comme un homme enterré vivant. Mais la situation était assez similaire pour que la prisonnière se souvienne de ces contes de fées et de son souhait puéril d'en faire partie — un souhait qui était devenu une terrible réalité. C'était peut-être la raison pour laquelle il était si important d'écrire à son oncle : si quelqu'un devait la sauver, ce serait sans doute lui. Et comme elle était réaliste, elle ne retenait pas son souffle. D'un point de vue objectif, sa motivation principale était d'agacer sa mère. Le reste venait en sus.

D'un autre côté, il fallait une bonne dose d'imagination pour considérer oncle Gorgas comme un prince. Il était vrai que, dans une certaine limite, il avait les qualités requises : il était à la tête de son pays — mais cela était censé en faire un roi, pas un prince. Et il y avait aussi des vocables beaucoup moins courtois pour le décrire — ou du moins, pour décrire celui qu'il avait été vis-à-vis des autres, des gens normaux.

Elle entendit des pas dans l'escalier et jura tout bas. Avec sa main mutilée, il était difficile et douloureux de cacher son nécessaire de correspondance à temps. Un seul faux mouvement et elle renverserait l'encrier sur le sol, y laissant une tache accusatrice. Ou bien elle laisserait échapper sa plume. Elle pouvait se trahir d'une infinité de manières et fournir à sa mère l'excuse qu'elle cherchait pour emprisonner un peu plus sa fille. Elle ne serait plus autorisée à recevoir le moindre visiteur ou marchand — ce qui signifiait plus de papier, plus de plumes, plus d'encre et plus de livres. Elle venait à peine de glisser la lettre sous son lit qu'on cogna à la porte.

— Un instant ! s'écria-t-elle. (Au moins, ce n'était pas sa mère : celle-ci ne frappait jamais avant de faire irruption dans sa chambre.) C'est bon, entrez.

Ce n'était que le gardien, un homme massif et apathique qui faisait barrage entre la jeune fille et le reste du monde — quand il n'était pas occupé à cirer ses chaussures ou à lui préparer sa soupe. Il était pourtant assez inoffensif, trop bête pour reconnaître un encrier ou un couteau à aiguiser les plumes même posés sous ses yeux.

— Qu'y a-t-il ? demanda-t-elle.

— Un visiteur pour vous.

Par-dessus l'épaule de l'homme, la jeune fille aperçut l'un d'Eux, un Fils du Ciel. Il portait un manteau de voyage bleu sombre avec une épingle en or qui indiquait son rang aux initiés.

— Merci, vous pouvez disposer, dit-elle.

Le gardien s'écarta pour sortir et le visiteur entra. Il était vieux, longiligne et mince, comme la plupart d'entre Eux. Ses cheveux gris-blanc lui collaient au crâne comme des toiles d'araignée. Il regarda autour de lui sans dire un mot et s'assit sans en attendre la permission.

— Iseutz Loredan ? demanda-t-il.

Elle hocha la tête.

— Et vous êtes ?

— Je suis le colonel Abrain. J'ai un ordre de mission du préfet d'Ap' Escatoy.

Il ne semblait pas pressé de le lui montrer, et elle ne prit pas la peine de le réclamer.

— Vous avez fait un long chemin, alors. Et que me veut le préfet ?

Son visiteur la regarda de nouveau, comme s'il examinait un problème mathématique ou un schéma arithmétique compliqué.

— Vous avez un oncle, Bardas Loredan. Vous avez menacé de le tuer à de nombreuses reprises. Le préfet aimerait en savoir davantage à son sujet.

Elle fronça les sourcils.

— Je suppose que vous n'allez pas me dire pourquoi.

— Je vous le dirai si vous le souhaitez. Je pense que vous êtes au courant de la chute d'Ap' Escatoy, et du rôle que votre oncle y a joué.

— Bien sûr. Personne ne l'ignore. (Elle réfléchit un moment.) Laissez-moi deviner… Oncle Bardas est devenu un héros de guerre et vous ne voulez plus que je le tue ? Je brûle ?

Elle le regarda : il essayait de comprendre le sens de cette expression inconnue.

— Le préfet ne vous considère pas comme une menace, si c'est ce que vous entendez par là. Et même s'il est exact que le sergent Loredan s'est distingué…

— Le *sergent* Loredan !

L'homme prit un air agacé.

— C'est son grade actuel dans l'armée du bureau des Provinces, en effet. Vous pensez en général à lui comme le *colonel* Loredan, je suppose. Mais chez nous, un poste se mérite. Il ne s'hérite pas de votre dernière affectation.

— Cela me paraît assez sensé, reconnut Iseutz. Alors, que désirez-vous savoir sur le *sergent* Loredan ?

L'officier remua sur sa chaise, sans doute pour soulager la douleur d'une mauvaise jambe — dont l'origine pouvait tout aussi bien être l'arthrite qu'une honorable blessure reçue sur un champ de bataille.

— Le préfet souhaiterait en apprendre le plus possible sur les relations entre votre oncle Bardas Loredan et le roi barbare de Périmadeia, Temrai. Il pense que leur inimitié est antérieure à la chute de la Cité. Il désire également en savoir davantage sur la période où Bardas Loredan a servi sous les ordres du général Maxen. Son expérience des guerres contre les tribus des plaines peut se révéler d'un grand secours à l'empire dans l'éventualité d'un conflit entre eux et nous.

Iseutz haussa ses épaules maigres.

— Et pourquoi vous me demandez ça, à moi ? Vous croyez que nous passons de longues et paisibles soirées entre oncle et nièce, tous les deux, près du feu, à discuter de sa vie passionnante ? Vous vous êtes trompé de famille. J'ai seulement appris qu'il était mon oncle après qu'il eut fait ça. (Elle leva sa main mutilée, le Fils du Ciel regarda les moignons et fronça un peu les sourcils.) Oui, je sais qu'il a combattu ces tribus quand il était dans l'armée de Maxen. Ce dernier leur a infligé des choses terribles et c'est sans doute la raison pour laquelle Temrai nous déteste tant. Et oui, je suppose qu'oncle Bardas en connaît davantage que quiconque sur la façon de les combattre. Mais tout ça, vous le saviez déjà avant de venir ici.

Le Fils du Ciel hocha la tête.

— Et vous n'avez rien d'autre à ajouter, une idée ou une information supplémentaire ?

— Désolée.

L'officier fit un petit geste précis de la main, signifiant par là qu'il lui pardonnait.

— Je crois comprendre que vous n'êtes pas dans les meilleurs termes avec votre oncle Bardas. Mais, étant donné que vous lui écrivez à intervalles réguliers, je suppose que vos relations avec votre oncle Gorgas sont plus cordiales.

— Oui. Comment le savez-vous ?

Il désigna sa main mutilée d'une légère inclinaison de la tête.

— Vous avez manifestement du mal à tenir une plume, mais vous en faites quand même l'effort. Il est donc évident que vous êtes proche de votre oncle Gorgas.

La jeune fille sourit. La plupart des gens détournaient le regard quand elle leur souriait, mais pas le colonel Abrain.

— En un sens, je suis la seule famille qu'il lui reste, puisque ma mère l'a trahi et qu'oncle Bardas a assassiné son fils. Oh ! il a deux autres frères dans le Mesoge, bien sûr, je les avais oubliés — ce qui n'est pas très difficile.

— Parlez-moi un peu de lui.

Iseutz secoua la tête.

— Je ne crois pas que je vais le faire. À moins que vous m'expliquiez pourquoi vous vous intéressez à lui.

— Je trouve tous les membres de votre famille fascinants, répondit le Fils du Ciel avec un air impassible. J'étudie la nature humaine.

— Vraiment ?

— C'est une sorte de passion chez mon peuple. (Il fit pianoter ses doigts sur sa cuisse.) Mais pour être plus juste, il nous a fait des propositions en vue de forger une alliance contre le roi Temrai. Et avant de prendre une décision, nous souhaiterions bien sûr nous entretenir avec un maximum de personnes qui l'ont approché.

Iseutz réfléchit un moment.

— Eh bien, je crois que rien de ce que je vous raconterai sur son compte ne pourra lui nuire. Je vous propose une chose : vous me dites ce que vous savez déjà sur lui et je comblerai vos lacunes.

Un fin sourire se dessina sur les lèvres du colonel.

— Comme vous voudrez. Nous savons que, jeune homme, il a prostitué sa sœur avant d'assassiner son père et son beau-frère quand ils découvrirent ce qu'il avait fait. Il a aussi essayé de tuer sa sœur, mais il a échoué. Le jour où il a tué votre père d'ailleurs, est-ce exact ?

Iseutz acquiesça.

— C'est juste. Il semblerait que votre peuple soit très bien informé.

— Nous nous flattons d'être attentifs aux détails. Après ces meurtres, il a fui le Mesoge et passé quelque temps comme pirate et mercenaire. Quand sa sœur — votre mère — a fondé la Banque de Scona, il l'a rejointe et a travaillé pour elle en tant que chef des forces de sécurité de la société. C'est à ce titre qu'il a ouvert les portes de Périmadeia aux troupes du roi Temrai, lui permettant ainsi de s'emparer de la ville et de la raser. Il y a trois ans, la situation entre la Banque et l'ordre de Shastel a dégénéré en affrontement. Étant donné les différences de taille et d'expérience entre les armées de Shastel et les troupes sconiennes, Gorgas a organisé une défense brillante de l'île ; mais malgré deux victoires remarquables lors de batailles rangées, Shastel l'a emporté et a conquis Scona. Votre oncle s'est enfui en compagnie du reste de ses hommes juste avant qu'elle tombe aux mains de l'ennemi. Il a embarqué sur un navire et s'est rendu tout droit dans le Mesoge où il a pris le pouvoir. Quelques incidents ont suivi son coup d'État, mais son régime semble avoir acquis une certaine stabilité — bien qu'il soit difficile d'obtenir des informations sérieuses sur ce qui se passe là-bas, aujourd'hui. (Il décroisa les mains et les posa à plat sur ses genoux.) Mon résumé est-il fidèle, dans l'ensemble ?

— Je suis impressionnée, avoua Iseutz. Vous êtes

doué pour collecter des informations, il faut le reconnaître. Eh bien, vous n'avez pas mentionné pourquoi il a abandonné le combat et laissé Scona aux mains de Shastel. Juste avant d'affronter la troisième armée — il avait déjà annihilé les deux premières, comme vous le savez —, son fils a été tué par oncle Bardas et ma mère a filé sans se soucier de lui. Alors, somme toute, il a estimé qu'il n'avait plus de raison de prolonger un long combat perdu d'avance.

Le colonel hocha la tête.

— Je vous remercie de cette précision. Et que pouvez-vous me dire de plus à son sujet ?

Iseutz réfléchit un long moment.

— Je pense qu'on pourrait dire qu'oncle Gorgas est un mélange instable d'idéalisme et de pragmatisme. Sa partie idéaliste trouve son origine dans cette conception de la famille ancrée au plus profond de lui ; il estime que rien n'est plus important que ses parents. Enfin, il en est convaincu. Pour ma part, je ne pense pas que ce soit vrai. Je pense qu'il rêve, mais il y croit dur comme fer. (Elle resta silencieuse un moment, le dos de la main pressée contre ses lèvres.) Son pragmatisme, c'est le second côté de la pièce. Il a pour philosophie : ce qui est fait est fait et ce n'est pas la peine de pleurer sur le lait renversé. Il faut tirer le meilleur parti de la situation dans laquelle on se trouve et ne pas laisser le passé interférer avec l'avenir. (Elle grimaça un sourire.) C'est vrai que vous pouvez estimer qu'il pousse cette philosophie un peu loin, mais c'est un personnage assez extrême.

Le Fils du Ciel remua un peu sur son siège — peut-être à cause d'une crampe.

— Selon vous, pourquoi a-t-il mené un coup d'État dans le Mesoge ?

— Il y a sans doute de nombreuses raisons. (Iseutz soupira et regarda par la fenêtre.) Il a vu une bonne occasion et il l'a saisie. Il est né dans le Mesoge, c'est chez lui. Il n'avait aucune chance d'y retourner après ce qu'il avait fait, sinon à la tête d'une armée ; alors, il en a emmené une avec lui. Et si vous lui posiez la question, il vous répondrait sans doute qu'il l'a fait pour le bien de son peuple. Et il est probablement persuadé que c'est la vérité. C'est un autre de ses talents : il est capable de se convaincre de n'importe quoi quand c'est nécessaire.

— Pourquoi voudrait-il faire la guerre au peuple des plaines ? Il les a aidés à détruire Périmadeia.

— Ah ! (Iseutz hocha la tête.) C'est une bonne question, mais si vous aviez été attentif, vous auriez trouvé la réponse tout seul. Sa trahison envers la Cité est une des raisons pour lesquelles Bardas le déteste autant ; alors, il pense que s'il combat le peuple des plaines et tue Temrai, il se rachètera aux yeux de son frère. En même temps, il vous fera plaisir à vous, et s'il tient vraiment à rester roi du Mesoge, il va avoir besoin d'alliés — tels que vous, par exemple. Mais les considérations politiques ne sont que des à-côtés. C'est Bardas qui lui importe le plus. Et c'est en fonction de lui qu'il mène sa vie — quand il n'est pas aux ordres de ma mère.

Le colonel Abrain fronça les sourcils.

— Expliquez-moi.

— Il y a deux personnes qu'il a fait souffrir plus que les autres. Enfin, trois pour être précise. Ma mère, Bardas et moi. Dans cet ordre. Alors, il essaie de se racheter à nos yeux depuis. Il a permis à ma mère de jouer les dieux tout-puissants à Scona, il va tuer Temrai pour Bardas et… eh bien, nous parlerons de mon cas plus tard. (Elle bâilla et s'étira comme un chat.) Vous savez, si vous étudiez la nature humaine, oncle Gorgas est une pièce de collection. Soit c'est un démon qui passe sa vie à essayer de remplir ses devoirs familiaux en assurant les intérêts matériels des membres de sa famille, soit c'est un saint qui a commis un crime impardonnable. Ou les deux en même temps. Comme je vous l'ai dit, il estime qu'il a une dette énorme envers ma mère, parce que c'est elle qu'il a le plus fait souffrir — en dehors des gens qu'il a tués, bien sûr, mais comme ils sont morts, il ne peut plus rien pour eux. Cependant, c'est Bardas auquel il tient plus que tout.

— Bien qu'il ait assassiné son fils ?

Iseutz haussa les épaules.

— Oncle Gorgas a un pouvoir de pardon infini. C'est un élément qui va à l'encontre de la théorie du démon, tout comme sa trahison envers Périmadeia et le massacre subséquent vont à l'encontre de la théorie du saint. Nous sommes une famille de gens compliqués, nous autres les Loredan. On pourrait presque dire que nous ne causons que des ennuis, mais ce n'est pas tout à fait vrai.

Le Fils du Ciel se leva — avec lenteur à cause de sa mauvaise jambe.

— Je vous remercie. Vous avez été d'une grande aide.

— Oh ! ce n'est rien. (Iseutz resta là où elle était.) Mais s'il vous plaît, accordez-moi une faveur. Vous ne pourriez pas trouver un moyen de rendre la vie difficile à ma mère ? Avec des réglementations sur les devises, des droits de douane, des licences d'importation ou autres tracasseries de ce genre ? Elle déteste ça.

— Je suis désolé, dit le colonel sur un ton austère, mais le bureau des Provinces ne fonctionne pas ainsi.

— Ah bon ? Alors, n'en parlons plus. Au revoir.

Quand son visiteur fut parti, Iseutz s'assit par terre, le dos contre le mur et les bras serrés autour de ses genoux. Elle réfléchit à son rêve récurrent. Au cours de ce songe, le Patriarche Alexius déclarait que, si la jeune fille le désirait, il prendrait un couteau aiguisé et couperait sa moitié Loredan pour ne garder que sa moitié Hedin. Elle se réveillait toujours à l'instant où la lame commençait à pénétrer sa chair. Elle n'avait jamais réussi à décider si c'était un cauchemar ou non.

— Qui était cet homme ?

Elle leva les yeux.

— Le tueur de rats. Je l'ai fait venir. Cet endroit grouille de vermine.

Sa mère soupira avec impatience.

— C'était un officier du bureau des Provinces. Que voulait-il ?

— Si tu fais les questions et les réponses, je ne vois pas en quoi tu as besoin de moi.

Niessa Loredan marcha jusqu'à l'endroit où Iseutz était assise et lui asséna un coup de pied dans les côtes — assez violent pour lui couper le souffle.

— Qui était-ce ? répéta-t-elle. Et que voulait-il ?

Iseutz leva la tête.

— Il voulait savoir si tu aimais les champignons. J'ai répondu que oui.

Niessa la frappa de nouveau — beaucoup plus fort — et retira son pied avant que sa fille l'attrape.

— Je n'ai pas de temps à perdre avec toi en ce moment. Je vais envoyer Moroz prendre tes livres et ta lampe. Et n'espère pas le moindre repas.

— Parfait ! Je commençais à en avoir assez de la soupe.

Niessa se pencha.

— Iseutz, ne sois pas pénible. Que voulait-il ?

Iseutz soupira.

— Il voulait en savoir davantage sur oncle Bardas et oncle Gorgas. Je lui ai parlé d'eux. Il savait déjà tout ce que j'avais à lui dire. Je ne pouvais pas lui en raconter davantage, j'ignore le reste.

— Bien. (Niessa se redressa.) Tu lui as donc dit ce qu'il voulait apprendre ? Nous devons coopérer avec ces gens-là. Nous dépendons de leur bonne volonté.

— Je lui ai raconté tout ce que je savais.

Niessa hocha la tête.

— Et tu n'as pas été impolie, tu n'as pas causé de problème ? Enfin, pas plus que d'habitude ? Tu ne l'as pas attaqué ou quelque chose comme ça ?

— Mère ! s'exclama Iseutz avec colère. Pour l'amour des dieux ! À t'entendre, on dirait que je suis folle ou je ne sais quoi ! Qu'est-ce que tu imagines ? Que je l'ai poursuivi à quatre pattes à travers la pièce en essayant de le mordre aux mollets ?

Niessa se dirigea vers la porte et l'ouvrit.

— Nous devons coopérer, dit-elle. La vie n'est pas facile depuis que nous sommes ici. J'ai dû travailler très dur et je ne te laisserai pas ruiner mes efforts. C'est compris ?

— Dans les moindres détails.

Niessa lui lança un autre de ses regards en biais.

La peur ! Elle est inquiète. J'adore quand elle est inquiète.

— Iseutz, un jour, toute la somme de mon travail, tout ce que j'ai construit te reviendra. Tu es ma fille, la seule famille qu'il me reste. Pourquoi tu essaies toujours de me *gâcher* la vie ?

Iseutz éclata de rire.

— Tu vas mourir et me laisser tout ton argent ? Ben voyons ! Si je te croyais mortelle, il y a longtemps que je t'aurais sauté à la gorge en pleine nuit.

Niessa ferma les yeux et les rouvrit de nouveau.

— Tu me dis des choses pareilles et tu t'étonnes que je te garde enfermée ici. Je sais que tu ne le penses pas, que tu essaies juste de me choquer. C'est une habitude que tu aurais dû perdre à l'âge de dix ans.

Chapitre 4

Un simple tremblement de terre aurait suffi à rendre Sammyra vivable — si on ne tenait pas compte de l'odeur. Le chariot du service des dépêches avait cassé une roue en descendant des montagnes et il arriva donc en retard sur l'horaire. La correspondance pour Ap' Calick était partie depuis longtemps, mais il y en aurait une autre en fin d'après-midi. Dans l'intervalle, Bardas n'avait qu'à flâner dans la ville pour découvrir son ambiance si particulière.

— Merci, dit l'ancien avocat, mais ce ne serait pas possible de rester assis ici et d'attendre ?

La maîtresse de relais le fixa.

— Non, répondit-elle.

— Oh ! (Ses yeux balayèrent un court instant la rue avant de revenir se poser sur la femme.) Est-ce que je pourrais avoir un verre d'eau, s'il vous plaît ?

— Il y a un puits au bout de la rue. Là, à gauche, à côté des décombres du moulin.

Bardas fronça les sourcils.

— Je ne voudrais pas me montrer impoli, mais… est-ce que l'eau de cette ville est potable ?

— Eh bien, nous en buvons.

— Merci, dit Bardas. Je crois que je vais essayer de trouver du lait ou quelque chose d'autre.

Ce n'étaient pas les tavernes et les auberges qui manquaient à Sammyra. Celles de la ville haute étaient taillées dans la roche même de la Colline de la Citadelle ou installées au seuil de cavernes naturelles ; la plupart arboraient un panonceau sur la porte : « Interdit aux conducteurs de bestiaux, aux colporteurs et aux soldats » ; et l'entrée était encadrée de deux hommes impressionnants pour expliquer le message aux conducteurs de bestiaux, aux colporteurs et aux soldats qui ne savaient pas lire. Les établissements de la ville moyenne étaient pourvus d'un auvent abritant du soleil quelques vieillards éparpillés et assis sur des coussins à même le sol devant une porte basse et sombre. Dans la basse ville, les chariots-tavernes étaient disposés en cercle au bord de la foire équestre ; les véhicules étaient dotés d'un guichet par lequel on glissait son argent et récupérait de petites cruches en terre. Bardas choisit au hasard un établissement à auvent de la ville moyenne, un débit de boissons qui faisait aussi atelier de remoulage et cabinet de chirurgie. Une vieille femme était assise au fond et chantait les yeux fermés. Bardas ne connaissait pas assez bien la poésie et la musique de Sammyra pour déterminer s'il s'agissait d'une artiste ou d'une simple enquiquineuse. Les paroles évoquaient des aigles, des vautours et le retour du printemps — dans un style plus proche du marmonnement que de l'art lyrique. Bardas n'y prêta guère attention et s'assit le plus loin possible. Les vieillards interrompirent leurs activités et le dévisagèrent avant de se détourner. Un homme très petit, chauve et avec une longue barbe apparut soudain derrière son épaule gauche et lui demanda ce qu'il voulait boire.

— Je ne sais pas, dit Bardas. Qu'est-ce que vous avez ?

Le vieillard fronça les sourcils.

— De l'echin, répondit-il comme si on lui avait demandé la couleur du ciel. Vous en voulez ou pas ?

Bardas hocha la tête.

— Allons-y. Combien ?

— Comment voulez-vous que je le sache ? C'est vous qui décidez de la quantité. Vous pouvez commander une coupe, une carafe ou une bouteille.

— Non, je voulais dire : combien ça vaut ?

— Hein ? Ah ! un demi-sol la bouteille.

— Alors, donnez-moi donc une bouteille.

Le vieillard s'en alla et revint un moment plus tard, avançant de côté afin d'éviter les étincelles de la meule du rémouleur et les taches de sang laissées par le dernier patient du chirurgien.

— Voilà, dit-il en tendant une bouteille et une petite coupe en bois.

Bardas le paya, remplit à moitié son verre et renifla la boisson — mais maintenant, il avait trop soif pour se montrer difficile.

L'echin était chaud, très fluide, doux et noir ; c'était une décoction d'herbes parfumée avec du miel, de la cannelle et de la noix de muscade diluant de l'alcool pur — qui, ingurgité seul, se serait sans nul doute révélé fatal. C'était dangereusement bon pour étancher la soif. Bardas avala avec prudence le contenu d'une coupe et se mit à l'aise en attendant que sa tête cesse de tourner. La vieille femme cessa de chanter, mais tout le monde resta silencieux et immobile. Puis, elle reprit sa litanie. Bardas eut l'impression qu'il s'agissait de la même chanson, mais il n'en était pas certain.

Un peu plus tard, un groupe d'hommes assez nombreux entra et s'assit en un grand cercle au centre de la tente. Ils étaient bruyants, joyeux et avaient entre dix-sept et soixante ans. Ce n'étaient pas des Fils du Ciel, mais ils leur ressemblaient : ils étaient rasés de près et leurs longs cheveux noirs formaient des nattes complexes. Ils portaient une chemise blanche très fine qui leur descendait jusqu'aux genoux et étaient pieds nus. Bardas songea qu'il s'agissait sans doute de conducteurs de bestiaux — des gens presque aussi infréquentables que les colporteurs et les soldats, à en croire les panonceaux de la ville haute. Pourtant, aucun d'eux n'était armé. Ils burent leur echin avec modération en se servant dans un immense chaudron de cuivre posé au centre du cercle. Ils ne prêtèrent pas attention à la mélopée de la vieille femme et Bardas les jugea plutôt inoffensifs.

Un groupe de cinq soldats pénétra sous l'auvent un peu plus tard — ici, le temps s'écoulait avec lenteur, mais régularité. Ce n'étaient pas des Fils du Ciel non plus. Il était difficile de deviner leurs origines, mais ils étaient vêtus d'un gambison gris clair devenu marron avec l'âge. Cette chemise matelassée faisait partie de l'équipement réglementaire fourni aux fantassins impériaux, tout comme leur boucle de ceinture polie avec soin, leurs bottes et leur petit calot en laine à trois pointes porté sous le casque. Quatre étaient armés d'une épée ; le cinquième, le caporal commandant ce demi-peloton, avait une Falchion à bout carré glissée dans son ceinturon. Les soldats traversèrent le cercle des conducteurs de bestiaux qui s'écartèrent de leur chemin, puis ils pénétrèrent dans la pièce du fond. La vieille femme cessa de chanter, ouvrit les yeux et se leva avant de s'éloigner aussitôt en claudiquant.

Le vieillard assis à côté de Bardas avait la bouche béante. Sa minuscule coupe d'echin refroidissait sur le sol. L'ancien avocat se pencha vers lui.

— Un problème ? demanda-t-il.

L'autre haussa les épaules.

— Des soldats, répondit-il.

Quelque chose se brisa et des éclats de rire montèrent du fond de la taverne. Les conducteurs de bestiaux redressèrent la tête avant de reprendre leur conversation. Un ou deux clients se levèrent et partirent en regardant droit devant eux. Les soldats ressortirent de la pièce en portant de grosses cruches qui ne contenaient pas de l'echin. Ils s'immobilisèrent et observèrent les bouviers. La conversation des hommes en cercle s'interrompit de nouveau. Le vieillard qui venait de parler à Bardas s'en alla. Au même moment, une expression inquiète se peignit sur les traits du serveur. Tout portait à penser que l'endroit n'allait pas rester très longtemps un havre de tranquillité. Bardas serait parti avec plaisir, mais il n'avait pas fini sa coupe.

Et le prophète déclara : « Tu ne chercheras pas querelle dans les tavernes. Tu ne te mêleras pas des querelles des autres dans les tavernes. »

En matière de religion, ces préceptes ne manquaient pas de bon sens et Bardas les avait toujours respectés avec ferveur. Quand la rixe éclata, il fit ce qu'il faisait habituellement en de telles occasions : il resta assis sans bouger et observa la scène avec prudence du coin de l'œil, prenant soin de ne pas croiser le regard d'un combattant. Sur le plan du divertissement, l'affrontement ne manquait pas d'intérêt : les conducteurs de bestiaux avaient l'avantage du nombre, mais les soldats étaient armés et plus aptes à recourir à la force. Quand un bouvier s'effondra et ne se releva pas, le combat cessa. La confusion et l'agitation laissèrent place à une scène où quinze hommes se tenaient immobiles avec une expression de gêne sur le visage. Personne ne prononça un mot pendant un long moment. Puis, le caporal — celui qui avait porté le coup fatal — regarda autour de lui et dit :

— Quoi ?

Un des soldats observait Bardas. Il fixait les reflets sombres des éclairs de bronze terni sur son col. Il y en avait quatre : un adjudant. En fait, le manteau ne lui appartenait pas : il l'avait trouvé dans les mines — il était presque neuf, son ancien propriétaire était sans doute d'une négligence rare. Maintenant, tout le monde semblait avoir remarqué les minces broches de métal. Bardas se demanda ce qu'elles avaient de si intéressant.

Le petit homme qui l'avait servi vint se planter devant lui.

— Alors ? questionna-t-il. Qu'est-ce que vous comptez faire ?

Bardas leva les yeux.

— Moi ?

— Bien sûr, vous ! Vous êtes adjudant. Qu'est-ce que vous comptez faire ?

Ah oui ! C'est vrai. J'avais complètement oublié.

— Je ne sais pas trop. Qu'est-ce que vous me suggérez ?

Le serveur le regarda comme s'il était devenu fou.

— Il faut les arrêter, c'est évident. Il faut les arrêter et les amener au préfet. Ils viennent de tuer quelqu'un.

Et le prophète déclara : « Si on te demande d'arrêter cinq hommes après une rixe dans une taverne, prends tes jambes à ton cou. »

— D'accord, lâcha Bardas.

Il se leva avec lenteur et regarda un moment les soldats sans dire un mot. Puis il concentra son attention sur le caporal.

— Identifiez-vous !

Les militaires déclinèrent leur nom — des noms que Bardas ne saisit pas bien : ils étaient longs, compliqués et à consonance étrangère.

— Unité ?

Le caporal répondit qu'ils faisaient partie du régiment d'infanterie untel, de la compagnie je-ne-sais-quoi et du peloton machin.

— Bon ! dit Bardas. Qui est votre officier commandant ?

Le caporal lui lança un regard rempli de crainte et de détresse ; puis il se rua soudain vers lui en hurlant et l'épée levée.

Sans même se rendre compte de ce qu'il faisait, Bardas saisit le coude de son adversaire avec la main gauche tandis que la droite plongeait son poignard dans le creux de sa gorge. Il ne se rappela pas avoir attrapé son couteau, ni même l'avoir eu à la ceinture. Mais après trois ans passés dans les mines, l'arme était devenue partie intégrante de lui, comme une main ou un pied. Il n'était pas nécessaire d'y penser pour s'en servir.

Il regarda le caporal mourir et laissa le corps s'effondrer sur le sol. Personne d'autre ne fit un geste. Les habitants de Sammyra étaient des gens très calmes, semblait-il.

— Je vais vous le demander encore une fois, dit Bardas. Qui est votre officier commandant ?

Un soldat prononça un nom que Bardas ne comprit pas.

— Vous, dit-il au petit tenancier. Courez à la préfecture et ramenez la garde. Et vous autres, foutez-moi le camp.

Un instant plus tard, il se retrouva seul en compagnie des quatre militaires encore en vie et des deux cadavres. Il était facile de les différencier : les soldats étaient debout.

Après ce qui sembla être une éternité, un détachement de la garde arriva. Il était commandé par un Fils du Ciel, reconnaissable entre tous à son casque doré surmonté d'une longue plume.

— Une rixe ? demanda-t-il. (Bardas hocha la tête.) Et celui-là, dit-il en poussant le corps du caporal de la pointe du pied, a voulu vous attaquer.

— C'est ça, dit Bardas.

Le commandant de la garde soupira. D'après les insignes de son col, il n'était que simple sergent, Bardas était donc son supérieur.

— Bien. Et comment vous appelez-vous ?

— Bardas Loredan.

L'homme fronça les sourcils.

— J'ai entendu parler de vous. Vous êtes le héros, n'est-ce pas ?

Gannadius ?
Gannadius grimaça.

— Pas maintenant.

Gannadius ? Tu es très loin, j'ai du mal à...

— Oh ! pour l'amour des dieux !

Gannadius ouvrit les yeux. Alexius était penché sur lui avec un air inquiet.

— Je ne voudrais pas me montrer discourtois, mais cela ne te dérangerait pas de me ficher un peu la paix? Je suis en train de mourir et j'ai envie de savourer chaque seconde de mon agonie.

Pardon? Oh! Oh oui! C'est vrai. Mon pauvre ami, je suis profondément désolé. Comment est-ce arrivé?

Gannadius haussa les épaules.

— Oh! rien d'extraordinaire. Je pense que cela a commencé par une fièvre, et puis la situation s'est aggravé. (Il resta un moment silencieux.) Je suis en train de mourir? Pour de bon?

Alexius eut l'air pensif.

C'est-à-dire que… je ne suis pas médecin et mes connaissances dans ce domaine sont limitées, mais…

— Je suis en train de mourir.

Oui.

— Oh! (Gannadius fit de son mieux pour se détendre.) Comment le sais-tu?

Eh bien… Fais-moi confiance.

Gannadius essaya de refermer les yeux, mais cela ne sembla pas faire de différence. Il attendit, mais rien d'extraordinaire ne se passa.

— Alors? demanda-t-il. Que va-t-il arriver maintenant? Peux-tu m'éclairer sur la suite des événements?

Je suis désolé, Gannadius, mais comment le saurais-je? Si cela peut te consoler, mourir est une chose tout à fait naturelle.

Gannadius vit Alexius se creuser la tête à la recherche d'une analogie éloquente, mais pas trop alarmiste. «Tout autant qu'une naissance» fut apparemment la meilleure qu'il trouva.

— Tiens donc, ne put-il s'empêcher de dire. Il me semble pourtant qu'il y a au moins une différence majeure entre les deux.

Je vois ce que tu veux dire. Tu souffres?

— Avant, oui. Comme un damné. Mais maintenant, ce n'est plus si terrible. En fait, je n'ai plus mal du tout.

Je vois.

— C'est mauvais signe, non ?

Au contraire, c'est très positif. Tu ne voudrais quand même pas avoir mal ?

— Ce n'est pas ce que je voulais... (Gannadius soupira.) Bon, et maintenant ? Tu as une idée de la conduite à tenir ? Est-ce que je suis censé faire quelque chose, ou bien dois-je simplement rester allongé et attendre ?

Ce serait plutôt à moi de poser ces questions.

— Eh bien voyons ! Cela te permettra de préparer un superbe exposé sur le sujet, un exposé qui sera distingué lors du prochain colloque important auquel tu assisteras. (Gannadius s'interrompit.) Je suis désolé, c'était mesquin de ma part.

Je comprends très bien. Dans ta position...

— Je ne suis pas sûr d'aimer ce que tu vas dire, Alexius, le coupa Gannadius. En fait, je préférerais autant arrêter là cette discussion, et la reprendre une autre fois. Si cela ne te dérange pas. J'ai le sentiment que, si je continue à parler, je vais tout rater. Et comme on n'a qu'une seule occasion de mourir...

Ah ! mais en sommes-nous si sûrs ?

Gannadius se renfrogna.

— Oh ! pour l'amour des dieux ! Ce n'est vraiment pas le moment de discuter les mauvaises doctrines.

Excuse-moi. J'essayais juste de me montrer optimiste.

— Eh bien, ce n'est pas d'un grand secours. Alexius, tu ne peux rien faire ?

Je... À quoi penses-tu ?

— Je ne sais pas ! dit Gannadius sur un ton sec. C'est toi, le maudit sorcier. Trouve une solution.

Cela ne fonctionne pas ainsi. Tu le sais aussi bien que moi.

— Oui, mais...

Pour une raison inconnue, il n'eut pas la force de se

mettre en colère. Il n'avait même pas la force de ressentir une peur digne des circonstances. Il n'avait pas peur et cela, c'était effrayant.

— J'allais dire que tu étais le Patriarche de Périmadeia et qu'à ce titre tu connaissais sans doute des secrets que le reste d'entre nous ignore. De grands mystères que seuls les Patriarches sont habilités à connaître. Mais je faisais fausse route, n'est-ce pas ?

J'en ai peur.

— Je m'en doutais, tu sais. Mais quand tu es... Eh bien, comme je suis maintenant, tu préfères suivre l'espoir plutôt que la logique. Au cas où. Je ne t'en veux pas, mon vieil ami.

Je te remercie. Comment te sens-tu ?

— Étrange, avoua Gannadius. Ça ne ressemble en rien à ce que j'attendais.

Ah ? Comment cela ?

Gannadius réfléchit un instant.

— Je ne sais pas. Je m'attendais à... quelque chose de théâtral, je suppose. Voire de mélodramatique. Des expériences mystiques, des lumières aveuglantes, des tourbillons de brume, de sombres silhouettes vêtues de blanc immaculé. Ou bien de la douleur et de la peur. Mais ce n'est pas du tout le cas...

Il ouvrit les yeux, en réalité cette fois-ci.

— Tout va bien. (Une femme se tenait près de lui.) Tout va bien.

— Alexius ?

Gannadius essaya de tourner la tête pour regarder autour de lui, mais il en fut incapable. Il ne savait pas si cela augurait le meilleur ou le pire. Jusqu'à maintenant, il n'avait pas eu de difficulté pour bouger.

— Il revient à lui, annonça la femme à une personne que Gannadius ne voyait pas. Je ne sais pas ce que c'était que ce produit, mais ça a marché.

— Dans ce cas, tant mieux, répondit une voix masculine derrière l'inconnue. En général, une dose pareille suffit à te tuer. Je suis heureux que ça ait fonctionné.

La femme se renfrogna.

— Tu veux dire que c'est la première fois que tu l'essaies ?

— Comme je viens de le dire, en général, c'est un poison violent. J'avais envie de l'employer depuis longtemps, mais c'est la première personne disponible sur qui on pouvait le tester sans risque. Car en un sens, il était déjà mort, non ? Alors, autant en profiter.

Gannadius comprit pourquoi la présence de cette femme lui paraissait étrange — étrange était peut-être exagéré, disons plutôt inopportune. Elle appartenait au peuple des plaines. Ses yeux, la couleur de sa peau et son ossature ne laissaient pas le moindre doute. Une vague instinctive de panique monta en lui.

Au secours ! Je suis aux mains de l'ennemi !

La femme le vit frissonner et essayer de bouger. Elle sourit.

— Tout va bien, lui dit-elle. Vous allez vous en tirer.

— Donc vous dites que…, dit-il avant de s'apercevoir qu'il avait oublié le reste.

Elle était râblée et avait un visage rond, des yeux noirs et brillants, des cheveux gris coupés court et un double menton proéminent. Elle devait avoir une quarantaine d'années.

— Vous avez été très malade, poursuivit-elle. Mais le docteur vous a donné quelque chose qui va vous guérir. Attendez de voir.

Ses paroles irritèrent Gannadius.

Ce maudit docteur s'est servi de moi comme cobaye pour tester ses nouveaux remèdes assassins, eut-il envie de dire. *C'est un dangereux bouffon. On devrait lui interdire d'approcher un patient.*

— Merci, croassa-t-il. Où… ?

La femme lui sourit de nouveau.

114

— Nous sommes à Blancharber, dit-elle. Ce nom vous dit quelque chose ?

Gannadius réfléchit un moment.

— Non.

— Ah ! C'est un petit village à l'intérieur des terres, à une demi-journée de marche d'Ap' Amodi. (Elle prononça le nom de la ville en une fois au lieu de deux.) C'est à peu près entre Ap' Amodi et la vieille Cité.

— Où... ?

— Périmadeia. Vous êtes sur les terres du roi Temrai. Vous êtes en sécurité maintenant.

De la part d'Eseutz Mesatges, libre entrepreneuse îlienne, à sa sœur de guilde Athli Zeuxis. Salutations.

Cet endroit est horrible et ses habitants sont répugnants. Mais d'un autre côté, il faut reconnaître qu'ils ont des plumes à foison.

C'est d'ailleurs la raison qui m'amène à t'écrire cette lettre. Je suis en position de fournir, franco à bord de La Puissance du Marché, *soixante-sept tonneaux — contenance standard — de plumes d'ailes d'oie blanche premier choix, toutes calibrées selon la polarité des ailes. Cela nous donne en chiffres précis : trente-cinq tonneaux de plumes issues d'ailes droites, et trente-deux d'ailes gauches. Le produit est parfaitement adapté pour équiper les fûts standards des flèches de l'armée. On accepte de me les céder au prix ridicule de douze sols (périmadeiens) le tonneau — enfin, presque. Un petit détail sans importance m'empêche de conclure cette affaire sensationnelle : je suis raide comme un passe-lacet.*

Mais, ma chère sœur de guilde, ce ne serait plus le cas si tu m'envoyais une lettre de crédit sur le compte de ta banque pour la modeste somme de deux cent soixante-huit sols (périmadeiens). Je pourrais ainsi obtenir mes plumes et tu toucherais ta part habituelle d'un tiers sur les bénéfices. Les habitants de la ville seraient prêts à établir des échanges réguliers sur les bases du contrat actuel, ce qui satisferait tout le monde — à l'exception des oies, bien entendu, mais je ne crois pas qu'elles envisagent de quitter la région.

Alors, voilà : si L'Écureuil *arrive à l'heure prévue, tu devrais recevoir ce message le six — ce qui te laisse assez de temps pour griffonner les mots magiques et envoyer la lettre de crédit au capitaine du* Roi des Bêtes. *Selon mes informations, ce navire est attendu ici le dix-sept et donc, il n'appareillera sans doute pas avant le huit — au plus tôt.*

Si tu remplis ta part du marché avec la célérité requise, je peux conclure le contrat au plus tard le vingt, embarquer les plumes à bord de La Puissance du Marché *et être de retour sur Île pour le jour de l'Armistice. C'est aussi simple que cela.*

Bien, je crois que je n'ai rien d'autre à ajouter, mais il reste encore beaucoup de place sur ce parchemin premier choix et ce serait dommage de la laisser perdre.

Voyons, qu'est-ce que je pourrais te raconter d'intéressant ? Bien sûr, tu es déjà venue ici si mes souvenirs sont exacts — avec ton ami, le bretteur. C'était avant le coup d'État et les troubles, non ? Je ne pense pas que l'endroit était plus agréable à l'époque — il était sans doute pire. On peut raconter ce qu'on veut sur le régime militaire et Gorgas le Boucher, mais leur présence semble tout à fait bénéfique au commerce. S'ils fabriquaient ou faisaient pousser quelque chose de vendable — en dehors de ces plumes magnifiques sur la vente desquelles tu toucheras ta commission —, il y aurait de bonnes affaires à réaliser en matière d'import-export ici. Tu sais, il n'y a pour ainsi dire aucune concurrence locale, pas d'entrepreneurs-marchands, pas de cartels de producteurs, pas de monopoles royaux ou aristocratiques. Et le gouvernement a instauré un droit de douane d'à peine deux pour cent et demi. Si tu veux mon avis, c'est ce qui arrive quand un pays est gouverné par des amateurs.

Pourtant, je me pose des questions en voyant tout ça. Pourquoi Gorgas s'est-il donné tant de mal pour s'empa-

*rer de cet endroit s'il n'a pas l'intention d'en faire quoi que
ce soit ? Après tout, voler un pays à ses habitants me paraît
être un geste plutôt excessif. D'habitude, ce genre d'invasion s'explique bien sûr par des raisons très claires. Quelqu'un veut mettre la main sur du minerai de fer, un port
qui n'est pas pris par les glaces en hiver, des plantations
d'osier, de bois ou de safran ; ou bien il veut éviter qu'un
rival s'en empare ; ou alors, il a juste envie d'avoir des
frontières bien droites sur les cartes, ou l'ensemble des îles
d'un archipel. Et quand les raisons ne sont pas aussi trans-
parentes, tu peux être sûre que c'est parce que la région va
fournir des revenus réguliers à son nouveau propriétaire :
impôts locaux, taxes à l'achat, taxes sur les importations,
sur les routes, sur les épices, sur les mariages, sur la troisième génisse, l'escuage, le droit de meilleur catel ou la
dîme. Il y a toujours un bon motif — sauf dans le cas de
Gorgas. Je ne trouve pas la moindre explication et cela me
laisse perplexe. Pour commencer, un homme aussi froid
et calculateur que lui n'agit pas sans raison valable. Que
mijote-t-il, Athli ? Tu dois savoir ce genre de chose. Tu ne
veux pas me faire partager ce secret ?*

*Enfin bref, deux cent soixante-huit sols périmadeiens
sur* Le Roi des Bêtes *et le contrat des plumes est dans la
poche. Tu ne feras pas de meilleure affaire de toute
l'année. Je te le promets.*

Ta compagne en amitié et en commerce équitable,

ESEUTZ.

— Pour résumer…, dit-il.

Alexius s'interrompit et cligna des yeux, comme s'il
affrontait la lumière après un long séjour dans l'obscurité.

Ça ne va pas recommencer ! pensa-t-il.

C'était l'âge ! Ce n'était que l'âge. Il avait désormais
tendance à se réveiller — comme en ce moment — au
milieu d'une activité ou d'une discussion dont il était
incapable de se rappeler la nature. C'était un handicap

terrible pour un conférencier. Vous vous retrouviez soudain debout, face aux visages religieusement attentifs de mille jeunes étudiants, et vous n'aviez pas la moindre idée de ce que vous veniez de dire, ni de ce qui devait suivre.

Quelques instants auparavant, il était plongé dans un rêve éveillé qui se déroulait dans un long tunnel obscur, rempli de bruits et d'odeurs étranges, où des gens se tuaient en se dirigeant à tâtons et guidés par l'instinct. Alexius ne savait pas pourquoi il retournait sans cesse dans cet endroit, et toutes les hypothèses du monde ne l'aideraient pas à mettre un terme à ce songe.

— Pour résumer, s'entendit-il dire, si nous comprenons vraiment la nature du Principe, nous allons en venir inéluctablement à douter de l'existence de la mort. Celle-ci devient un concept nébuleux, presque un mythe, quelque chose en quoi nous avons cru quand nous étions très jeunes et impressionnables — tout comme les dragons et la fée Souvenir. Si nous comprenons vraiment sa nature ainsi que le mécanisme de son influence sur notre environnement et notre perception du monde, nous arrivons *ipso facto* à la conclusion que la mort — telle qu'on nous a appris à la considérer — est tout simplement irréaliste. Elle ne peut exister ; elle va à l'encontre des règles de la nature. Et si nous persistons à y croire malgré toutes les preuves irréfutables du contraire, c'est sans doute poussés par la foi et notre conscience — des éléments qui n'ont pas leur place dans une démonstration scientifique. Mais si nous nous confinons à ces points susceptibles d'être prouvés... — et quel est le but de la science, quels sont les buts de l'apprentissage, de la compréhension et de la connaissance, sinon ces choses qui peuvent être prouvées ? Si nous nous en tenons à ces éléments qui ont passé avec succès l'épreuve des vérifications, nous devons rejeter cette notion de mort et la considérer — dans le meilleur des cas — comme non démontrée et indémontrable. Nous devons aussi envisa-

118

ger avec une quasi-certitude qu'elle n'existe pas. D'un autre côté, l'existence du Principe…

Comment va-t-il? Puis-je lui parler?

— L'existence du Principe, s'entendit poursuivre Alexius, est établie sans le moindre doute possible. En fait, le Principe est lui-même une preuve. C'est le procédé intrinsèque par lequel nous évaluons ces choses que nous ne connaissons pas encore, lorsque nous voulons obtenir la vérité sur un point. Si vous avez retenu quelque chose de ce que je vous ai dit aujourd'hui, voire si vous commencez à comprendre…

Vous pouvez essayer. Mais je ne crois pas que vous allez en tirer grand-chose. Un peu plus tard, avec un peu de chance. Il est plus en forme l'après-midi.

Alexius ouvrit les yeux.

— Athli ?

Athli lui sourit.

— Bonjour Alexius. Comment allez-vous aujourd'hui ?

— Bien. (Il s'assit avec difficulté et lenteur.) Je faisais un rêve.

— Un rêve agréable ?

Il secoua la tête.

— Pas tout à fait, non. C'était plutôt un cauchemar, en fait. C'était celui où je me retrouve devant un amphithéâtre comble et j'ai oublié le sujet de ma conférence. (Il sourit.) Le bon docteur Ereq voudrait me faire croire que c'est parce que je persiste à manger du fromage malgré ses farouches mises en garde. Pour ma part, j'ai tendance à chercher une explication plus métaphysique — mais dans le seul but de continuer à manger du fromage. (Il baissa le ton de sa voix.) Ici, c'est la seule nourriture qu'on ne fait pas bouillir jusqu'à ce qu'elle se transforme en pâte informe.

Athli fronça les sourcils.

— Je ne crois pas qu'on puisse faire bouillir du fromage. Il fondrait.

Le docteur Ereq lança un long regard mauvais et docte à son patient, murmura quelques mots à l'oreille d'Athli et quitta la pièce. Quand la porte se referma derrière lui, Alexius demanda :

— Qu'est-ce qu'il vous a dit ?

— De l'appeler si vous commenciez à vous exciter et à raconter des absurdités. Oh ! et je ne dois pas trop vous fatiguer.

Alexius haussa les épaules.

— Ma vie va devenir un enfer si je ne peux plus manger de fromage, ni raconter d'absurdités. Je pratique ces deux activités depuis ma plus tendre enfance, et je suis trop vieux pour changer mes habitudes.

Athli s'assit sur le bord du lit. Dehors, la pluie battait contre les volets.

— Mais vous n'êtes pas trop vieux pour aller à la pêche aux compliments, n'est-ce pas ? Nous savons tous deux que raconter des absurdités ne fait pas partie de vos défauts. Parler, oui, mais vous êtes en général très cohérent — enfin, quand je suis là du moins. Vous n'aimez pas le docteur Ereq, je me trompe ?

— Non, reconnut Alexius. Ce qui n'est pas bien de ma part, je sais. C'est un excellent homme, d'une compétence hors du commun dans son art. Et quand je pense aux sommes astronomiques qu'il doit vous coûter…

— Oh ! ne commencez pas là-dessus, le coupa Athli. Et puis, je les fais passer en tant que frais dans ma comptabilité. Donc, cela ne *me* coûte pas un sol.

Alexius la regarda, intrigué.

— Les frais ?

— Oh oui ! Vous êtes employé par la banque comme conseiller technique, je ne vous l'avais pas dit ? Eh bien, c'est fait. Vous êtes un membre précieux de l'équipe.

— Tiens donc ? (Alexius haussa un sourcil.) Et mon travail donne satisfaction ?

Athli fit un geste équivoque.

— J'ai rencontré pis. (Elle fronça légèrement les sourcils.) Mais soyons sérieux, vous ne devriez pas faire l'enfant avec les docteurs. Ces personnes n'ont pas le même sens de l'humour que les gens normaux et ils vont penser que votre cerveau s'est ramolli dans votre crâne. Le docteur Ereq en est déjà convaincu.

— Oh ! lui. (Alexius fit la grimace comme un petit garçon.) En fait, j'ai juste essayé de lui parler de la notion de « Principe » et de la capacité à communiquer avec des personnes qui ne sont pas nécessairement présentes. Il ne m'a même pas écouté, bien sûr. Il a décrété que j'étais fou dès l'instant où j'ai abordé le sujet. On ne s'attend pas à ce genre d'attitude de la part d'un Shastellien.

Athli sourit.

— Entre nous, dit-elle, je ne crois pas qu'il soit de Shastel. Oh ! il affirme y avoir étudié, mais j'ai posé quelques questions ici et là et personne ne se souvient de lui. Il est originaire des colonies de Shastel. Je pense qu'il fait partie de la troisième ou quatrième génération de Colleonniens. D'ailleurs, cela en ferait un bien meilleur praticien, même si ça fait un peu péquenaud. Les écoles de médecine de Colleon enseignent de nombreuses techniques impériales.

— Oh ! qu'importe ! (Alexius essaya de s'étirer, mais une brusque crampe le saisit et le fit grimacer.) Assez parlé de cet homme. Comment allez-vous ? Et comment se portent les affaires ?

— Ça pourrait être pis.

— Je vois. Ce « ça pourrait être pis » signifie-t-il que la situation est catastrophique ou bien que vous amassez l'argent à la pelle ?

— Un peu des deux, répondit Athli. Le marché est d'un calme inquiétant, mais les entrepreneurs qui se risquent à l'extérieur s'en sortent fort bien.

— Par exemple ?

Athli réfléchit un moment.

— Eh bien, *L'Écureuil* doit rentrer du Mesoge d'un

jour à l'autre avec une cargaison de miel et de myrtilles. Son arrivée coïncide à point nommé avec une grosse commande que les gens de Molain ont décrochée avec les Bathary...

— Les qui ?

— Les Bathary. Ils fabriquent des uniformes pour l'armée de Shastel dont les soldats portent des capotes bleu foncé — vous le savez sans doute.

Alexius hocha la tête.

— Et qui sont teintes avec du jus de myrtille. Je vois. C'est très malin.

— Ce n'est qu'un coup de chance, corrigea Athli. Et le miel se vend un bon prix, maintenant qu'il n'en arrive plus de l'empire. Pour une fois, je crois que Venart Auzeil a peut-être déniché une affaire très rentable. (Elle fronça les sourcils.) Grâce à un petit coup de pouce de Gorgas Loredan. Il y a trois ans, personne n'avait entendu parler du Mesoge ; et soudain, voilà que nous voulons tous nous y approvisionner en deux produits de base. J'aimerais juste être sûre qu'on peut y faire des affaires durables.

Alexius resta silencieux pendant un moment.

— Les frères Loredan, encore une fois. On dirait qu'on ne peut pas faire un pas sans tomber sur eux, vous ne trouvez pas ?

Athli le fixa.

— Vous voulez savoir si j'ai des nouvelles de Bardas, n'est-ce pas ? demanda-t-elle.

— Oui.

— Eh bien (elle posa les mains sur ses genoux et regarda le volet de la fenêtre), il se trouve que j'ai rencontré Lien Mogre ce matin. Son frère fait partie de la délégation commerciale de Shastel ; ses membres viennent juste de rentrer de la dernière série de négociations avec le bureau des Provinces...

— Vous voulez dire que c'est un espion ? Voilà qui est prometteur.

Athli acquiesça.

— Oui. Mais il n'est pas très doué. C'est bien le problème : les gens de Shastel sont de piètres espions : on devine tout de suite ce qu'ils ont derrière la tête. Mais je sais de source sûre qu'on leur fournit de nombreux renseignements sans importance pour leur faire plaisir. Alors, il y a de bonnes chances que cette information soit digne de foi. Enfin bref, il m'a dit que Bardas avait été affecté à un petit poste administratif très calme quelque part à l'intérieur des terres. D'après le frère de Lien, il serait responsable de la production dans une manufacture. (Athli sourit.) En fait, on ne peut pas faire plus prosaïque que ça, vous n'êtes pas d'accord ?

— Cela dépend, répondit Alexius. Il y a manufacture et manufacture.

— Certes, mais quand bien même. (Athli se leva et traversa la pièce pour s'arrêter près de la fenêtre.) Je sais que vous avez cette théorie sur les Loredan et le Principe, et sur le fait que tout soit connecté par des nœuds ; mais je ne vois pas comment il pourra influencer le cours de l'histoire assis derrière un bureau à évaluer des pertes et à équilibrer des comptes. (Elle soupira.) Et si ça peut le garder à l'abri du danger, je pense que c'est parfait pour tout le monde.

Une bourrasque chargée de pluie ébranla les volets et fit trembler le loquet.

— Vous êtes en colère contre lui, n'est-ce pas ? demanda Alexius. Me direz-vous un jour pourquoi ?

— Je ne suis pas en colère contre lui, répondit Athli de dos. Ces derniers temps, il peut s'écouler une journée entière sans que je pense à lui. Je suis heureuse d'affirmer que j'ai changé depuis que j'étais le clerc d'un escrimeur. J'ai fait quelque chose de ma vie, merci bien. Et j'y suis parvenue sans faire de mal à quiconque et sans faire de vagues. Je crois que je peux en être fière, vous ne trouvez pas ?

Alexius s'allongea sur le dos et ferma les yeux.

— Bien sûr. Quand je pense au nombre de personnes que vous avez aidées et dont vous vous êtes occupée depuis votre arrivée ici. Moi, Gannadius, son neveu, Venart, Vetriz...

— Oh ! ce n'était rien, l'interrompit-elle avec calme.

— Je suis persuadé du contraire, continua Alexius. Vous n'étiez pas obligée de le faire, mais vous l'avez fait quand même. C'est un peu comme si vous aviez décidé de... de nettoyer derrière lui, pourrait-on dire. Tous ces gens ont été abandonnés dans son sillage et vous, vous essayez de leur rendre un semblant de vie normale. Je trouve cette attitude intéressante.

— Vraiment ? dit Athli, le regard toujours fixé sur le volet. Eh bien, c'est une manière curieuse de voir les choses.

— Ça fait partie de mon travail, répliqua Alexius avec une pointe d'amusement dans la voix.

La nuit après la rixe dans la taverne, bringuebalé entre les paquets et les tonneaux d'un nouveau chariot du service des dépêches, Bardas repensa aux mines pour la première fois.

Cela commença comme un rêve, mais il en sortit aussi vite que possible, forçant ses yeux à s'ouvrir dans l'espoir de voir la lumière. Il n'y en avait pas. Il distingua juste un tas de bagages retenus par des cordes entre la lanterne du conducteur et lui. Il faisait nuit noire. Il entendit les chocs des roues du véhicule qui avançait tant bien que mal sur la route balafrée d'ornières. Il sentit une odeur de romarin...

Du romarin ? Ce n'est pas normal.

Dans l'obscurité, il tendit la main pour sentir le vide, mais il avait glissé entre deux énormes caisses et ses doigts se heurtèrent de chaque côté à un mur de bois brut.

Je suis déjà venu ici.

Ses pieds étaient appuyés contre quelque chose.

Détendant brusquement les jambes, il entendit et sentit des planches se fendre et se briser. Il savait qu'il n'était plus dans les mines, bien entendu, mais cela ne l'aidait guère. Il avait vécu toutes sortes d'expériences sous terre, et il savait que la plupart n'étaient pas réelles. Il frappa de nouveau et le monde fut envahi par une odeur de rose.

Mais pourquoi tous ces cahots? Dans les mines, on n'était pas secoué dans tous les sens, il n'y avait pas de chocs qui vous ébranlaient la colonne vertébrale.

Merveilleux! J'ai trouvé un endroit pire que les sapes!

Et l'odeur était différente, elle aussi. Et il y avait beaucoup trop d'air. Il était sur un chariot, ou à bord d'un navire.

Alexius?

Non, c'était sûr: il ne pouvait pas être dans les mines.

Il était dans un véhicule du service des dépêches, sur la route reliant Sammyra à Ap' Calick. Il se rendait à la forge des épreuves d'Ap' Calick où il allait apprendre à massacrer des armures, des armures sans personne à l'intérieur. Tout allait bien, il n'était plus dans les mines. Mais quand on avait connu ce monde, on ne pouvait plus lui échapper. Tout allait bien se passer. Il était dans le royaume des Fils du Ciel, loin de la première frontière. Il était en sécurité.

En règle générale, on commence par mourir. Mais dans ton cas, on a fait une exception.

Bardas eut un peu honte de sa crise de panique. Il agrippa les bords du chariot et se redressa pour s'asseoir, le dos appuyé contre un gros tonneau. L'odeur de rose était insupportable tant elle était forte. Son pied avait traversé un coffre fragile et brisé une fiole d'essence de rose. Comment allait-il expliquer cette bévue au conducteur le lendemain matin, quand le chariot s'arrêterait à la prochaine étape? Il se pencha en avant et renifla. Ses jambes empestaient le parfum, comme s'il était mort et embaumé.

Le produit servait à cela, il se le rappelait maintenant. Une puissante essence de rose, si forte qu'elle pouvait sans difficulté masquer l'odeur d'un cadavre avec une semaine de retard à son enterrement. Il se souvint de la puanteur de Sammyra, quand ils avaient emporté le corps du caporal au camp mortuaire. Ils utilisaient de grandes quantités de ce produit là-bas. Les cérémonies funèbres avaient lieu une fois par semaine et si vous en ratiez une, il fallait attendre la suivante.

… Et le romarin. Ils s'en servaient pour aromatiser et conserver la viande. Ils étaient doués pour ce genre de choses, les Fils du Ciel. Vous leur donniez de la chair morte et ils savaient la préserver pendant des années, avec des herbes, des épices, des parfums et des essences. Leur savoir-faire pouvait rendre la viande pourrie meilleure que la fraîche. Ils suspendaient des carcasses tout à fait consommables et attendaient qu'elles grouillent de vers juste pour obtenir ce goût parfait. Au sein de l'empire, il y avait une vie après la mort — enfin, en un sens.

Bardas s'endormit en songeant à tout cela. Le conducteur le réveilla en le secouant avec délicatesse du bout de sa botte. Il faisait grand jour.

— On est à Melbec, annonça l'homme comme si l'information était d'importance. Vous pouvez vous dégourdir les jambes si le cœur vous en dit.

Bardas se leva. Il avait des fourmis dans les jambes et se rassit aussitôt.

On changea les chevaux à Melbec, puis une nouvelle fois à Ap' Reac où l'escorte les quitta. Aujourd'hui, Ap' Reac était trop petit pour mériter l'appellation Ap'. Pendant l'arrêt, le conducteur lui raconta que la cité était jadis « deux fois plus grande que Périmadeia », mais c'était avant que l'empire étende ses frontières jusque-là. Quand ses armées atteignirent la ville, il y eut une grande guerre suivie d'un siège interminable et effroyable. Et ce fut la fin d'Ap' Reac.

Cette histoire poussa Bardas à lui poser une question qui ne l'avait pas effleuré auparavant. Depuis combien de temps l'empire existait-il, et quelle était son origine ?

Le conducteur le regarda comme s'il avait affaire à un simple d'esprit.

— L'empire est vieux de cent mille ans, répondit-il. Et il s'est développé à partir du Royaume des Cieux.

— Ah ! dit Bardas. Merci beaucoup.

Entre Ap' Reac et Seshan — où que Seshan puisse être —, la route grimpait une montagne escarpée avant de plonger dans une gorge profonde encadrée de parois à pic. On aurait dit que la terre avait été fendue par une épée géante. La piste suivait le lit à sec d'une rivière qui avait creusé le ravin et disparu depuis de nombreuses années. Bardas songeait encore aux mines lorsque le chariot s'engagea avec fracas dans l'ombre des murailles de pierre. Le paysage lui rappela les galeries et les voies principales de la cité souterraine creusée sous Ap' Escatoy. Cette cité avait désormais disparu avec son réseau complexe de routes et d'allées taillées avec peine ; elle avait été détruite, perdue, comme Ap' Reac ou Périmadeia. Mais dans ses souvenirs, elle était encore présente, plus réelle que l'endroit improbable et douteux où il se trouvait en ce moment — un endroit qui sentait le romarin et la rose, un endroit où aucun plafond ne vous protégeait des rayons du soleil.

On ne peut pas rêver mieux pour une embuscade, songea Bardas. *C'est une bonne chose que nous soyons au cœur de l'empire, sinon, on serait en droit de se sentir nerveux ici.*

Quelque part dans le ciel, le soleil était haut et chaud, mais au pied des parois, il faisait sombre et frais. La route semblait s'étendre à l'infini. Il n'y avait presque pas de vent pour chasser l'odeur de rose. En un sens, c'était un peu comme dans les mines. En un sens, le monde ressemblerait toujours aux mines.

Le chariot s'était arrêté. Bardas se releva en s'aidant

des mains et jeta un coup d'œil par-dessus les marchandises.

— Nous sommes à Melrun ? demanda-t-il.

— Non, répondit le maître de poste.

Ils étaient dans le ravin. La route était déserte devant eux.

— Alors pourquoi nous sommes-nous arrêtés ?

— Il y a quelque chose d'étrange, dit l'homme, debout sur le banc du véhicule.

— Je ne comprends pas. Qu'est-ce qu'il y a d'étrange ?

Le conducteur fronça les sourcils.

— Je ne sais pas trop, répondit-il.

À cet instant, une flèche le frappa juste sous l'oreille. Il s'effondra sur le côté et tomba au sol avec un bruit sourd.

Oh ! pour l'amour des dieux !

Bardas se jeta sur le plancher du véhicule et atterrit maladroitement entre les paquets.

On était au cœur de l'empire, hein ? Au beau milieu du domaine des Fils du Ciel ! Un endroit où, comme tout le monde le savait, personne ne se serait hasardé à voler un chariot rempli de diamants et laissé toute une nuit sans surveillance sur une place de marché.

Quel que fût le mystérieux archer, il était du genre prudent et méthodique, prêt à attendre que le champ soit libre avant de dévoiler sa cachette. Bardas songea qu'une telle conscience professionnelle ne l'arrangeait guère. Il était coincé dans une position accroupie très inconfortable, mais il n'osait pas bouger de peur de se découvrir et de recevoir une flèche dans la gorge.

C'est grotesque, songea-t-il. *Ce n'est pas comme si j'étais prêt à lever le petit doigt pour empêcher un chariot du service des dépêches d'être pillé. Ils peuvent bien prendre tout ce qu'ils veulent — et avec ma bénédiction. Si au moins je pouvais bouger mon pied.*

Il risquait de mourir tué par une flèche, desséché par la soif ou rôti par la chaleur lorsque les rayons du soleil s'engouffreraient entre les parois de pierre ; et tout cela à cause d'une douzaine de caisses d'essence de rose et du courrier impérial. Une vague d'indignation monta en lui.

Rien ne se passa. Bardas essaya de réfléchir : quand le prochain chariot devait-il emprunter cette route ? Il aurait dû le savoir. Quelqu'un le lui avait dit, mais il ne parvenait pas à s'en souvenir. Son agresseur prudent caché parmi les rochers connaissait sans doute les horaires, lui. Il ne semblait pas le genre d'homme à négliger un point aussi important. Il avait prévu un laps de temps suffisant pour décharger le véhicule et récupérer ce qu'il voulait. Cela prendrait un moment : à moins qu'il ait l'intention de conduire le chariot jusqu'à la sortie du ravin, il lui faudrait hisser son butin avec des cordes en haut des parois. Combien d'amis et d'associés l'accompagnaient ? Encore plus important — et plus insondable — : savait-il (ils ?) qu'il y avait quelqu'un dans le véhicule ou bien cette période d'attente et d'observation était-elle coutumière des bandits de grand chemin ?

Bardas en était arrivé à la conclusion qu'il ne supportait plus la crampe à sa jambe quand il entendit un bruit : quelqu'un marchait avec difficulté sur des rochers instables. Il n'osa pas regarder par-dessus les paquets, évidemment, et ne vit donc pas ce qui se passait — mais au moins, il se passait quelque chose. Et bien entendu, il n'était pas armé — à l'exception du petit couteau glissé dans sa botte, comme dans les mines.

Ce n'est pas la première fois que je me retrouve dans une situation aussi pourrie.

Ah bon ? Cite-moi trois exemples.

— Bon ! dit une voix masculine hors d'haleine. Vous deux, commencez à décharger. Gylus, calme les chevaux. Azes, où est ton abruti de frère avec les crochets ?

— Et comment je le saurais ? répliqua un enfant avec le gémissement plaintif caractéristique du benjamin de la famille.

— Ne sois pas effronté ! Gylus, prête-moi ton couteau. Bassa, pour l'amour des dieux, fais un peu attention avec ça ! C'est fragile.

Il était clair que ces bandits formaient une entreprise familiale.

Famille de voleurs associés, famille soudée.

— C'est pas juste ! s'écria une seconde voix enfantine. Tu avais dit que c'était mon tour d'avoir les bottes.

— Tu en as déjà une bonne paire. Fais donc ce qu'on te dit, pour une fois.

Et Bardas vit l'homme. Il se tenait de dos, debout sur les marchandises, et dirigeait les efforts de sa bruyante famille. L'ancien avocat n'aperçut que l'arrière d'un crâne chauve couronné de quelques mèches de cheveux grisonnants et un manteau de l'armée en piteux état et orné d'un trou suspect — mais raccommodé avec soin — entre les épaules.

Allez-vous-en ! pensa Bardas.

Mais l'homme ne semblait pas pressé le moins du monde.

— Bassa ! Bassa ! Pose-moi ça. Tu vas te couper et j'aurai encore ta mère sur le dos. Oh ! pour l'a...

Il m'a vu !

Les yeux rivés sur Bardas, l'homme resta immobile pendant un interminable battement de cœur. Puis sa main chercha la garde d'un cimeterre de cavalerie qui se balançait de manière incongrue à son épaule, suspendu à une ceinture beaucoup trop longue.

Malédiction ! pensa Bardas.

Ses jambes étaient tellement contractées qu'il fut incapable de réagir avec force et rapidité — sinon, il se serait enfui en courant. Mais cette option était inenvisageable. Le bandit avait refermé la main sur la garde.

Il a un visage rond et fatigué, les joues flasques. Je connaissais un homme qui lui ressemblait. Il avait un étal où il vendait des chandelles dans le quartier des marchands de fournitures de bateau.

Le bandit essaya de dégainer son arme, mais il était gêné par la longue ceinture et une extrême terreur.

Le couteau apparut dans la main de Bardas.

Et ça recommence!

Le pommeau trouva sa place dans le creux de sa paume, le pouce s'appuya au milieu de la poignée, cherchant la petite entaille qui marquait la prise idéale. La pointe de ses doigts se posa sans pression excessive sur les quillons. Il ramena la main derrière l'oreille, inclina le poignet en arrière et lui imprima un mouvement sec tandis que son bras partait en avant — afin de maintenir le couteau droit pendant le lancer. Il fallait que le poids en mouvement de la garde guide sa trajectoire et lui donne sa force. C'est un geste instinctif ; si vous réfléchissez, vous ratez votre cible ou vous la touchez avec la tranche du couteau. Il faut que ce soit une seconde nature, ou c'est inutile.

Dans les mines, le geste lui était toujours venu instinctivement : dans l'obscurité, il fallait être capable de lancer un poignard en direction d'un bruit et réussir à le récupérer.

Un joli coup au but. Pas un dix, mais à la limite du neuf. La lame trancha la pomme d'Adam et sectionna la trachée. Sans air, la victime n'eut donc pas l'occasion de proférer un juron, de laisser à la postérité les fameuses dernières paroles ou quoi que ce soit d'autre. Sa bouche s'ouvrit et se referma, mais aucun son n'en sortit. Et puis un pied se déroba et elle s'effondra sur une caisse — marquée : « Fragile », comme de bien entendu. Cette dernière éclata avec un manque de discrétion affligeant et submergea Bardas d'une odeur de roses cueillies au petit matin. Un instant plus tard, la botte du cadavre glissa à quelques centimètres de son oreille.

— Papa ?

Le temps pressait désormais. Bardas tendit maladroitement la main gauche vers le corps et attrapa le sabre de cavalerie — un type d'arme déplorable et mal équilibrée, le pommeau vous pince le poignet et il faut être un contorsionniste hors du commun pour frapper de taille avec efficacité. Il s'aida de cette même main pour se relever — son pied gauche était encore engourdi et il avait des fourmis dans l'autre. Existait-il une raison plus idiote de se faire tuer ?

— Papa ? (Il y avait maintenant une pointe de panique dans la voix de l'enfant.) Bassa, qu'est-ce qui est arrivé à papa ?

— Attends une seconde.

Une tête apparut par-dessus le mur de bagages. Celle d'une fillette de neuf ou dix ans, aux traits carrés et grassouillets. Il y avait un air de famille indéniable avec l'homme que Bardas venait de tuer.

— Papa ?

L'enfant fixa l'ancien avocat et le cadavre gisant face contre terre au milieu des débris de la caisse.

— Gylus ! Il a tué...

Le poignard retrouva sa place dans la main de Bardas, mais une fraction de seconde trop tard. La tête disparut derrière les marchandises avant qu'il ait eu le temps de lancer son arme.

Mais qu'est-ce que je fous ici ? pensa Bardas. Il avança avec prudence le long du rebord des caisses. Mais ses genoux étaient encore flageolants, il perdit l'équilibre et glissa. Sa tête vint frapper le coin aigu d'un coffre.

Aïe ! Ça fait mal ! remarqua-t-il en essayant de se faire obéir de ses jambes afin de se relever. Quelqu'un lui lança un chapelet d'insultes. Il redressa la tête et vit un jeune garçon de douze ou treize ans. L'enfant avait appuyé une arbalète lourde et primitive sur le sommet du mur de caisses. Bardas ne distingua que des yeux, un front, une touffe de cheveux roux et ébouriffés au-dessus de l'arc d'acier bandé et un reflet de soleil sur l'arête tranchante de la pointe du carreau.

L'instinct, songea-t-il pendant que son poignet basculait.

Et puisque l'instinct était de mise, il dit : « Merci » à voix haute tandis que le visage de l'enfant partait en arrière et disparaissait en emportant le poignard avec lui.

Il entendit la fillette hurler de nouveau alors qu'il agrippait le cimeterre de la main droite.

Si elle récupère l'arbalète, je ne suis pas encore tiré d'affaire, pensa-t-il.

Il déplaça le poids de son corps sur son pied gauche et grimaça de douleur.

Allez, la jambe ! Ce n'est pas le moment de faire sa mauvaise tête !

Peut-être que les bandits n'étaient pas davantage, juste le père, le fils et la fille ; mais peut-être que le reste de leur maudite famille était là au grand complet, tapi dans les rochers : les frères, les sœurs, les oncles, les tantes, les neveux, les nièces, quinze degrés de cousins, le grand-père, la grand-mère et un panier à pique-nique.

Ce que j'aimerais surtout, c'est être ailleurs. Mais je suis prêt à abandonner ce vœu en échange de mon poignard.

Azes. Il y avait un autre enfant nommé Azes — un nom de garçon selon toute vraisemblance.

Réfléchissons ! Que ferait un bon fils dans de telles cir-constances ? Est-ce qu'il va ramasser sa petite sœur et filer sans demander son reste ? C'est ce que je ferais — pour-tant, je n'ai pas réagi ainsi à l'époque. Ou bien va-t-il essayer d'attaquer le monstre, celui qui a massacré sa famille, son foyer et sa vie — oh ! par tous les dieux ! j'espère qu'il ne va pas faire ça ! C'est vrai ! j'espère de tout cœur qu'il ne va…

Dans les mines, vous sentiez que quelqu'un se tenait dans votre dos. Quand le jeune garçon bondit sur lui, Bardas se retournait déjà, essayant de trouver un équi-libre précaire afin de pouvoir utiliser ses jambes. Il aurait été pratique de faire un pas de côté, un petit saut d'esquive tout en levant l'épée dans une parade de revers universelle. Il aurait procédé ainsi s'il n'avait pas chancelé dans un espace réduit au milieu de caisses de parfum et de biscuits, à l'arrière d'un chariot, avec deux pieds aussi lourds que douloureux et aveuglé par l'éclat du ciel quand il levait la tête. Dans cette situation, il distingua une vague silhouette et frappa de toutes ses forces en s'en remettant à son instinct — une fois de plus — et à son sens de la synchronisation. Le sang du jeune garçon lui gicla sur le visage, laissant supposer que le coup avait touché la veine jugulaire. Dix sur dix, et au dépourvu encore.

Oui, le dix était tout à fait mérité : il avait presque décapité l'enfant.

J'espère que c'était toi, Azes, pensa Bardas en se retournant de nouveau. *Ça m'ennuierait beaucoup qu'il y en ait d'autres comme toi.*

Quelque part au-dessus de sa tête, posée sur les caisses, il y avait encore l'arbalète tendue et armée avec un carreau engagé dans la rainure. Heureusement qu'Azes était bête comme un âne : il avait préféré lui sauter dans le dos avec sa hachette à bois alors qu'il avait une arme de jet prête à l'emploi à portée de main. L'intelligence ne semblait pas faire partie des traits de caractère de la famille, sinon elle n'aurait pas choisi cette curieuse manière de gagner sa vie.

J'en ai assez de cette histoire. Fichons le camp d'ici.

En bougeant, les caisses encordées avaient laissé un espace assez grand pour y glisser un pied. Bardas en profita pour grimper en haut du tas de marchandises. Il dépassa l'arbalète, le cadavre du garçon avec un poignard planté entre les yeux et s'installa sur le banc du conducteur. S'il y avait eu un troisième cousin au deuxième degré caché parmi les rochers et armé d'une autre arbalète, Bardas aurait eu des problèmes. Mais il n'y avait personne et, par conséquent, tout se passa pour le mieux. Il attrapa les rênes et le fouet puis essaya de se rappeler comment on conduisait un chariot.

Il ne doit pas y avoir une grosse différence avec une

carriole à foin, mais je n'en ai pas conduit depuis... Oh !
depuis que j'avais l'âge de Gylus.

Personne ne lui tira dessus, personne n'essaya de lui trancher la gorge par-derrière et personne ne lui lança des rochers sur la tête. Tout allait bien.

— Vous n'êtes pas le conducteur habituel, remarqua le maître de relais de Melrun en tendant la main pour saisir les rênes.

— Il est mort, expliqua Bardas. Quelqu'un a essayé d'attaquer le chariot.

L'homme eut l'air abasourdi.

— Vous plaisantez ?

— Je vous jure. Allez donc y faire un saut et compter les cadavres si vous ne me croyez pas.

— Et vous vous êtes battu contre les bandits ? Tout seul ?

Bardas secoua la tête.

— Ce n'est rien. Je suis un héros. Et puis, il n'y avait pour ainsi dire que des enfants.

Chapitre 5

La bataille était bel et bien terminée. Elle avait été brève, à sens unique et plutôt sanglante — surtout à cause de l'entêtement désespérant des rebelles qui refusaient de reconnaître leur défaite alors qu'il n'y avait plus le moindre espoir. En théorie, il paraît courageux de se battre jusqu'à la dernière goutte de sang, mais cela n'en vaut pas la peine si votre camp est sur le point d'être vaincu.

Temrai avait dirigé les combats de main de maître : d'abord les petites escarmouches offensives qui avaient amené les forces rebelles à quitter leurs positions pour entrer dans la zone mortelle ; puis les manœuvres parfaites de la cavalerie pour encercler les ailes principales ; et enfin, la poursuite et l'extermination des survivants — une tactique conçue et exécutée à la perfection. Le général Kurrai remarqua un peu plus tard qu'il était dommage d'avoir mené une bataille d'anthologie contre une bande de mauvais coucheurs et de minables qui, de toute façon, n'avaient pas la moindre chance dès le départ. Trois ou quatre volées de flèches et une simple charge auraient résolu ce conflit en quelques minutes, et la cavalerie aurait pu les écraser au passage. Une solution facile et efficace qui, au bout du compte, aurait permis d'éviter ce pénible travail de nettoyage...

Au moment crucial, les ailes des unités d'archers à

cheval et de lanciers s'étaient rejointes pour encercler la zone et l'issue de la bataille ne laissait déjà plus le moindre doute — la suite ne fut qu'une affaire de boucherie. Ce fut à ce moment qu'un chef ennemi aperçut les étendards des gardes du corps de Temrai et lança le reste de ses troupes dans une attaque suicide contre leurs positions. Inutile de préciser que seule une poignée de rebelles parvint à franchir le rempart de boucliers pour atteindre l'unité de protection royale ; la plupart furent embrochés sur les piques et les hallebardes des gardes. Sur toute une double compagnie, quatre hommes arrivèrent à portée d'épée de Temrai lui-même — et il n'y en eut qu'un qui réussit à toucher le roi. Un pouce plus à gauche et tous ses efforts auraient été récompensés.

Quel que fût cet homme, lui parmi tant d'autres, il devait écumer de colère. Quand il se fraya un chemin à travers le dernier cercle de gardes, il avait déjà reçu assez de blessures pour arrêter un être humain normal. Deux piques lui avaient perforé le ventre ; un coup en oblique porté à droite de son crâne avait aspergé les alentours de sang — comme c'est en général le cas avec les coupures profondes à la tête ; une plaie à l'épaule gauche lui avait fait perdre l'usage du bras. Mais il était droitier et encore debout. Quelqu'un réussit enfin à lui exploser le crâne, mais une fraction de seconde avant, le rebelle parvint à asséner un coup de revers avec son cimeterre. La lame frappa le cou de Temrai à la limite du gorgerin, où le rebord métallique s'ourlait en arrière. Le choc projeta néanmoins le roi à terre et la force de l'impact lui enfonça la trachée-artère, l'empêchant de respirer assez longtemps pour qu'il songe que tout était fini. Il tomba à genoux juste à temps pour que sa tête intercepte l'épée d'un garde qui armait son coup. La lame heurta le devant de son casque comme le marteau d'un forgeron une enclume. Temrai s'effondra au milieu d'une forêt de jambes et de chevilles et resta au sol dans une position particulièrement inconfortable. Roulé en boule, il étouffa lentement pendant un moment interminable. Puis deux gardes le trouvèrent enfin et le relevèrent avant que quelqu'un le piétine.

Quand Temrai fut sur pied et put respirer de nouveau, la partie cruciale de la bataille était déjà achevée et il ne restait plus que l'aspect boucherie. Des gardes évacuèrent sans délai le roi de la cohue pour le ramener dans le calme et la tranquillité des tentes. Un armurier dut découper les lanières du gorgerin cabossé et déformé avant de pouvoir le retirer. Un chirurgien examina la vilaine ecchymose enflée, la tamponna avec de l'hamamélis et assura au roi qu'il n'y aurait pas de séquelles permanentes.

— C'est une bonne chose que tu aies porté ce machin, lui dit Tilden un peu plus tard. (Elle tenait le morceau d'armure tordu et mutilé et le regardait avec un air pensif.) S'il n'y avait pas eu ce petit rebord recourbé tout autour, tu serais mort. Je suppose qu'il sert à ça.

Le général Kurrai secoua la tête.

— Il se trouve que non. C'est juste pour empêcher le haut de frotter contre ton cou et de te couper la gorge.

— Oh ! lâcha Tilden. Eh bien, dans ce cas, tu as eu un sacré coup de chance.

Elle reposa le gorgerin avec un petit frisson de répulsion, comme s'il était couvert de sang. Puis elle se tourna vers Temrai.

— Tu as vraiment besoin de faire ça ? De participer à toutes ces batailles, je veux dire. Tu ne peux pas rester à l'arrière, ou je ne sais où, et laisser quelqu'un d'autre s'occuper de la charge en elle-même ? Après tout, tu es le roi. Seuls les dieux savent ce qui se passerait si tu te faisais tuer. Ce n'est pas comme si tu étais un grand guerrier, un escrimeur hors pair ou quelque chose comme ça.

— Merci du compliment, déclara Temrai avec gravité. Je vais essayer de m'en souvenir.

Tilden fronça les sourcils.

— Je suis désolée de te décevoir, mais tu es loin d'être

un soldat remarquable. Et ce n'est pas la peine de me regarder comme ça ! Tu sais bien que j'ai raison.

— Bien sûr que tu as raison, répondit Temrai avec un petit sourire triste. Tu pourrais aussi remarquer que, chaque fois que je me retrouve en difficulté pendant une bataille, j'oblige d'autres personnes à risquer leur vie pour me sauver. C'est un comportement tout à fait irresponsable, c'est le moins qu'on puisse dire. Par malheur, je ne peux rien y faire.

— Ah bon ? (Tilden se leva en tenant dans les bras la lourde couverture en laine qu'elle reprisait.) Oh ! pardon. Je croyais que c'était toi, le roi. Je m'excuse !

Temrai soupira.

— Oui, je suis le roi. C'est pour cette raison que je n'ai pas le choix. Les gens ont besoin de me voir à leurs côtés, combattre avec eux, partager les mêmes risques…

— Mais ce n'est pas ce que tu fais, remarqua Tilden. (Elle coinça le milieu de la couverture sous son menton et tendit les extrémités pour la plier.) Tu es entouré de gardes du corps. Cette armure importée à prix d'or te couvre de la tête aux pieds. Et puis, qu'est-ce qui te fait croire que tout le monde a les yeux rivés sur toi en permanence ? Si j'étais soldat, je me concentrerais sur l'ennemi, je ne lancerais pas des coups d'œil par-dessus mon épaule pour vérifier que j'aperçois le sommet de ton crâne au milieu de la cohue. Je suis persuadée que ta présence sur le champ de bataille n'intéresse que toi.

— Ce n'est pas tout à fait…

— Et quand bien même, poursuivit Tilden, si j'étais soldat, je n'aurais pas envie que mon roi et commandant en chef soit planté en première ligne, où il peut se faire tuer par n'importe qui et n'a pas la moindre idée du déroulement de la bataille. Je voudrais qu'il soit au sommet d'une colline, à l'écart, dans un endroit où il pourrait observer les différents mouvements de troupes dans leur ensemble et donner des ordres à ses hommes.

— D'accord, dit Temrai. Tu as raison. Mon comportement n'est pas très raisonnable. Mais c'est *ma* façon de faire et je ne peux pas la changer maintenant sans que les autres l'interprètent mal. Tu crois que ça me plaît ? Je suis la cible de tous les maniaques à tendance suicidaire de l'armée ennemie, de tous ceux qui rêvent de devenir des héros et de mettre fin au conflit d'un seul coup d'épée.

Tilden le regarda en haussant un sourcil.

— Tu n'as pas une vocation de martyr : ce n'est pas parce que ça ne te plaît pas que tu es obligé de le faire. Écoute, si l'opinion des gens t'importe tant, pourquoi tu ne demandes pas à un de tes généraux de t'adresser une requête publique devant ton armée rassemblée, pour que tout le monde entende ? Il t'implorerait de cesser de prendre ces risques inutiles et tu répondrais que sa sollicitude te touche beaucoup, mais que tu estimes que c'est ton devoir et toutes ces bêtises. Les hommes se tourneraient tous vers toi et déclareraient : « Non, le général a raison ; tu dois faire plus attention à toi. » Et comme ça, tu serais tiré d'affaire ; et, en même temps, tu te conformerais aux souhaits de ton peuple. C'est simple.

C'est simple, songea Temrai en réfléchissant pendant la nuit, allongé sur son lit et incapable de s'endormir. *C'est simple. Inutile de se leurrer : ces derniers temps, je suis tellement terrifié que je dois lutter de toutes mes forces pour ne pas m'enfuir ventre à terre dès que j'aperçois l'ennemi. Et ça dure depuis… Eh bien, depuis la destruction de Périmadeia ; depuis que je me suis retrouvé à la pointe de l'épée de Bardas Loredan.*

Il ferma les paupières et l'image apparut de nouveau. Le colonel Bardas Loredan le fixait, le regard parallèle au fil de sa lame inclinée vers lui. Ses yeux se reflétaient sur le métal poli avec soin. La scène s'était déroulée longtemps auparavant et, aux dernières nouvelles, le colonel Bardas Loredan était devenu sergent dans l'armée du bureau des Provinces ; il se rendait en ce moment même sur les lieux de sa nouvelle affectation, un travail administratif dans un bureau, loin à l'intérieur de l'empire.

Il est sorti de ma vie une fois pour toutes, essaya de se convaincre Temrai — mais il savait que c'était en vain. *J'ai rasé Périmadeia pour une unique raison : j'étais terrifié par un seul homme. Et il est toujours vivant. Et moi, je suis là, j'attends qu'il vienne me chercher.*

À cette pensée, Temrai ne put retenir un sourire. Son royaume était secoué par des rébellions et l'empire se faisait pressant aux frontières — c'étaient là des menaces dignes de vous faire perdre le sommeil ; mais lui, il était hanté par le fantôme de Bardas Loredan au point qu'il avait à peine le temps et l'énergie de craindre les autres dangers.

Le plus ridicule, c'est que j'ai gagné. J'ai détruit la plus grande cité du monde ; et pourtant, j'ai si peur que je n'ose pas fermer les yeux. Je ne crois pas que lui, je l'obsède au point d'en perdre le sommeil.

— Gannadius, murmura le garçon assez fort pour qu'on l'entende dans la vallée voisine. Vous êtes réveillé ?

Gannadius se retourna sur le lit et ouvrit les yeux.

— Non.

Theudas lui lança un regard furieux.

— Comment vous sentez-vous ?

Il a l'air en colère, songea Gannadius. *Je pense que je l'aurais été aussi, à son âge. La désinvolture me mettait hors de moi quand j'étais jeune.*

La mine renfrognée de son neveu empira.

— Vous ne vous rendez pas compte, n'est-ce pas ? Ces gens font partie du peuple des plaines. Ce sont nos ennemis ! Quelle déveine d'avoir été secourus par eux ! (Ses traits se crispèrent et il fit la grimace comme s'il venait d'être piqué par une guêpe.) Que va-t-on faire, maintenant ?

Gannadius roula des yeux.

— En ce qui me concerne — moi et moi seul —, je vais rester allongé ici en attendant d'aller mieux. Fais donc ce que tu veux.

— Gannadius !

— Je suis désolé, Theudas. (Gannadius se souleva tant bien que mal sur un coude.) Mais il faut être lucide, je ne suis pas capable de grand-chose. Je ne peux pas me lever. Essaie de rentrer seul à la maison si tu veux, mais ne me demande pas ce que tu dois faire pour y arriver. Je n'en ai pas la moindre idée. Et puis, cet endroit ne me déplaît pas. Des dames fort agréables viennent me porter de la nourriture et s'enquérir de ma santé — et je n'ai même pas à travailler.

Theudas Morosin se retourna d'un mouvement brusque. Il était trop bien élevé pour se montrer impoli avec ses aînés et maîtres. Où avait-il appris de si bonnes manières ? se demanda Gannadius. Certainement pas avec Bardas Loredan. Alors sans doute avec Athli Zeuxis, sur Île.

— D'accord, dit Theudas. Si vous le prenez comme ça... J'espère juste que vous trouverez la situation toujours aussi désopilante quand ils apprendront qui nous sommes et planteront nos têtes sur une pique au milieu du camp.

Gannadius soupira.

— D'accord. Et qui sommes-nous, au fond ? Quelles sont donc ces terribles identités secrètes que nous devons à tout prix leur cacher ?

Theudas tressaillit.

— Nous sommes périmadeiens ! siffla-t-il. Mais peut-être l'aviez-vous oublié ?

Gannadius secoua la tête.

— C'est peut-être ton cas, mais pas le mien. Je suis citoyen de la République Maritime Unie — appelée plus communément Île. Et toi aussi. Et aux dernières nouvelles, j'ai entendu dire que les relations entre Île et le roi Temrai ne s'étaient jamais mieux portées. C'est l'avantage d'appartenir à un pays neutre : les gens ont tendance à éviter de te tuer sous le simple prétexte de ta nationalité.

Theudas ouvrit la bouche et la referma. Gannadius parvint presque à voir les pensées qui lui traversaient l'esprit comme un grand vol de freux regagnant le nid.

— Et d'ailleurs, ce n'est pas tout à fait exact. Tu es citoyen de Shastel, n'est-ce pas ? Non pas que cela ait une grande importance dans notre situation, ajouta-t-il.

— Non, déclara Theudas. Je suis devenu citoyen îlien dès que j'ai commencé à y posséder du bien. Tant que j'ai un compte solvable à la banque d'Athli, je suis un vrai Îlien à cent pour cent. Et puis, vous ne croyez quand même pas que l'ordre va accepter aussi facilement une vermine étrangère comme moi ? (Il haussa les épaules.) Enfin bref. Tout ça n'a rien à voir avec notre situation présente. Et oui, je suppose que vous avez raison. J'ai paniqué. Je suis désolé. C'est juste que… (Il grimaça comme s'il venait de se brûler.) Que je *déteste* ces gens ! Et je ne crois pas que quelque chose parviendra à me faire changer d'avis, pas après ce que j'ai vu quand j'étais enfant. Vous n'étiez pas là, Gannadius. Vous n'avez pas assisté à…

— C'est exact, l'interrompit Gannadius d'une voix ferme. Et j'en suis fort aise. Je ne dis pas que je ne les déteste pas, mais tant que nous sommes leurs hôtes, restons *discrets*, d'accord ? Nous garderons ainsi une bonne chance d'être embarqués à bord d'un navire et renvoyés chez nous.

Theudas se prit la tête entre les mains.

— Je suis désolé, dit-il. Et je sais, je suis incapable de m'en sortir tout seul. (Il leva les yeux et sourit.) Heureusement que vous êtes là pour m'aider, j'en suis conscient.

— Cela fonctionne dans les deux sens, répliqua Gannadius. (Il s'étendit sur le dos et ferma les yeux.) Après le naufrage, je ne sais pas quelle distance j'aurais parcourue sans toi, mais on peut sans doute la mesurer avec une toute petite cordelette. (Il chassa l'air de ses poumons pour se détendre.) Si tu veux te rendre utile, va donc me chercher cette gentille doctoresse. Demande-lui si elle peut envoyer un messager sur la côte pour savoir si des bateaux à nous doivent y faire escale ; et si c'est le cas, quand ils sont censés arriver. Essaie de faire preuve de gentillesse, tu veux bien ? Ne la traite pas d'assassin aux mains couvertes de sang ou autre amabilité de cet ordre. Tu connais la marche à suivre.

— Bien, mon oncle.

Quand le garçon fut parti, Gannadius ferma les yeux et fit de son mieux pour s'endormir. Mais au lieu de cela, il se retrouva de nouveau au pire moment du scénario, celui où le guerrier des plaines essayait de franchir la fenêtre de sa chambre en laissant des marques sanglantes sur le rebord.

— Mais qu'est-ce que vous fichez ici ? demanda le soldat.

— Je ne sais pas, répondit Gannadius. Je n'ai aucune envie d'être là.

— C'est pas de chance.

L'homme appuya ses larges épaules contre l'encadrement de la fenêtre et essaya de l'arracher du mur pour entrer dans la pièce. Il semblait assez fort pour y parvenir.

— Vous êtes ici à votre place, ajouta-t-il avec un sourire mauvais.

— Pas du tout !

— Permettez-moi de ne pas partager votre point de vue. Vous auriez dû être ici. Et maintenant, vous y êtes. Mieux vaut tard que jamais.

Gannadius essaya de quitter son lit, mais ses jambes refusèrent de lui obéir...

— En réalité, je suis ailleurs, protesta-t-il. Ceci n'est qu'un rêve.

— Nous allons bientôt être fixés, dit le guerrier. (Il grogna sous l'effort et on entendit le bois se fendre.)

Telles que je vois les choses, vous êtes ici et vous allez y rester pour toujours — au sens strict.

Gannadius tendit les mains derrière lui, attrapa la tête de lit et essaya de reculer.

— C'est moi qui vous fais dire cela. Parce que je me sens coupable. Vous n'êtes même pas réel.

— Faites attention à ce que vous dites ! répliqua le soldat. Pour sûr que j'existe ! Et je vais vous le prouver dans une minute.

Gannadius fit un effort surhumain et s'assit. Il essaya de faire glisser ses jambes hors du lit, mais elles étaient complètement engourdies.

— Et d'ailleurs, continua le guerrier, j'ai raison, pas vrai ? Vous êtes là, de retour sur les terres périmadeiennes. C'est votre place. La vérité, c'est que vous n'êtes jamais tout à fait parti et que vous le savez très bien.

— Allez-vous-en ! Je ne vous crois pas !

L'homme éclata de rire.

— C'est votre droit, mais vous vous trompez. Vous essayez de vous persuader du contraire, mais c'est inutile : vous en connaissez trop sur ce sujet. Agrianes, *De l'ombre et de la substance*, livre trois, chapitre six, paragraphes quatre à sept. Je le sais parce que c'est inscrit là, dans votre esprit, pour que tout le monde le voie. (Il tira avec force et le montant central de la fenêtre se brisa.) C'est dans ce passage qu'Agrianes pose le principe que, chaque fois qu'il y a une dichotomie importante entre la réalité telle qu'elle est perçue et le cours des événements convenant au mieux au fonctionnement du Principe, ce dernier cas doit être privilégié en l'absence de signes marqués du contraire — en d'autres termes, une preuve, un élément irréfutable. Prouvez-moi que vous n'êtes pas ici et je vous épargnerai peut-être. Sinon...

— Très bien, murmura Gannadius. De quel genre de preuve avez-vous besoin ?

— Une preuve, répéta le soldat.

Et il se transforma en docteur Felden, la gentille dame que Theudas était allé chercher à sa demande. Elle le regarda avec inquiétude, sourcils froncés.

— Vous vous sentez bien ? demanda-t-elle.

Gannadius la fixa.

— Où suis-je ?

— Il pleut jamais, dit le conducteur sur un ton attristé. (Il essaya tant bien que mal de plaquer un sac sur sa tête en tenant les rênes d'une seule main.) Enfin, une ou deux fois par an. Mais alors là, il *pleut*, si vous voyez ce que je veux dire. Pas comme maintenant.

Bardas — qui n'avait pas de sac — releva son col.

— Je trouve quand même que c'est de la pluie, dit-il.

Le conducteur secoua la tête.

— Pas du tout ! Enfin, si, bien sûr, c'est de la pluie. Mais c'est pas le genre de pluie habituelle dans la région. En règle générale, ce sont de véritables trombes d'eau qui vous tombent dessus, je vous assure. Le chariot se retrouve inondé avant que vous ayez le temps de dire « ouf ». On voit pas à dix mètres. Ça, c'est juste… de la pluie ordinaire comme on en avait à Colleon.

Bardas frissonna. La pluie ordinaire dégoulinait de son front pour lui tomber dans les yeux.

— Eh bien, on avait ce genre de pluie dans le Mesoge, pendant un tiers de l'année ; tout l'été et vers la fin de l'automne. Un temps idéal pour vous donner envie de rester à la maison.

— Nous sommes arrivés, dit le conducteur. Ap' Calick. C'est votre destination, vous vous souvenez ?

— Pardon ? Oh oui ! Excusez-moi.

Bardas cligna des yeux pour chasser les gouttes, mais il ne distingua qu'une forme indistincte : un grand bâtiment gris et carré rendu flou par la pluie. Il se dressait au fond de la vallée, en contrebas de la colline qu'ils venaient juste de contourner.

— C'est donc Ap' Calick ? demanda-t-il sans raison particulière.

— Ça ? (Le conducteur éclata de rire.) Dieux du ciel, non ! La ville en elle-même est à une autre demi-journée de route. Ça, c'est l'*arsenal* d'Ap' Calick. C'est pas du tout pareil.

— Ah !

Bardas lâcha son col le temps d'essuyer ses yeux d'un revers de manche. Cela ne fit guère de différence et l'image demeura inchangée : une masse grisâtre et indistincte formant un cube parfait.

— Je vois.

— Vous pouvez pas imaginer un endroit plus lugubre, poursuivit le conducteur. Un de mes amis y a été affecté pendant un moment. Il m'a dit qu'il y avait rien de rien par ici. Vous avez rien à faire. La cantine est petite, minable et on y coupe la bibine avec de l'eau. Y a pas une femme, à l'exception des quelques boudins qui fabriquent les cottes de mailles. Elles ont des mains comme des râpes de maréchal-ferrant et sont aussi fortes qu'un forgeron. (Il frissonna ; le mouvement chassa l'eau de pluie d'un repli de son sac et la projeta sur le genou de Bardas.) Et puis, il y a la poussière. Aussi mortelle qu'un bon coup d'épée. Après un mois à l'arsenal, vous cracherez assez de sable pour polir un plastron de cuirasse. Pas étonnant qu'ils meurent tous, là-dedans.

— Vous m'en direz tant, répliqua Bardas.

— À condition que le bruit vous rende pas fou d'abord, continua le conducteur. Trois équipes se relaient vingt-quatre heures sur vingt-quatre, vous voyez ? Clac ! Clac ! Clac ! Sans la moindre interruption. Si vous avez de la chance, vous deviendrez sourd. Et puis, il y a la chaleur — tout aussi mortelle que la poussière. C'est bien les types du bureau des Provinces, ça : ils construisent leur forge la plus importante à l'ouest, au beau milieu d'un putain de désert. Y a des gars qui deviennent dingues à force de boire de la saumure.

— De la quoi ?

— De la saumure. De l'eau salée, pour abaisser la température. Les jours de forte chaleur, vous avez tellement soif que vous la buvez à même les cuves de refroidissement, et puis vous devenez fou et vous mourez. Ça arrive à trois ou quatre bonshommes chaque année. Ils savent que ça va les tuer, mais au bout d'un moment, ils en ont plus rien à faire.

Bardas décida qu'il était temps de changer de sujet.

— Je n'étais pas au courant, dit-il. Qu'on refroidissait avec de l'eau salée.

Le conducteur secoua la tête.

— Ils utilisent plein de trucs pour diminuer la chaleur. Ça dépend de ce qu'ils fabriquent. Ils se servent d'eau salée, d'huile, de saindoux, d'eau plate ; ils prennent même du plomb en fusion pour certains objets — ou est-ce que c'est pour la recuisson ? Je me rappelle pas. Mon ami parlait pas beaucoup de cet endroit, ça le déprimait rien que d'y penser.

— Tiens donc ?

Quelques centaines de mètres plus loin, Bardas entendit le bruit. C'était tout à fait comme le conducteur l'avait décrit : le claquement d'innombrables marteaux, tous désynchronisés, comme d'énormes gouttes de pluie s'abattant sur un toit en ardoise.

— C'est encore pire à l'intérieur, l'informa son compagnon de voyage. Les salles sont gigantesques, vous voyez ? Le son se répercute sur les murs et le plafond. On reconnaît toujours un homme qui a travaillé dans ce genre d'endroit : il parle pas, il hurle.

Bardas haussa les épaules.

— Un peu de bruit ne me dérange pas. Mon affectation précédente était un peu trop calme à mon goût.

Le conducteur resta silencieux pendant un moment. Puis :

— Y a un autre truc qui arrive : vous perdez l'usage de votre main gauche — celle avec laquelle vous bloquez l'objet que vous travaillez, vous voyez? Avec les coups et les secousses sans interruption, ça finit par tuer les nerfs. Au bout du compte, vous vous retrouvez incapable de tenir quoi que ce soit. Quand vous en êtes là, ils vous envoient dans les forts en plein désert. Ce serait plus miséricordieux de vous achever d'un grand coup sur la tête, c'est sûr.

Il n'y avait qu'une entrée avec une imposante double porte en chêne dont les planches étaient fixées par des clous — une protection suffisante pour défendre une cité. Le conducteur y déposa son passager, fit demi-tour et disparut dans l'averse. Bardas cogna du poing contre la paroi en bois et attendit — assez longtemps pour sentir l'eau de pluie s'infiltrer dans ses bottes.

— Votre nom. (Un petit vantail s'était ouvert devant lui pendant qu'il regardait ailleurs.) Oui, vous! Votre nom!

— Bardas Loredan. Vous devriez attendre mon…

Une porte étroite s'ouvrit soudain dans la paroi de chêne.

— L'adjudant-major vous attend, annonça une voix sous une capuche trempée enfoncée sur un crâne. C'est de l'autre côté de la cour, troisième escalier à droite, quatrième étage, à gauche sur le palier, puis à droite, sixième à gauche, quatrième porte à gauche. Demandez votre chemin si vous vous perdez.

Et la capuche se précipita dans un recoin du mur du poste de garde. Bardas, qui n'était pas d'humeur à rester sur place, traversa aussitôt la cour. Quelques heures plus tôt, elle était encore couverte de terre cuite par le soleil, mais la pluie l'avait transformée en un champ de boue grisâtre et épaisse de la consistance du mortier. La mixture collait à ses bottes tandis qu'il se hâtait pour atteindre l'autre côté. En passant, il remarqua un ensemble de solides charpentes en A, par paire et assemblées par des barres transversales; il pouvait aussi bien s'agir de pièces de machines de guerre que de gibets produits en série. Il n'y avait personne d'autre en vue et les fenêtres surplombant la cour étaient fermées par des volets.

En face de lui, le bâtiment ressemblait à une tentative avortée de tour ; il était carré, haut de dix étages et une dizaine d'escaliers débouchaient sur la place. De part et d'autre, il y avait des galeries aux fenêtres obstruées par des volets et sans la moindre porte. Elles étaient identiques à celles qui longeaient les autres façades de l'immeuble ; deux étages, ou bien un seul avec un plafond haut et un grenier. Bardas laissa trois escaliers sur sa droite et entreprit l'ascension du quatrième. Ce dernier était en colimaçon et très étroit. Il y faisait sombre et les marches étaient étonnamment raides et glissantes. Bardas se demanda par quel miracle la pluie réussissait à pénétrer ici. Il n'y avait aucune rambarde ou corde pour garder l'équilibre. Ce n'était pas le genre d'endroit où vous aviez envie de croiser quelqu'un — à moins de savourer la perspective de redescendre jusqu'au rez-de-chaussée à reculons. Il y vit une certaine similitude avec les mines, mais, sous terre, il était difficile de mourir en basculant dans un escalier — c'était d'ailleurs une des rares causes de décès inaccessibles aux sapeurs.

Gauche, droite, sixième à gauche, quatrième porte à gauche.

Bardas se surprit à marmonner cette litanie comme s'il s'agissait d'un sortilège de protection, comme celui d'un héros de conte de fées pour passer les gardiens de la porte du royaume des morts. Il se réprimanda pour ces pensées funestes.

Ne sois pas idiot ! songea-t-il. *Cet endroit te paraîtra sans doute beaucoup plus agréable une fois que tu y seras installé.*

Les couloirs étaient éclairés par de petites lampes à huile dont les flammes chancelaient avec timidité dans des niches profondes. Elles fournissaient presque assez de lumière pour apercevoir où on mettait les pieds. Bardas estima qu'il était plus sûr de se fier à la méthode des sapeurs, c'est-à-dire de fermer les yeux et de repérer les tournants en attendant la caresse d'un courant d'air sur le visage.

Encore un des merveilleux talents que j'ai acquis depuis que je suis dans l'armée, pensa-t-il.

Il se baissa juste à temps pour éviter de se cogner la tête contre un chambranle invisible dans l'obscurité.

Il eut quelques difficultés à trouver la quatrième porte à gauche pour la bonne raison qu'il n'y en avait que trois. Il frappa à la dernière et attendit. Il arrivait à la conclusion qu'il avait fait fausse route quand elle s'ouvrit enfin. Il leva les yeux et vit un homme très grand, aux épaules larges et au visage presque rond ; un Fils du Ciel avec des cheveux blancs et clairsemés de chaque côté de son crâne dénudé et une petite touffe de barbe juste sous l'ourlet de la lèvre inférieure.

— Sergent Loredan, dit l'homme. Entrez. Je m'appelle Asman Ila.

Bardas entendait ce nom pour la première fois, mais cela ne le dérangea pas. Il suivit le géant dans une pièce sombre et aussi étroite que le couloir par lequel il était arrivé. Elle était faiblement éclairée par quatre minuscules lampes à huile posées sur un châssis métallique filiforme à hauteur d'épaule ; il y avait une fenêtre à l'autre extrémité de la pièce, mais elle était fermée par un volet et garnie de barreaux à l'intérieur ; trois des quatre murs étaient nus et un bureau de simples planches était installé devant le quatrième ; quelque chose qui ressemblait à une des extraordinaires tapisseries de Colleon était suspendu au-dessus. Si seulement il y avait eu assez de lumière pour en distinguer les couleurs.

— Une part du butin après la prise de Chorazen, dit l'homme. (Bardas n'avait jamais entendu parler de cette ville.) Mon grand-père commandait le sixième bataillon. La lumière du soleil détruit les pigments, alors je laisse le volet fermé.

— Ah ! dit Bardas comme si on venait de le gratifier d'une explication exhaustive. Je me présente à mon poste, ajouta-t-il.

Asman Ila lui désigna un petit tabouret à trois pieds d'un geste délicat. Le siège vacilla de manière inquiétante lorsque Bardas s'assit dessus — un pied était clairement plus court que les autres.

— Il vient d'Ap' Seudel, l'informa Asman Ila. Juste avant l'incendie. C'était ma première affectation. Du bois de rosé local avec de magnifiques nielles. Je vous souhaite la bienvenue à Ap' Calick.

— Merci, dit Bardas.

Asman Ila s'assit — sa chaise semblait encore plus inconfortable que celle de son subalterne et, si elle avait une histoire, Bardas n'eut pas à l'entendre.

— Ainsi donc, c'est vous le héros d'Ap' Escatoy. Au dire de tous, vous y avez accompli un exploit remarquable.

— Merci.

— Une ville fascinante, Ap' Escatoy, poursuivit Asman Ila. J'y ai passé quelque temps — il y a bien trente ans de cela. Je n'oublierai jamais les extraordinaires meubles en ivoire sculpté des appartements de fonction du vice-roi. Ils sont tout à fait caractéristiques, rien n'y ressemble dans le reste du monde — même de loin. Oh ! on a essayé de les imiter à Ilvan bien entendu, mais il n'est guère difficile de faire la différence : vous sentez presque la lourdeur des copies dès que vous entrez dans la pièce. Un de mes cousins travaille au bureau des Provinces et il a promis de me rapporter un panneau des triptyques qui servent aux audiences dans la salle de réception principale — ne rêvons pas, ce serait trop beau d'en obtenir deux.

Les yeux de Bardas s'accoutumèrent à l'obscurité et il distingua des silhouettes de chaises, de coffres, de boîtes à livres, de lutrins, de tabourets et de nombreux autres petits objets portables. Ils étaient empilés contre les murs et couverts de draps gris terne.

— Mes fonctions…, commença Bardas en espérant ramener son supérieur sur le motif de sa présence.

Mais Asman Ila semblait l'avoir oublié.

— La majorité des objets de cette pièce proviennent de cités qui sont tombées, dit-il enfin. Des endroits que mes ancêtres ou moi avons conquis pendant une guerre. Je pense que certains sont uniques. Ce pied de lampe, par exemple. Je crois qu'il s'agit de la dernière œuvre au monde en fer forgé de Cnéria. La cité a disparu, mais une partie de son héritage est toujours en vie, ici, avec moi. Et maintenant, vos fonctions. Elles sont on ne peut plus simples.

Au loin, Bardas entendait encore le cognement des marteaux — faible, mais assez fort pour devenir gênant.

— J'ai honte de l'avouer, dit Bardas, mais je n'ai qu'une idée très générale de ce que vous faites ici. Je ne sais pas s'il serait possible…

Asman Ila ne l'écoutait pas. Ses yeux étaient fixés sur la porte.

— Pour simplifier, dit-il, votre rôle est de superviser, et c'est là que votre grande expérience du métier nous sera si utile. Pour ma part, je suis incapable d'enfoncer un rivet ou de planter un clou droit, alors, ils en profitent, bien entendu. Les vols dans les entrepôts sont notre pire problème, suivis par les fluctuations de la demande. Il m'arrive parfois de me demander si le bureau des Provinces connaît le sens des termes « commande de pièces échelonnée ».

Bardas s'agita un peu sur son siège — qui était bancal et conçu pour un homme beaucoup plus petit que lui, peut-être même pour un enfant. Il se demanda s'il devait faire état de son ignorance totale en matière de travail d'armurerie. Il décida en fin de compte que c'était superflu.

— Mais nous nous débrouillons, poursuivit le Fils du

Ciel. Nous avons la chance de disposer de nombreux ouvriers très qualifiés ici, à Ap' Calick. Nous avons donc une certaine flexibilité. Est-ce que vos quartiers conviennent à vos besoins ? Si vous avez un problème ou une question, n'hésitez pas à venir en parler, à moi ou au capitaine des opérations. Après tout, il est vain de vivre dans l'inconfort tant que ce n'est pas indispensable.

Bardas ne savait même pas où étaient ses quartiers, mais il hocha la tête avec reconnaissance.

— Merci, dit-il.

Et il se demanda ce qu'il pourrait ajouter pour que l'adjudant-major le laisse enfin partir. Le tabouret devenait de plus en plus inconfortable et il avait la sensation que le frêle objet se briserait au moindre mouvement brusque.

— D'un point de vue technique, enchaîna Asman Ila en étouffant un bâillement avec soin, vous pouvez toujours vous entretenir avec le contremaître, Maj. Je ne peux pas dire qu'il soit tout à fait digne de confiance, mais je dois avouer qu'il n'est pas pire que les autres. Et il semble connaître son métier. Il a réparé un jeu de chandeliers pour moi ; ils provenaient de Riciden, il leur manquait le fleuron en spirale et le pied aplati. Vous auriez du mal à faire la différence avec un original, sauf en pleine lumière. Mon arrière-grand-père les avait trouvés dans la bibliothèque de Coil, il n'est donc pas étonnant qu'ils aient été endommagés.

En pleine lumière, songea Bardas. *Voilà qui ne risque pas d'arriver dans cette pièce.*

— Merci, dit-il. Est-ce que ce sera tout ?

Asman Ila resta immobile sur son siège pendant un court moment, le regard fixé sur quelque chose un peu au-dessus de l'épaule gauche de Bardas.

— Et rappelez-vous, dit-il soudain, ma porte est toujours ouverte. Il est préférable de traiter les problèmes quand ils se présentent plutôt que de vouloir les cacher jusqu'à ce que tout commence à aller de travers. Après tout, nous sommes tous dans le même camp, n'est-ce pas ?

— Maj ! cria Bardas pour la troisième fois.

L'homme secoua la tête.

— Jamais entendu parler de lui, hurla-t-il en retour. Pourquoi vous ne demandez pas au contremaître ?

Bardas haussa les épaules, sourit et s'éloigna.

Il va falloir trouver un moyen de supporter ce bruit, pensa-t-il.

Il se faufila entre les bancs et fit de son mieux pour rester hors de portée des machines et du balancement des marteaux.

Après tout, ça change des mines.

Il trouva enfin le contremaître — qui s'appelait Haj, et non Maj. Ce dernier était roulé en boule dans une niche étroite du mur de la galerie ouest et dormait profondément. Haj était un petit homme trapu d'une soixantaine d'années à peine ; il avait de longs avant-bras décharnés et les plus grosses mains que Bardas ait jamais vues ; son épaule droite était plus haute que la gauche et ses cheveux étaient raides et blancs.

— Bardas Loredan, répéta Haj. Le héros. D'accord, suivez-moi.

Il se déplaçait vite en faisant beaucoup de petits pas, il évitait les obstacles et se faufilait à travers l'atelier bondé sans donner l'impression de regarder où il allait. Bardas, plus prudent, eut du mal à suivre son rythme et le contremaître dut s'arrêter deux fois pour l'attendre. Comme tous les travailleurs de l'arsenal, Haj portait un long tablier de cuir dont les poches étaient pleines de petits outils et de torchons ; le vêtement partait du haut du cou pour se terminer juste au-dessus des chevilles. Le contremaître était chaussé de grosses bottes militaires dont l'extrémité était renforcée par un bout de métal.

— Alors, vous venez ?

— Excusez-moi, dit Bardas.

— Par ici, indiqua Haj.

Et il disparut un instant plus tard.

Bardas resta immobile une seconde ou deux et fit de son mieux pour deviner où le contremaître était passé. Il aperçut alors le petit porche bas dans le mur de la galerie, à peine visible dans la semi-obscurité. Il dut presque se plier en deux pour passer en dessous.

L'ouverture menait à un court passage étroit qui débouchait sur un nouvel escalier en spirale aussi raide qu'inquiétant. Quatre circonvolutions plus haut, il s'ouvrait sur une passerelle de planches surplombant l'atelier à bonne hauteur.

Voilà qui est curieux, pensa Bardas en jetant un coup d'œil en bas. *Il semble que j'aie toujours eu le vertige et que je ne m'en sois jamais aperçu.*

Il concentra son attention vers l'autre bout de la passerelle, vers la porte dans le mur arrière de la galerie. Si Haj n'avait pas fait une chute mortelle — ou ne s'était pas changé en oiseau —, il devait déjà avoir traversé. Bardas inspira un grand coup et continua à avancer, les mains serrées dans le dos et en évitant de regarder ses pieds.

Le passage débouchait sur un autre étroit couloir formant un angle droit avant de se perdre dans les ténèbres. Des portes étaient disposées à intervalles réguliers. L'une d'elles était ouverte et Bardas entra.

— Vous voilà enfin, dit la voix de Haj dans l'obscurité. Eh bien, nous y sommes. C'est une belle chambre.

Bardas avança à tâtons contre le mur jusqu'à ce qu'un obstacle lui barre le chemin. Il tendit la main et sentit du bois rugueux : des planches verticales et une barre. Il souleva cette dernière, mais elle lui glissa entre les doigts et tomba par terre. Il chercha alors à l'aveuglette et découvrit une poignée. Il la saisit et tira. Le volet bascula et la lumière envahit la pièce — qui ressemblait de manière déprimante à une cellule. Une surface plane saillait du mur, une couverture pliée et un unique oreiller jaunâtre posés dessus ; une carafe brune en terre cuite et un petit bol en étain émaillé de blanc étaient rangés sur le rebord de la fenêtre. Il n'y avait rien de plus.

— Merci, dit Bardas.

Haj renifla.

— Vous n'aimez pas, je le sens bien.

— Non ! Non ! s'exclama Bardas. C'est parfait. Enfin, j'ai connu pis.

— Vraiment ? dit Haj. La plupart d'entre nous dorment sur le toit, ou sous les bancs de l'atelier pendant la saison humide. (Il regarda autour de lui comme pour défier Bardas de formuler une critique supplémentaire.) Est-ce que quelqu'un vous a expliqué ce que vous êtes censé faire ?

— Pas tout à fait. L'adjudant-major a juste parlé de supervision, mais…

Haj sourit.

— Ne faites pas trop attention à ce qu'il dit. C'est le contremaître qui dirige cet endroit ; c'est dans la nature des choses, évidemment.

— Je vois, dit Bardas. Et qu'est-ce que je suis ? Un contremaître ?

Haj secoua la tête.

— En fait, vous n'avez pas de travail. Ils font ça de temps en temps. Ils nous envoient des gens qu'ils n'arrivent pas à caser ailleurs. En général, ça ne fait de mal à personne tant que les nouveaux venus ne viennent pas gêner les autres. Pour résumer, vous pouvez faire tout ce que vous avez envie de faire. Ne vous mêlez pas de nos affaires, c'est tout. Voyons, la paie tombe le dernier jour du mois, moins un prélèvement de deux sols pour le matériel et l'uniforme, trois de cotisation blessures et enterrement, et deux de retenue. Le reste, c'est à vous de le dépenser — mais si vous avez une once de bon sens, vous le déposerez dans le grand coffre au fond de la réserve, comme les autres. Prenez aussi l'habitude de ne rien laisser traîner, sauf si vous vous fichez qu'on le vole. Il y a pas mal de gars aux doigts baladeurs par ici ; ils n'ont rien de mieux à faire, vous comprenez ? Bon ! le mess ouvre une heure après chaque rotation d'équipe. Vous avez le droit de vous rendre à celui des officiers, au sous-sol de la tour, mais ça revient cher : un sol par jour, vin et bière non compris. Sinon, vous pouvez venir avec nous à la cantine. Demandez à n'importe qui et on vous montrera le chemin.

Bardas hocha la tête.

— Merci. Et qu'est-ce que c'est, la retenue ?

— La retenue, répéta Haj. Deux sols par mois. Vous ne savez pas ce que c'est que la retenue ?

— Désolé, dit Bardas. Nous n'avions rien de tel dans les sapeurs — ou alors, nous ne l'appelions pas ainsi.

Haj laissa échapper un petit soupir.

— La retenue, c'est ce qui est déduit de la paie de tout le monde pour la démobilisation. Vous savez, quand vous quittez l'armée. C'est pour vos vieux jours, ce genre de truc. On vous restitue ce qu'on vous a défalqué, plus une prime et moins les interruptions de travail, les amendes, les taxes, les exonérations et tout le reste. Vous n'aviez pas ça, dans les mines ?

— Non, répondit Bardas. Je suppose que notre durée de vie moyenne était trop courte pour se donner autant de peine.

— Enfin bref ! Nous, nous avons ce système ici. Bon ! est-ce que j'ai autre chose à vous dire ? Je ne crois pas. Si un truc vous échappe, demandez à quelqu'un de vous expliquer. Vous avez compris ?

— Très bien. Merci.

Haj hocha la tête.

— Bon ! dit-il. Il faut que je redescende, avant que toute l'unité s'arrête de bosser.

Quand il fut parti, Bardas resta assis sur le lit pendant un moment, les yeux fixés sur le mur en face, écoutant le bruit des marteaux.

Cette affectation est une bénédiction, songea-t-il. *Il sera facile d'éviter les ennuis. Je vais me plaire ici.*

Cela ne fonctionna pas.

Et surtout, il y avait le martèlement. Il l'entendait tout aussi bien avec les mains plaquées sur les oreilles.

Au moins, je ne suis pas aussi bas que dans les mines, essaya-t-il avec espoir. *Et personne ne tentera de me tuer ici. C'est quand même un bon point, non ?*

Bardas passa une heure seul dans ses quartiers, puis il retrouva avec prudence son chemin à travers les couloirs, par-dessus la passerelle et en bas de l'escalier pour regagner la galerie. Il resta immobile un instant, laissant le bruit le submerger, essayant de le savourer plutôt que de le rejeter. Il se dirigea alors d'un pas énergique vers l'établi le plus proche. Un homme y découpait des formes dans une feuille de métal à l'aide d'une lourde cisaille installée sur le plan de travail.

— Je suis Bardas Loredan, cria l'ancien avocat. Je suis le nouveau… (Il chercha en catastrophe un titre qui sonne juste.) Je suis le nouvel inspecteur adjoint. Expliquez-moi donc ce que vous faites exactement.

L'ouvrier le regarda comme s'il avait affaire à un dément.

— Je découpe, répondit-il. Qu'est-ce que vous croyez que je fais ?

Bardas contracta les traits de son visage pour froncer les sourcils.

— Je ne veux pas de ce genre d'attitude dans cet atelier ! Décrivez-moi votre façon de travailler !

L'homme haussa les épaules.

— Je reçois les feuilles de la section des plans, avec les contours gravés et tracés en bleu. Je découpe les pièces et je les pose sur ce plateau, ici. Quand le plateau est rempli, un type arrive et l'emporte là-bas. (Il indiqua l'autre bout de l'atelier d'un mouvement de menton.) C'est tout.

Bardas fit la moue.

— D'accord, dit-il. Maintenant, découpez-en une devant moi.

— Pourquoi ?

— Je veux vérifier que vous le faites bien.

— Si ça vous fait plaisir.

L'ouvrier souleva une nouvelle feuille de métal, la posa à l'envers sur l'établi et la fit pivoter. Il l'attrapa d'une main et saisit le long levier de la cisaille de l'autre. Il poussa la plaque entre les lames et rabattit le manche. L'opération semblait demander moins d'efforts que Bardas l'avait imaginé. Cela ressemblait en tout point à un travail de tailleur, sauf qu'une lame des ciseaux était rivée à la table. Pour suivre les courbes, l'homme utilisait un second outil fixé à l'autre extrémité. Ce dernier était actionné par une longue poignée identique à celle du premier, mais la partie supérieure de la cisaille était remplacée par une lame circulaire et dentée.

— Ça vous convient jusqu'ici ?

— Ça ira, grogna Bardas. Continuez.

L'homme retint à grand-peine un sourire narquois — ce qui n'était d'ailleurs pas nécessaire.

— Alors, vous ne voulez pas voir la troisième étape, hein ?

— Quoi ? Oh si ! pourquoi pas ?

L'ouvrier ramassa les pièces découpées et les fixa dans un énorme étau. Il aligna avec soin les côtés légèrement déchiquetés par la cisaille à la limite des mâchoires, de manière à ce qu'ils ressortent de quelques millimètres. Il attrapa ensuite un gros burin à lame épaisse sur le porte-outil disposé à proximité et le posa à hauteur de la mâchoire mobile, sur le bord des pièces et à angle droit. Puis il commença à donner de grands coups sur le dos du burin à l'aide d'un énorme maillet carré. La ligne déchiquetée fut découpée pour laisser place à un profil lisse et d'une netteté parfaite.

— Alors ? demanda l'homme.

— Faites-en un autre.

L'ouvrier recommença l'opération une deuxième fois, puis une troisième, une quatrième et une cinquième.

— Voilà ! Le plateau est plein. J'ai passé le test ?

Bardas lâcha un grognement le plus évasif possible.

— Bon ! dit-il. Et qu'est-ce que vous faites d'autre ?

— Pardon ?

— Qu'est-ce que vous faites d'autre ? répéta Bardas. Quels sont les autres processus et étapes de l'opération ?

L'homme le regarda de nouveau comme s'il avait perdu l'esprit.

— Y a rien d'autre, dit-il. Je découpe les ébauches des lamés des armures. Pourquoi ? Je suis censé faire autre chose ? Personne ne m'en a jamais rien dit.

Bardas attrapa le plateau.

— Continuez votre travail.

Il se dirigea vers l'endroit que l'ouvrier lui avait désigné. Dans un coin à l'autre extrémité de la pièce, un homme enfournait des morceaux de métal ressemblant à ceux transportés par Bardas dans une grande machine étrange. Celle-ci se composait de trois longs cylindres massifs et disposés à l'horizontale sur un châssis imposant en fer forgé. Quand l'homme actionnait une poignée, un des rouleaux tournait et amenait les plaques d'acier sous les deux autres — dont l'inclinaison et les réglages pouvaient être ajustés grâce à de grosses vis de blocage placées de chaque côté. La pièce ressortait ensuite à l'autre bout ; à cette étape du processus, elle avait perdu sa forme plate pour prendre un aspect incurvé, presque coudé ; elle ressemblait maintenant à une des petites plaques qu'on assemblait pour former l'épaulière d'une armure. C'était sans doute ce que le terme « lamé » signifiait.

Après avoir laminé chaque pièce, l'ouvrier l'appliquait contre un bloc de bois incurvé installé sur un support. Le but de l'opération semblait se résumer ainsi : si elle s'ajustait convenablement sur les courbes, il la posait sur la pile des éléments terminés ; dans le cas contraire, il réglait les vis de blocage avant de la laminer de nouveau entre les cylindres — jusqu'à ce qu'elle soit assez cintrée pour s'appliquer contre le patron en bois.

Bardas inspira un grand coup et se dirigea vers l'homme. Il déposa le plateau chargé de morceaux de métal sur l'établi le plus proche et rejoua son numéro d'inspecteur adjoint. L'ouvrier sembla un peu moins sceptique que le premier — ou bien il s'en fichait encore davantage. Il poursuivit son travail comme si Bardas n'était pas là et remplit son plateau.

— Bien, dit Bardas. Et où vont celles-ci ?

L'autre ne répondit pas, mais il fit un signe de tête sur le côté en direction de l'extrémité ouest de la galerie. Bardas appuya le plateau contre sa poitrine ; il était lourd, chargé d'une quarantaine de plaques incurvées bien empilées en demi-cercles concentriques, comme des darnes de saumon trop cuites et floconneuses. Il traversa l'atelier d'un pas mal assuré à la recherche de la personne qui travaillait les pièces identiques à celles de son plateau. Il espéra qu'il la localiserait avant de se rendre parfaitement ridicule. Par chance, il n'était pas très difficile de repérer l'endroit où était réalisée l'étape suivante de la fabrication : un homme avec un marteau et un petit poinçon forait des emplacements pour les rivets dans une série de cercles incurvés semblables à ceux que Bardas portait.

— C'est pas sorcier, déclara l'ouvrier tout heureux d'expliquer les subtilités de son travail à l'inspecteur adjoint. Il suffit de regarder les marques que les types des plans ont tracées pour indiquer la position des trous. Ensuite, vous attrapez la pièce de la main gauche, comme ça, et vous l'appuyez contre l'établi, comme ça. Puis vous prenez le poinçon dans la main gauche et le marteau dans la main droite, et… (Le marteau s'abattit avec un claquement sec.) Voilà ! C'est simple, non ?

Bardas hocha la tête.

162

— En effet, dit-il.

Parce que c'était la vérité.

— Et je vais vous dire autre chose : c'est simple, mais c'est également chiant comme la pluie.

— Pardon ?

L'homme le fixa.

— Vous savez combien de temps je devais occuper ce poste ? Deux semaines, en attendant que le nouvel ouvrier arrive. Et je devais ensuite retourner au planage — c'est ma formation de base. Et vous savez depuis combien de temps je fais ce boulot ? Depuis six ans. *Six ans*, par tous les dieux ! (L'homme inspira un grand coup.) Écoutez, vous êtes l'inspecteur adjoint, vous ne voulez pas glisser un mot en ma faveur ? Vous savez, votre prédécesseur, il avait promis de le faire. Mais il y a deux ans de ça, et est-ce que ma situation a changé ? Mes fesses, oui ! Et si je reste ici plus longtemps, je vais…

— D'accord, dit Bardas. Je m'en occupe. Je vais voir ce que je peux faire.

— C'est vrai ? (Le visage de l'homme s'illumina de joie, puis s'assombrit sous un masque de suspicion.) Si vous vous le rappelez, oui. Si vous vous le rappelez et si vous n'avez rien de mieux à faire. Je vais vous dire une bonne chose, c'est pas la première fois qu'on me fait cette promesse. Et n'espérez pas que je vais retenir mon souffle en attendant que…

— Je vais voir ce que je peux faire, répéta Bardas en faisant un pas en arrière. Je m'en occupe…

— Vous ne m'avez même pas demandé mon nom, lui cria l'homme avec colère.

Mais Bardas était déjà assez loin pour ne pas avoir à se retourner. Il fit semblant de ne pas avoir entendu. Il s'éloigna d'un pas rapide comme s'il savait où il allait — jusqu'à ce qu'il trébuche sur un gros bloc de bois. Il dut s'agripper à un établi pour ne pas tomber.

— Faites attention ! s'écria un homme de l'autre côté

du plan de travail. J'aurais pu m'écraser le pouce avec vos bêtises.

Bardas leva les yeux. L'ouvrier tenait une pièce d'acier dans une main et une espèce de marteau dans l'autre. Ce dernier ne ressemblait pas à un outil ordinaire : au lieu d'une tête métallique, il y avait un rouleau de cuir serré glissé à l'intérieur d'un lourd tube en fer à angle droit par rapport au manche.

— Désolé, s'excusa Bardas. C'est mon premier jour.

L'homme haussa les épaules.

— C'est bon. Mais faites attention où vous mettez les pieds la prochaine fois.

Devant lui, sur l'établi, il y avait un autre bloc de bois — peut-être un peu plus gros que celui contre lequel il s'était écorché le tibia. Bardas s'aperçut qu'il était en chêne. Au milieu, il y avait un trou carré dans lequel était inséré un piquet métallique surmonté d'une boule en fer un peu plus petite qu'une tête d'enfant. L'ouvrier tenait au-dessus de la sphère une pièce plus ou moins triangulaire qui ressemblait à un plat peu profond. C'était un des quatre côtés d'un casque conique, un modèle ancien qui équipait encore certaines unités auxiliaires de cavalerie.

L'homme remarqua que Bardas l'observait.

— Vous voulez quelque chose ? demanda-t-il.

— Je suis le nouvel inspecteur adjoint. Dites-moi un peu ce que vous faites.

— Du planage. Vous savez ce que c'est ?

— Expliquez-moi donc avec vos propres mots.

— D'accord. (L'homme sourit.) Ils envoient ici des types comme vous, hein ? Et vous n'avez pas la moindre idée du boulot qu'on y fait. Notez bien que c'est pas mon problème. Alors, voilà : pendant le planage, on martèle l'extérieur d'une pièce presque terminée pour enlever les bosses et les creux — pour que les polisseurs travaillent sur une surface lisse. Vous voyez, la mise en forme est en fait réalisée de l'intérieur ; on se contente donc de faire quelques petites retouches sur la face externe. On ne fait pas vraiment bouger le métal, on n'y va pas assez fort pour ça ; c'est juste pour que ça fasse joli. Je ne vous raconterais pas ça si vous étiez un véritable inspecteur : je perdrais mon boulot. Vous voulez voir comment je fais ?

Bardas hocha la tête et l'homme reprit son travail au stade où il l'avait interrompu. Il appuya la pièce de métal contre la sphère selon un angle adéquat et égalisa la surface à petits coups de maillet brefs et légers. Il laissait le poids de l'outil faire le travail et la tête rebondir sur la plaque d'acier.

— L'astuce, c'est de ne pas taper trop fort, expliqua l'ouvrier. Frapper comme un sourd, c'est le meilleur moyen de n'arriver à rien — et vite. Il suffit de laisser le maillet tomber, entraîné par son propre poids. C'est pour cette raison que je le tiens comme ça, entre le majeur et la base du pouce, regardez. (Il leva la main droite pour montrer sa prise de manche.) Vous voulez essayer ?

Bardas hésita.

— D'accord, dit-il. (Il tendit la main pour saisir le maillet.) Comme ça ?

L'homme secoua la tête.

— Non. Vous serrez le manche trop fort Ce n'est pas bon de serrer trop fort. Il ne faut pas essayer d'étrangler ce satané outil, vous devez juste le tenir avec assez de fermeté pour le contrôler. Voilà ! C'est mieux. C'est un jeu d'enfant une fois que vous avez saisi le truc, mais ça demande un certain apprentissage, ça ne vous tombe pas tout cuit dans le bec.

— C'est curieux, dit Bardas. Je n'aurais jamais imaginé qu'on pût façonner une pièce d'acier en y donnant une série de petits coups légers avec un cylindre de cuir serré.

L'homme éclata de rire.

— C'est tout à fait ça. Si vous tapotez la plaque des milliers et des milliers de fois avec le maillet en cuir, elle va devenir dure et dense. Même avec une hache de guerre de six livres, un coup porté à pleine volée ne ferait que rebondir dessus. (Il détacha son ouvrage de la sphère d'acier et fit glisser un doigt sur la surface.) Ça ressemble un peu à la vie, en fait. Plus vous en prenez plein la gueule, plus vous devenez coriace.

Chapitre 6

— Non ! Non ! lui avaient-ils dit — et sur un ton aba-sourdi. Il ne faut pas appeler ça une guerre civile ! Ce n'était qu'une rébellion ! On aurait pu parler de guerre civile si les autres avaient triomphé.

Temrai n'avait pas envie de s'appesantir plus que nécessaire sur ce genre de victoire. D'un point de vue diplomatique, il était normal que ses nouveaux voisins du bureau des Provinces expriment leur contentement : la situation était redevenue calme et le meilleur avait gagné. Pourtant, une simple missive aurait suffi, ou bien un messager avec des félicitations écrites en grandes lettres magnifiques sur un bout de parchemin. Il était tout à fait superflu de dépêcher toute une délégation proconsulaire.

Mais le proconsul Arshad avait expliqué en détail que, au sens strict, cette mission était envoyée dans un État reconnu souverain, amical et non aligné par un conseil d'administration des provinces — et non pas par un gou-verneur des provinces, car leur province d'origine était gouvernée par voix directe et donc, en théorie, soumise à l'autorité immédiate du Chancelier de l'empire par l'intermédiaire de ses représentants dûment nommés. Par conséquent, le protocole exigeait la présence du diplomate du rang le plus élevé. Arshad laissa entendre qu'une dérogation à l'étiquette aurait été une insulte —

ou, dans le meilleur des cas, un témoignage d'ignorance et de grossièreté.

— Je vois, mentit Temrai. Eh bien, c'est très aimable de votre part d'avoir fait tout ce chemin. Mais comme vous pouvez le constater, je suis toujours en un seul morceau, comme le reste de mes officiers supérieurs et de mes ministres. Je vous assure, nous allons très bien.

Il s'interrompit, incapable de trouver quelque chose à ajouter. Au cours de sa vie très mouvementée, il avait fait de nombreuses rencontres, mais personne d'aussi inhumain que le proconsul adjoint Arshad. Ses yeux buvaient la lumière comme le sable absorbe l'eau ; et quand il parlait, ses mots semblaient provenir de très loin. Temrai se sentit obligé de poursuivre la conversation, de faire un effort pour combler le vide que cet homme creusait dans la nature.

— Bien sûr, reprit Temrai, ce fut terrible. Nous nous sommes battus contre des gens que nous considérions comme des amis — et même plus que des amis, des frères. Je vais être honnête avec vous : j'avoue que je ne comprends toujours pas les causes de ce conflit. Je suppose que c'est arrivé, un point c'est tout. Un jour nous étions tous du même côté et nos buts étaient identiques — nous avions juste quelques divergences d'opinion sur la manière de les atteindre ; et le lendemain, nous ne nous parlions plus ; ils avaient quitté le camp pour partir avec leurs chevaux, leurs chèvres et leurs moutons. Je n'y ai pas vu d'inconvénient ; c'était leur droit le plus strict, bien sûr, s'ils n'avaient pas envie de rester avec nous. Et puis ils ont commencé à nous causer des ennuis. Oh ! rien de terrible, c'était juste… maladroit. Je suppose que vous diriez « impoli ». Ils ont décidé qu'une rivière leur appartenait et ils ont refusé que certains de nos éleveurs y abreuvent leurs troupeaux. C'était vraiment un sujet de dispute idiot ; si mon peuple s'était déplacé de trois kilomètres en amont, nos bêtes auraient bu la même eau —

avec quelques minutes d'avance — et tout le monde aurait été content.

» Mais par malchance, les choses ne se sont pas déroulées ainsi. D'abord, chacun a pris ses distances ; et puis il y a eu une bagarre ; une simple bagarre, mais un homme a été tué ; alors, j'ai dû intervenir. Avec le recul, je me demande encore s'il n'y avait pas un autre moyen de gérer cette situation, si j'aurais pu l'empêcher de dégénérer. Mais j'ai insisté pour que l'agresseur nous soit livré afin qu'il réponde de ses actes. Ils ont refusé, alors j'ai envoyé des hommes le chercher, ce qui a entraîné de nouveaux combats. (Il secoua la tête.) Cela n'aurait pas dû se passer ainsi, les dieux en sont témoins, et pourtant... Et aujourd'hui, nous en sommes là. Nous pensons à ce qui est arrivé, notre première guerre civile. D'une certaine manière, je suppose que ça montre combien nous avons évolué. En un sens, c'est ce genre de problème qui définit une nation.

Temrai se mordit la lèvre. Il n'arrivait pas à croire qu'il ait fait de telles remarques. Mais le proconsul adjoint Arshad était assis là et lui tirait les mots de la bouche comme un enfant gobant un œuf. Il était sans doute venu pour cela. Pourtant, Temrai n'en comprenait pas l'utilité. C'était comme se trancher les veines à dessein.

— Un enchaînement malheureux d'événements, lâcha enfin Arshad.

Il inclina légèrement la tête en avant, mais le reste de son corps resta immobile. Une vilaine cicatrice partait du coin de l'œil gauche pour atteindre le lobe de l'oreille ; Temrai dut faire de gros efforts pour ne pas la fixer.

— Mais vous avez réglé le problème avec célérité et fermeté. Espérons que cela préviendra efficacement de nouvelles oppositions contre ce que nous considérons comme un programme nécessaire et intelligent de réformes sociales. Comme vous l'avez fait remarquer, si vos décisions garantissent que de tels événements ne se reproduiront pas, vous êtes en droit de ressentir une certaine satisfaction.

— Je vous remercie, dit Temrai, sans savoir très bien pourquoi il rendait grâce à cet homme étrange.

Ce qu'il désirait plus que tout, c'était que ce Fils du Ciel et son escorte maussade s'en aillent et ne reviennent jamais. Les diplomates avaient peut-être des formules spéciales pour exprimer ce genre de souhait sans froisser leur interlocuteur, ni provoquer de guerre, mais si c'était le cas, Temrai ignorait lesquelles.

— Pour ma part, j'ai connu assez de conflits et de batailles pour me satisfaire jusqu'à la fin de ma vie. Je veux dire, ce n'est pas parce que vous êtes doué dans un domaine que vous l'appréciez à coup sûr. Cela résume à merveille la relation entre la guerre et moi — enfin, pas seulement moi, nous tous, en fait. En tant que nation, je dirais que nous en avons fait assez pour satisfaire le besoin de nous prouver notre valeur. Il est temps de passer à l'étape suivante.

Le proconsul adjoint Arshad l'examina en silence pendant un moment. Il semblait hésiter entre lui asséner tout de suite un grand coup sur le crâne et attendre qu'il grandisse un peu.

— J'espère du fond du cœur que vous parviendrez à réaliser vos aspirations. Quant au présent, puis-je me permettre de vous citer un extrait du traité sur l'art de la guerre le plus respecté par mon peuple ? Pour paraphraser — je n'ai guère le choix —, il dit que chercher à établir la paix sans avoir obtenu une victoire totale, c'est comme faire une soupe sans oignons ; c'est impossible. (Il ne sourit pas, mais un espace apparut entre ses lèvres, à l'endroit où il aurait souri s'il avait été humain.) Vous avez du travail et j'ai assez abusé de votre temps. Je conclurai en disant que l'empire est ravi de vous avoir enfin comme voisin.

Temrai regarda Arshad partir, mais il garda le sentiment tout à fait irrationnel qu'il était peut-être encore présent, tapi dans un coin. Après le départ du proconsul adjoint, il poussa un long soupir de soulagement et demanda :

— Est-ce que quelqu'un peut m'expliquer à quoi rimait tout ça ?

Poscai, le nouveau trésorier — son prédécesseur avait appartenu à l'autre camp et n'avait pas survécu à la guerre civile —, sourit d'un air contrit.

— Bienvenue dans le monde de la politique ! dit-il. Il paraît que les relations diplomatiques deviennent plus simples avec le temps, mais j'ai mes doutes sur ce point. Pour ma part, je pense qu'elles ne font qu'empirer, jusqu'à ce que les deux parties abandonnent et décident enfin de se déclarer la guerre — c'est dans la nature humaine.

Temrai secoua la tête.

— Pourquoi diable voudraient-ils entrer en guerre contre nous ? Nous ne leur avons rien fait. Nous possédons quelque chose qui peut les intéresser ? Si oui, je ne vois vraiment pas de quoi il s'agit. Tu crois qu'ils vont nous attaquer, Poscai ? Je n'ai peut-être pas très bien écouté, mais je ne me rappelle pas avoir entendu des paroles qui ressemblaient à une menace — enfin, rien d'aussi direct.

Le général Hebbekai retira le coussin de la chaise où Arshad s'était assis, le posa près des pieds de Temrai et s'installa sur le siège.

— Oh ! ils ont bel et bien lancé des menaces, dit-il. Si un représentant du bureau des Provinces affirme que tes chaussures lui plaisent, c'est une menace. Cela signifie qu'il a l'intention de te tuer pour te les voler. S'il te dit qu'il fait beau pour la saison, c'est encore une menace. S'il garde le silence et se contente de rester assis en souriant, c'est une terrible menace. Tu ne penses quand même pas qu'un homme de cette importance ferait tout ce chemin pour t'emprunter une paire de cisailles ?

Temrai haussa les épaules.

— Je ne sais pas. Et toi non plus, d'ailleurs. Soyons lucides, Hebbekai, nous ne connaissons *rien* sur ces gens — enfin, pour le moment.

Poscai secoua la tête.

— Parle pour toi. Je vais te confier une information pas très rassurante à propos d'Arshad et de ses amis du bureau des Provinces — qui ne représentent qu'une seule province, ne l'oublie pas, et pas la plus importante de l'empire, loin de là. Ils ont une armée de métier de cent vingt mille hommes, tous très bien entraînés et équipés de matériel de première qualité — sans parler de leur solde royale. Les soldats ne servent pas à la décoration. S'ils disposent d'une telle force, c'est qu'ils ont l'intention de l'utiliser. Ils n'ont pas le choix.

— Je ne te suis pas, dit Temrai.

— Ah bon ? (Poscai fronça les sourcils.) D'accord, alors imagine un peu ! Tu as à ta disposition cent vingt mille guerriers parmi les meilleurs du monde et tu vas leur annoncer que tu n'as plus besoin d'eux. C'est fini, ils ont accompli leur tâche et ils sont libres de partir. Que vont-ils faire ? Ce sont des soldats de métier, souviens-toi. Au bout de six mois, il t'en faudra deux cent cinquante mille pour t'en débarrasser, pour les tuer ou les chasser de tes terres. Non, quand tu disposes d'une telle force, tu n'as pas le choix : tu es condamné à l'utiliser. Et aujourd'hui, ils sont à nos frontières, conclut-il avec tristesse.

— Poscai a raison, dit Hebbekai. Pour simplifier, nous avons deux options : soit nous les combattons, soit nous plions bagage pour ne pas rester sur leur chemin. (Il secoua la tête.) Je suis désolé, je pensais que tu avais compris la situation tout seul. C'est pour cette raison que la guerre civile a éclaté.

Temrai sursauta et leva les yeux,

— Tu es sérieux ?

— Je croyais que c'était évident. Les rebelles voulaient partir après la chute d'Ap' Escatoy. Ils avaient l'intention de revenir à notre ancien mode de vie — c'est-à-dire retourner dans les plaines et mettre autant de distance que possible entre eux et les Impériaux. Tu t'y es opposé. C'était ton choix. Une guerre civile a donc éclaté. Ce n'est pas la vérité ? Poscai ? Jasacai ? Dites-le-lui, vous. Je vois bien qu'il ne me croit pas.

Temrai leva la main.

— Tu es en train de me dire que je me suis lancé dans une guerre civile sans que personne ait pensé à m'informer des *causes* du conflit ?

— Nous avons cru que tu les connaissais, dit Jasacai, le chancelier. Après tout, c'était évident.

Temrai se laissa glisser dans son siège et son menton vint buter contre sa poitrine.

— Ça ne l'était pas pour moi. Très bien, je veux que vous me promettiez une chose : la prochaine fois que nous entrerons en guerre, quelqu'un aura-t-il la gentillesse de m'expliquer pourquoi ?

Un autre diplomate impérial débarqua d'un navire de fret civil dans le port autonome de Tornoys, la plaque tournante de toutes les marchandises importées ou exportées de ce trou perdu qui était soudain devenu de première importance : le Mesoge. L'homme n'était pas aussi important qu'Arshad, mais c'était un ambassadeur très compétent avec presque vingt ans d'expérience. Il s'appelait Poliorcis et bien qu'il ne soit pas un Fils du Ciel — il était né dans la province de Maraspia, à l'autre bout de l'empire —, sa seule apparence suffisait à le distinguer de la foule habituelle rassemblée sur l'embarcadère de Tornoys. Les gens du Mesoge et les marchands qui commerçaient avec eux étaient en général petits, trapus et frustes, comme si quelqu'un s'était donné beaucoup de mal pour en fabriquer le plus possible à partir d'une quantité limitée de matière première. Par contraste, les Maraspiens faisaient presque songer à un gaspillage extravagant et délibéré.

Les porteurs déchargèrent la cargaison — en majeure partie composée de tonneaux divers, de balles de marchandises et de colifichets qui crédibilisaient sa couverture de vendeur de tissus itinérant. Pendant ce temps, Poliorcis prit le temps d'observer une petite scène somme toute assez intéressante et instructive qui se déroula devant l'entrée d'un magasin d'accastillage, à l'extrémité de l'embarcadère.

Une seconde d'inattention aurait suffi à vous la faire manquer, mais vous l'auriez sans doute remarquée du coin de l'œil et jugée trop banale pour vous donner la peine d'y prêter attention. C'était pourquoi, entre autres raisons, le bureau des Provinces confiait les missions d'observation discrète à des personnes totalement étrangères au pays.

Le vieil homme était saoul, ce point ne souffrait aucune controverse. Qu'il trouble ou non l'ordre public dépendait de la définition d'ordre et de désordre en vigueur dans la ville. Pour Poliorcis, Tornoys était le genre d'endroit où chanter et agiter les bras de façon exubérante, mais inoffensive, relevait au pis de l'agacement et au mieux du spectacle. Le vieillard était presque sénile et ne présentait pas le moindre danger pour quiconque, sinon pour lui-même. Et il n'aurait pas été mauvais chanteur s'il avait fait l'effort d'apprendre un peu plus que les cinq premiers mots des chansons de son répertoire restreint. Dans le contexte, Poliorcis fut enclin à le ranger dans la catégorie « spectacles ». Chez lui, bien entendu, il n'en serait pas allé de même. Dans sa province, les spectacles étaient aussi populaires que le contenu d'une poubelle qui vous tombe sur la tête du cinquième étage — et traités comme tels par les autorités. Mais dans un endroit pareil, vous ne vous attendiez pas à des réactions plus notables que des passants traversant la rue pour éviter l'importun. Pourtant, un soldat qui sortait d'une taverne s'arrêta et tendit le bras vers le vieil homme. Il le saisit par le devant de sa chemise miteuse et lui cogna violemment la tête contre le chambranle de la porte. Puis il le lâcha et le regarda s'effondrer en laissant une trace de sang sur le montant en bois. En dehors de Poliorcis, au moins quatre personnes avaient dû assister à l'agression, mais aucune ne tourna la tête ou ne fit mine de l'avoir remarquée. Le diplomate fut incapable de déterminer si leur attitude était dictée par la prudence ou par le caractère banal de la scène. Le vieil homme resta à terre, inerte, et le soldat poursuivit son chemin. Chaque geste avait été accompli sans l'ombre d'une hésitation, comme si les deux protagonistes s'étaient entraînés sans relâche dans la cour d'exercice pour que leur chorégraphie soit parfaite.

Poliorcis assimila la scène et l'enregistra dans un coin de sa tête. Puis il continua à descendre la rue en direction du marché au bois où il espérait s'imprégner d'une ambiance plus typique. Mais il n'avait pas parcouru un mètre que quelqu'un lui tapa sur l'épaule. Le diplomate s'immobilisa et se retourna.

— Vous avez l'air perdu, dit l'homme qui venait de l'arrêter.

Il était grand, banal, chauve et ses yeux gris brillaient d'une lueur amicale. En dehors de sa taille, il ressemblait en tout point à un natif du Mesoge.

— Vous cherchez quelqu'un ?

Poliorcis réfléchit un instant.

— Eh bien, en fait, il se trouve que oui.

— Il est devant vous.

L'inconnu portait une chemise matelassée en laine marron clair, mais le temps l'avait rendue grise et élimée aux épaules. Elle avait fait partie de l'équipement standard de l'armée de Scona, mais seule une personne avec la grande expérience des voyages et un sens de l'observation aussi professionnel que Poliorcis pouvait la reconnaître. Le vêtement était destiné à être porté sous une lourde cotte de mailles et avait été adopté par les militaires sconiens du temps de leur splendeur, quand ils pouvaient s'offrir ce qu'il y avait de mieux. La chemise n'était ni encombrante ni trop chaude, à la différence du manteau épais ou du haubergeon que les soldats de l'empire portaient — par décret du bureau des Provinces — sous leur haubert plus léger à manches courtes ; elle n'était pas non plus aussi fantaisiste et gênante que les gambisons rembourrés de lin produits par les manufactures d'État périmadeiennes. Les gens qui l'avaient conçue avaient réfléchi avec soin et fait du bon travail.

— Je suis Gorgas Loredan, se présenta l'inconnu. Si vous êtes celui que je pense, vous avez fait un long voyage pour me rencontrer.

Poliorcis acquiesça d'une petite inclinaison de tête.

— Voyager est un des grands plaisirs de mon métier, dit-il. Aujourd'hui, il m'arrive rarement de dire que je visite un endroit pour la première fois. D'une certaine manière, je collectionne les lieux.

Gorgas Loredan sourit.

— C'est un passe-temps national chez votre peuple. Allons donc prendre un verre dans une taverne !

L'établissement était grand et bondé. Sous un toit haut, la salle principale était remplie de groupes de trois ou quatre personnes debout et discutant avec amabilité. La plupart étaient des fermiers venus au marché, mais il y avait aussi quelques commerçants, des courtiers en blé et une poignée de soldats — que les autres clients évitaient de serrer de trop près. Au fond, un escalier menait à une galerie qui longeait trois des quatre murs de la pièce. On y avait disposé des tables et des chaises, mais seules une ou deux étaient occupées. Gorgas s'assit dos à la balustrade et poussa l'autre siège du pied pour Poliorcis.

— Excusez cette prise de contact un peu théâtrale, dit-il. Je n'imagine pas une seconde que l'un de nous soit suivi, ou je ne sais quelle bêtise de cet ordre. Néanmoins, on ne se montre jamais trop prudent.

Poliorcis acquiesça.

— Pour être franc, je trouve votre attitude fort sensée. J'ignore de quel genre de services de renseignement ils disposent...

Gorgas fit la moue.

— Ils sont en fait plus efficaces que vous le croyez. Je ne pense pas qu'ils soient très doués pour infiltrer des agents et autres missions de ce genre, mais ils semblent avoir le don de poser les bonnes questions aux visiteurs étrangers, les marchands, les marins, ceux qui ne font que traverser leur territoire. Excusez-moi, je ne suis pas sûr d'avoir bien saisi votre nom.

— Euben Poliorcis.

Le diplomate glissa la main dans sa sacoche et en tira un petit rouleau de parchemin froissé. Il aurait pu s'agir d'une lettre de crédit ou d'un connaissement.

— Je pense que les sceaux impériaux vous sont familiers.

Gorgas grimaça un sourire.

— Pas autant que je le voudrais. Pour commencer, j'aimerais avoir votre talent pour ôter celui d'une lettre sans le briser et le remettre en place une fois la lecture terminée. Vous n'utilisez qu'un bout ordinaire de fil fin, si j'ai bien compris. Vous le chauffez au rouge sur une flamme claire et vous le passez à travers la cire. (Gorgas glissa l'ongle de son petit doigt gauche sous le sceau et le fit voler d'une chiquenaude.) Alors, voyons un peu ce que nous avons là ! Oui, tout semble en ordre. Votre peuple a une écriture magnifique. Ce qui me fait penser : à votre prochain voyage, rapportez-moi donc une dizaine de feuilles de ce papier de lin qu'ils fabriquent à Ap' Oezen ! Impossible d'en obtenir ici, quel que soit le prix que vous êtes prêt à payer.

Un fin sourire se dessina sur les lèvres de Poliorcis.

— Avec plaisir, dit-il. Je prendrai note de votre commande. Et maintenant, si mes souvenirs sont exacts, c'est vous qui souhaitiez nous parler.

Gorgas haussa les épaules.

— Il fallait bien que quelqu'un fasse le premier pas. Mais la situation est assez claire, non ? Nos intérêts et les vôtres coïncident. Faisons affaire.

Trois hommes apparurent au sommet de l'escalier. Ils aperçurent Gorgas et battirent aussitôt en retraite.

— Votre façon d'envisager la situation est intéressante, dit Poliorcis. Pour ma part, j'ai quelques difficultés à comprendre où est votre intérêt dans cette affaire. Je vous en prie, ne le prenez surtout pas mal, mais il me semble que le roi Temrai ne vous a jamais causé le moindre tort ?

Gorgas haussa les épaules de nouveau.

— Oh ! je n'ai rien contre lui ! Je l'ai rencontré une fois et il m'a fait l'effet d'un homme plutôt agréable. Mais la question n'est pas là. Je m'intéresse davantage à ce que votre peuple prépare, à long terme. Telles que je vois les choses, il y a un vide à remplir. Et je veux ma part. Vous pourriez vous accommoder de mon aide. Envisagez cela comme une simple relation commerciale. Soyons honnêtes l'un avec l'autre et nous nous entendrons à merveille !

Poliorcis se laissa aller contre le dossier de sa chaise et prit un peu de distance avec Gorgas Loredan.

— Convainquez-moi. En un sens, vous essayez de persuader l'empire de lancer une attaque contre un État souverain alors qu'il n'a pas été provoqué. Je serais curieux d'apprendre pourquoi.

Gorgas sourit.

— Avez-vous vraiment besoin d'être persuadé ? Je ne le pense pas. Maintenant qu'Ap' Escatoy n'est plus en travers de votre chemin, il paraît assez évident que vous allez poursuivre votre progression jusqu'à la mer du Nord. Retirez Temrai de l'équation et regardez ce qu'on obtient. Vous arrivez droit à la côte et les Shastelliens sentiront votre souffle sur leur nuque. Île n'entre pas en ligne de compte, elle ne va pas vous mettre des bâtons dans les roues — bien qu'à mon avis sa flotte vous serait fort utile. Ensuite, tôt ou tard, vous irez vers l'ouest et, peu après, nous deviendrons voisins. À ce moment-là, je souhaite de tout mon cœur que nous ayons les meilleures relations du monde. (Il se pencha en avant au-dessus de la table.) Alors me voici, je viens à votre rencontre. C'est logique, vous ne trouvez pas ?

Poliorcis sourit avec amabilité.

— Je dirais que vous avez une vision toute personnelle de nos aspirations. Néanmoins, considérons pour le moment que vos suppositions soient exactes. Supposons que nous ayons des ambitions territoriales dans la péninsule. Pourquoi aurions-nous besoin de votre aide ? N'avons-nous pas assez de ressources à notre disposition, assez d'hommes et de matériel pour mener nos plans à bien sans devenir votre débiteur ?

Gorgas éclata de rire.

— Bien sûr que si ! Il n'y a aucun doute là-dessus. Mais ce n'est pas votre manière de procéder. Vous ne vous chargez jamais de la besogne si vous trouvez quelqu'un pour la faire à votre place. C'est un principe classique en affaires, n'y voyez pas une critique de ma part. Si mon armée entre en jeu, vous n'aurez pas à prélever autant de troupes dans les autres garnisons de l'empire. C'est vrai, vous avez de vastes ressources, mais cela ne vous empêche pas d'être très dispersés. Et nous avons tous retenu les leçons de l'histoire ; diminuez vos effectifs dans les provinces de l'Est et vous courrez à la catastrophe. Regardez ce qui est arrivé à Goappa, il y a peu de temps encore, quand vous avez déplacé la septième légion. Vous avez frôlé le pire, vous n'êtes pas de mon avis ?

— En effet. (Le sourire de Poliorcis demeura imperturbable.) Je suis impressionné par la qualité de vos informations. Je suppose que c'est dû à votre ancien métier de banquier. Mais je me plais à croire que nous pourrions rassembler assez de troupes pour monter une telle expédition sans répéter la même erreur. Vous savez, nous lisons les rapports, nous aussi.

Gorgas fit un petit geste de la main.

— Bien entendu. Mais pourquoi vous donneriez-vous cette peine ? La force du peuple des plaines a toujours résidé dans ses archers. Pour les vaincre, il faut leur en opposer d'autres. La plupart des vôtres sont stationnés à l'est. Il serait inutile d'envoyer cent mille fantassins lourds contre Temrai. Vous iriez au-devant d'une sacrée raclée. Non, ce dont vous avez besoin, c'est d'archers équipés d'arcs longs ; des hommes expérimentés et sûrs. Et c'est précisément ce que j'ai à vous offrir.

Poliorcis ne répondit pas tout de suite. Il resta assis avec les mains croisées sur ses cuisses.

— Soit, dit-il enfin. Vous avez sans doute raison. Continuons de supposer que nous ayons l'intention d'attaquer Temrai et que nous vous demandions votre aide. Si nous devons considérer votre proposition comme une offre commerciale — comme vous l'affirmez —, qu'allez-vous retirer de ce marché ? Juste de l'argent ? Ou avez-vous autre chose en tête ?

Une mouche se posa sur la table et donna des petits coups de patte dans une flaque de bière collante renversée là. Gorgas abattit la main avant que l'insecte puisse s'envoler et le tua net.

— Ça dépend, dit-il. L'argent entre en ligne de compte, bien entendu.

— Ce qui implique que vous voulez autre chose. Et quoi d'autre ? Des terres ? Vous voulez une partie du royaume de Temrai ?

Gorgas secoua la tête.

— Par tous les dieux, jamais de la vie ! Qu'est-ce que j'en ferais ? Pour commencer, je n'ai pas assez d'hommes pour protéger mes intérêts — et encore moins de navires afin d'assurer la navette entre ici et là-bas. Et puis, nous nous retrouverions voisins un peu trop tôt à mon goût, si vous me permettez cette remarque.

— Soit. (Poliorcis hocha la tête.) Vous ne voulez pas de nouveaux territoires, que reste-t-il ? À mon sens, il n'existe que trois choses qui vaillent la peine de se battre : l'argent, les terres et les gens. Est-ce ce que vous désirez ? Des esclaves pour vous aider à développer l'économie ici, dans le Mesoge ?

Gorgas se renfrogna.

— Certainement pas ! Et d'abord parce que ça causerait plus d'ennuis qu'autre chose. Non, je ne désire rien de tel.

— Dans ce cas, je me reconnais vaincu. Dites-moi ce que vous voulez.

— Comme je vous l'ai dit, répondit Gorgas. Un rapprochement amical. Le commencement d'une longue relation paisible et mutuellement bénéfique entre le bureau des Provinces de l'Ouest et la république du Mesoge. Qu'y a-t-il de si étrange à ça ?

— Je vois, dit Poliorcis. Vous êtes prêt à nous aider à vaincre le peuple des plaines pour que l'empire vous soit redevable. C'est cela ?

— Ça résume assez bien la situation, en effet.

Poliorcis se frotta le menton.

— En fait, je comprends que cela vous donnerait un avantage énorme. Mais je ne suis pas sûr que le marché soit très intéressant pour nous. Vous voyez, nous avons la détestable habitude de rester fidèles aux traités signés. Si nous étions aussi avides de conquêtes que vous semblez le croire, est-ce que nous ne vous tendrions pas les verges pour nous faire battre ? Nous parlons toujours d'hypothèses, bien entendu.

— C'est vous qui voyez, dit Gorgas avec calme. Nous avons un dicton, ici : « Ne joue pas avec un joueur ! » Je fais cette offre de bonne foi, et nous savons très bien pourquoi tous les deux. Maintenant, vous pouvez m'envoyer paître avec ma proposition et il faudra que je fasse avec. Mais vous n'êtes pas obligés de le prendre ainsi. Quoi que je puisse être — ou ne pas être —, je suis réaliste. (Il sourit.) C'est ce qui fait de moi un associé si agréable.

— C'est ce que j'ai cru comprendre, répliqua Poliorcis. Bien, je pense qu'il n'y a rien à ajouter à ce stade des événements. Je dois en référer à mes supérieurs du bureau des Provinces, leur faire mon rapport et les laisser décider. (Il se leva.) Comme vous vous en rendrez compte, la principale raison de ma venue ici est d'en découvrir un peu plus sur vous et votre peuple. Cela permettra aux décideurs de mon pays d'avoir quelques éléments de réflexion supplémentaires. Je crois que j'ai rassemblé assez d'informations pendant cette discussion, alors, avec votre autorisation, j'aimerais me promener en ville avant de partir. S'il vous plaît, n'hésitez pas à m'indiquer les endroits que, selon vous, je devrais visiter. Par exemple, cela m'intéresserait beaucoup de voir vos fameux archers. Nous avons un dicton, nous aussi : « Il faut toujours essayer la marchandise avant de l'acheter ! » Pour rendre un rapport pertinent, j'ai besoin d'éléments un peu plus solides sur ce que vous m'avez dit et sur ce que j'ai vu à Tornoys jusqu'à présent. Je suis sûr que vous me comprenez.

— Oh ! tout à fait ! dit Gorgas. Je vous en prie, faites, n'hésitez pas. D'ailleurs, si vous avez le temps, je me ferai une joie de vous servir de guide pendant un jour ou deux ; pour visiter le camp de la garnison principale et le reste. Mais si vous ne souhaitez pas ma présence — je veux dire, si vous n'avez pas envie de m'avoir sur le dos et que vous préfériez être seul pour...

Poliorcis sourit avec amabilité.

— Une visite de la république avec vous comme guide, que pourrais-je espérer de mieux pour rassembler les informations dont j'ai besoin ?

Bardas travaillait depuis trois jours comme inspecteur adjoint de la forge des épreuves quand il réussit enfin à la trouver.

Il fallait descendre la plus longue galerie et un de ces escaliers conçus à dessein pour vous briser l'échine, puis emprunter un couloir sombre et étroit, un nouvel escalier, et un autre corridor interminable suivi d'un troisième escalier. En arrivant au terme de ce parcours, Bardas sentit qu'il était de retour sous terre, dans son élément.

En règle générale, on commence par mourir. Mais dans ton cas, on a fait une exception.

« Un autre couloir, septième à gauche, troisième à droite ; vous descendez encore un escalier et vous y êtes. Vous ne pouvez pas vous tromper. »

Bardas se tenait devant une porte massive en chêne, hésitant comme un clerc débutant qui va passer son premier jour au service comptable d'un riche marchand. Le parallèle était idiot, bien sûr : Bardas était le responsable de cet endroit. Enfin, c'était ce qu'on lui avait dit au milieu des ruines d'Ap' Escatoy, à la surface, un lieu où les règles n'étaient plus tout à fait les mêmes.

Il poussa la porte de la main, de plus en plus fort, avant d'y appuyer son épaule. Le panneau de bois céda de trois ou quatre centimètres, ce qui l'encouragea à poursuivre ses efforts.

Bardas partit soudain en avant et fit irruption dans une pièce froide où les sons se répercutaient. Il entendit alors une voix.

— Elle coince un peu. Mais de toute façon, on ne l'ouvre que rarement, à cause du bruit. Vous êtes qui ?

Posée sur un rebord au-dessus de la porte, une rangée de lampes à huile fournissait une certaine lumière. Le courant d'air fit danser leurs flammes ténues, et les halos vacillèrent sur le sol et les murs.

— Je m'appelle Bardas Loredan, dit Bardas en essayant de distinguer à qui il parlait. J'ai été affecté ici.

— Le héros, dit la voix. Venez par ici. Et fermez derrière vous.

Bardas s'adossa contre la porte en chêne et réussit à la repousser. Puis il regarda autour de lui. Les murs de la pièce étaient composés de gros blocs de pierre brute et formaient de hautes voûtes. Au centre, il y avait une pile d'armures — des plastrons, des casques, des canons d'avant-bras, des gorgerins, des épaulières, des genouillères, des coudières, des cuissards, des solerets et des gantelets, tous mutilés, délabrés, tordus, cabossés, écrasés, transpercés et déformés. La voix semblait venir de l'autre côté de ce fatras. Bardas regarda et découvrit un petit homme âgé — un Fils du Ciel — en compagnie d'un gigantesque garçon d'environ dix-huit ans. Les deux avaient le torse nu ; le premier était décharné, tout en os et en angles ; le second n'était que muscles et graisse. Entre eux, il y avait une enclume avec un casque posé dessus. Le vieillard le maintenait en place avec une longue paire de pinces tandis que le garçon portait un gigantesque marteau.

— Eh bien, dit le plus âgé, vous avez fini par nous trouver ! Prenez un casque et asseyez-vous.

L'air de la pièce était froid, mais les deux hommes transpiraient. Les longs cheveux sable du garçon étaient plaqués sur son front, on aurait pu croire qu'il avait été plongé dans du suif comme une chandelle. Le vieillard était chauve et la sueur luisait sur son crâne en forme d'œuf. Bardas regarda autour de lui et aperçut une pile de casques. Il en attrapa un et s'assit dessus.

— Je m'appelle Anax, dit le vieil homme. Et voici Bollo. (Il sourit et dévoila un panorama dentaire presque désert.) Bienvenue à la forge des épreuves !

— Merci, dit Bardas.

Anax hocha la tête avec politesse. Bollo ne semblait pas encore avoir remarqué le nouveau venu.

— Ça ne vous dérange pas si on continue, n'est-ce pas ? (Il avait une voix cultivée et raffinée, comme on l'attendait d'un Fils du Ciel.) Nous avons beaucoup de travail aujourd'hui, comme vous pouvez vous en apercevoir.

— Je vous en prie, dit Bardas.

Bollo souleva aussitôt son marteau, le balança au-dessus de sa tête et l'abattit avec force sur la pointe du casque. Le fracas métallique fit sursauter Bardas. Le heaume roula de l'enclume et tomba en résonnant sur le sol.

— Pas bon, lâcha Anax. Vous avez entendu les harmoniques ? Il ne vaut pas un clou.

Il se pencha avec difficulté, ramassa le casque et le reposa sur l'enclume. Il était légèrement enfoncé à gauche de la couronne.

— Le son vous raconte tout sur la pièce qui l'a émis. Écoutez, c'est ce bruit-là qu'il aurait dû faire.

Il se pencha de nouveau — l'opération semblait lui être très pénible — et attrapa un autre casque. Bardas ne remarqua pas la moindre différence entre celui-ci et le premier. Anax le saisit avec les pinces et Bollo le frappa avec son marteau.

— Vous avez entendu ? demanda Anax. C'est tout à fait différent. Ça, c'est du matériel de qualité. Enfin, je parle des joints, parce que les rivets sont à jeter.

Bardas regarda le bon casque. Il avait aussi un petit creux dans la couronne.

— Je suis désolé, dit-il, mais je ne vois pas bien…

— Tiens donc ?

Anax hocha la tête et Bollo asséna un nouveau coup. Le bruit de l'impact déchira les oreilles de Bardas.

— Une quinte plus haut. Un son plus pur, plus blanc. Il est un peu grave, bien sûr, mais c'est parce que les rivets ne valent rien. Vous allez voir, c'est plus net sur la cuirasse.

Il se pencha de nouveau et, cette fois-ci, laissa échapper un gémissement. Il se redressa en tenant un plastron gris terne. Il le disposa sur l'enclume après avoir chassé les deux casques bosselés d'un revers de main.

— Écoutez cette note aiguë. Vous devriez l'entendre sans problème.

Bollo modifia légèrement sa prise sur le manche du marteau et administra au plastron cinq coups phénoménaux, deux de chaque côté et un sur l'arête centrale. Pour Bardas, ce n'était qu'un horrible fracas métallique.

— Je vois, dit-il. Très différent, en effet.

Le vieil homme éclata de rire.

— Je vous ai eu ! Celui-là ne vaut pas un clou lui non plus. Ce n'est pas que ça fasse une grosse différence : je teste les pièces et je déclasse tout le lot, mais ils les distribuent aux soldats. Avec coup de poinçon à l'intérieur, remarquez. TR, ça signifie « test raté ». C'est merveilleux, vous ne trouvez pas ?

Bardas toussa.

— Je vous fais perdre un temps précieux. Poursuivez votre travail. Je vais juste regarder un peu.

Anax éclata une nouvelle fois de rire.

— Ne vous inquiétez pas, dit-il. Il m'a fallu quinze ans avant de commencer à entendre le bruit. Avant, je me contentais de frapper sur des morceaux d'armure jusqu'à ce qu'ils soient en miettes et je ne comprenais pas vraiment ce que je faisais. Aujourd'hui, bien sûr, je peux estimer la qualité d'une pièce en un instant. Mais on continue quand même à taper dessus, parce que c'est notre métier.

À côté de l'enclume, il y avait une paire de gantelets articulés gris terne et couverts de points de rouille. Bollo les détruisit en sept coups, faisant exploser les rivets et écrasant le métal tandis que le bruit des impacts se répercutait d'un mur à l'autre.

— Bien, dit Anax. (Avec un petit couteau à lame fine, il fit une marque sur une toise.) Ils ont passé le test. Occupe-toi de la spallière maintenant.

Bardas ne savait pas ce qu'était une spallière. Il constata qu'il s'agissait d'une protection pour le haut du bras, bombée au sommet pour accueillir l'articulation de l'épaule et composée de cinq plaques articulées pour permettre une plus grande liberté de mouvement. Le marteau de Bollo ne sembla guère avoir d'effet dessus, mais Anax n'eut pas l'air impressionné.

— Recalé, dit-il. Le son est étouffé. C'est parce que le métal est défectueux. Il y a des impuretés, des morceaux de coke, de sable et de cuivre. Toutes sortes de saletés. (Ses yeux s'illuminèrent soudain.) C'est ce qui arrive quand on doit utiliser ce qu'on a sous la main. Bollo, va chercher l'homme de fer. Nous allons montrer à notre invité quelque chose de plus subtil.

Le garçon laissa tomber son marteau qui s'écrasa au sol avec un bruit sourd, puis il s'éloigna d'un pas traînant pour disparaître derrière une autre pile de pièces d'armure en piteux état. Il revint en tirant un lourd chariot de fer sur lequel était posée une silhouette humaine. Le mannequin grandeur nature était en métal et rouge de rouille. Bardas sentit l'oxyde ferrique d'où il était assis.

— D'après le règlement, nous devrions utiliser l'homme de fer tout le temps, mais après… quoi ? cent vingt ans de coups ininterrompus, il est devenu un peu fragile. Pas vrai, mon gars ? (Il tapota la cuisse du mannequin.) Vous voyez ? Il n'a plus de main gauche. Elle a cassé. Et impossible de la ressouder. On lui en a trop fait baver, vous comprenez, et il est devenu tout dur — on appelle ça l'écrouissage, c'est une notion très importante. Et quand le métal durcit, il devient fragile ; et quand il devient fragile, c'est terminé, bon pour la casse. Bollo, cette fois-ci, on va utiliser une hache de bûcheron, numéro quatre. Montrons à monsieur comment on procède.

Bollo grogna et s'essuya le front avec un avant-bras aussi épais qu'une cuisse — et dépourvu de la moindre pilosité, remarqua Bardas. Puis il se pencha et fouilla dans un long coffre métallique. Pendant ce temps, Anax fixa des pièces d'armure sur le corps de fer, serra les sangles avec soin et ajusta la pression des différentes lanières.

— Avant de commencer, il faut que ce soit aussi parfait que dans la réalité. Sinon, ça n'a aucun sens.

Le mannequin avait disparu sous la carapace grise. Il n'y avait plus le moindre point de rouille visible. Maintenant, Bardas aurait juré qu'il se tenait devant un homme revêtu d'une armure complète.

— C'est bon ! lança Anax en se frottant les mains pour se débarrasser de l'oxyde ferrique. (Il se tourna vers Bardas.) Tenez-vous bien à l'écart. Parfois, des morceaux se détachent et volent à travers la pièce. Bien sûr, ça dépend beaucoup de la personne qui frappe et de celui qui est frappé. Prends ton temps, Bollo. Pas de précipitation. On travaille, ne l'oublie pas. On n'est pas ici pour s'amuser.

Avec quelle force ce garçon allait-il frapper s'il n'était pas là pour s'amuser ? se demanda Bardas.

Il serra les dents juste au moment où Bollo balança la hache par-dessus son épaule comme un sac de grains. Puis le garçon l'abattit en pliant les genoux, jetant tout son poids dans le coup. Bardas s'attendit à un fracas terrifiant, mais le résultat fut différent : un claquement métallique aigu éclata quand la lame traversa la fine couche d'acier de la spallière pour atteindre la créature de fer ; un son musical et vibrant, bref et sec ; le bruit d'une puissance incroyable qui heurte une cible avant d'être repoussée — Bardas l'entendit ricocher et vit la hache rebondir, toute la force du coup n'ayant nulle part où s'infiltrer et se disperser. À l'endroit de l'impact, l'armure arborait une profonde entaille, mais le mannequin était intact.

— Voilà un mauvais son, dit Anax. Retenez-le bien. Tu peux continuer, Bollo.

Le coup suivant atterrit à la pointe du coude gauche et, en effet, le bruit fut un peu différent. C'était aussi évident que l'importance et l'étendue des dégâts : la pièce d'acier avait été enfoncée et écrasée.

Mais Anax eut l'air satisfait.

— Parfait, dit-il. Elle était bombée comme il faut. Réfléchissez un peu, d'accord ? Quelqu'un vous frappe de toutes ses forces, où préférez-vous que la puissance de l'impact se répande ? Dans l'acier ou dans votre corps ? C'est à ça que sert une bonne armure, elle encaisse le coup. Une mauvaise ne fait que le transmettre. C'est aussi simple que ça !

Une bonne armure encaisse le coup, se répéta Bardas. *Une mauvaise ne fait que le transmettre.*

— Voilà donc en quoi consiste votre travail ? demanda-t-il.

Anax sourit d'une oreille à l'autre.

— Je sais, dit-il, c'est un bien curieux moyen de gagner sa vie. Enfin, prenons votre exemple. Vous êtes un homme intelligent, ça se voit. Vous avez sans doute passé des années sur les champs de bataille — oui, bien sûr, j'oubliais que vous êtes un héros. Jetez un coup d'œil par là (il pointa le doigt vers une pièce d'armure), et puis regardez ceci. (Il en montra une autre, tout aussi abîmée.) Vous vous dites : « Elles sont toutes les deux foutues, elles ont sans doute raté le test toutes les deux. » C'est faux. Vous devez comprendre que c'est une philosophie. (Il s'essuya le nez sur l'intérieur de son poignet.) Aucune ne résiste, aucune armure standard au monde ne peut résister à Bollo et à son énorme marteau, aucune. Ce qui est important, c'est comment elles échouent au test. (Un bref éclair de colère passa dans ses yeux pâles.) Et c'est ce que je n'arrive pas à leur faire accepter. Pour comprendre qu'il y a une bonne et une mauvaise manière d'être réduit en ferraille, il faut avoir détruit et concassé des armures toute votre vie, jour après jour et aussi loin que remontent vos souvenirs, comme moi ou un de mes collègues. À côté de ça, les généraux et les membres des conseils d'administration du bureau des Provinces répètent qu'ils veulent un modèle capable de passer ces épreuves, point à la ligne. Et moi, je réponds : « D'accord ! » Je peux leur montrer comment le fabriquer, leur donner les caractéristiques, les indicateurs, les angles, la manière de chauffer l'acier et tout le reste ; mais personne ne pourrait s'offrir une telle armure, et personne ne pourrait la porter. Si vous voulez quelque chose de réalisable, il faut venir ici vous expliquer avec Bollo et sa hache de bûcheron numéro quatre. Et il la réduira en miettes, à tous les coups.

Bardas hocha la tête et fit son possible pour faire croire qu'il avait compris.

— Et vous dites que vous déterminez la qualité d'une pièce au bruit ? dit-il.

Mais le vieil homme avait l'air exaspéré.

— Ce n'est qu'un des tests. Le critère d'un seul test. Croyez-moi, on ne fait pas que taper sur le matériel avec des marteaux et des haches. Oh ! que non ! On tire aussi dessus avec des arcs et des arbalètes, on l'écrase entre des rouleaux ; il y a le test de perforation, le test de lacération, le test de résistance aux fractures, le test de broyage, le test de souplesse… Vous n'imaginez pas le nombre de tests à notre disposition pour prouver la qualité d'une pièce — à condition qu'on nous en fournisse une capable de résister jusque-là. Ce que j'essaie de vous dire, c'est qu'elles échouent toutes — et si elles en passaient un, ce serait parce que le test est tout à fait inutile. Ici, on travaille dans l'extrême, monsieur le héros ; sinon, ça ne servirait à rien.

Anax s'arrêta soudain de parler et fixa quelque chose.

— Que se passe-t-il ? demanda Bardas.

— Saletés de rivets en cuivre, répliqua Anax comme s'il lui montrait une fissure fendillant le ciel. Regardez-moi un peu ça ! (Il pointa un doigt long et fragile.) Regardez ici, les rivets de cette articulation. Ils sont arrachés.

Bardas fit semblant de s'y intéresser.

— Ah oui ! Et qu'est-ce que ça signifie ?

Anax soupira.

— C'est le problème avec les rivets en cuivre. Quand ils sont soumis à une pression qu'ils ne peuvent pas supporter, ils s'étirent. Regardez, ici, on le voit bien. (Il poussa un gantelet en piteux état du bout du pied.) Ils sont conçus pour ça. Maintenant, jetez un œil sur ceux de cette articulation. Les têtes ont été arrachées. Personne ne voudra entendre que le lot dont ils font partie est mauvais, car ça voudrait dire qu'il faut le mettre au rebut — ce qui représente sans doute pas loin de cent mille rivets. Si on faisait ça, un clerc du bureau de l'Approvisionnement devrait fournir une explication — et il n'en a pas la moindre envie. De toute façon, personne ne me croit, alors, on ne fait pas attention à ce que je raconte. Je vais vous dire une bonne chose : si ce n'était pas mon métier, je ferais autre chose.

Pendant la conversation, Bollo était resté debout avec sa hache sur l'épaule, et il sembla s'impatienter. Soudain, il fit tourner l'outil au-dessus de sa tête et l'abattit sur le sommet du bras du mannequin.

— Bruit aigu, remarqua Bardas. Mauvaise qualité ?

— Une horreur, confirma Anax avec tristesse. Mais ils fourniront un double rembourrage pour mettre à l'intérieur du creux de l'épaulière, comme ça, ça se verra moins. Et puis, le type qui portera ce truc ne finira pas avec une clavicule en miettes. Mais ça tournera mal, et je le sais.

— Vous avez sans doute raison, dit Bardas d'une voix égale.

— Évidemment ! affirma Anax. J'ai toujours raison.

Theudas Morosin avait trouvé un navire. Enfin, il avait parlé à un homme — un grossiste en amandes — qui avait parlé au capitaine d'un autre bateau, sept ou huit jours plus tôt. Le marin avait déclaré au marchand qu'il cherchait un acheteur pour sa cargaison de madriers bruts en ébène de Colleon. Il ne se rappelait pas comment il était entré en possession de poutres larges de soixante-quinze centimètres et susceptibles d'être transformées en balustrades — à condition de disposer d'un tour mécanique et de trouver un marché pour ce genre de produit ; le prix avait été un facteur déterminant, mais il n'y avait pas eu que cela. Avec les bénéfices, le capitaine comptait acheter un arrivage de sept cents sacs de plumes de ventre de canard qu'une connaissance d'Ap' Helidon lui avait promis. Selon les termes du marché, il devrait aller à Périmadeia — enfin, ce qu'il en restait — pour les charger à bord.

— Mais ce n'est pas une aussi bonne affaire que ça, avait-il dit. Car personne ne connaît la taille des sacs.

Le commerçant à qui Theudas avait parlé avait alors demandé au capitaine :

— On ne t'a pas précisé la taille des sacs ?

Le capitaine avait répondu que non, mais que cela ne devait pas avoir une grande importance : à moins d'un emploi abusif du terme « sac » en lieu et place de « sachet », sept cents unités devaient représenter néanmoins une quantité non négligeable de plumes.

— Je vois, dit Gannadius quand son neveu eut terminé son compte-rendu. Et tu espères que cet homme — celui qui veut acheter les plumes — va venir charger sa marchandise et nous embarquer par la même occasion.

— Oui, dit Theudas. Comme ça, nous pourrons rentrer chez nous. Qu'est-ce que vous en pensez ?

Gannadius réfléchit avant de répondre.

— Cela dépend. Si les sacs sont petits, il acceptera peut-être ; mais s'ils sont gros, il est possible qu'il ne reste plus assez de place pour nous à bord. Et tu m'as bien dit que pour conclure ce marché, le capitaine doit d'abord trouver un acheteur pour sa cargaison de barreaux d'escalier en ébène ?

— De balustrades, le corrigea Theudas. Oh ! allez ! Je pensais que vous seriez content.

Gannadius se gratta le nez.

— Je te dis juste de ne pas trop y compter, c'est tout. Et tu ne m'as pas dit que cet homme venait d'Ap' Helidon ? Je ne me souviens pas que tu aies mentionné qu'il allait ensuite les ramener sur Île quand il aura conclu le marché — à supposer que cela arrive. Je n'ai pas très envie de me rendre à Ap' Helidon, si cela ne te dérange pas. Si c'est bien là où je le pense, la ville fait partie de l'empire. Pour nous, ce serait encore pis qu'ici.

— Je ne suis pas d'accord. (Theudas croisa les bras et détourna le regard.) N'importe où serait mieux qu'ici. Ici, c'est nulle part !

Quelque part à l'extérieur de la tente, un homme chantait tandis que deux musiciens l'accompagnaient au pipeau et avec une espèce d'instrument à cordes. *A priori*, les paroles n'avaient guère de sens :

Une sauterelle assise sur une feuille de poivron,
Une sauterelle assise sur une feuille de poivron,
Une sauterelle assise sur une feuille de poivron,
Arrive un poulet qui dit : je te tiens.

Mais la musique était entraînante et joyeuse, et les musiciens semblaient prendre plaisir à la jouer. Il y avait des bruits bien pires, tant à l'extérieur qu'à l'intérieur du crâne de Gannadius.

— Un navire viendra, tôt ou tard, dit-il d'une voix endormie. Nous devons juste faire preuve d'un peu de patience, c'est tout. Nous n'avons aucun intérêt à errer sur la côte ouest dans le seul dessein de nous occuper. Et d'abord, parce que cela pourrait m'être fatal. Et alors, comment expliquerais-tu cela à Athli ?

La réponse de Gannadius ne fit qu'irriter un peu plus Theudas.

— Je ne vois pas le rapport ! Et qu'est-ce que c'est que cette histoire à propos de mourir ? Vous n'êtes même pas malade, vous êtes juste paresseux !

Gannadius sourit.

— Cette gentille doctoresse ne serait pas d'accord avec toi. Elle affirme que j'ai encore besoin de beaucoup de repos après ce que j'ai dû traverser.

— Oh! vraiment? Et dites-moi un peu ce que vous avez dû traverser? Je n'ai aucun souvenir de quelque chose de si terrible. Car enfin, j'étais là, moi aussi, et je ne reste pas allongé sur le dos à gémir tout le temps.

— Soit, dit Gannadius en riant. Très bien. Si ton amateur de plumes se décide à se montrer, et s'il va dans notre direction, et s'il accepte de nous prendre à bord, et s'il y a assez de place sur son navire, nous partirons. Le voyage sera confortable au milieu de toutes ces plumes.

Theudas se leva.

— Je vais faire un tour! lâcha-t-il. Avant de perdre patience.

Dehors, il faisait clair, si clair et si chaud que personne ne bougeait. Tous les espaces ombragés disponibles avaient été accaparés pour s'y allonger. Grâce aux dieux, les trois musiciens avaient cessé leur terrible raffut! Ils se prélassaient à l'abri d'une grande charpente sur laquelle ils avaient travaillé. Ils faisaient circuler une grosse cruche contenant une boisson quelconque et un pot rempli de noix.

L'un d'eux apostropha Theudas tandis qu'il passait.

— Et ton ami? Comment va-t-il?

Theudas s'arrêta.

— Oh! il va bien, répondit-il sur un ton embarrassé.

— Tant mieux!

L'homme lui fit signe de les rejoindre. Il était difficile de refuser. «Déteste-les dans le calme», avait dit Gannadius. Theudas s'approcha et s'assit à leur côté.

— Est-ce que c'est vrai, ce qu'on raconte? demanda un des musiciens.

Theudas se raidit un peu.

— Je ne sais pas. Qu'est-ce qu'on raconte?

L'autre éclata de rire et lui tendit la cruche.

— Que c'est un sorcier ! Un sorcier de Shastel. Alors, c'est vrai ?

Theudas hocha la tête.

— En fait, ce ne sont pas des sorciers, dit-il. En fait, les sorciers n'existent pas. Ce sont juste des érudits.

— Si tu veux, concéda son interlocuteur. (La distinction ne semblait guère faire de différence pour lui.) Alors, la rumeur doit être vraie. Les sorciers de Shastel vont nous aider à gagner la guerre.

Theudas fronça les sourcils.

— Quelle guerre ?

— La guerre contre l'empire. Le roi Temrai et les sorciers de Shastel ont formé une alliance : quand l'empire attaquera l'un de nous, l'autre viendra à son secours. Ce n'est pas trop tôt. C'est bien de s'amuser, mais il était grand temps que quelqu'un prenne l'affaire au sérieux.

Le froncement de Theudas s'accentua.

— Je ne savais pas qu'il allait y avoir une guerre, dit-il.

— Bien sûr qu'il va y avoir une guerre ! s'exclama le joueur de pipeau. Ils viennent enfin de s'emparer d'Ap' Escatoy, alors maintenant nous sommes les prochains sur leur liste.

— Nous ou Shastel, le coupa le troisième.

— Nous ou Shastel, reconnut le joueur de pipeau. C'est pour ça que nous avons besoin de cette alliance avec les sorciers. Après tout, personne d'autre ne viendra nous aider. Il ne reste personne.

Theudas lui tendit la cruche et espéra qu'on ne remarquerait pas qu'il n'avait pas bu. Selon lui, elle devait contenir du cidre et il avait toujours détesté le cidre, depuis sa plus tendre enfance. Jadis, on ne buvait que cela à Périmadeia, et maintenant, les hommes des plaines avaient pris le relais.

— Et qu'est-ce que vous construisez là ? demanda-t-il dans l'espoir de changer de sujet.

Les trois musiciens s'entre-regardèrent.

— Oh ! arrête ! dit l'un d'eux. C'est évident. Il faudrait être aveugle pour ne pas le deviner au premier coup d'œil. C'est un trébuchet ! Comme ceux qu'on a fabriqués pour s'emparer de la Triple Cité. Il est de conception identique, d'ailleurs. C'est normal, ils ont bien marché pendant le siège, alors espérons qu'ils feront de même contre l'empire.

— Un trébuchet, répéta Theudas.

Il se souvint du jour où ces engins étaient apparus ; du jour où les hommes des plaines étaient arrivés sous les murailles de Périmadeia de l'autre côté du chenal étroit, avec leurs barges chargées de poutres prédécoupées. Il se souvint de tout le bruit et l'agitation qui avaient accompagné l'assemblage des machines de guerre. Personne n'avait su comment réagir : fallait-il considérer tout cela comme une farce, une menace, ou bien les deux en même temps ?

— Et c'est à cause de la chute d'Ap' Escatoy ?

Celui qui jouait de l'instrument ressemblant à une guitare hocha la tête.

— À cause de cet enfoiré de Loredan. Il voit les choses à long terme, ce salaud !

— Loredan ? Vous parlez de Bardas Loredan ?

Le joueur de guitare acquiesça.

— Tout ça fait partie de son plan, tout le monde le sait. Il a disparu après la chute de la Cité et a rejoint l'empire. C'est pour le compte de ce dernier qu'il s'est emparé d'Ap' Escatoy, pour que nous soyons les prochains sur la liste. C'est lui que nous devrions chercher. Par tous les dieux, il doit nous détester plus que tout !

Un lourd silence s'abattit. Le chanteur prit la parole.

— Il faut reconnaître que c'est un peu normal. On a rasé sa cité et il veut nous rendre la monnaie de notre pièce.

— Mais on l'a rasée à cause de ce qu'il nous avait fait, remarqua le joueur de pipeau. Lui et son oncle Maxen. C'est pour ça que Temrai devait détruire Périmadeia. Et aujourd'hui, Loredan est de nouveau à nos trousses. Et cette fois-ci, il a l'empire avec lui. Il ne connaîtra pas de repos tant qu'il ne nous aura pas exterminés, je suis prêt à le parier.

Theudas fixa le sol. C'était une réaction irrationnelle, mais il eut l'impression que, si ces hommes voyaient son visage, ils *sauraient*. Il éprouva aussi un sentiment de culpabilité terrible et douloureux en entendant un tel portrait de Bardas Loredan — un portrait rigoureusement faux. Ils le dépeignaient comme une espèce d'ange de la mort, or ce n'était pas du tout le cas ; c'était un personnage tranquille et solitaire qui ne demandait qu'à rester à l'écart des ennuis, mais ces derniers le suivaient à la trace, comme un chien reniflant les chevilles d'un vendeur de saucisses. Theudas savait que Bardas n'avait pas la moindre envie de rendre aux hommes des plaines la monnaie de leur pièce et que rien de ce qui était arrivé n'était sa faute.

— Je dois y aller, dit-il en se levant. Merci pour le verre.

— Ce n'est rien, dit le joueur de guitare. Hé ! inutile de se faire du mauvais sang ! Il ne nous a pas encore tués. Et il n'y arrivera pas, tu peux compter là-dessus.

— Je sais, dit Theudas.

Et il s'éloigna.

Chapitre 7

— Eh bien! s'exclama Gorgas Loredan. Vous me semblez bien silencieux. Qu'est-ce que vous en pensez?

Poliorcis réfléchit un moment.

— C'est magnifique, répondit-il. C'est très vert.

— Vert? répéta Gorgas. Vous savez, je ne l'avais jamais vu sous cet angle. Oui, vous avez sans doute raison, c'est très vert en effet.

La pluie tombait moins dru, ce n'était qu'une averse estivale; dans le Mesoge ce genre d'ondée était presque quotidien à cette époque de l'année. L'eau coulait des avant-toits en chaume de la grange où ils avaient trouvé refuge et tombait sur le sol en éclaboussant tout alentour. Typique du Mesoge, la bâtisse était à moitié en ruine depuis sans doute un siècle — et il était fort probable que son état ne s'améliore guère au cours du suivant. Une rigole boueuse pénétrait avec lenteur par la porte ouverte; elle traversait le bâtiment pour former une tache humide à son autre extrémité. Même à l'intérieur, les murs étaient couverts de mousse verdâtre.

— Et donc, il n'y a pas grand-chose à ajouter, poursuivit Gorgas. C'est vrai. Mon travail à Scona était terminé. J'avais fait de mon mieux, mais ça ne s'est pas passé comme je l'avais prévu. Ça ne servait à rien de se lamenter. Alors, je suis rentré dans mon pays.

Poliorcis acquiesça.

— À la tête d'une armée. Et vous vous êtes emparé du pouvoir avant de vous autoproclamer... Excusez-moi, je ne voudrais pas me montrer grossier, mais j'ai quelques difficultés à trouver le mot adéquat. Pour une raison ou une autre, « roi » ne convient pas ; et « seigneur de guerre » a des connotations très déplaisantes. « Dictateur militaire », peut-être...

Gorgas sourit.

— *Prince*, dit-il. Enfin, c'est ainsi que j'aime à me considérer. Comme le prince du Mesoge. Vous avez raison, cet endroit n'est pas assez grand pour un royaume. J'ai pensé à « duc », mais le titre impliquerait que je sois le vassal de quelqu'un. (Il bâilla et mordit de nouveau dans sa part de fromage.) Alors, il semble qu'il ne reste que « principauté ». Cela me paraît convenable en termes de taille. C'est plus grand qu'un comté, et plus petit qu'un pays. Qu'en pensez-vous ?

— Si vous voulez, répondit Poliorcis.

Le tonneau sur lequel il était assis depuis leur arrivée était humide, lui aussi — tout était humide dans cette... dans cette *principauté*.

— Écoutez, je vais être franc avec vous. Le point qui m'échappe, c'est pourquoi vous n'avez rencontré qu'une résistance si faible. Je vous en prie, ne le prenez pas mal...

Gorgas écarta d'un geste les raffinements du langage diplomatique.

— Ne vous inquiétez pas pour ça, dit-il la bouche pleine.

— Je vous remercie. Mais pour un... Ah ! encore un problème de vocabulaire. Pour un *aventurier* comme vous, débarquer soudain ici avec seulement quelques centaines de soldats pour l'épauler, prendre le contrôle d'un pays qui, en fait, n'a jamais connu de souverain ou de gouvernement auparavant... Vous admettrez que ma curiosité est légitime. Mais maintenant que j'ai vu par moi-même...

Gorgas hocha la tête.

— C'est l'apathie, dit-il. Vous pourriez aussi appeler ça du « fatalisme », ou du « découragement » — quoique ce terme suggère qu'il fut un temps où les habitants du Mesoge étaient courageux, ce qui, à ma connaissance, n'a jamais été le cas. Au fond, ils se fichent comme de leur première chemise de ce qui peut se passer. (Il cassa un morceau de viande séchée entre ses doigts.) Vous voyez, depuis que les premiers colons sont arrivés ici, cet endroit a toujours été divisé en domaines appartenant aux riches familles de la Cité — des Périmadeiens, des propriétaires qui n'y mettaient jamais les pieds, bien entendu. La seule population qui vivait ici, c'étaient les pauvres bougres de paysans qui travaillaient les champs. Nous n'avons jamais été que des métayers ou des saisonniers. Dans le Mesoge, on n'est pas habitué à posséder les terres qu'on exploite, vous comprenez. Je suppose qu'à l'époque les baillis de la Cité faisaient office de gouvernement — c'est-à-dire qu'ils passaient pour vous dire ce que vous deviez faire ; et on leur obéissait. Ce n'était pas qu'ils nous gênaient beaucoup, on ne les voyait guère qu'une fois par an. En dehors de ça, on se contentait de faire son travail.

— Certes, dit Poliorcis. Mais qu'en était-il des institutions chargées du gouvernement ? Comme les tribunaux, la justice…

Gorgas éclata de rire.

— Il n'y en avait pas. On n'en avait pas besoin. Vous aurez remarqué qu'il n'y a pas de villes, ni même de villages ; juste des fermes — avec une famille dans chacune. S'il y a une décision à prendre, c'est le fermier qui s'en occupe, de ça comme du reste.

— Je vois.

Un rat traversa la pièce à toute vitesse, s'arrêta et observa Poliorcis d'un œil critique, comme s'il s'agissait d'un tableau accroché de travers. Puis il disparut derrière un tonneau.

— Et les disputes entre voisins ? Il devait bien y avoir des affaires de vendetta et d'interminables petites querelles mesquines ?

— Oui, cela arrivait. En général, ça n'allait pas très loin. Et après tout, dans le cas contraire, cela ne regardait que les gens impliqués. Mais surtout, on n'avait ni le temps ni l'énergie pour se consacrer à ce genre de choses.

Poliorcis secoua la tête.

— Alors, la seule question qui reste est : quel intérêt peut-il y avoir à s'emparer d'un tel endroit ?

— C'est mon pays, répondit Gorgas. Et la chute de Périmadeia a entraîné un vide : les propriétaires terriens avaient disparu avec toutes les structures. Et les gens aiment savoir où se tenir. C'est un des principes qui rendent la vie possible.

Poliorcis se garda de répondre à cette remarque.

— Je crois que j'en ai vu assez, dit-il. Et la pluie s'est calmée. Serait-il possible de rentrer à Tornoys ?

— Je pensais que nous pourrions aller dans ma ferme, répondit Gorgas. Elle n'est pas très loin. Nous pourrions y passer la nuit, et retourner à Tornoys demain matin.

— Très bien, dit Poliorcis. Y a-t-il quelque chose d'intéressant à voir chez vous ?

Gorgas secoua la tête.

— Ce n'est qu'une simple ferme. Mes frères s'en occupent quand je ne suis pas là. Ils y ont toujours vécu, vous savez.

Poliorcis sentit que quelque chose lui échappait dans cette remarque, mais il jugea préférable de ne pas insister.

Ils quittèrent la grange et, après une demi-heure à cheval, arrivèrent devant un pont — ou plutôt de ce qui en restait : le milieu des trois travées manquait.

— Malédiction ! lâcha Gorgas. Nous allons devoir retourner au gué. (Il fronça les sourcils.) Je trouve ce genre d'attitude très pénible : quelqu'un a eu besoin de pierres pour construire un mur, alors il a démoli le pont. Il faudra que j'envoie des hommes le réparer.

Près du gué, il y avait un gibet avec un cadavre pendu. Gorgas ne fit aucun commentaire et Poliorcis ne se sentit pas l'envie de poser des questions. Le corps paraissait être là depuis une quinzaine de jours.

— Il y a une chose qu'il faut que je fasse quand j'en aurai le temps, dit Gorgas tandis qu'ils traversaient la rivière. Je dois faire réparer ces routes. C'est inutile d'attendre que les gens s'en chargent eux-mêmes. Dans ce genre de situation, ils ne font que se disputer avec leurs voisins pour déterminer qui est le responsable de tel ou tel tronçon. Je suppose que vous avez des experts en matière de ponts et chaussées au sein de l'empire. Ça m'intéresserait de louer les services de quelques-uns d'entre eux.

Une heure après avoir franchi le gué, la route se perdit au milieu d'un champ d'orge. Ce dernier était dans un état terrible : certaines parties avaient été couchées par la pluie, et les pigeons et les freux en avaient piétiné autant. Gorgas soupira et traversa le terrain jusqu'à une grande haie d'aubépines. Il y avait un portail, mais il n'avait pas dû être débroussaillé depuis trente ans : il était submergé par les ronces et les épineux.

— On dirait bien que je ne suis pas passé par ici depuis un certain temps, dit Gorgas. Maintenant, vous comprenez ce que j'entends par « routes convenables ».

Il sauta de cheval et commença à taillader la haie à coups d'épée, mais les ronces étaient trop souples pour être tranchées.

— Je suis désolé de ce contretemps, dit-il. Nous allons devoir retourner au chemin et faire le tour en passant par la cour de la ferme. Au passage, j'en profiterai pour leur dire deux mots à propos de l'état de ce portail.

Poliorcis soupira.

— Comme vous voulez Je crois qu'il va encore pleuvoir.

Quand ils atteignirent ce que le diplomate supposa être la ferme, il faisait presque nuit. On ne distinguait rien d'autre que la silhouette d'un toit et d'un vague bouquet de branches se découpant sur le ciel. Poliorcis entendit les sabots de son cheval résonner sur les pavés d'une cour et Gorgas lancer un cri. Une porte s'ouvrit et un mince trait de lumière se dessina, très pâle et jaune comme du saindoux ou une mèche de cheveux pas très bien entretenus. Aucun doute : l'odeur qui régnait ici était bien celle d'une ferme. Il se laissa glisser de sa monture et sentit ses pieds plonger dans une flaque d'eau. Il essuya les gouttes de pluie qui lui coulaient dans les yeux d'un revers de manche détrempée et suivit Gorgas en direction de la lumière.

— Ne vous attendez pas à quelque chose de somptueux, s'exclama Gorgas avec bonne humeur, mais c'est chez moi. Entrez donc, vous serez sec en un rien de temps.

Gorgas avait raison : cette ferme n'avait absolument rien de somptueux. La lumière de la lampe à chandelle n'était pas suffisante pour que Poliorcis distingue sur quoi il marchait ; il eut l'impression qu'il s'agissait de paille mouillée et l'odeur n'était pas très agréable. Il fut conduit dans une salle imposante avec une longue table faite de simples planches et couverte de plats en bois ou en étain contenant encore des miettes ou des restes. Deux hommes étaient assis l'un à côté de l'autre, chacun avec une grande coupe en corne posée devant lui. Ils ne semblèrent pas remarquer sa présence.

— Voici mes frères, annonça Gorgas. À gauche, c'est Clefas ; et à droite, c'est Zanoras.

Les deux hommes ne bougèrent pas. Ils se contentèrent de tourner la tête pour lancer un bref regard à Poliorcis.

— Excusez-les, poursuivit Gorgas. Je pense qu'ils sont éreintés après une dure journée de labeur. Il y a beaucoup de travail à cette époque de l'année. Il faut couper les roseaux près de la rivière, préparer le pressage des pommes pour le cidre.

Clefas et Zanoras ne réagirent pas davantage. Poliorcis s'assit sur un tabouret à trois pieds et posa ses coudes sur un endroit dégagé de la table. Gorgas monta sur une chaise et attrapa quelque chose qui était suspendu aux chevrons.

— Comment se présente la récolte de roseaux ? demanda-t-il.

— Mal, répondit Zanoras. Ils sont trop humides. Nous allons attendre une semaine pour voir si la rivière ne veut pas baisser, mais avec toute cette pluie, je ne crois pas qu'il faille compter dessus.

L'objet suspendu aux chevrons se révéla être un filet contenant un gros fromage rond et couvert de plâtre.

— Clefas, est-ce qu'il y a un peu de pain frais ?

— Non.

— Oh ! Tant pis. Il faudra faire sans. Il reste du cidre dans la cruche ?

— Non.

Gorgas soupira.

— Je vais aller en chercher à la cave, dit-il en attrapant le pichet. J'en ai pour une minute.

Son absence sembla durer une éternité — durant laquelle aucun des deux frères ne fit le moindre geste perceptible. Quand Gorgas revint, il tenait une miche compacte sous un bras et une cruche de cidre dans une main.

— Il faudrait mettre une autre bûche dans l'âtre, annonça-t-il avant de couper le pain avec son couteau.

L'air était froid et humide, mais personne ne réagit à sa remarque.

— Voilà, dit-il. Vous vouliez voir le Mesoge, eh bien, vous ne trouverez pas plus typique qu'ici. Tenez ! (Il tendit à Poliorcis une assiette contenant un peu de pain et de fromage.) Je vais aller vous chercher une coupe pour le cidre.

— Non, ce n'est pas nécessaire. protesta Poliorcis, mais trop tard.

La lumière était trop faible pour distinguer la boisson, mais il aperçut un petit brin de paille qui flottait à la surface.

— Vous dormirez dans ma chambre, reprit Gorgas. Je me tasserai avec Zanoras.

Ce dernier laissa échapper un grognement.

— Eh bien, voilà ! (Gorgas s'assit et prit un morceau de pain qu'il plongea dans sa coupe.) C'est chez moi. Ni plus, ni moins. En ce qui me concerne, je ne crois pas qu'on puisse trouver mieux que la vieille hospitalité du Mesoge.

Poliorcis se rappela alors qu'il était diplomate et se garda du moindre commentaire. Il avait une si grande faim qu'il grignota même un petit bout de fromage — dont la saveur était forte et assez répugnante. Gorgas demanda s'il restait du jambon séché. Il n'y en avait plus.

— Il faut jeter un coup d'œil au chaume du toit du hangar, dit Clefas. Mais maintenant, on n'en aura plus le temps, pas avant que le foin soit rentré. Si les roseaux sont inutilisables, eh bien, nous devrons en acheter — à condition que quelqu'un en ait à vendre.

— C'est comme ça, dit Gorgas.

— Il faut sortir les pommes, poursuivit Clefas. Elles prennent l'humidité. On va perdre toute la récolte si on ne le fait pas. Et je n'ai pas le temps de m'en occuper, ajouta-t-il.

— Ne me regarde pas comme ça ! s'exclama Zanoras. Qu'est-ce que tu crois que j'ai fait toute la semaine ? Que je suis resté les bras croisés ?

Gorgas soupira.

— Je vous enverrai quelques hommes. Vous n'aurez qu'à leur dire ce qu'il y a à faire, ils s'en chargeront.

— Ce qu'il nous faut, dit Clefas, c'est quelqu'un pour chasser les corbeaux du champ d'orge. Il y en avait cent quatre dessus, l'autre jour. Je les ai comptés. Si ça conti-

taine manière, il gardait la région au chaud au cas où le bureau des Provinces jugerait un jour utile de s'y intéresser. Cette hypothèse était d'ailleurs improbable. Certes, Tornoys pouvait abriter une base navale pour une escadre de galères. Mais encore fallait-il que l'empire décide de construire une flotte digne de ce nom ; les livres de comptes mentionnaient bien l'existence d'une marine impériale, mais cette dernière n'était qu'un rassemblement hétérogène de navires loués ou capturés. Pourtant, il était clair que Gorgas ne contrôlait pas Tornoys. Toute tentative pour s'emparer de la ville par la force entraînerait sans doute la perte du Mesoge.

Seul Bardas Loredan restait encore en lice ; l'ancien colonel devenu sergent ; le héros d'Ap' Escatoy ; le dernier défenseur de Périmadeia ; l'ange de la mort, ainsi que le peuple des plaines l'avaient baptisé. Poliorcis fronça les sourcils dans l'obscurité et essaya de se remémorer les quelques bribes de théorie de la causalité qu'il avait comprises. Au bout d'un moment, il finit par abandonner. Il était diplomate, et l'empire n'avait aucun besoin des réflexions d'un diplomate sur le sujet — il disposait pour cela de légions de métaphysiciens professionnels. Pourtant, en se fondant sur les vagues souvenirs de deux semaines d'initiation à l'académie miliaire d'Ap' Sammas, même Poliorcis comprenait qu'il y avait dans le Mesoge des problèmes à résoudre avant de pouvoir établir des plans précis à long terme. Et les informations qu'il avait collectées se révéleraient sans doute intéressantes à ce stade des événements. Cette pensée le réconforta. Le professeur de sa promotion répétait sans cesse que la première partie d'un travail utile — et la plus importante —, c'était d'identifier les problèmes à résoudre. Eh bien, maintenant, c'était chose faite. Il était ici pour étudier la pathologie de Bardas Loredan. Tout allait donc pour le mieux.

Il s'endormit enfin et, s'il fit des cauchemars dans le lit de cette maison, ce fut sans doute à cause du fromage.

Vetriz Auzeil était assise dans l'escalier menant à l'entrée de sa maison et observait un petit garçon dans la rue en contrebas. Il avait amassé une quantité non négligeable de cailloux et les lançait avec grand soin sur un massif d'arbustes ornementaux — rendu hirsute par manque d'entretien — de la demeure d'en face. Personne n'habitait là depuis des années et si elle était encore vide, c'était uniquement parce que Venart — les dieux le bénissent — avait décidé de l'acheter. Fidèle à lui-même, il s'était attelé à cette tâche en usant de méthodes tortueuses et tout à fait contre-productives : il employait des intermédiaires fantômes, chacun étant censé faire baisser les prix et se retirer dès qu'un accord était sur le point d'être conclu. Cette affaire lui coûtait une fortune, mais elle lui permettait de se sentir habile — ce qui était le principal. Pourtant, Vetriz estima qu'il n'était pas convenable que les petits garçons jettent des cailloux ; et qu'en tant qu'adulte — que les dieux lui viennent en aide ! —, elle était investie de l'autorité nécessaire pour mettre celui-là au pas. Le seul ennui, c'était qu'elle aurait été incapable de dire — même si sa vie en avait dépendu — sur quoi il pouvait bien lancer ses projectiles avec tant de soin et de détermination.

En fin de compte, la curiosité de la jeune femme devint insupportable et elle se leva pour aller lui poser la question.

— Des araignées, répondit-il.

— Des araignées ?

— C'est ça !

Le garçon tendit la main et, en effet, il y avait une véritable jungle de toiles dans l'enchevêtrement de branchages. La plupart abritaient en leur centre une énorme créature marron. Les arachnides avaient une telle immobilité et un air si sombre qu'ils rappelèrent à Vetriz des commerçants un jour de marché trop calme, attendant

— Je suis désolée. Il est en voyage d'affaires. Puis-je vous aider ?

L'homme sourit, comme si cette proposition lui avait été faite par une enfant de six ans.

— Je vous remercie, mais je ne crois pas. C'est pour affaires.

Chez les amis de la jeune femme, il était de notoriété publique qu'on ne traitait pas deux fois Vetriz Auzeil avec condescendance.

— Dans ce cas, c'est à moi qu'il faut vous adresser, dit-elle avec un sourire charmant. Je vous en prie, entrez. Je peux vous accorder un quart d'heure.

L'homme la fixa, mais la suivit à l'intérieur. Vetriz le conduisit jusqu'au bureau des comptables qu'elle savait désert à cette heure : les clercs étaient soit à la taverne, soit à l'entrepôt pour la mise à jour des stocks.

— Veuillez excuser le désordre, dit-elle en désignant d'un geste large les tables de travail immaculées. Alors, que puis-je faire pour vous ?

Elle s'assit au bureau de Venart, celui qu'il avait récupéré avec un lot d'objets divers provenant du pillage de Périmadeia et acheté sans l'avoir vu au préalable. C'était un meuble immense, surchargé de décorations et d'une rare vulgarité. Venart le détestait.

— Je vous en prie, prenez un siège, dit-elle.

Elle savait très bien que le tabouret destiné aux visiteurs était si bas qu'il fallait y poser un coussin rien que pour voir par-dessus le bureau, mais curieusement, le Fils du Ciel ne sembla pas avoir ce problème.

Est-ce que ces gens sont tous aussi grands ? se demanda-t-elle.

— Je vous remercie.

Vetriz observa l'homme se tortiller à la recherche d'une position confortable — une tâche tout à fait impossible sur ce siège.

— Je m'appelle Moisin Shel et je représente le bureau

des Provinces. Nous avons l'intention d'affréter un certain nombre de bateaux.

Vetriz hocha la tête comme si ce genre de proposition était monnaie courante.

— Je vois, dit-elle. Quel type de navire, combien et pour quelle durée ?

Moisin Shel la regarda et haussa un sourcil.

— Vous avez un navire baptisé *L'Écureuil*, dit-il. Nous avons cru comprendre qu'il s'agissait d'un deux-mâts à gréement carré capable de maintenir une vitesse de six nœuds par vent arrière. Il semblerait que vous ayez l'habitude de naviguer en cabotant au plus près du vent. Cela conviendrait très bien à ce que nous recherchons si le tonnage est suffisant. *L'Écureuil* jauge au moins cent trente tonneaux, si mes renseignements sont exacts ?

— Oh ! sans problème, répondit Vetriz qui n'avait pas la moindre idée de ce dont il parlait. Et quel genre de cargaison avez-vous l'intention de transporter ?

Moisin Shel fit comme s'il n'avait pas entendu.

— Je dois éclaircir quelques points techniques avant que nous allions plus loin. Je suis désolé si cela vous paraît pointilleux, mais nous devons nous assurer que votre navire est conforme aux spécifications du bureau des Provinces avant de signer un contrat d'affrètement. Êtes-vous à même de répondre à ce type de questions ou est-il préférable que j'attende le retour de votre frère ?

— Cela ne me pose aucun problème, déclara Vetriz avec assurance. Que voulez-vous savoir ?

— Très bien. (L'homme fit pianoter ses doigts.) Pouvez-vous me dire si les galbords sont mortaisés à la feuillure de la quille ?

Vetriz réussit à garder un visage impassible — un véritable exploit, il fallait lui reconnaître cela.

— *L'Écureuil* est un navire marchand et utilisé comme tel, monsieur Shel. Ce n'est pas un bateau de plaisance.

rer : « Ce sont les longues planches de chaque côté de la quille », comme si elle avait appris le sens de ce terme avant même d'être sevrée.

— Oh ! répondit Venart. Alors pourquoi on ne les appelle pas comme ça au lieu d'employer un mot si bête et tarabiscoté ? Et que signifie « mortaisés à la feuillure de la quille » ? Non ! Ne me dis pas ! Je ne veux pas le savoir. Si la nécessité s'en fait sentir, je pourrai toujours regarder dans le vieux livre de papa, tout comme toi.

Vetriz fronça les sourcils.

— Enfin bref, dit-elle. Qu'est-ce que tu en penses ?

La moue irritée de Venart se transforma en petit sourire satisfait.

— C'est de l'argent qui nous tombe du ciel, répondit-il. Beaucoup d'argent. S'ils payent un sol par tonneau et par semaine, c'est comme si on découvrait une mine d'or sous le plancher de la cuisine.

Vetriz haussa soudain les sourcils.

— Grands dieux ! Alors, ça doit représenter une véritable fortune, non ?

— *L'Écureuil* jauge deux cent cinquante tonneaux, répondit Venart avec jubilation. Fais le calcul. Et tu peux oublier toutes ces inepties sur le respect des spécifications. Ils prennent tout ce qui flotte, même les barils renversés. Pourquoi diable crois-tu que je suis revenu aussi vite ?

La nouvelle, expliqua-t-il, s'était répandue partout, d'Ap' Imatoy jusqu'à Colleon : le bureau des Provinces se préparait à intervenir contre le roi Temrai ; pour atteindre Périmadeia, la force d'attaque principale devait être transportée par mer afin de contourner la Faucille et traverser le détroit de Scona. Elle évitait ainsi une longue marche dangereuse et empêcherait les hommes des plaines de s'opposer à l'invasion grâce à des techniques de guérilla. Afin de réaliser ce projet, l'empire avait mis de côté ses querelles avec Shastel dont il faudrait traverser les eaux territoriales. Cette accalmie entre les deux nations n'arrangeait d'ailleurs en rien les affaires de Venart : il se retrouvait maintenant avec toute une cargaison de blé de Nagya qu'il avait payée une somme astronomique ; il l'avait achetée en partant du principe que les marchands de Shastel n'obtiendraient pas l'autorisation de la transporter jusqu'à Berlya. Néanmoins, à moyen et long terme, cette trêve se révélerait sûrement bénéfique pour le commerce.

— Je n'aurais qu'à balancer la marchandise dans le port si je n'arrive pas à m'en défaire au marché, ajouta-t-il. Après tout, avec ce que les Impériaux vont nous rapporter, on ne va pas se lamenter sur le prix de quelques sacs de farine. Enfin, je suppose que je pourrais en faire cadeau aux brasseurs du quai sud ; ils en utilisent, et...

— L'empire va attaquer Périmadeia ? le coupa Vetriz. Depuis quand ?

Venart grimaça un sourire, se servit un autre verre et s'accorda une seconde cuillerée de miel pour fêter la nouvelle.

— Tu devrais suivre ce genre de chose si tu tiens vraiment à devenir marchande, lâcha-t-il sur un ton exaspérant. Réfléchis un peu, tu veux bien ? Tout ça a un lien direct avec Ap' Escatoy, comme le pire imbécile aurait dû s'en rendre compte il y a déjà des années. Grâce à notre ami Bardas — que les dieux le bénissent —, l'empire a enfin réussi à faire ce qu'il essayait d'accomplir depuis que nous étions enfants : il est parvenu à atteindre la côte ouest. Et maintenant qu'il y est, eh bien, il n'a plus que le ciel comme limite. (Il s'interrompit un instant avant de poursuivre.) C'est ironique. Même si Bardas et les Périmadeiens avaient réussi à battre Temrai et ses hommes, il leur faudrait aujourd'hui faire face à l'invasion imminente et massive des Impériaux — et la partie serait jouée d'avance, bien entendu.

Vetriz fronça les sourcils.

— Sauf que si la Cité n'était pas tombée, Bardas n'aurait pas pris Ap' Escatoy pour eux.

armures avec les autres ouvriers de l'armurerie d'Ap'
Calick. Ce n'est pas vraiment le genre de personnage
qu'on s'attend à voir changer le cours de l'histoire, n'est-
ce pas ? Pourtant, réfléchissez un instant. Si Bardas Loredan n'avait pas pénétré par hasard dans les galeries
ennemies et entraîné l'effondrement des murailles d'Ap'
Escatoy, que se serait-il passé ? Imaginons que le siège
ait duré un an de plus, voire deux. Et puis une révolte
éclate dans une province éloignée, ou bien un changement a lieu au sein de l'administration du bureau central
des Finances ; ou encore, une querelle politicienne survient entre différentes factions à la cour. Imaginez un
événement de cet ordre. Il va entraîner l'abandon du
siège de la cité et Ap' Escatoy ne va donc pas tomber ; le
monde change alors de manière radicale. Un seul
homme. La conséquence différente d'une fraction de
temps. Cela, messieurs, est la nature du Principe. À ce
moment, dans l'obscurité des tunnels — et il y faisait
sombre, je peux vous le garantir —, le cours de l'histoire
a été modifié. Il s'est effondré et a été réduit à des
dimensions minuscules ; si minuscules qu'il pouvait aisé-
ment se concentrer dans un boyau étroit et tortueux où
un homme devait ramper avec peine pour avancer. Puis
il s'est dilaté de nouveau, contraint de s'élargir comme
des ondulations à la surface de l'eau. Pour vous, c'est
ainsi qu'il en va de l'action du Principe : une conséquence qui affecte toutes les dimensions ; un endroit où
tous les lieux se rencontrent ; un trou d'épingle par
lequel tout s'engouffre et tout jaillit au commencement
et à la fin.

Bardas s'aperçut qu'il n'entendait plus les paroles
d'Alexius. C'était comme si ses oreilles étaient bou-
chées par de la cire. Il voyait que son vieil ami poursui-
vait son cours, mais les mots ne lui parvenaient plus. Il
se leva pour crier : « Parle plus fort, on n'entend rien
dans le fond ! », mais il sentit sa tête cogner contre les
poutres basses soutenant le plafond du tunnel ; au

même moment, les murs commencèrent à céder et à s'effondrer sur lui, comme une petite tasse en étain écrasée par les roues d'un chariot.

— Sergent Loredan ?

Bardas releva soudain la tête.

— Pardon, dit-il. J'étais ailleurs.

— Comme je vous le disais, reprit l'adjudant-major en lui lançant un regard sévère, la situation se dégrade de plus en plus dans cette région. Les intérêts de l'empire sont directement exposés à ces menaces. Nous ne sommes plus capables de garantir la sécurité de nos citoyens. En conséquence, le commandement central étudie des plans pour parer à toute éventualité, au cas où une intervention militaire deviendrait inévitable.

— Je vois, dit Bardas qui n'avait pas la moindre idée de ce dont l'adjudant-major parlait. C'est... ennuyeux.

— En effet. (L'homme croisa les mains sur son bureau et se pencha un peu en avant.) Maintenant, comme vous vous en doutez, les personnes ayant une expérience directe de ces gens nous seront d'une grande utilité dans l'élaboration de notre réponse, aussi bien à long terme que tactique. Et dans la mesure où vous avez mené plusieurs guerres contre eux...

Par tous les dieux ! Ils vont attaquer Temrai !

— Je vois, répéta-t-il.

L'adjudant-major hocha la tête.

— Pour le moment, vous avez reçu l'ordre de rester en alerte, dans l'attente d'un interrogatoire minutieux par les officiers supérieurs de l'État-major. Je suis néanmoins convaincu qu'au fur et à mesure du développement de la situation, vous serez réaffecté à un rôle plus actif dans le conflit. (Il prit un ton mystérieux.) Il est même possible qu'il y ait une nouvelle promotion à la clé, selon la nature des fonctions que vous devrez assurer.

Une promotion ! Eh bien, dis donc !

— Et dans l'intervalle ? demanda Bardas.

était correcte. Cela m'aurait plu de continuer dans cette voie. Il en va de même avec la fabrication d'arcs — je n'avais pas besoin de beaucoup d'argent à ce moment-là et j'aime bien travailler avec mes mains. C'est comme ce que je fais maintenant, je suppose. Si seulement je trouvais quelque chose d'utile à faire dans cette armurerie… Enfin, plus personne n'essaie de me tuer, alors je n'ai pas à me plaindre.

L'inconnu éclata de rire.

— Tu es vraiment un type d'une grande simplicité, au fond. Tout ce que tu demandes à la vie, c'est de travailler dur pour une paie correcte. Et au lieu de cela, tu massacres des tribus, tu défends et détruis des cités et tu tues des gens par centaines. Mais parle-moi un peu de tous les combats à mort auxquels tu as participé, tous les combats où c'était lui ou toi. À ton avis, pourquoi as-tu survécu alors que les autres sont tous morts ? Est-ce que c'est juste parce que tu es plus habile et plus rapide ? Ça m'intéresserait de connaître ton avis là-dessus.

— Je préfère ne pas y penser, répondit Bardas. Je ne voudrais pas vous vexer, mais qu'est-ce que ça peut vous faire ?

— Pas grand-chose, dit l'homme. Je suis juste curieux, comme la plupart des gens. J'avais envie de savoir à quoi tu ressemblais vraiment. Quand on lit ou qu'on écoute une histoire sur un grand personnage historique, on prend facilement l'habitude de se le représenter comme quelqu'un de très différent du reste d'entre nous, une personne qui vivait selon une logique très personnelle. En parlant avec toi, rien que nous deux, je constate que ce n'est pas du tout le cas. Je m'en rends compte maintenant : la plupart du temps, tu n'avais pas la moindre idée de ce que tu faisais, c'est aussi simple que ça. Mais je ne m'en serais jamais aperçu si j'avais pris pour argent comptant ce qui est écrit dans les livres ou ce que nous racontait grand-père quand nous étions enfants. Bien, je crois que c'est tout. Au revoir.

— Attendez ! lança Bardas.

Mais il ne s'adressait déjà plus qu'à une ombre évanescente.

Une voix s'éleva où l'homme s'était tenu, à l'endroit d'où avait émané l'odeur de coriandre.

— Oh ! juste une dernière chose. Merci.

— De rien, répondit Bardas.

Puis ses genoux fléchirent et il s'effondra.

Quand il ouvrit les yeux, la lumière était d'une brillance insupportable et une couronne de têtes avaient les yeux posés sur lui.

— C'est peut-être à cause de la chaleur, dit un Fils du Ciel. Il leur faut un certain temps pour s'y habituer. Celui-là vient d'un pays froid et humide.

— Ou les effets résiduels de son enterrement vivant, dit un autre à la limite du champ de vision de Bardas. En cas de forte commotion, il faut parfois des semaines avant que les symptômes se manifestent. Cela expliquerait ses hallucinations.

— Pas plus qu'un coup de chaleur, répliqua le premier. D'ailleurs, entendre des voix imaginaires et parler à des gens qui ne sont pas là sont des signes beaucoup plus caractéristiques du coup de chaleur que du traumatisme crânien. Mais je vous accorde qu'ils sont communs à ces deux types d'accident.

— Je crois qu'il est réveillé, indiqua une troisième voix. Sergent Loredan, vous nous entendez ?

Bardas ouvrit la bouche. Sa langue et sa gorge étaient sèches et râpeuses comme du cuir mouillé qu'on a laissé sécher sans l'enduire de graisse.

— Je crois, dit-il. Est-ce que vous êtes réels ?

Le Fils du Ciel parut offusqué par la question, mais l'homme qui s'était adressé à lui sourit.

— Oui, répondit-il. Nous sommes réels, assez réels pour nous occuper de vous en tout cas. Vous vous souvenez de ce qui vous est arrivé ?

— Je suis tombé, dit Bardas.

— Traumatisme crânien, murmura l'adepte de la théorie sur l'ensevelissement vivant. Notez la légère aphasie et la perte de mémoire évidente. C'est très caractéristique.

L'autre poursuivit d'une voix calme et douce, comme s'il s'adressait à un mourant ou à un débile mental.

— Nous savons cela. Vous êtes tombé et vous vous êtes cogné la tête — rien de grave. Mais avant ?

Bardas réfléchit un instant.

— Je parlais à quelqu'un.

La réponse sembla satisfaire son interlocuteur, car un petit sourire se dessina sur ses lèvres.

— Ah, ah ! dit-il. Et vous souvenez-vous à qui vous parliez ?

— À mon officier supérieur, articula Bardas d'une voix rauque. Il me disait que j'allais peut-être avoir une promotion.

Mauvaise réponse, à en juger par la mine des gens présents.

— Oui, mais après, continua l'homme. Après votre entretien avec l'adjudant-major et avant votre chute. Est-ce que vous avez parlé à quelqu'un ?

Bardas fit un effort pour secouer la tête, mais celle-ci refusa de bouger. Il se résigna donc à articuler.

— Non.

— Vous êtes sûr ?

— Oui. Enfin, pour autant que je m'en souvienne.

— Il cache quelque chose, murmura le Fils du Ciel. Réponses évasives, légère paranoïa. Aucun doute : c'est un coup de chaleur.

L'homme qui parlait à Bardas essaya encore.

— Nous sommes docteurs, dit-il. Nous sommes ici pour vous aider. Vous êtes sûr de n'avoir parlé à personne d'autre ?

— Sûr et certain, répondit Bardas. (Tandis que le visage de son interlocuteur se chiffonnait pour prendre une expression renfrognée et déçue, l'ancien avocat ajouta :) Oh ! j'ai bien imaginé que je parlais à quelqu'un, mais je sais que ce n'était pas réel. Ce n'était qu'une hallucination ou quelque chose dans ce genre.

L'homme parut plus en colère que jamais.

— Tiens donc ? Et comment pouvez-vous en être si sûr ?

— C'est facile, répondit Bardas. (Sa tête devint très douloureuse.) D'abord, il a voulu me faire croire qu'il était quelqu'un que j'avais tué dans les mines. Ensuite, il a essayé de faire semblant d'être un étudiant en histoire qui venait de plusieurs siècles dans le futur. Et puis, il en savait trop sur moi. J'ai dû imaginer toute cette scène.

— Je vois, dit le partisan du traumatisme crânien. Et il vous arrive souvent de parler à des gens imaginaires ?

— Oui, répondit Bardas.

Et les docteurs disparurent.

Quand il ouvrit de nouveau les yeux, il était toujours au même endroit, mais seul. Maintenant, il faisait sombre et il sentait des odeurs d'oignon, de romarin, de sang, de marjolaine et d'urine. Pendant un moment, tout fut aussi calme que dans une tombe ; et puis il entendit le gémissement d'un homme à quelques mètres de lui.

Je suis à l'infirmerie, songea-t-il.

Il avait encore très mal à la tête, mais la douleur était assez différente maintenant. Il se concentra un moment pour en définir la nature et l'intensité. Si un traumatisme crânien était le terme médical pour un grand coup sur le crâne, il était prêt à fixer son choix dessus. Il avait reçu bon nombre de chocs sur la tête dans sa vie et la douleur présente ne différait pas beaucoup de celles qu'il avait ressenties auparavant.

Bardas ?

— Chut, murmura-t-il. Vous allez réveiller tout le monde.

Désolé.

— Ce n'est pas grave. Comment allez-vous, au fait ?

Je n'ai pas à me plaindre, répondit Alexius.

Bardas ferma les yeux ; il discernait très bien le Patriarche dans l'obscurité, de l'autre côté de ses paupières.

Alors, qu'est-ce qui vous est arrivé ?

— Je ne sais pas trop, avoua Bardas. Je descendais un couloir à l'intérieur de l'armurerie et, tout à coup, je me suis retrouvé ici. C'est peut-être un coup de chaleur, ou un traumatisme crânien.

Un traumatisme crânien ?

— Un choc sur la tête. Je n'en ai pourtant pas reçu récemment, mais il paraît qu'il faut un certain temps pour que ça fasse effet. Enfin bref, je suis ici et je n'en sais guère plus.

Quel manque de chance ! dit Alexius avec compassion. *J'espère que vous allez bientôt vous rétablir.*

— Merci. (La douleur empira soudain, puis se calma.) Vous aviez l'intention de me demander quelque chose ou vous êtes simplement passé pour discuter ? Je ne voudrais pas vous paraître inamical, mais..

Bien sûr ! Je me demandais où vous étiez, c'est tout. Quand j'ai appris ce qui était arrivé à Ap'Escatoy, je me suis inquiété. Votre ensevelissement vivant et tout le reste... Cela a dû être terrifiant.

Bardas sourit.

— Je ne m'en souviens pas très bien. Je me suis effondré comme un sac de farine ; puis on m'a déterré et je me suis réveillé dans un hôpital de campagne. Mais, et vous-même ? Que faites-vous donc en ce moment ?

Figurez-vous que j'enseigne de nouveau. J'ai presque l'impression d'être revenu au bon vieux temps. Mais tant que je me montre à peu près régulier dans mes activités, cela ne semble pas me faire de mal. Et c'est agréable de se rendre utile plutôt que de rester planté là à ne rien faire.

— Je suis content pour vous. Et où enseignez-vous ?

— Il délire, dit une voix masculine sur un ton assez fort. (Bardas ne vit pas la personne qui parlait.) Un effet somme toute classique d'un traumatisme crânien. Que suggérez-vous ?

Bardas ouvrit les yeux. Il y avait de la lumière, le faible rougeoiement caractéristique qui suit le lever du soleil, quand le sol est encore froid. Un homme de grande taille — un Fils du Ciel — était penché au-dessus de lui. Un peu en retrait, un groupe de jeunes gens l'écoutait avec attention.

— Du repos, dit l'un d'eux. On ne peut pas faire grand-chose de plus, n'est-ce pas ?

— Bonne réponse, déclara le Fils du Ciel. Mais je pense que nous pouvons faire un peu mieux que cela. Personne ?

Un des jeunes gens se racla la gorge.

— Lui donner un sédatif, proposa-t-il sur un ton mal assuré. Du jus de pavot pour maintenir le patient calme et le laisser dormir pendant sa guérison. Et une infusion d'écorce de saule pour la douleur.

— Mais pas les deux en même temps, le chapitra le Fils du Ciel. Sinon, il peut tomber dans un sommeil si profond qu'il n'en sortira jamais. De plus, il n'a pas besoin de quelque chose contre la douleur s'il dort. Très bien. Et maintenant, passons au suivant.

— Docteur !

Un étudiant avait remarqué que Bardas avait les yeux ouverts. Il fit un hochement de tête dans sa direction et le médecin regarda derrière lui.

— Il est réveillé, dit-il. Merveilleux ! Mais il ne faut pas que l'entretien dure trop longtemps au risque de l'épuiser. Alors, comment vous sentez-vous aujourd'hui ?

— Pas bien du tout, croassa Bardas. Où suis-je ?

Mais le médecin était déjà penché sur lui et appuyait la partie charnue de ses pouces contre son crâne.

— Ça vous fait mal ? demanda-t-il. Et comme ça ?

— Aïe ! s'écria Bardas sur un ton très convaincant.

— C'est bien ce que je pensais, déclara le médecin. Le crâne est trop mou et il y a de nombreuses bosselures et stries qu'il va falloir éliminer. (Il se retourna et regarda un de ses étudiants.) Marteau à planer numéro un. Et le burin à tête ovale, s'il vous plaît.

Avant que Bardas puisse esquisser un geste ou émettre une objection, le médecin lui avait ouvert la bouche de force avant d'y glisser quelque chose. Bardas identifia un des burins rangés au-dessus de l'enclume de l'armurerie — celui qu'on utilisait pour aplanir les objets de l'extérieur. Le médecin prit alors le burin — avec un côté carré et un autre arrondi — des mains de l'étudiant et commença à donner de petits coups rapides au sommet du crâne de son patient, comme un pic-vert s'attaquant à un arbre.

— Le but de ce traitement — que nous appelons « planage » — est de lisser un produit fini, déclara le praticien. Mais il a aussi deux autres fonctions importantes : il compresse le métal et obstrue les pores en surface. Cela confère à l'extérieur un degré de résilience comparable à celle qu'acquiert l'intérieur après une opération de nervurage ou de cambrage. Il est primordial de ne pas forcer sur le planage, sinon le métal risque de devenir trop fin ou trop dur — en d'autres termes, cassant. Si cela arrivait à cette étape du processus, il faudrait de nouveau le passer à la forge et le retravailler — aussi bien à l'intérieur qu'à l'extérieur.

Bardas voulut hurler, mais le burin à tête ovale glissé dans sa bouche l'en empêchait. Son crâne vibrait et résonnait sous l'impact des petits coups rapides, chacun compressant l'os entre le burin à l'intérieur et le marteau à l'extérieur. Il essaya de fermer les yeux, mais les rivets permettant à ses paupières métalliques de se baisser étaient légèrement faussés et empêchaient une obturation complète…

Il ouvrit les yeux.

Il était dressé sur sa couche dans une petite pièce au fond de la galerie supérieure, la bouche ouverte au milieu d'un cri.

— Calmez-vous, dit une voix au pied de son lit. Vous avez fait un cauchemar ?

Bardas ferma la bouche. Il eut l'impression que sa mâchoire pivotait sur deux goupilles d'acier trempé, comme la visière d'un bassinet. Mais c'était idiot.

— Excusez-moi !

— Ne vous inquiétez pas pour ça, répondit l'homme au pied de son lit.

Bardas reconnut Anax, le vieux Fils du Ciel qui travaillait à la forge des épreuves. Juste derrière lui se tenait l'énorme silhouette de l'inévitable Bollo, son assistant.

— Mais je dois quand même avouer que vous m'avez flanqué une peur de tous les diables en hurlant comme ça. Enfin bref, comment vous sentez-vous ?

Bardas frissonna et se rallongea avec prudence sur le dos. Il avait mal au crâne.

— Excusez-moi si la question vous paraît curieuse, demanda-t-il, mais, est-ce que vous êtes réels ?

Anax sourit.

— Vous avez du mal à faire la différence entre le rêve et la réalité, pas vrai ? Je sais ce que c'est. Oui, nous sommes réels — enfin, autant qu'on peut l'être ici. Mais ce n'est guère surprenant dans ce genre d'endroit, n'est-ce pas ?

Bardas réfléchit un moment.

— Qu'est-ce qui m'est arrivé ? La dernière chose dont je me souvienne, c'est que je marchais dans un couloir…

— Et il semblerait que vous soyez tombé dans les pommes, dit Anax en grimaçant un sourire. Vous étiez complètement dans le cirage quand on vous a trouvé. Ils vous ont secoué, donné des gifles, ils vous ont même versé une carafe d'eau sur la figure, mais impossible de vous réveiller. Alors, ils nous ont envoyé chercher. Je crois qu'ils ont décidé que vous étiez sous notre responsabilité. Bref, nous vous avons amené ici — enfin, Bollo vous a amené ici.

— Vous êtes pas léger, lâcha Bollo. Surtout quand on grimpe un escalier.

— Je vois, dit Bardas. Je suis resté inconscient pendant combien de temps ?

Anax réfléchit.

— Attendez un peu. Une demi-journée, la nuit et ce matin. Disons vingt-quatre heures pour simplifier — on n'est pas à une heure près. C'est curieux, ces évanouissements à votre âge. C'est le genre de chose qu'on attend d'un vieillard ou d'une jeune fille qui ne mange pas comme il faut.

— C'était peut-être un coup de chaleur, suggéra Bardas. Ou bien un traumatisme crânien,

— Un quoi ?

— Un traumatisme. Un coup sur la tête.

— Oh ! Et qui donc vous a flanqué un coup sur la tête ? Bardas haussa les épaules.

— Personne, pour autant que je m'en souvienne. Mais c'est peut-être une réaction tardive à ce qui m'est arrivé dans les mines.

— Nan. (Anax secoua la tête.) Ça s'est passé il y a des semaines. Enfin, vous avez l'air d'aller bien maintenant et c'est le principal. Je vais vous dire quelque chose : vous restez encore au lit un jour ou deux, jusqu'à ce que vous soyez sûr d'être remis. De temps en temps, j'enverrai Bollo ou un gars de l'atelier de la fonderie vous rendre visite — pour s'assurer que vous n'êtes pas mort ou devenu cinglé. Je vous tiendrais bien compagnie, mais j'ai du travail par-dessus la tête et on n'a pas beaucoup avancé en restant ici à vous regarder dormir.

Quand ils furent partis, Bardas essaya de toutes ses forces de résister au sommeil. Il y réussit pendant une heure. Puis il se réveilla en pleine crise de panique pour constater que Bollo était penché au-dessus de lui, avec un bol de porridge salé et une cuillère en bois dans les mains.

Chapitre 8

D'après le compte-rendu, il était impératif de maintenir le feu à la bonne température une fois qu'il était allumé. Environ vingt-quatre unités de charbon étaient nécessaires pour produire huit tonnes de saumons de fonte.

Athli ferma les yeux et les rouvrit. Il était tard et elle mourait d'envie de se coucher. Mais le compte-rendu trônait maintenant sur son bureau depuis deux jours et elle n'aurait pas le temps de le lire le lendemain — elle avait des réunions toute la journée, suivies des comptes pour l'audit. Elle retrouva la ligne où elle s'était arrêtée et fit un effort de concentration.

Lors de l'affinage des saumons de fonte en séries de plaques métalliques, une tonne sur huit sera perdue. Cinq cent soixante livres de plaques permettent la production de vingt cuirasses répondant aux critères impériaux, avec leurs spallières. Quatre cent cinquante livres permettront d'obtenir quarante armures de cavalerie, sans les spallières. Mille huit cents livres sont nécessaires à la fabrication de vingt armures de cavalerie complètes, aux normes impériales. Quatre ouvriers spécialisés produisent quatre mille cent quarante livres de plaques par semaine — soit mille trente-cinq livres par homme, ou cent soixante-douze livres par jour — en utilisant un fourneau à charbon. Quand le fourneau est alimenté au

*bois ou au charbon de bois, la production journalière
n'est guère susceptible de dépasser cent douze livres.*

Athli bâilla. De prime abord, cette affaire lui avait
paru intéressante. Avec les guerres qui se déclenchaient
ici et là, les manœuvres de l'empire et la panique de ses
voisins, les généraux et commandants des services du
matériel et des dépôts de toutes les nations cherchaient à
améliorer leur équipement. Alors, quel meilleur investissement possible qu'une manufacture d'armures ici, sur
Île, ou bien à Colleon où la main-d'œuvre était bon
marché et les matières premières facilement disponibles ? Mais Athli était prudente, un peu plus chaque
jour : elle avait donc demandé au bibliothécaire de la
maison des entrepreneurs-marchands — qui lui était
redevable — s'il disposait de documents sur la gestion
des armureries. L'homme avait trouvé un vieux compte-
rendu compilé au moins trente ans plus tôt par le direc-
teur de l'armurerie officielle de Périmadeia. Il l'avait fait
copier et parvenir à la jeune femme dans un rouleau
entouré de soie et attaché par un large ruban bleu.
C'était fort gentil de sa part, mais s'il avait quelque chose
derrière la tête, ses espoirs allaient être déçus. Mais
après tout le mal qu'il s'était donné, Athli se devait au
moins de lire le document.

Elle essaya de focaliser son attention, mais ses yeux
glissaient sur les pages comme un poulain sur un lac gelé.
La lecture était aride. Bien sûr ! À quoi s'attendait-elle ?
À un roman d'amour ?

Concentre-toi, se dit-elle afin de se motiver. *Tu es arrivée à la partie intéressante. Un homme peut produire cent
soixante-douze livres de plaques par jour, et cinq cent
soixante livres permettent de fabriquer vingt cuirasses —
avec les spallières, quoi que ça puisse être. Mais pour cela,
il faut du charbon et non pas du charbon de bois. Vingt-
quatre unités de charbon de bois sont nécessaires pour
produire huit tonnes — dont une sera perdue. Mais quelle
quantité représente une unité ?*

Athli se renfrogna et déplaça les jetons sur son tableau de comptable.

Quelle coïncidence, songea-t-elle. *Selon les dernières nouvelles, Bardas a été affecté à l'armurerie d'Ap' Calick. Hé ! Et pourquoi je n'irais pas jusque-là pour lui poser toutes ces maudites questions au lieu de me casser la tête à chercher les réponses dans ce livre ? Eh bien, voilà une bonne idée. Non, merci ! Même s'il peut m'expliquer ce qu'est une spallière et s'il est préférable ou pas d'en porter sous une cuirasse.*

À qui pouvait-elle s'adresser ? À qui *d'autre* pouvait-elle s'adresser ? Qui d'autre était susceptible de savoir ce qu'était une spallière ? Sur Île, les armures arrivaient dans des caisses rembourrées de paille et marquées du sceau de la manufacture ; elles restaient là jusqu'à ce qu'elles soient déchargées sur le quai du client et payées. Quant au contenu, personne ne le connaissait, ni ne s'en souciait. Les Îliens n'étaient pas des ignares — après tout, ils avaient une bibliothèque —, mais ils n'étaient guère intéressés par les termes techniques militaires. Athli trouverait sans difficulté dix personnes capables de lui indiquer le prix d'une spallière ; vingt qui sauraient où dénicher un arrivage de spallières de premier choix — vendues à prix coûtant parce que le commanditaire avait annulé la livraison ; quarante qui chercheraient désespérément des spallières, *pour satisfaire une commande d'un bon client qui paie rubis sur l'ongle, mais allez donc trouver la marchandise voulue quand vous en avez besoin.* À côté de cela, montrez-leur une spallière et ils essaieront sans doute d'y pocher un œuf. Elle déplaça ses jetons le long des lignes verticales de son tableau et inscrivit le résultat sur une tablette de cire posée à côté. Des données fiables, solides et tout à fait inutiles.

Des armures, songea-t-elle. *Est-ce qu'une guerre allait vraiment éclater ?* Tout le monde semblait le penser. Tout le monde comptait dessus, s'y préparait, remplissait ses entrepôts ou les vidait.

Maupas achète des pointes de flèche et vend des pinceaux, parce que personne ne voudra acheter des pinceaux quand la guerre sera là ; Ren achète les pinceaux de Maupas, parce qu'ils ne sont pas chers et qu'après la guerre les gens en voudront de nouveau ; mais pour les payer, il doit vendre deux cent mille rivets en cuivre qu'il a obtenus à bon prix sur le marché d'Aguill des années plus tôt ; mais ce n'est pas un problème, car on a besoin de rivets pour fabriquer des armures et bientôt, ils seront une denrée rare à cause de la pierre ; mais dans ce cas, ne ferait-il pas mieux de garder ses rivets et d'oublier les pinceaux ?

C'était une façon curieuse d'envisager le conflit : uniquement en termes de marchandises nécessaires à son bon déroulement : en flèches qui seraient tirées, en armures destinées à être écrasées et éventrées, en centaines de milliers de chaussures et en kilomètres de lanières en cuir, en boucles de ceinturon, en pierres à aiguiser, en rayons de roue de chariot, en clous, en manches de pioche, en étuis à parchemin, en bas-de-chausses, en planches, en plumes, en axes d'essieu et en bouteilles d'eau. Même si on met de côté tous les hommes impliqués, la guerre n'en demeure pas moins une gigantesque machine, une immense accumulation de matériel, une offre et une demande sans fin de marchandises qu'on fourre dans sa gueule. Elle entraîne une fantastique circulation d'objets et pourquoi ? *Enfin, Athli ! Parce que le conflit est inéluctable. C'est quand même curieux que tu poses encore la question.*

Périmadeia avait été remplacée. La guerre avait été inévitable. Il en était sans doute allé de même pour la chute d'Ap' Escatoy provoquée par un certain Bardas Loredan. Tant de gens déplacés. Mais maintenant, la vie était plus facile ; maintenant, la vie c'était son entreprise.

Si je savais ce qu'est une spallière, est-ce que, soudain, tout deviendrait clair ? Est-ce que je comprendrais vraiment ? Peut-être. Peut-être pas.

*Il est impératif de maintenir le feu à la bonne tempéra-
ture une fois qu'il est allumé.*

Athli grimaça. Elle avait déjà lu ce passage. Pourquoi
les gens ne voulaient-ils pas fabriquer quelque chose
qu'elle connaissait, comme des tapis ?

La porte du bureau de la comptabilité s'ouvrit. Sabel
Votz, sa chef comptable, entra avec précipitation. Elle
semblait très agitée.

— Des visiteurs ! dit-elle comme si elle annonçait la
fin du monde. Du bureau des Provinces. Ils sont en bas.
Dans le hall.

Si Athli s'était fiée au ton de son clerc, elle aurait
hésité entre deux options : faire apporter des gâteaux
accompagnés de vin ou barricader la porte. Par chance,
elle commençait à connaître son employée.

— Ah bon ? dit-elle. Eh bien, ce n'est pas trop tôt.
Fais-les monter, attends deux minutes et apporte-nous
des rafraîchissements.

Sabel lui lança un regard désapprobateur

— Bien, dit-elle. Et pas d'interruption ?

— Tu as compris.

Sabel sortit et Athli regarda instinctivement autour
d'elle pour s'assurer que la pièce était en ordre. C'était
un réflexe idiot : elle n'était pas une femme au foyer
recevant la visite inattendue de sa belle-mère ; elle était
la représentante de l'ordre de Shastel sur Île et donc une
personne de marque. Au dernier moment, elle aperçut
une paire de chaussures sous la table, où elle les avait
jetées avec négligence la veille. Elle eut à peine le temps
de les ramasser et de les cacher derrière un coussin avant
que la porte s'ouvre. Sabel fit entrer deux Fils du Ciel et
un grand clerc, mince et pâle comme si on l'avait étendu
au soleil pour le faire sécher et oublié là.

Les Fils du Ciel se montrèrent d'une politesse extrême.
Ils se prénommaient Iqueval et Fesal et étaient tous deux
capitaines dans la marine impériale. Cette information
surprit un peu Athli : elle ignorait que l'empire disposait

d'une flotte. Même assis, les deux hommes la dominaient, comme les tours du hall du Commerce surplombaient les maisons de sa rue. Ils avaient les cheveux blancs et une petite barbiche à la pointe du menton, mais la jeune femme les différencia sans difficulté : les boutons de col d'Iqueval étaient en corne noire laquée, ceux de Fesal étaient en argent.

— Oui, dit-elle quand ils eurent annoncé le motif de leur visite. Je possède deux navires et je serais très heureuse de…

Fesal se racla la gorge.

— Par malheur, dit-il, ce n'est plus le cas. Aujourd'hui, vous ne disposez plus que d'un seul bateau. Je suis au regret de vous annoncer que *L'Escrimeur* s'est échoué sur des récifs alors qu'il essayait, semble-t-il, de se faufiler à travers un blocus impérial. Sa coque n'a pas résisté assez longtemps pour qu'on puisse le dégager et il a coulé. J'espère dans votre intérêt qu'il était convenablement assuré. (Le Fils du Ciel lui adressa un sourire de consolation et poursuivit.) Si cela peut vous être d'une quelconque utilité, nous vous fournirons un certificat de naufrage pour attester de sa perte — au cas où votre assureur contesterait votre déclaration. (Il sourit de nouveau.) Après tout, savoir est une chose, prouver en est une autre.

— Merci, dit Athli. Sauriez-vous par hasard s'il y a des survivants ?

— Hélas, nous n'avons aucune information à ce sujet, répondit Iqueval. Nous avons juste reçu le rapport d'une patrouille qui a rencontré des étrangers peu après la catastrophe. Ils avaient pénétré sans autorisation dans une zone interdite à proximité du lieu du naufrage. Je crois qu'un de nos hommes a été tué au cours de l'escarmouche. Les intrus se sont enfuis vers le nord en direction de Périmadeia.

Athli acquiesça.

— Je vous remercie de ces informations, dit-elle.

Elle eut l'impression que son corps s'était un peu engourdi et la tête lui tournait, comme si elle avait attrapé un mauvais rhume. C'était assez perturbant pour rendre un entretien pénible.

— Eh bien, dans ce cas, je dispose donc d'*un* navire. J'imagine que vous connaissez aussi tout ce qu'il y a à savoir à son sujet.

— En effet, confirma Iqueval. *La Flèche* ; vingt mètres de long ; deux cents tonneaux ; deux mâts ; gréement carré ; commandée par le capitaine Dondas Moisten, un Périmadeien ; le navire est en ce moment ancré dans le port et doit appareiller après-demain pour Shastel avec un chargement hétéroclite composé de produits de luxe, de livres et de meubles. Nous aimerions beaucoup l'affréter, au tarif d'un sol par tonneau et par semaine, plus les salaires, les provisions et la couverture en cas de dommage.

Athli réfléchit un moment.

— À partir de quand ?

— Cela n'a pas encore été décidé, dit Fesal. Notre but est de signer le contrat d'affrètement un peu avant d'avoir besoin du navire ; et nous payons la location à plein-temps, à l'exception des salaires et des provisions. C'est nécessaire pour s'assurer que les bâtiments loués seront prêts le moment venu.

— Je vois, dit Athli. Et dans quel dessein comptez-vous l'utiliser ?

Fesal sourit, les lèvres serrées.

— J'ai peur que cette information soit confidentielle.

— Oh ! (Athli le regarda droit dans les yeux, mais n'y décela rien de particulier.) Je pose cette question, car je voudrais savoir si *mon navire* court un risque. Pour être tout à fait honnête avec vous, je n'ai aucune intention de me lancer dans une affaire qui se solderait par sa perte. Surtout maintenant qu'il ne me reste que lui. Vous voyez, j'ai certains intérêts commerciaux en dehors du cadre de la banque et j'ai besoin de ce bateau pour...

— Dans l'éventualité de dommages — voire d'une perte —, dit Fesal avec assurance, nous vous offrirons une compensation totale, indexée sur la valeur du navire sur le marché actuel à la date de l'affrètement. Le montant peut en être fixé par un expert indépendant local. Cela fera partie des termes du contrat. Vous n'avez donc pas à vous inquiéter.

Athli fronça les sourcils.

— Et les pertes d'exploitation ? demanda-t-elle. Entre le moment où vous perdrez mon navire et celui où vous le remplacerez ? Est-ce qu'elles sont aussi incluses dans le contrat ?

Fesal fut impressionné.

— Je pense que nous pouvons trouver un accord sur ce point. Par exemple, nous pourrions souscrire une assurance pour couvrir ce genre de perte — en votre nom, bien entendu. Mais nous sommes assez confiants : il est peu probable que votre navire subisse des dégâts importants ou qu'il sombre.

— Je suppose que c'est toujours ça, répondit Athli. Et je suppose que vous ne souhaitez pas commenter les rumeurs qui circulent ? Celles qui affirment que vous affrétez une flotte de transports de troupes pour aller combattre le peuple des plaines ?

— Il court de telles rumeurs ? demanda Iqueval.

Athli sourit.

— Oh ! il y a toujours des rumeurs, mais certaines sont plus crédibles que d'autres. Enfin, cette affaire représente une jolie somme — vous devez le savoir : je suis certaine que vous connaissez sur le bout des doigts les tarifs pratiqués en matière d'affrètement. Je suppose que vous n'allez pas me dire non plus combien de temps ce petit affrètement est censé durer, n'est-ce pas ?

— C'est exact, dit Fesal. Nous n'allons pas vous le dire. Cette information est confidentielle, bien entendu. (Il fit un geste apaisant de ses longues mains délicates.) Il est certain que s'engager dans un contrat à durée indéterminée tel que celui-ci est inhabituel — et peut causer quelques inconvénients. Mais nous estimons que la rémunération proposée est une compensation plus qu'adéquate. En dernier ressort, la décision vous appartient.

— Oh! tout à fait, dit Athli. Eh bien, je pense qu'il faudrait que je sois idiote pour refuser une telle offre. Mais à propos de rémunération... Sera-t-elle versée à l'avance ou *a posteriori*? Je m'excuse si j'entre dans les détails, mais...

— Inutile de vous excuser parce que vous ne perdez pas de vue les objectifs principaux de votre profession, dit Fesal. Le premier mois sera versé à l'avance, et le reste *a posteriori*. Cela vous convient-il?

— Comment allez-vous payer?

— Par lettre de crédit, répondit Iqueval. Émise par le bureau des Provinces et encaissable où vous le souhaitez. Dans votre cas, je suppose que ce sera à Shastel. Vous pourrez ensuite vous l'adresser directement ici. (Il sourit.) Je ne serais guère surpris si une bonne partie de vos compatriotes décidaient d'encaisser leur paiement à Shastel — ce qui devrait avoir des répercussions positives pour votre succursale. Vous devriez peut-être vous préparer à un important regain d'activité, mais, bien entendu, ce n'est pas à moi de vous dire comment gérer votre franchise. Pourtant, maintenant que la banque Loredan a disparu, les gens n'ont plus le choix entre beaucoup d'établissements financiers en dehors de l'empire.

Et il n'en existe qu'un au sein de l'empire, se retint de dire Athli.

Elle se contenta de répondre:

— Ce sera parfait. Et oui, je serais ravie de m'occuper des modalités d'échange pour tous ceux qui souhaiteraient faire appel à nos services — bien qu'avec les sommes auxquelles vous faites allusion, ce ne sera pas une mince affaire. Il faudra sans doute que je finisse par annuler les crédits de certaines personnes ici, sur Île.

Fesal se leva.

— Vous allez être occupée, dit-il. Eh bien, nous vous remercions de nous avoir accordé votre temps. Nous prendrons contact avec vous lorsque nous serons prêts à commencer. C'est un plaisir de faire affaire avec vous.

— De même.

Quand ils furent partis, Athli passa quelques minutes fascinantes en compagnie de son tableau de comptable et de ses tablettes de cire. Elle fit des additions et les vérifia trois fois pour s'assurer qu'elle n'avait pas commis une erreur grossière : la somme qu'elle était censée recevoir lui paraissait bien plus importante qu'elle aurait dû. Mais elle obtint chaque fois le même résultat. Une petite fortune, en vérité.

Ainsi donc, ils vont attaquer Temrai.

Elle aurait dû se sentir heureuse, voire transportée de joie : le monstre qui avait détruit sa ville et massacré son peuple connaîtrait la défaite et la mort dans quelques mois. « L'honnête homme aime ses amis et déteste ses ennemis », n'était-ce pas ce qu'on lui avait appris quand elle était petite fille ? « Le malheur de mes ennemis fait mon bonheur »… Par tous les dieux ! Ils auraient pu lui demander de prêter gratuitement son navire pour mener une guerre sainte contre le peuple des plaines, cela lui aurait suffi. Oui, aurait-elle répondu, et je vous donne ma *bénédiction* en plus. Mais telle que la situation se présentait, elle obtenait sa vengeance *et* un bénéfice considérable. Une telle aubaine était-elle possible en ce monde ?

Le bénéfice considérable ne la dérangeait pas outre mesure, il tombait même à point nommé maintenant que son pauvre *Escrimeur* était au fond de la mer, avec Gannadius et son neveu à bord. Même si ces derniers étaient encore en vie, perdus quelque part entre l'empire et le royaume de Temrai, il y avait de grandes chances pour qu'elle ne les revoie plus jamais. Elle trouva difficile — impossible, même — de réagir à cette pensée. Ce n'était pas par déni, elle en était juste incapable. Après la chute de Périmadeia et son arrivée ici, elle avait commencé à se construire une armure, une bonne armure contre ce genre d'événement : un casque de femme d'affaires, un plastron d'amis, des spallières — quoi que cela puisse être — de biens matériels, de réussite et de prospérité. Trois ans auparavant, elle avait embarqué Bardas à bord de *L'Escrimeur* pour l'emmener voir ses frères dans le Mesoge et elle était revenue avec son épée, son apprenti, mais sans lui. Ce jour-là, elle avait enfoncé les rivets et plané la surface externe. Son armure était devenue assez solide pour résister à n'importe quel choc. La mort d'un vieil ami et du garçon que Loredan lui avait confié l'avait ébranlée, elle le reconnaissait, mais elle ne ressentait rien.

C'était tout l'intérêt d'une bonne armure : les attaques ricochaient sur son profil anguleux ou leur force s'éparpillait contre les pressions internes du métal — bien plus puissantes que tous les coups susceptibles de la toucher. Une bonne armure résistante doit avoir sa propre tension intérieure, celle du métal compressé qui essaie en vain de se déployer vers l'extérieur ; ainsi, la force des attaques est bloquée par une autre force et repoussée. Athli sentait ces tensions et ces contraintes en elle. Voilà qui témoignait de sa résistance, et regardez : son armure avait dévié les coups sans difficulté. La plus grande partie de l'attaque avait été repoussée par la perspective de faire des bénéfices, le travail, l'occasion de trouver de nouveaux clients et d'accroître sa prospérité.

Alors, tout va bien.

Quant à son navire, la pauvre petite chose, le Fils du Ciel avait raison : il était assuré — à tel point qu'il était difficile d'imaginer qu'il ait pu flotter sous le poids d'une telle somme d'argent. Une fois que les assureurs auraient fini de se défiler — ce n'était qu'une affaire de temps, et d'une certaine dose d'efforts —, elle se tirerait plutôt bien de la perte de *L'Escrimeur*.

Oui, évidemment. C'était pour cette raison qu'on contractait une assurance, pour parer un mauvais coup. D'ailleurs, si elle ne s'était pas attendue — dans les recoins les plus sombres de son esprit — à perdre un jour le navire, elle ne l'aurait jamais baptisé *L'Escrimeur*.

Athli était une personne ordonnée et méthodique, par habitude sinon par nature ; elle résuma donc son rendez-vous avec les Fils du Ciel sur un parchemin et le rangea à l'endroit approprié. Puis elle se remit à la lecture du compte-rendu — qui était, bien entendu, entièrement consacré aux armures. Elle parvint à terminer la septième partie avant que ses yeux se remplissent de larmes et l'empêchent de poursuivre.

— Vraiment ? (Temrai arrêta ce qu'il faisait et leva la tête.) Des Périmadeiens ? Je pensais qu'ils étaient tous morts.

— Il en reste quelques-uns, ici et là, dit le messager.

Il s'appelait Leuscai et Temrai le connaissait depuis des années, même s'ils ne se voyaient pas régulièrement. Comment une personne telle que Leuscai avait pu en arriver à faire les commissions des ingénieurs qui fabriquaient des machines de guerre près de la frontière sud ? Il n'en avait pas la moindre idée. Sans doute parce qu'il n'avait pas voulu prendre parti. C'était un problème récurrent chez beaucoup de ses sujets : ils n'avaient jamais envisagé de soutenir la rébellion — et encore moins de s'y associer —, mais ils n'appréciaient guère la direction dans laquelle Temrai conduisait les clans et ils manifestaient leur désapprobation en s'impliquant le moins possible. Cette attitude irritait beaucoup le jeune roi — et c'était un euphémisme —, mais Temrai n'avait pas envie d'aborder la question avec un vieil ami comme Leuscai. Cela se terminerait sans doute sur une querelle, un excès de mauvaise humeur et la fin de leur amitié. C'était un luxe que le jeune roi ne pouvait pas se permettre : il n'avait plus assez d'amis pour cela.

— Enfin bref, dit-il. Alors, à quoi ça ressemble ?

— À rien, répondit Leuscai. Je ne te ferai pas l'insulte de penser que tu avais vraiment l'intention de fabriquer *ça*.

— C'est mauvais à ce point ? (Temrai soupira.) Je deviens maladroit sur mes vieux jours, voilà la vérité. Il n'y a pas si longtemps, je gagnais encore ma vie en martelant du métal.

— À Périmadeia, remarqua Leuscai. Ils n'avaient sans doute pas des normes aussi strictes. Bien, et maintenant, porte-moi le coup de grâce : c'est censé être quoi, ce truc ?

Temrai grimaça un sourire.

— Il y a un terme technique pour ça ; un terme qui m'échappe pour le moment, mais à la base, c'est une protection pour les genoux. Enfin, ç'aurait dû être une protection pour les genoux.

— Il faudrait des genoux plutôt étranges pour la porter, reconnut Leuscai. Mais je suis content de savoir ce que c'est. Je n'aurais jamais deviné tout seul. Pour moi, ça ressemble à une lanière de cuir qui voudrait se faire passer pour une galette.

— Oui, bon ! (Temrai laissa l'objet incriminé lui échapper des mains.) C'est vraiment frustrant. Quand j'étais dans la Cité, j'ai lu comment fabriquer ces pièces et ça semblait d'une simplicité enfantine. Il suffit de prendre du cuir épais, de le tremper dans de la cire d'abeille fondue, de lui donner la forme requise et voilà ! C'est une pièce d'armure bon marché, résistante et légère, fabriquée à partir d'un matériau dont nous ne manquons pas. Je ne comprends pas. (Il s'assit sur la bûche qu'il avait utilisée pour modeler le cuir à coups de marteau.) Avant, il m'était facile de fabriquer des objets, mais aujourd'hui, on dirait que j'ai perdu la main. Enfin ! Parle-moi un peu de ces fameux vagabonds. Tu as une idée de leur identité ?

Leuscai sourit.

— Tu veux savoir si ce sont des espions ? Ma foi, c'est possible. D'après les informations que nous avons rassemblées jusqu'ici, l'un d'eux était sorcier — enfin, apprenti sorcier. Ils ont tous les deux des liens avec Île et l'ordre de Shastel.

— Tiens donc ? (Temrai eut l'air impressionné.) Des sorciers et des diplomates. Quel honneur pour nous !

— Mais il y a encore plus intéressant. (Le sourire de Leuscai s'évanouit aussitôt.) Le gamin a passé plusieurs années à Scona. C'était l'apprenti de Bardas Loredan.

Pendant un moment, Temrai resta parfaitement immobile.

— Son apprenti ? Dans ce cas, je crois que nos chemins se sont déjà croisés. Une rencontre brève, mais impossible à oublier. Comment as-tu appris cela ?

Leuscai approcha une bûche et s'assit à côté de son ami.

— Un vrai coup de chance, je t'assure. Tu te souviens de Dondai, le vieux qui faisait des galettes ?

Temrai hocha la tête.

— Il est mort il y a peu.

— Il semblerait. Et son neveu... Tu l'as rencontré ? Il s'appelle Dassascai. Il n'y connaît pas grand-chose en galettes, mais curieusement, il en sait beaucoup sur les activités commerciales d'Île. Il affirme qu'il y a gardé des contacts de l'époque où il avait une affaire à Ap'Escatoy. Si tu veux mon avis, il y a quelque chose de louche là-dessous. Enfin bref ! Il se trouve donc que ce Dassascai...

— C'est un espion.

— Ah bon ? Eh bien, ça explique pourquoi il fouinait autour de notre atelier, celui où on monte les trébuchets. Ce Dassascai, il a aperçu nos deux invités et les a reconnus — c'est ce qu'il raconte, du moins. Alors, il est allé voir le commandant du camp pour le lui dire.

— Goscai.

— C'est ça. Goscai est plutôt un brave type, mais c'est un inquiet de nature. La nouvelle l'a plongé dans une angoisse inimaginable, comme tu peux t'en douter. D'abord, il a décidé de les pendre sur-le-champ ; et puis il a réfléchi et s'est dit qu'il valait mieux éviter — de crainte que leur mort provoque une guerre. Alors, il a ordonné qu'on les couvre de chaînes, et puis il a songé que c'étaient peut-être des espions à nous — je voudrais bien savoir comment cette idée lui est venue. En fin de compte, il était tellement paniqué qu'il était incapable de prendre une décision. On lui a donc suggéré de te demander ton avis. Il n'avait pas pensé à ça, mais notre proposition l'a enthousiasmé. Et me voilà.

Temrai se frotta le front de la paume de la main.

— Tu as une idée de la manière dont ils sont arrivés là ? Ou est-ce qu'ils ont surgi de nulle part en disant : « Bonjour, nous sommes des espions. Ça ne vous dérange pas si on jette un coup d'œil ? »

— Non, ça ne s'est pas tout à fait passé comme ça, dit Leuscai en riant. Quoique si ç'avait été le cas, je leur aurais dit : « Bien sûr, faites comme chez vous. » À mon avis, si le bureau des Provinces décide sérieusement de rassembler des informations sur nous, nous pourrions en tirer d'énormes avantages.

— C'est fort possible, dit Temrai. Mais ne partons pas sur ce sujet maintenant. (Il inspira un grand coup et expira.) Alors, comment sont-ils arrivés là ? Tu as une idée ?

— Nos hommes les ont trouvés dans le marais tandis qu'ils chassaient le canard. Ils étaient assez pitoyables, semble-t-il. Le sorcier n'est plus tout jeune. Si ce sont des espions, ils se sont donné beaucoup de mal pour avoir l'air de moribonds. D'après eux, ils venaient d'Île et se rendaient à Shastel ; ils ont été pris en chasse par les garde-côtes impériaux et leur navire s'est échoué sur les récifs ; ils cherchaient à échapper aux patrouilles quand on les a trouvés. Leur histoire est assez crédible, à mon avis.

— D'accord, dit Temrai en ramassant un maillet à tête

arrondie avant de le reposer. Tu vas les envoyer ici ; je vais voir de quoi ils ont l'air ; puis je les terroriserai poliment pendant un jour ou deux avant de les relâcher. Si ce sont des espions, je leur ferai faire une visite guidée ; ça les déconcertera tellement qu'ils ne sauront plus quoi penser. (Il regarda le désordre provoqué par ses velléités d'armurier.) Tu ne connaîtrais pas quelqu'un capable de faire ce genre de chose, par hasard ? Je dois avouer que ça me dépasse. Et pourtant, ça ne peut pas être si difficile. Ça me met hors de moi quand je sais que je suis près d'un résultat intéressant, mais que je n'arrive pas à franchir la dernière étape.

Leuscai haussa les épaules.

— Je ne peux pas t'aider, j'en ai peur. Bien sûr, tu pourrais toujours écrire une lettre à Bardas Loredan, aux bons soins des services de l'armurerie d'État impériale. Je suis certain qu'il se ferait une joie de venir te donner un coup de main.

Temrai se renfrogna, puis éclata de rire.

— Tu sais qu'il m'est rentré dedans, un jour ? Dans une rue de Périmadeia. Il était ivre et n'avait visiblement pas la moindre idée de qui j'étais. Où que j'aille, il semble être là. Et je serais bien incapable d'expliquer pourquoi, même si ma vie en dépendait. Par tous les dieux ! Pourquoi doit-il y avoir cet horrible lien entre nous ? C'est le fils d'un fermier du Mesoge ; en tout état de cause, il devrait biner ses navets dans un champ boueux en ce moment. Au lieu de ça, il est tapi dans l'ombre partout où je vais, attendant l'occasion de me sauter dessus. Par tous les diables ! Je me demande ce qui a pu entremêler nos destinées comme ça !

— À t'entendre, on dirait que tu es amoureux, dit Leuscai. Des amants maudits, comme dans les vieilles histoires.

— Tu trouves ? Dans ce cas, je crois qu'il est grand temps que je divorce !

Quand le messager réussit enfin à le trouver, Gorgas Loredan était à la ferme et aidait ses frères à retaper le plancher de la grande grange. Il avait demandé à Zanoras pourquoi ils ne se servaient plus du bâtiment.

— C'est une véritable chausse-trappe, avait répondu son frère en passant. Les planches sont complètement pourries. C'est un coup à se casser la jambe.

— Je vois, avait lâché Gorgas. Alors, vous allez la laisser dans cet état, c'est ça ? Et attendre qu'elle tombe en ruine ?

— On n'a pas le temps de la réparer, avait ajouté Clefas. C'est un gros chantier et on est que deux.

Gorgas avait grimacé un sourire.

— Plus maintenant.

Et il était donc là, couvert de boue et de fort mauvaise humeur, à cheval sur un châtaignier fraîchement abattu. Il tenait un marteau dans une main et des filets de sang coulaient des articulations de ses doigts, là où il s'était écorché sans y prendre garde en déplaçant le tronc.

— Qui es-tu ? demanda-t-il.

— Je suis envoyé par le sergent Mossay, répondit le messager sur la défensive. J'ai une lettre pour vous, du bureau des Provinces. (Il lui tendit un petit cylindre de cuivre en restant aussi loin que possible.) Le porteur est arrivé la nuit dernière à Tornoys.

— Il attend une réponse ? demanda Gorgas en s'essuyant les mains sur sa chemise.

— Non, répondit le messager. Il a dit qu'il n'attendait pas de réponse.

Gorgas fronça les sourcils et prit le cylindre. Avec les pouces, il ouvrit le couvercle fermé avec soin.

Ils avaient commencé par abattre l'arbre, le dernier du bosquet de châtaigniers que leur grand-père avait planté peu après la naissance de leur père. La tâche n'avait pas été facile : le vent avait tordu le tronc et quand ils essayèrent de le scier, le bois accrocha la lame jusqu'à ce qu'elle casse — elle était vieille et rouillée, comme tous les outils de la ferme. Ils avaient donc sorti les cognées de bûcheron ; ils eurent bientôt les mains couvertes d'ampoules et Clefas démancha la tête de sa hache parce qu'il ne faisait pas attention. Ils réfléchirent alors et dénichèrent une autre scie — encore plus vieille et plus rouillée que la précédente. Mais Gorgas demanda à ses frères d'attacher le tronc avec des cordes et de le tirer en arrière ; ils utilisèrent un système de poulies pour ouvrir suffisamment la fente afin que la lame glisse sans difficulté à l'intérieur. Quand ils eurent aux trois quarts fini, ils s'aperçurent qu'en continuant sur la même ligne de coupe l'arbre s'abattrait sur le toit de la vieille porcherie et l'écraserait. Le bâtiment ne servait plus depuis des années, bien sûr — sinon comme débarras de vieilleries assez hétéroclites —, mais Gorgas demanda à ses frères de déplacer leur installation et de tirer le châtaignier dans un autre sens. Ils purent ainsi faire une seconde entaille et modifier la trajectoire de la chute. Enfin, ils terminèrent de scier le tronc et l'arbre s'abattit — pas dans la direction prévue par Gorgas, mais il ne fit qu'effleurer la porcherie et seule une branche plus grande que les autres arracha quelques ardoises fendues. Il leur fallut le reste de la journée pour élaguer le fût et transporter les morceaux de bois jusqu'au bûcher — trop humide pour remplir son rôle maintenant que la moitié du chaume du toit avait été soufflée. À l'arrivée du messager, ils fendaient enfin le tronc pour en tirer les planches nécessaires à la réparation du plancher de la grange.

— Enfoirés ! dit Gorgas, l'œil mauvais. (Il froissa la lettre dans son poing.) Vous savez quoi ? C'est cet enfoiré de Poliorcis ! Il les a convaincus de refuser une alliance.

Le messager fit un pas en arrière et essaya de se faire oublier. Clefas et Zanoras restèrent immobiles, comme si l'affaire ne les concernait pas.

— La proposition ne présente aucun avantage matériel pour l'empire, poursuivit Gorgas. Eh bien, qu'ils aillent au diable ! Allez, finissons ce travail ! (Il sembla penser à quelque chose et se retourna vers le messager qui attendait, misérable, l'autorisation de partir.) Toi ! Tu rentres à Tornoys, tu trouves le porteur de ce message et tu me le ramènes ici. J'ai quand même une réponse à donner.

L'homme hocha la tête avec un air dubitatif.

— Et s'il est déjà reparti ?

— Tu as intérêt à ce que ce ne soit pas le cas, répliqua Gorgas. Parce que s'il n'est plus là, je pourrais me demander pourquoi ce message a mis une journée pour me parvenir, car tu as bien dit que son porteur était arrivé la nuit dernière ?

L'homme partit à la hâte, pataugeant dans l'herbe gorgée d'eau de la cour.

— Clefas, va chercher les coins ! Cette saleté est pleine de nœuds et aussi tordue qu'un ressort !

Clefas resta un instant immobile, puis s'éloigna avec lenteur. Gorgas inspira un grand coup et retourna à sa tâche. Le départoir était coincé dans une fente courant le long du tronc, trop profondément pour le dégager en secouant le manche — qu'il réussit à casser en s'arc-boutant dessus de tout son poids.

— Tu n'arriveras jamais à le sortir de là, dit Zanoras.

— Tu paries ? Bon ! passe-moi la hache demi-plate. Je découperai toute cette saloperie si c'est nécessaire.

— Comme tu veux, dit Zanoras. (Il lui tendit l'outil, biseauté d'un côté afin de trancher selon un certain angle.) Fais attention à la tête, elle a un peu de jeu.

— Tiens donc ?

Son frère acquiesça.

— Ça fait des années. Il faudrait l'enlever pour y mettre une nouvelle cale.

Gorgas frappa le tronc pendant quelques minutes pour essayer d'ouvrir une fente à côté du départoir et le dégager. Il n'avait pas beaucoup avancé lorsque Clefas arriva sans se presser avec les coins. Ces derniers étaient lourds et dataient d'une époque antédiluvienne ; des générations de Loredan les avaient écrasés avec de gros marteaux et leurs têtes étaient couvertes d'écailles aussi tranchantes que des rasoirs.

— C'est mieux, dit Gorgas. Bon ! Zanoras, enfonces-en un de chaque côté. Ça élargira la fente.

Zanoras ramassa un coin dans chaque main et les disposa en avant et en arrière du départoir. Puis il les enfonça dans la fissure en les frappant avec le sommet de la tête de la dernière hache. L'outil coincé se dégagea sans difficulté, mais les coins restèrent bloqués dans le tronc.

— Merveilleux ! s'écria Gorgas avec colère. Je résous un problème et je me retrouve avec deux autres sur les bras.

Zanoras soupira.

— Le grain est trop irrégulier pour qu'on puisse le fendre. J'aurais pu te le dire avant que tu commences.

Gorgas se redressa et fit une grimace.

— On va se servir des têtes des haches comme de coins. Ça permettra de dégager ces deux-là. On va y arriver, ne t'inquiète pas.

Plusieurs heures plus tard, tandis que le soleil se couchait sur l'horizon, ils arrêtèrent pour la journée. Ils avaient réussi à libérer les coins et le départoir — qu'ils avaient glissé dans la fente, coincé et dégagé de nouveau en frappant dessus d'avant en arrière avec un marteau. Mais les têtes de hache semblaient décidées à ne pas bouger d'un pouce.

— Ce qu'il nous faut, dit Gorgas sur le chemin de la ferme, c'est une fosse de bûcheron. Comme ça, on pourrait scier nos planches au lieu d'essayer de les fendre.

Aucun de ses frères ne fit de commentaires. Ils se débarrassèrent de leurs bottes, s'assirent de chaque côté de la table et dégagèrent assez d'espace pour y poser leurs coudes et se pencher en avant.

C'est curieux, songea Gorgas. *Ce sont des Loredan, eux aussi; mais bien sûr, ils n'ont jamais quitté la ferme. Ce sont eux qui ont eu de la chance.*

— On pourrait en installer une près de la rivière, où les rives ne sont pas trop en pente. Et ensuite, on pourrait y mettre un moulin à eau qui actionnerait une scie mécanique. J'en ai vu, à Périmadeia. De vraies merveilles, mais ça ne devrait pas être très difficile d'en fabriquer une.

Clefas leva les yeux et le regarda.

— Près de la rivière, répéta-t-il.

— C'est ça, dit Gorgas. Là où Niessa faisait la lessive. Vous voyez l'endroit dont je parle ?

Bien sûr, comment pourrait-il en être autrement ?

— Je crois, répondit Zanoras. Mais on n'a pas besoin d'une scierie. Qu'est-ce qu'on en ferait ?

Gorgas fronça les sourcils.

— Je pensais que c'était évident. On y scierait des planches, bien entendu. Ça nous éviterait de perdre trois jours à taper sur des morceaux de fer à coups de marteau.

— Mais on n'a pas besoin de planches, remarqua Zanoras. Sauf de quelques-unes, de temps en temps. Et on les achète.

— C'est gaspiller de l'argent, dit Gorgas avec impatience. Nous avons du bois tout à fait convenable dans cette ferme. Et puis, avec une scierie couplée à un moulin à eau, nous pourrions fournir des planches à tous nos voisins, et à un prix bien inférieur à celui qu'ils paient aujourd'hui. C'est une proposition qui peut se révéler lucrative.

Clefas secoua la tête.

— Et qui va y travailler ? demanda-t-il. Zanoras et moi, on a déjà assez de travail à la ferme. Est-ce que tu vas tout laisser en plan pour te précipiter ici dès que quelqu'un aura besoin de couper quelques morceaux de bois ? Pour ma part, je n'y crois pas trop.

Gorgas balaya l'objection d'un geste.

— Et il n'y a pas que les planches, poursuivit-il. On pourrait aussi faire nos propres clôtures, montants de porte, chevrons, planches à recouvrement, tout. On pourrait même construire un bateau si l'envie nous en prenait. Oui, je crois que cette scierie, c'est une sacrée bonne idée. Dès demain matin, je vais demander à quelques hommes de s'y atteler. Au pire, ça leur donnera quelque chose à faire.

Clefas et Zanoras échangèrent un regard.

— Eh bien, si tu es décidé, dit Clefas, inutile de nous éreinter à vouloir fendre ce tronc demain. Quand ta scierie fonctionnera, on le fera couper là-bas.

— Il a raison, ajouta Zanoras. Car enfin, ce n'est pas urgent. De toute façon, on ne se sert plus de la grande grange.

Cette nuit-là, Gorgas rêva qu'il se tenait devant les portes d'une cité. Il faisait sombre et il ne savait pas trop devant quelle ville il était. Cela aurait pu être Périmadeia, ou peut-être Ap' Escatoy, voire Scona — ce n'était pas le choix qui manquait. Les portes étaient fermées, inébranlables, et il essayait d'entrer en les fendant avec des coins et une hache. Il savait confusément que les premiers étaient ses frères. Lui était le départoir, et aussi les haches, quand ils étaient enfoncés dans la fente pour faire office de cales ou employés comme des marteaux. Il sentait les coups sur la tête des coins — le marteau tombe, l'acier est comprimé et où va la force de l'impact prisonnière entre deux masses d'acier ? Il la sentait aussi bien que la torsion du manche du départoir. Il sentait les tensions inimaginables exercées sur le bois tandis que les fibres du grain étaient arrachées ; le bois ne réagit pas comme l'acier : si vous le torturez, il finit par céder et rompre. Mais l'acier, plus vous le martelez, plus vous le comprimez et le consolidez par écrouissage, plus il devient dur et résistant. De manière assez logique, c'est la raison pour laquelle les frères Loredan sont différents des autres.

Enfin, il s'agissait d'une logique tout onirique, de celles qui fondent comme neige au soleil dès que vous ouvrez les yeux.

Gorgas se réveilla et comprit qu'il n'avait pas la moindre chance de se rendormir. Il se résolut donc à travailler un peu. Il avait insisté pour disposer de la seule lampe à huile en état de marche de la ferme et, après avoir bataillé un bon moment avec les silex et de l'amadou plutôt humide, il obtint enfin de la lumière. Il avait aussi un peu de papier, quelques feuilles qu'il avait apportées avec lui et le verso de la lettre lui signifiant le refus du traité — elle pourrait encore être utile quand il l'aurait défroissée sur la table. Il s'assit et écrivit trois missives, à sa nièce, à un employé pour lui donner de nouveaux ordres et à Poliorcis, le Fils du Ciel. Dans cette dernière, il réussit à rester poli et amical malgré les circonstances. L'idée de décharger sa colère était certes tentante, mais après tout, les Impériaux avaient encore le temps de changer d'avis : il était inutile de se les aliéner en cédant à la mauvaise humeur. En fin de compte, c'était le refus de mélanger sentiments personnels et affaires qui avait permis à Gorgas d'obtenir tous ses succès. Cette règle, il n'y avait dérogé que lorsque Bardas avait été concerné — et cette exception lui avait coûté assez cher, les dieux en étaient témoins ! Mais Bardas était différent : c'était son frère, le seul échec d'une vie remplie de prouesses remarquables. Et rares sont les échecs sur lesquels on ne peut pas revenir — à condition d'être assez sage pour prendre une certaine distance avec ses sentiments.

Quand il eut terminé ses lettres, il faisait encore sombre. Il était trop tôt pour que quelqu'un soit levé et il décida donc de passer le temps en se consacrant à une autre petite corvée, une tâche qu'il négligeait depuis deux jours. Dans un coin de la pièce, un superbe étui à arc en cuir gaufré était appuyé contre le mur. Gorgas l'ouvrit et en tira l'arme, cette arme très spéciale que son frère avait faite pour lui trois ans plus tôt. Ceux qui connaissaient les circonstances de sa fabrication étaient éberlués — voire horrifiés — d'apprendre que Gorgas l'avait gardée. Tous avaient supposé qu'il s'en était débarrassé, qu'il l'avait brûlée, enterrée ou jetée à la mer depuis longtemps. Ils ne comprenaient pas comment il pouvait seulement poser les yeux dessus — et encore moins la toucher. Mais le fait demeurait : c'était un arc excellent ; et comme il lui avait coûté si cher, Gorgas ne pouvait pas faire moins que s'en servir et en prendre soin, sinon tout ce qui était entré dans sa composition serait perdu, gaspillé.

Il attrapa une superbe brosse raide qui se rangeait dans une poche, sous le rabat de l'étui, et nettoya le dos de toutes les salissures superficielles, de la boue et autres saletés. Puis il aspergea l'arme de quelques gouttes d'une huile spéciale — juste assez pour couvrir l'ongle de son index gauche ; il avait préparé ce produit dans le seul dessein d'empêcher l'humidité de se glisser dans les tendons et il fallait frotter jusqu'à ce que la dernière goutte s'infiltre dans les fibres — une tâche qui demandait à la fois patience et minutie. Enfin, il cira la corde avec un petit bloc de cire d'abeille. Quand il eut terminé, la nuit touchait à sa fin. Il avait à peine rangé l'arc dans son étui que le soleil se leva. Gorgas se lava les mains avec soin — l'huile utilisée pour l'entretien de l'arme était toxique —, enfila ses bottes et partit à la recherche d'une autre tâche à accomplir.

Une heure ou deux après que Gorgas eut nettoyé son arc, un navire entra tant bien que mal dans le port de Tornoys.

Il avait été endommagé lors d'une effroyable tempête — très représentative de celles qui ajoutent une pointe de risque assez malvenue aux joies de la navigation en cette saison. Dans l'ensemble, le bateau s'en était plutôt bien sorti. Il avait embarqué un peu trop d'eau et le vent avait abîmé le gréement et tendu le grand mât — ce qui aurait entraîné une catastrophe si le gros temps avait duré un peu plus longtemps. Mais il flottait toujours et aucun membre d'équipage n'avait été tué ou grièvement blessé. On ne pouvait guère espérer mieux quand on s'amusait à faire le malin dans ces eaux à cette période de l'année.

Il était encore tôt et il n'y avait pas beaucoup de monde sur les quais. La flotte de pêche avait déjà appareillé, bien entendu. Il ne restait que quelques bateaux ostréicoles paresseux et les grands navires censés lever l'ancre ce jour-là, mais ces derniers ne seraient pas prêts à partir avant une heure ou deux ; leur cargaison avait été embarquée la veille afin que les marins puissent passer une bonne nuit de sommeil avant de profiter de la marée. Un ou deux soldats de Gorgas traînaient sur les quais ; mais ils n'étaient pas de garde : c'était l'heure où les tavernes fermaient et chassaient les derniers clients de la nuit, et ils attendaient qu'elles rouvrent pour prendre leur petit déjeuner, espérant que la brise fraîche et matinale dissiperait les brumes de l'alcool.

Le capitaine du port, Pollas Arteval, était à Tornoys ce qui ressemblait le plus à un officiel, mais il n'était en fait qu'un marchand de fournitures pour bateau chargé de tenir un registre et de récolter les cotisations de l'association des commerçants des quais. Appuyé contre la porte, devant son bureau, il essaya de deviner la nationalité du malheureux navire. Il était de construction ancienne, mais solide, à clin — contrairement à la majorité des sloops et des clippers de Colleon et de Shastel. Il était peu probable qu'il appartienne à la flotte impériale, pas avec une telle voilure. D'Île, peut-être — on naviguait là-bas sur tout ce qui pouvait flotter et même sur certains rafiots qui en étaient incapables. Mais les Îliens ne gréaient pas leurs navires ainsi. Pollas Arteval observa l'embarcation quelques instants de plus et comprit ce qui le dérangeait. Ce n'était pas grand-chose en vérité, juste un détail sans importance : les barres du gouvernail étaient curieusement rattachées aux rames. Pollas Arteval eut l'impression qu'il avait déjà vu un tel agencement des années auparavant. Mais il avait croisé bien des navires venant de bien des endroits différents et équipés de tous les mécanismes de gouvernail imaginables — entre autres choses. Il nota cette curiosité dans un coin de sa tête et songea ensuite à du pain chaud à peine sorti du four et trempé dans de la graisse de lard.

La proue du navire se nicha contre le quai et si elle avait eu un visage, ce dernier aurait souri et poussé un soupir de soulagement. Un marin sauta à terre avec un bout et l'attacha à une bitte tandis que les autres préparaient la passerelle de débarquement. Pollas songea que ces hommes étaient comme leur bateau : étranges, mais vaguement familiers ; ils lui rappelaient quelque chose qu'il avait déjà vu... quoi ? vingt-cinq ou trente ans plus tôt ? Ils devaient venir d'un pays lointain qui avait eu l'habitude d'envoyer des navires ici, mais avait cessé pour une raison quelconque — des histoires de politique, une guerre ou bien juste parce que plus rien ne justifiait une telle course. Comme on pouvait s'y attendre, les marins étaient épuisés et tendus — impossible de ne pas l'être quand on vient de passer une nuit interminable dans la bourrasque au large de Tornoys. Pourtant, ils ne ressemblaient pas à des hommes sur le point de goûter un repos bien mérité. Ils avaient plutôt le visage résigné de ceux pour qui le plus dur reste à faire.

Un groupe d'entre eux était à terre maintenant, entre cinquante-cinq et soixante — un équipage important pour un navire de cette taille, ou bien il s'agissait de passagers. Pollas tourna un instant la tête pour sentir le pain dans le four ; quand il reposa les yeux sur les nouveaux venus, ces derniers avaient tiré leurs haches, leurs épées et leurs arcs, enfilé leurs casques et sorti leurs boucliers.

Pollas se rappela alors où il avait vu un navire semblable. Ces hommes étaient des pirates d'Ap' Olethry, des esclaves en fuite et des déserteurs de l'armée impériale qui infestaient la côte sud de l'empire — et il y avait de grandes chances qu'ils ne soient pas venus jusqu'ici pour prendre un solide petit déjeuner.

Pollas Arteval resta planté sur place, bouche ouverte. Il constata avec terreur qu'il n'avait pas la moindre idée de ce qu'il devait faire. Les pirates se séparèrent en trois groupes d'une vingtaine d'hommes. Pollas fut incapable de songer à autre chose que sa maison, sa femme ouvrant la porte du four et sa fille découpant les tranches de jambon fumé. Il ne pouvait pas les protéger, il ne possédait aucune arme et ne savait pas s'en servir. C'était un talent inutile à Tornoys, car il n'y avait rien qui vaille la peine de se battre. Il regarda le petit groupe de soldats de Gorgas pour voir ce qu'ils avaient l'intention de faire, mais ces derniers n'avaient pas encore pris conscience de ce qui se passait.

Peut-être que je suis en train de rêver, songea-t-il. *Peut-être qu'ils ne font que porter leurs épées, leurs boucliers et leurs casques, qu'ils ne vont pas s'en servir.*

Refusant de leur tourner le dos, Pollas fit quelques pas en arrière pour regagner le porche sans quitter les envahisseurs des yeux.

Sois un peu logique, pensa-t-il. *Ils sont ici pour piller. Ils ne feront du mal qu'à ceux qui se mettent en travers de leur chemin, et personne n'est assez idiot pour...*

Ce fut sans doute un geste mal interprété, un mouvement un peu trop vif. Selon toute probabilité, il fut perçu du coin de l'œil et provoqua une réaction instinctive. Quand un des soldats de Gorgas leva son arc et décocha une flèche sur un pirate, cela ne pouvait être intentionnel : un groupe de six hommes ne s'attaque pas à un ennemi dix fois supérieur en nombre, même si ce sont des héros. Si le trait avait manqué sa cible, ou même s'il avait ricoché sans dommage sur l'angle d'un casque ou d'un plastron profilé avec soin, les conséquences auraient peut-être été différentes. Mais la flèche fit mouche et le pirate tomba à genoux en hurlant de terreur. Au lieu de lui porter secours, ses camarades se ruèrent sur les soldats et entamèrent un bref combat dont l'issue ne laissait aucun doute. S'ils étaient parvenus à tuer leurs six adversaires, les pirates se seraient peut-être calmés, mais ce ne fut pas le cas. Un homme réussit à s'enfuir et grimpa la colline à toute allure — bien plus vite qu'on s'y serait attendu compte tenu de son état. Il se dirigea vers le cantonnement où Gorgas avait installé une demi-compagnie pour faire sentir sa présence à Tornoys. Pollas comprit ce que les pirates en pensaient en les regardant passer à l'action. Ils étaient déçus, mais résignés. C'était fort compréhensible : ces hommes avaient été chargés d'un travail simple et ils se retrouvaient maintenant dans une situation délicate.

Encore une bataille, se disaient-ils. *Ah ! tant pis !*

Ils s'alignèrent et levèrent leurs boucliers avec autant d'entrain que des ouvriers fatigués venant d'apprendre qu'il faudrait faire des heures supplémentaires à la manufacture.

Ils arrivent, réalisa Pollas.

Mais il ne pouvait toujours rien faire, sinon mettre sa famille et lui-même à l'abri. Et il comprit sans savoir pourquoi qu'il avait déjà perdu trop de temps pour cela. Il était trop dur d'accepter la réalité de la situation. Quelques instants plus tôt — à peine le temps de faire bouillir une casserole d'eau —, tout était encore normal. Il aperçut des gens qu'il connaissait, des marchands, des personnes travaillant sur le port et les traîne-savates qui fainéantaient sur les quais ; maintenant, ils fuyaient tous le mur de boucliers ou perdaient l'équilibre et tombaient. Mais Pollas avait déjà vu des scènes semblables en rêve, quand son vieil ennemi sans visage ou le monstre le poursuivaient dans une allée ou le cherchaient dans sa maison. Il éprouva la même sensation illogique de détachement — *tout va bien, ce n'est qu'un cauchemar* —, cette impression de n'être qu'un spectateur étranger aux événements.

Il sentit une traction sur son bras. Il tourna la tête et vit sa femme. Elle montrait quelque chose d'une main et tirait son mari de l'autre, mais Pollas ne comprit pas ce qu'elle disait. Il regarda derrière lui tandis qu'il se laissait entraîner. Les pirates avaient attrapé le banc posé devant *Le Joyeux Retour* et s'en servaient pour défoncer la porte de l'entrepôt de fromages. Ils avaient sans doute pénétré dans la maison de Dole Baven, car ce dernier essayait de s'enfuir — nu comme un ver — par la fenêtre de derrière. Mais il n'avait pas regardé en bas avant de sauter : il atterrit aux pieds d'un second groupe d'envahisseurs et un pirate lui enfonça sa hallebarde dans les côtes.

— Mais viens donc ! lui cria sa femme d'une voix suraiguë.

Elle avait à peu près le même ton quand elle voulait qu'il rentre de la grange parce que le dîner était servi et refroidissait sur la table. Il comprit qu'il n'y avait pas mieux à faire, mais ils assassinaient ses amis et il se devait au moins de regarder : ce serait terrible si personne n'apprenait comment ils étaient morts.

— Mavaut, reviens ici ! cria de nouveau sa femme.

Elle avait tourné la tête ; terrorisée et vêtue d'une simple chemise de nuit, leur fille s'enfuyait seule dans la mauvaise direction. Belis voulut partir à sa poursuite, mais son mari l'attrapa par le poignet et la retint — ce qu'elle n'apprécia pas du tout. Il regarda Mavaut dévaler la pente, ses vêtements tourbillonnant autour d'elle. La jeune fille arriva soudain en face d'un mur de boucliers, fit demi-tour et revint précipitamment sur ses pas.

Les pirates remontaient maintenant la colline dans leur direction, mais si Pollas et sa famille se dépêchaient, ils pouvaient encore s'échapper.

— D'accord, dit le capitaine du port, je viens.

Une flèche apparut alors au-dessus de Pollas ; elle resta immobile dans les airs pendant une fraction de seconde avant d'amorcer sa descente et de fondre sur lui. Il vit très distinctement la couleur de l'empennage tandis qu'il observait sa course jusqu'à sa destination finale : son ventre. Elle le frappa avec un angle de quarante-cinq degrés et la pointe ressortit dans son dos, laissant quinze centimètres de fût et l'empenne à l'intérieur de son ventre. Belis hurla, mais après le léger choc de l'impact, Pollas n'éprouva plus grand-chose, sinon la sensation étrange et désagréable d'avoir un corps étranger en lui.

— Ça va ! s'écria-t-il d'un ton brusque. Ne t'excite pas comme ça, pour l'amour des dieux !

Il était grand temps de faire preuve de bon sens, décida-t-il. Il commença l'ascension de la colline avec sa famille. Ils tournèrent à angle droit pour s'engager dans l'allée des Ambles. Comme il l'avait prévu, les pirates continuèrent vers le sommet. Ils avaient plus important à faire que de rompre leur formation pour poursuivre des civils paniqués.

Pollas s'assit sur le perron de la maison d'Arc Davis et regarda la flèche. Sa chemise était couverte de sang qui imprégnait le maillage large du tissu. Il était inutile de vouloir se relever maintenant : ses genoux refusaient de le porter et même ses coudes et ses poignets étaient faibles. Pollas était déconcerté, distrait, incapable de se concentrer. Le mieux à faire, c'était de poser la tête contre la porte et de fermer les yeux, juste le temps qu'un peu de force lui revienne.

Sa femme et sa fille se querellaient encore — oui, mais c'était habituel : Mavaut avait atteint l'âge difficile. Le désaccord semblait porter sur ce qu'il convenait de faire avec la flèche : fallait-il l'extraire ou la laisser en place ? Belis soutenait que si on l'enlevait, l'hémorragie allait empirer et Pollas n'y survivrait pas ; Mavaut n'était pas de cet avis, bien entendu, et elle frôlait l'hystérie. À la limite de l'inconscience, Pollas espéra que sa femme ne céderait pas comme elle en avait l'habitude quand Mavaut se mettait dans cet état : ce serait terrible de mourir à cause d'une enfant gâtée.

Il dut dormir pendant un moment, bien qu'il n'en eût pas conscience ; il avait juste fermé les yeux un instant, mais les bruits étaient différents maintenant : des hurlements, des soldats se transmettant des informations comme des débardeurs chargeant une curieuse cargaison. C'étaient des ordres. Il entendit un homme demander de maintenir la formation, puis une autre voix crier.

— Formez les rangs ! Levez vos hallebardes !

Ou quelque chose de ce genre.

Il souleva sa tête devenue très lourde, mais il n'y avait personne dans l'allée à l'exception de Belis, Mavaut et lui-même. La bataille — s'il s'agissait bien d'une bataille — devait se dérouler à une cinquantaine de mètres de là, dans la rue principale. Il se concentra et essaya de deviner ce qui se passait aux bruits qui parvenaient jusqu'à lui ; mais sans voir, il était difficile de différencier tous ces étrangers : comment distinguer le groupe de pirates et celui des soldats de Gorgas Loredan ? Et bien entendu, il ne connaissait rien aux batailles, ni à leur déroulement. C'était comme vouloir déterminer la position des aiguilles de l'horloge de la ville en se fiant à ses tic-tac. Encore des ordres et beaucoup de cris ; il n'avait jamais imaginé que les sergents étaient aussi occupés pendant un affrontement, ni le nombre de paramètres qu'ils devaient garder simultanément à l'esprit ; ils étaient comme des capitaines de navire ou des chefs d'équipe. Pollas ne comprenait pas la signification des ordres, les termes techniques ne faisaient pas partie de son vocabulaire : *Présentez armes ! Alignez le premier rang ! Conversion à gauche ! Flanc gauche, tenez-vous prêts !* Il entendait des pieds traîner sur le sol, les semelles cloutées des bottes frotter sur les cailloux, quelques grognements d'effort, le claquement occasionnel d'une arme échappée des mains de son propriétaire ; mais ni le tintement de l'acier ni les cris des mourants, le genre de bruits auxquels il s'attendait. En fait, il régnait un calme impressionnant et, par conséquent, la bataille n'avait sans doute pas commencé.

Il se rappela quelque chose et baissa les yeux. La flèche avait disparu. Maintenant qu'il le savait, il ressentit une douleur pénible comparable aux pires maux de ventre.

Malédiction ! songea-t-il. *Elles ont quand même fini par l'enlever.*

Les deux femmes étaient assises à côté de lui, presque immobiles, enlacées comme si elles avaient peur de voir l'autre s'évanouir dans le vent.

Et puis le tumulte commença et, en effet, une bataille était fort bruyante. Le bruit était comparable à celui d'une forge, du marteau contre l'acier ; il n'y avait pas de tintement, mais de petites frappes étouffées et plus ou moins violentes. Pollas sentait presque la puissance des impacts dans le son qu'ils provoquaient ; c'était sans nul doute possible le choc du métal contre le métal, une force appliquée contre une force qui résistait, les bruits sourds des coups assenés. Si on pouvait en juger par le vacarme, ils ne ménageaient pas leur peine. On sentait l'effort derrière ces bruits ; il en fallait sans doute beaucoup pour parvenir à traverser ou broyer des casques et des plastrons. Pollas ferma les yeux et essaya de se concentrer, d'isoler chaque son pour mieux l'interpréter. La tâche était plus facile à réaliser dans le noir, bien sûr, mais elle n'était pas simple pour autant ; les cris des sergents interféraient, noyaient les nuances des impacts du métal contre le métal et brouillaient sa vision de l'affrontement dans l'obscurité de sa tête.

C'est bien moi, ça ! C'est la première fois que j'assiste à une bataille et je ne vois rien de rien ! Voilà qui fera sûrement une belle histoire à raconter à mes petits-enfants.

Et soudain, l'affrontement se déplaça. La seule hypothèse qu'imagina Pollas, ce fut qu'un des deux camps avait cédé du terrain ou s'était enfui ; le brouhaha était désormais étouffé et lointain, mais il était incapable de dire s'il s'était dirigé vers le haut ou le bas de la colline. Il espérait que c'était vers le bas, signe que les hommes de Gorgas repoussaient les pirates à la mer ; à moins que les combattants aient permuté leurs positions et que les soldats doivent maintenant gravir la colline. Mais était-ce possible ? Pollas ne connaissait pas grand-chose en matière de tactique sinon que c'était très compliqué, comme les échecs — et aujourd'hui, il n'était même plus capable de battre Mavaut à ce jeu. De toute façon, il n'arrivait plus à suivre le déroulement de la bataille : la douleur au ventre gênait sa concentration — pour ne parler que de cela — et il avait une migraine aussi terrible que s'il avait bu quatre litres de cidre l'estomac vide. Dans l'ensemble, il ne se sentait pas très bien, alors on ne lui en voudrait sans doute pas s'il abandonnait son observation de l'affrontement. Curieusement, la douleur ne l'empêcha pas de s'endormir et il profita de l'aubaine.

Et il se retrouva dans un lit, le sien. La pièce était plongée dans l'obscurité et il n'y avait personne ; il ne put donc demander s'il était mort ou vivant — et il n'avait aucun moyen de le savoir par lui-même. Il comprit néanmoins que son camp avait gagné, alors tout allait pour le mieux.

Chapitre 9

Dans la cour, en contrebas du bureau du préfet, un fou déclamait des textes sacrés. Il les connaissait par cœur — aussi bien qu'un prêtre pouvait en rêver —, mais il les hurlait sur un ton suraigu comme des imprécations. Le préfet fronça les sourcils, dérangé par une certaine incohérence : le texte était superbe, de grande qualité et vierge de toute erreur ou omission ; pourtant, il était tout à fait inconvenant.

L'administrateur de district s'interrompit au milieu de son résumé, conscient que son supérieur ne lui prêtait plus attention. Comme il était un peu dur d'oreille, le bruit lointain ne l'avait pas dérangé, mais, maintenant, il l'entendait aussi. Les deux hommes échangèrent un regard.

— Dois-je ordonner à un clerc d'envoyer la garde ? demanda l'administrateur.

Le préfet secoua la tête.

— Il ne fait rien de mal.

L'administrateur haussa un sourcil.

— Atteinte à la tranquillité publique. Délit d'intention. Blasphème…

— Je n'ai pas dit qu'il ne violait aucune loi, l'interrompit le préfet avec un sourire. Mais c'est le devoir de chacun de prêcher les textes sacrés. C'est juste dommage qu'il le fasse en hurlant de toutes ses forces.

Mais ce n'était pas cela qui posait un problème, bien entendu. C'était le ton qui était dérangeant, la colère féroce avec laquelle le fou déclamait les formules calmes, mesurées et impersonnelles de la doctrine — des formules élégantes et équilibrées avec une telle perfection qu'il était impossible de remplacer un seul mot par un synonyme sans en altérer le sens. Le préfet avait l'impression d'entendre un loup hurler de la poésie substantialiste.

— Un jour ou l'autre, poursuivit-il, quelqu'un appellera les gardes, ce malheureux sera arrêté et nous aurons de nouveau la paix. En attendant ce jour, je ferai semblant de ne pas l'entendre. Veuillez m'excuser, vous me disiez ?

L'administrateur hocha la tête,

— Je vous parlais de cette proposition d'alliance. Il va sans dire que c'est hors de question. Cet homme, ce Gorgas Loredan, n'est rien d'autre qu'un aventurier, un chef de guerre sans importance qui s'est enfermé tout seul dans une région perdue. Il essaie désespérément de trouver des amis puissants en vue du jour où ses sujets le renverseront parce qu'ils en auront assez de lui. Si nous faisons le moindre signe tendant à reconnaître son régime, cela entraînera des répercussions très négatives pour nous. Pour résumer, nous ne faisons pas affaire avec ce genre de personnage.

— Je suis d'accord, dit le préfet en essayant de se concentrer. Mais ce n'est pas tout, je le sens.

L'administrateur hocha la tête avec lassitude.

— Par malheur, ce maudit individu semble jouir d'une chance incroyable. Il y a deux jours, le petit port frontalier — du nom de Tornoys — a été attaqué par un navire pirate. Un seul navire et une cinquantaine d'hommes. Ils avaient l'intention de s'emparer du clipper envoyé d'Ap' Escatoy ; ils l'avaient filé jusqu'à la côte quand une tempête l'a obligé à pénétrer dans les eaux de Tornoys la veille de l'attaque ; les pirates l'ont suivi et ont subi de grosses avaries dans la tourmente, eux aussi. Ils ont dû affronter le mauvais temps toute la nuit avant d'entrer dans le port au petit matin. Je n'ai aucune certitude quant à ce qui s'est passé ensuite, mais Gorgas et ses soldats sont arrivés avant qu'ils aient pu approcher du clipper et une bataille s'est engagée. La moitié des pirates ont été tués et Gorgas a fait enfermer les survivants dans une grange, quelque part. Il retient aussi le clipper, bien qu'il n'ait donné aucune justification pour cet acte.

Le préfet se renfrogna.

— Il s'agit de Hain Partek, n'est-ce pas ?

L'administrateur hocha la tête.

— Et Gorgas sait parfaitement qui il retient. En fait, il faudrait qu'il soit bien mal informé pour l'ignorer. Après tout, nous offrons des sommes considérables pour sa capture et diffusons sa description à travers toute la province depuis dix ans. Bien entendu, son arrestation est une excellente nouvelle, enfin, je suppose. Pourtant, j'aurais préféré quelle soit le fait de quelqu'un d'autre que ce Gorgas Loredan.

— En effet. (Le préfet se laissa aller contre le dossier de sa chaise.) L'avons-nous informé que nous n'étions pas intéressés par sa proposition d'alliance ?

— Par malheur, il se trouve que oui. (L'administrateur attrapa une statuette en ivoire sur la table et l'examina un instant avant de la reposer.) Cet enchaînement d'événements ne pouvait pas être pire. Dès qu'il a reçu le pli signifiant notre refus, il s'est assis à son bureau et a aussitôt rédigé une réponse. La lettre la plus surprenante que j'aie lue depuis des années, un curieux mélange d'obséquiosité et de menaces — vous devriez la lire, ne serait-ce que pour son caractère amusant. Mon assesseur estime que cet homme est fou, et après avoir lu ce message, j'ai tendance à penser qu'il a raison. Il semble que ce Gorgas ait reçu notre lettre de refus alors qu'il était dans une ferme et fendait du bois.

— Il fendait du bois ? répéta le préfet. Et pourquoi donc ?

— J'ai l'impression qu'il aime ça. Pas fendre du bois en soi ; il aime jouer au fermier. Il vient, paraît-il, d'une famille de paysans, bien qu'il ait dû quitter la ferme familiale avec une certaine précipitation. Pour le moment, je n'ai entendu qu'une explication plausible pour justifier son coup d'État dans le Mesoge : c'était le seul moyen pour lui de retourner dans son pays.

— Je dois en effet reconnaître qu'il semble quelque peu dérangé. (Le préfet fit un petit geste de la main.) Dans son domaine, la folie n'est pas toujours un obstacle sur le chemin de la réussite. D'ailleurs, c'est même souvent un avantage, si on s'en sert avec habileté. A-t-il dit ce qu'il voulait de nous ?

L'administrateur secoua la tête.

— Tout ce que nous avons, c'est une petite note laconique nous informant qu'il détient Partek et qu'il souhaiterait l'envoi d'un émissaire pour débattre de cette affaire. Je suppose qu'il préférerait que nous lancions la première enchère — ce qui n'est pas idiot, selon moi ; enfin, de son point de vue. Car au fond, il sait juste ce que nous lui avons dit ouvertement. Il n'a pas pu apprendre à quel point Partek est important pour nous. (L'administrateur hésita un instant avant de poursuivre.) Pour être honnête, je ne le sais pas trop non plus. Quelle est la ligne officielle à ce sujet en ce moment ?

Le préfet soupira.

— Partek est encore assez important. Pas autant qu'il y a cinq ans, mais il n'en demeure pas moins une grosse épine dans notre pied. Ce n'est pas à cause de ce qu'il a fait ou de ce qu'il est susceptible de faire, c'est plutôt le fait qu'il coure toujours et que nous ayons été incapables de l'arrêter. (Il fronça les sourcils et se gratta l'oreille.) C'est d'ailleurs amusant : moins il en fait, plus sa légende grandit. Dans certaines parties de la région Sud-Est, les gens sont persuadés qu'il contrôle la péninsule Ouest et qu'il lève une armée pour marcher sur notre terre natale. Non, nous devons clouer sa tête sur les portes d'Ap' Silas. Si nous y parvenons, nous aurons fait du bon travail.

— Cela signifie-t-il que nous devions céder aux demandes de Gorgas Loredan ? demanda l'administrateur.

— Pas nécessairement.

Le préfet s'interrompit un moment : il n'entendait plus le fou. Quelqu'un avait dû s'en occuper.

— Remplacer un problème majeur par un problème mineur n'est pas suffisant. Bien, si mes souvenirs sont exacts, ce Gorgas Loredan est le frère de notre fameux Bardas Loredan.

— Le héros, répliqua l'administrateur en grimaçant un sourire. C'est juste. Quelle famille extraordinaire ! Si le Mesoge produisait davantage d'hommes de cette trempe, ce serait... Eh bien, ce serait intéressant de signer une alliance avec eux. Ils sont tous les deux fous à lier, bien entendu, mais on ne peut s'empêcher d'admirer leur vitalité.

— Je peux très bien m'en empêcher quand cette vitalité me cause des ennuis, dit le préfet. Alors, voyons. Nous avons besoin de Bardas Loredan comme figure de proue contre le peuple des plaines. Évitons donc de nous montrer un peu trop brutaux avec Gorgas Loredan, de peur que son frère en prenne ombrage.

— Je ne pense pas que ce risque soit très grand, intervint l'administrateur. D'après les informations obtenues, Bardas déteste son frère du fond du cœur — il y a derrière tout cela une histoire des plus savoureuses d'ailleurs ; rappelez-moi de vous la raconter quand nous aurons un moment. Par conséquent, je ne m'inquiéterais pas trop à ce sujet. En revanche, il semble que Gorgas tienne à Bardas comme à la prunelle de ses yeux.

Le préfet leva les mains.

— Voilà qui est un peu fort! s'exclama-t-il. Excusez-moi. Continuez, je vous en prie. Je trouve juste que cette histoire devient un peu trop compliquée, c'est tout.

— Je partage votre opinion, dit l'administrateur avec un sourire. Mais vous devez reconnaître que c'est plus passionnant que les taux de rentabilité trimestriels des établissements.

Les nuages lourds qui cachaient le soleil se levèrent et un rayon aveuglant de lumière ambrée éblouit un instant le préfet. Il déplaça sa chaise de quelques centimètres pour se mettre à l'abri.

— À mon âge, je me passe très bien d'histoires passionnantes, pourvu que je n'aie pas à traiter avec de sales petits individus habitant à l'autre bout du monde, dit-il avec fermeté. Mais d'un autre côté, je dois avouer que ce Bardas Loredan est une pièce de collection. Il est clair qu'il n'a pas la moindre idée de la personne à qui il a parlé — ce qui est une excellente nouvelle d'ailleurs. Enfin! Où en étions-nous?

Le préfet se laissa aller en arrière, le bout des doigts contre ses lèvres.

— Nous avons besoin de Bardas Loredan à cause de Temrai et maintenant, Gorgas détient Partek; mais nous ne voulons pas qu'on nous croie en bons termes avec Gorgas, et Bardas se moque que nous ne soyons pas en bons termes avec son frère… (Le préfet se pencha en avant.) Qu'avez-vous dit à propos du clipper, déjà? Gorgas le retient à Tornoys, c'est cela?

L'administrateur interrompit son examen des motifs floraux gravés sur le rebord du bureau et hocha la tête.

— Et c'est aussi fort regrettable. Vous voyez, il y a à bord beaucoup de dépêches concernant nos plans vis-à-vis de Temrai. Les documents sur l'affrètement des navires, des lettres de crédit, des accords signés, des avant-projets de programmes… Mis bout à bout, ils donnent une image assez claire de nos intentions — à condition d'avoir l'intelligence requise pour tout comprendre.

— Et c'est sans aucun doute le cas de Gorgas — même si ses raisonnements sont parfois chaotiques. C'est malheureux. Je songeais à montrer un peu les dents pour cette affaire de navire bloqué à quai, peut-être même à l'effrayer assez pour qu'il nous livre Partek, mais cela ne ferait qu'attirer son attention sur l'importance de cet homme.

L'administrateur fit la moue.

— J'aurais tendance à envisager la situation par l'autre bout, dit-il. Que penseriez-vous si vous reteniez illégalement un bateau impérial du service des dépêches et que le bureau des Provinces ne proteste pas avec vigueur ? En fait, je me demande si ce n'est pas ce que Gorgas attend justement, voir notre réaction. Il n'a pas d'autre motif valable pour agiter un chiffon rouge sous notre nez.

— Excellente remarque, concéda le préfet. Oh ! maudit soit cet homme ! Il me donne la migraine ! En ce moment, je crois que je me passerais fort bien de la vitalité des frères Loredan, merci beaucoup.

L'administrateur sourit.

— Ah ! C'est là que nous pouvons peut-être intervenir. Je pense à leur sœur.

Le préfet tourna soudain la tête.

— Vous n'allez pas me croire, mais je l'avais complètement oubliée. Niessa Loredan, l'ancienne directrice de la Banque de Scona qui ennuyait tant nos amis de l'ordre de Shastel.

— Celle-là même. Et qui profite en ce moment de notre hospitalité, bien sûr.

— C'est exact. Alors, qu'est-ce que les frères Loredan pensent donc de cette sœur ? Je suis certain qu'ils l'adorent ou qu'ils la détestent. Racontez-moi.

L'administrateur croisa avec soin les mains sur ses genoux.

— Gorgas l'adore, je pense — bien qu'elle l'ait plutôt abandonné lors de la chute de Scona : elle a filé avec l'argent et l'a laissé s'occuper des combats. Mais je ne crois pas qu'il lui en tienne rigueur. C'est un homme très indulgent avec les membres de sa famille.

Le préfet haussa un sourcil, mais n'insista pas.

— Et Bardas ? Il l'adore, lui aussi ?

— Je ne le pense pas, répondit l'administrateur. Mais je ne crois pas qu'il la déteste non plus. En outre, la fille de Niessa a juré en public de tuer son oncle, si cette information peut se révéler d'une utilité quelconque.

— Oh ! par tous les dieux ! (Le préfet secoua la tête.) Ne faites pas attention. Je pense que tous ces renseignements sont dans les dossiers quelque part. En fait, j'ai dû les lire avant de m'entretenir avec cet homme. Et donc ? Je suppose que vous avez une idée derrière la tête ?

Rares mais magnifiques sont les sourires des Fils du Ciel.

— Pas tout à fait, dit l'administrateur. À peine une intuition, mais je crois que Niessa Loredan pourrait se révéler utile si la situation commençait à nous échapper. De toute façon, il ne serait pas plus mal de la garder sous la main — la mère comme la fille, d'ailleurs. Nous les inculperons d'immigration illégale et nous en resterons là pour le moment.

Le préfet se leva et se dirigea vers la fenêtre sous laquelle poussait un vieil et magnifique figuier. De là, il pouvait presque attraper le fruit le plus haut.

— Pour le moment, dit-il, j'ai bien peur que notre priorité soit de récupérer Partek. S'il m'échappe maintenant, on me posera des questions fort embarrassantes. Faites ce qui est en votre pouvoir. Il est clair que je préférerais éviter toute alliance avec cet homme, mais je suis sûr que vous pouvez trouver des formules qui le satisferont sans nous engager à quoi que ce soit. L'étape suivante, ce sont nos plans pour Périmadeia — bien qu'ils soient autrement plus importants que Partek—, alors faites attention à tout ce qui se rapporte à Bardas Loredan. Pour le reste, je vous laisse carte blanche. (Il s'écarta de la fenêtre de manière à ce que son visage soit à l'ombre et fronça les sourcils.) Quand on commence à juger ces gens sur un plan individuel, on court toujours le risque de perdre le sens de la mesure. En dehors de Partek, aucune de ces personnes n'a la moindre importance en matière de politique. Ce n'est que d'un point de vue stratégique — voire seulement tactique — qu'ils semblent prendre une certaine valeur. (Il haussa les épaules et s'assit sur un coin de son bureau.) Je vais être clair : si vous arrivez à la conclusion que, pour récupérer Partek, la meilleure solution est de mobiliser deux divisions, quelques navires que nous avons affrétés et d'annexer le Mesoge, alors n'hésitez pas. (Il poursuivit avant que l'administrateur puisse faire une remarque.) Je ne vous suggère pas de procéder ainsi, je me contente de souligner le besoin de se concentrer sur le but du voyage plutôt que sur le paysage en chemin. Il en va de même pour nos affaires concernant Shastel et tous ces petits royaumes insignifiants. S'ils doivent disparaître, ils disparaîtront. Le seul point qui nous importe, c'est le rapport coût-efficacité et le souci d'économiser nos efforts.

L'administrateur se leva pour prendre congé.

— Vous avez tout à fait raison, dit-il. Je vous ramènerai Partek, n'ayez aucune crainte à ce sujet. Mais vous n'en prendrez pas ombrage si j'essaie de le faire avec style et élégance, n'est-ce pas ? (Il sourit.) Après tout, il ne faut pas beaucoup d'imagination pour dépêcher une armée. Pour se faire remarquer par le bureau des Provinces, il faut dépêcher une armée sans dépasser le budget.

— C'est consternant, grommela Eseutz Mesatges. (Elle passa un doigt sous la lanière qui lui sciait un côté du cou.) Il y a des acheteurs partout et nous n'avons rien à leur vendre !

Une fois de plus, la journée était calme sur le Span. En règle générale, il fallait une demi-heure pour se frayer un chemin à travers la foule et traverser le pont — long d'une centaine de mètres —, mais aujourd'hui, quelques minutes avaient suffi. Hido Glaia hocha la tête ; il attendait avec désespoir trois balles de velours vert pour compléter une commande qu'il avait promis de livrer la semaine précédente.

— Une occasion pareille n'arrive qu'une fois dans une vie, mais si elle continue encore un peu, elle finira par nous mettre sur la paille. À condition que nous ne mourrions pas d'ennui d'abord.

Il attrapa un échantillon de tissu — celui qu'il avait examiné et refusé la veille, l'avant-veille et le jour d'avant. C'était le seul velours vert disponible sur Île.

— Je suis tellement désespéré que je vais revenir demain pour l'acheter. Et entre-temps, il aura été vendu à quelqu'un d'autre. Allez, buvons un coup. En espérant qu'il reste un peu d'alcool sur ce maudit rocher.

Ils aperçurent Venart Auzeil et Tamin Votz au *Palais Doré* : tous deux étaient assis et ruminaient au-dessus d'une carafe à moitié vide. Dès qu'ils entrèrent, Venart leva des yeux pleins d'espoir.

— Hido ! Mes manches de hache ! Tu me les as trouvés ?

Hido tira une chaise et s'assit en étouffant un bâillement.

— Oh ! arrête ! Tu me prends pour qui ? Un magicien ? Ou tu crois peut-être que je me suis levé à l'aube pour arpenter la plage et les tailler dans les morceaux de bois échoués ?

— Je suppose que ça veut dire que tu ne les as pas, lâcha Venart sur un ton misérable. Ce qui signifie qu'il faut maintenant que j'aille chez les frères Doce pour leur expliquer...

— ... que mon bateau, ton bateau et le bateau de tout le monde sont à quai, en compagnie des leurs ? le coupa

Hido. Je crois qu'ils sont déjà au courant. Calme-toi, Ven. Les Doce savent ce qui se passe, ils ne te feront pas d'histoires. Moi, ce sont les exaltés d'un cartel textile de Colleon qui ne me lâchent pas d'une semelle et me menacent de pénalités pour retard de livraison. Ce qui me fait penser, vous n'auriez pas trois balles de velours vert par hasard, de bonne qualité selon les critères îliens ?

Venart fronça les sourcils.

— Pas moi, dit-il. Mais tu peux poser la question à Triz. Je sais qu'elle a acheté tout un lot de biens divers il y a quelques mois. Tu te souviens, quand ils ont vendu les biens de Remvaut Jors ? Je crois qu'il y avait du velours vert dans le tas, mais je ne sais pas si…

— Que les dieux te bénissent ! s'écria Hido en se levant d'un bond. Et tu ne saurais pas à quel prix elle l'a obtenu, tant que tu y es ?

— Hido ! C'est ma *sœur* !

— Tu ne vas quand même pas me reprocher d'avoir essayé. Je te remercie, dit-il avant de s'éloigner d'un pas pressé.

Eseutz vida la coupe d'Hido dans la sienne.

— Eh bien, on ne sait jamais comment les choses vont tourner, dit-elle. Demain, ils vont peut-être rationner les marchandises si ça continue comme ça.

Tamin Votz éclata de rire.

— Il y a quand même un point qui m'échappe, dit-il. Je sais pourquoi aucun de nos navires n'entre ni ne sort du port, mais pourquoi en va-t-il de même pour les bateaux étrangers ? Vous croyez que les Impériaux les ont affrétés, eux aussi ?

— C'est possible, dit Venart. (Eseutz gloussa et il ajouta, sur la défensive :) Eh bien, oui, c'est possible. Seuls les dieux savent de quelle taille sera leur armée et il va sans dire que ce n'est pas l'argent qui leur fait défaut.

— Tu crois ? (Tamin Votz sourit et vida le fond de la

carafe dans sa coupe.) Tu sais, je pense que cette histoire nous a appris quelque chose de très intéressant : nous ne savons presque rien de l'empire. Oh ! nous croyons savoir, mais ce n'est pas du tout pareil. C'est comme regarder le ciel : nous le voyons chaque jour, il est là ; mais nous ne savons pas comment il fonctionne, à quoi il sert, ni même s'il *existe* pour de bon. À mon avis, il en va de même avec l'empire.

Eseutz avait trouvé un bol d'olives abandonné sur une table voisine.

— J'ai lu un livre, dit-elle la bouche pleine, qui racontait que le ciel n'est qu'une immense toile de tissu bleu et que les étoiles sont des petits trous par lesquels passe la lumière. Et la pluie aussi, mais je trouve que là, c'est un peu tiré par les cheveux : si c'était le cas, il devrait y avoir de gigantesques flaques boueuses juste sous l'étoile polaire après une averse. Je me demande si quelqu'un a déjà vérifié si elle tombe bien à la verticale. Je parle de la pluie, par rapport aux étoiles.

Tamin haussa un sourcil.

— Je ne savais pas que tu lisais, Eseutz, dit-il. Tu as acheté un lot de marchandises enveloppées dans des pages de romans et d'encyclopédies ?

— Oh ! très drôle, répliqua Eseutz en crachant un noyau d'olive. Figure-toi que j'ai tout un coffre de livres dans mon entrepôt. Un coffre gros comme ça. Et même que maintenant, il est si lourd que je ne peux plus le déplacer, ajouta-t-elle sur un ton mélancolique. Hé, Ven ! Est-ce que, par hasard, tu ne serais pas intéressé par…

— Non ! (Venart fit tourner le fond de vin dans sa coupe.) Mais je crois que tu as raison. Non, pas toi Eseutz ! Je parlais d'Hido, de ce qu'il disait au sujet de l'empire. Je n'ai pas la moindre idée de sa taille. Je sais juste qu'il est… grand.

— Pour sûr, approuva Tamin. Un peu trop grand à

mon goût. J'ai même entendu des histoires à propos d'une guerre civile.

— Ah bon? (Eseutz leva les yeux.) Oh! attendez! Vous avez entendu les rumeurs sur Partek? Parce que je sais de source sûre que…

Tamin secoua la tête.

— Je parle d'une vraie guerre civile, dit-il, pas d'une bande de pirates qui s'adonnent à une violence dénuée de sens. Non, la rumeur évoque des dissensions entre la famille impériale et un vague seigneur de guerre, très loin vers le sud-est. C'est sans doute très exagéré, mais je suis persuadé qu'il y a au moins un fond de vérité. C'est là que je voulais en venir, vous voyez. Je ne connais rien à ce genre d'affaire ; s'il y a une guerre civile, une vraie, est-ce qu'ils vont suspendre leurs projets en cours et retourner précipitamment chez eux pour y participer? Ou bien est-ce que ce genre de révolte est monnaie courante?

Venart haussa les épaules.

— Est-ce si important? Il y a une chose dont on peut être sûr : l'empire ne nous a jamais ennuyés. Et je ne crois pas qu'il cherchera un jour à le faire.

— Ah bon? s'enquit Tamin. Et d'où te vient une pareille assurance?

— Eh bien, dit Venart, d'abord, il n'a pas de flotte et n'oublions pas que nous sommes sur une île. Tu croyais peut-être que nous habitions au sommet d'une montagne et qu'il y avait souvent des inondations?

— Mais ils ont une flotte, remarqua Eseutz. La nôtre.

— Certes, mais il est peu probable qu'ils cherchent à l'utiliser contre nous.

— Oh! va donc savoir! Et puis, ils n'ont pas besoin de navires pour nous attaquer si les nôtres sont occupés ailleurs.

— Et comment vont-ils venir jusqu'ici? À pied? (Venart secoua la tête.) En vérité, je ne vois pas l'empire s'en prendre un jour à nous. Ça n'a aucun sens. Ce n'est pas la manière dont ils agissent.

— Pour ce que tu en sais. Et je crois que nous sommes tous tombés d'accord sur un point : nous ne savons rien de l'empire.

Venart soupira avec patience.

— Ils ne veulent que sécuriser leurs frontières et nous sommes au beau milieu de la mer. Point final.

— Tu as peut-être raison, dit Tamin. Mais je pense que nous ferions bien d'en apprendre un peu plus à leur sujet, c'est tout. Prenons un exemple : les échanges commerciaux que nous faisons avec eux sont quantité négligeable — ou peu s'en faut. Et cela nous concerne directement. Nous laissons peut-être échapper des marchés extraordinaires.

Venart se gratta la tête.

— À mon avis, ils n'ont pas besoin de ce que nous vendons. Ils peuvent obtenir tout ce qu'ils veulent à l'intérieur de l'empire. Et de toute façon, je ne suis pas très sûr d'avoir envie de commercer avec eux. Je ne sais pas pourquoi, mais ces gens me donnent la chair de poule.

— Ah ! dit Tamin. Tu as mis le doigt dessus. Nous ne commerçons pas avec eux parce qu'ils nous font peur ; ou parce que nous ne les aimons pas, c'est l'un ou l'autre. C'est une attitude tout à fait puérile pour une nation de marchands, vous n'êtes pas de mon avis ?

— Je ne sais pas, répondit Venart. Ce n'est peut-être que moi, mais… ils sont si grands et. .

— Effrayants ?

Venart hocha la tête.

— Effrayants, d'accord. J'ai les nerfs en pelote quand je traite avec eux. Je ne peux pas m'en empêcher, c'est comme ça.

— C'est parce que tu ne sais rien d'eux, dit Tamin avec un sourire. Je suis certain que si tu les connaissais mieux, ils te feraient moins peur.

— Sans doute.

— Sans doute, marmonna Eseutz. Je te parie que ce sont des gens adorables une fois que tu les connais.

Gannadius ?

Gannadius s'assit. Il faisait noir et il prit vaguement conscience de la présence de Theudas qui s'agitait dans son sommeil sur le lit voisin. Quelqu'un l'avait appelé.

Gannadius. C'est moi.

— Oh ! dit Gannadius à voix haute.

Puis il ferma les yeux.

Il était de retour dans la Cité — *oh non ! Ça recommence !* —, dans le quartier des fabricants de cordes cette fois-ci. De chaque côté de la rue d'une largeur incroyable, des maisons et des entrepôts étaient en flammes. L'incendie produisait assez de lumière pour que le vieil homme voie comme en plein jour. Il se tenait au milieu de la route — ce qui était heureux, car les combats et les tueries se déroulaient sur les trottoirs surplombés par les avant-toits des bâtiments en feu.

— Je suis désolé, dit Alexius. Je n'aime pas beaucoup cet endroit non plus, mais il se trouve que je suis ici.

Gannadius frissonna. Il ne sentait pas la chaleur des flammes tout autour de lui, bien qu'il sache qu'il aurait dû.

— Tu as trouvé un endroit tout à fait charmant, dit-il. En fait, c'est la première fois que je viens ici — enfin, je crois. J'ai pourtant visité la plupart des coins de cette ville pendant sa chute, à un moment ou un autre.

Alexius pointa un doigt, mais Gannadius ne distingua pas très bien ce qu'il était censé voir.

— Là-bas, dit Alexius. Tu vois cet homme des plaines avec les cheveux longs ? Le toit de cet abri va s'effondrer d'une seconde à l'autre. Il va se retrouver coincé en dessous et mourra. C'est la raison de tout cela, c'est pour cela que c'est important. C'est parti, regarde ! (Un petit bâtiment s'écroula alors dans une pluie d'étincelles et Gannadius entendit crier un homme qu'il ne vit pas.)

Il m'a fallu une éternité pour identifier ce qui était important dans ce moment, mais en fin de compte, j'ai réussi à trouver. Si ce guerrier avait survécu, il aurait un jour participé à un tournoi d'archers ; il aurait tiré une flèche qui aurait ricoché sur le châssis de la cible avant de se planter dans l'œil de la femme de Temrai — un coup qui n'avait qu'une chance sur des millions d'arriver. En fait, la victime n'avait pas encore épousé Temrai à ce moment, et elle ne deviendrait donc jamais sa conjointe. Par conséquent, le roi se serait marié avec une autre et le cours des événements aurait été changé de façon radicale.

— Je vois, dit Gannadius un peu mal à propos. Et tu voulais me faire part de ta découverte, n'est-ce pas ?

Alexius secoua la tête.

— Par tous les dieux ! Bien sûr que non ! Comme je te le disais, c'est juste parce que je viens souvent par ici ces derniers temps. Non, je voulais te parler de choses bien plus importantes — enfin, pour toi. Il faut que je te mette en garde…

— Excusez-moi, dit Gannadius.

Il venait de s'apercevoir qu'il avait marché sur un mourant. Il savait qu'il ne pouvait rien faire pour l'aider puisque cette scène appartenait déjà au passé et qu'il n'était pas vraiment présent. Pourtant, il aurait été très impoli de continuer son chemin sans faire un geste.

— Je suis désolé, dit-il en s'agenouillant.

Mais l'homme ne sembla pas l'entendre. Ses blessures étaient impressionnantes : un coup de côté avait laissé une profonde entaille en diagonale partant de la jonction du cou et des épaules et longeant l'arête de la clavicule ; un autre — porté d'estoc — avait creusé un trou aussi large que la main de Gannadius juste en dessous des côtes.

— Il a été frappé par une hallebarde, remarqua Alexius derrière son ami.

— Une hallebarde ? Je croyais que le peuple des plaines n'en utilisait pas.

— Et tu avais raison.

Gannadius leva les yeux et s'aperçut qu'il n'était plus à Périmadeia.

— Scona ? demanda-t-il.

— C'est exact, confirma Alexius. Tu assistes au pillage de Scona par les troupes de l'ordre de Shastel.

Gannadius fronça les sourcils. Derrière lui, bien qu'il ne puisse pas les voir, tous les entrepôts alignés le long du quai des Étrangers étaient en feu. Des gens se battaient pour embarquer les premiers sur des navires qui avaient déjà appareillé et avaient déjà été coulés dans le port par les tirs de catapultes montées sur les barges de Shastel.

— Mais, cela ne s'est jamais passé ainsi, dit-il.

— Au sens strict, tu as raison, concéda Alexius. Bardas Loredan a empêché la mise à sac de la ville. Il a neutralisé Gorgas et l'a obligé à abandonner la guerre. Il n'y a donc pas eu de siège, ni de pillage. Cependant, nous sommes bien à Scona. Demande à ton ami là-bas si tu ne me crois pas.

— Tu dis que nous assistons à ce qui aurait dû se passer ?

— Grands dieux ! Pas du tout ! Tu as trop lu Tryphaenus. Je n'ai jamais compris l'intérêt de mêler des jugements moraux à l'étude du Principe. C'est comme affirmer que le soleil se lève à l'est parce que c'est une région plus agréable. Je dis juste que ces événements se sont aussi déroulés. En un sens.

Gannadius se releva.

— Je ne comprends plus rien. Et s'il te plaît, abstiens-toi de m'expliquer. Ma soif de connaissance pure n'est plus ce qu'elle était, j'en ai peur. De quoi voulais-tu me parler tout à l'heure ? D'une mise en garde ?

— Oh oui ! (Alexius pointa son doigt.) Regarde !

Pour une raison ou une autre, Scona avait profité de l'inattention de Gannadius pour disparaître. Les deux vieillards se tenaient maintenant au milieu d'un bivouac d'hommes des plaines — ce fut du moins ce que l'ancien archimandrite supposa. Le camp était important, avec des tentes et des palissades provisoires qui s'étendaient dans toutes les directions, et il était attaqué : de nombreux abris étaient en feu et des cavaliers remontaient et descendaient les allées, incendiant les toits de feutre ciré ou taillant au hasard les personnes qui essayaient de s'échapper. Juste en face de lui, Gannadius aperçut un chariot. La toile qui le recouvrait avait presque entièrement brûlé, laissant les arceaux se dresser comme les côtes d'un squelette. L'ancien archimandrite distingua le visage d'un jeune garçon caché sous le véhicule ; l'enfant observait un cavalier à travers les rayons de la roue avant droite et le soldat faisait de même. L'homme avait la tête penchée et la visière de son casque était rabattue, Gannadius ne vit donc pas son visage.

— Qui est-ce ? demanda-t-il.

— À ton avis ?

— Je vois.

Un fuyard essaya de se faufiler derrière le cavalier en se plaquant contre une rangée de tonneaux. Le soldat l'aperçut et se pencha sur sa selle. Son coup toucha l'homme au sommet du crâne.

— Alors, c'est ainsi que tout a commencé, je suppose.

Alexius sourit.

— Il n'y a pas que cela, j'en ai peur. Tu pars du principe que nous assistons à une des attaques préventives de Maxen contre les tribus des plaines, celle où le jeune Temrai a vu sa famille se faire tuer. Je me trompe ?

Gannadius hocha la tête.

— Ce n'est donc pas lui sous ce chariot ?

— Bien sûr que si. Mais c'est aussi ce qui va se passer. Observe les armures et l'équipement des cavaliers.

Gannadius eut l'air agacé.

— Excuse-moi, dit-il, mais je ne suis pas un fanatique de ce genre de choses. Qu'ont-elles de si spécial, ces armures ?

— Ce sont celles de la cavalerie lourde impériale, répondit Alexius. Tu assistes en ce moment à l'annexion de l'ancienne Périmadeia par l'armée du bureau des Provinces. Eh oui, cet homme à cheval est bien Bardas Loredan ; eh oui, cet enfant caché sous le chariot est bien le roi Temrai. Il est évident que le terme « enfant » est un peu abusif, car il doit avoir vingt-quatre ou vingt-cinq ans aujourd'hui ; mais il paraît jeune pour son âge, surtout quand il est terrifié. Et puis, l'ombre du chariot n'aide pas à l'identifier.

Gannadius regarda de nouveau autour de lui.

— Soit, dit-il. Si ce que tu dis est vrai, comment se fait-il que je ne voie pas la Cité — enfin, ses ruines ?

Alexius sourit.

— Le roi Temrai a décidé qu'il serait suicidaire de rester sur place et de combattre les Impériaux, surtout quand il a appris qui était censé commander leur armée. « S'ils veulent Périmadeia, qu'ils la prennent », a-t-il dit. Il a ordonné à son peuple de plier bagage et ils sont retournés dans les plaines. Mais cette décision n'a pas eu beaucoup d'effet sur le bureau des Provinces. « S'ils sont partis, ils peuvent revenir », ont décrété les Impériaux. « Il vaut mieux s'occuper d'eux maintenant. » Alors, ils ont nommé Bardas Loredan à la tête de leurs troupes et l'ont envoyé dans les plaines, comptant sur sa connaissance des lieux et sa grande expérience. Bardas a réfléchi à l'endroit où les tribus installeraient leur camp pour se reposer dès quelles se sentiraient en sécurité et il y a mené son armée. Ce fut un terrible massacre — pièce à conviction numéro un — et des milliers d'hommes des plaines furent tués. Mais des milliers survécurent, et Bardas passa le reste de sa vie à les pourchasser, jusqu'à ce qu'il meure de pneumonie et que son commandant en second — un certain Theudas Morosin, si le nom te dit quelque chose — ramène l'armée impériale chez elle. Entre-temps, les Fils du Ciel avaient fait reconstruire Périmadeia et Morosin s'y installa — mais le pauvre n'y vécut pas très heureux. Et puis un jour, les tribus réapparurent soudain aux frontières sous le commandement d'un jeune roi déterminé qui n'était encore qu'un enfant quand Bardas avait incendié le campement et tué sa famille. Il savait qu'il n'y aurait jamais de paix tant que la Cité serait debout. Par chance, c'était une espèce de génie militaire. Theudas Morosin fut alors rappelé à la hâte et chargé de la défense de la ville. Il remplit sa tâche avec brio malgré une apathie et une maladresse inhabituelles — même selon les critères impériaux —, mais Périmadeia tomba. Theudas fut l'un des rares survivants...

Gannadius applaudit avec lenteur.

— Excellent. Une histoire splendide, claire et bien construite. Je n'en crois pas un mot !

— Ah bon ? (Alexius haussa un sourcil.) Oh ! allez Gannadius ! Depuis quand es-tu si critique ? Regarde !

Il pointa le doigt et l'ancien archimandrite se retrouva à son point de départ, dans le quartier des cordiers de Périmadeia, au milieu des ateliers en flammes. Mais cette fois-ci, il se vit : un vieil homme au visage hagard et épuisé, entraîné sans ménagement le long de la rue par...

— Theudas Morosin ! s'écria-t-il sur le ton du faire-valoir réalisant que l'illusionniste vient de tirer un bouquet de roses de son oreille. Et, oui, je te l'accorde, il ressemble comme deux gouttes d'eau à Bardas avec ce harnachement.

— Et il possède son épée, dit Alexius. Cette épée large, la Guelan que Gorgas a offerte à Bardas la veille de la chute de Périmadeia. Bardas l'a donnée à Athli Zeuxis pour qu'elle la lui garde. Et Athli l'a donnée à Theudas à la mort de Bardas. Et la voilà de nouveau. On savait fabriquer des armes faites pour durer à cette époque. C'est cette attention portée aux petits détails qui impressionne les gens.

Gannadius ferma les yeux, ce qui fut une erreur, car

quand il les rouvrit, il était dans les mines sous Ap' Escatoy — l'hallucination qu'il détestait le plus.

— Non, ce n'est pas une hallucination, le corrigea Alexius. Ce n'est pas une illusion d'optique, un effet obtenu par un jeu de miroirs, ni rien de tel — et tu le sais très bien. Tout ce que tu vois est réel. La seule chose qui ne le soit pas, c'est toi.

Gannadius ouvrit la bouche pour protester et hésita un instant.

— La prise de Scona à laquelle nous avons assisté, elle appartient aussi au futur, n'est-ce pas ?

— Ah ! s'exclama Alexius avec un grand sourire. Il t'a fallu longtemps pour comprendre, mais je savais que tu y parviendrais. Tu as tout à fait raison. Ce n'est pas encore arrivé. Mais ce n'est pas parce que tu n'as pas lu la dernière page du livre que l'histoire n'est pas écrite.

— En fait, avoua Gannadius, je commence toujours mes lectures par la fin. Je trouve que cela m'aide à apprécier les nuances du texte. Selon toi, c'est parce que ces événements ne se sont pas encore déroulés ici qu'ils sont déjà arrivés… (Il s'interrompit.) Ailleurs ?

Alexius s'appuya contre la paroi couverte de planches de la galerie. Il sentit une odeur de coriandre.

— Tu progresses, dit-il. Maintenant, tu commences enfin à voir combien le Principe est simple. D'un autre côté, je ne peux pas vraiment te reprocher ta lenteur. Moi-même, il m'a fallu du temps pour comprendre et tu n'imaginerais jamais toutes les difficultés que j'ai rencontrées… Tu te souviens de cette époque où nous échafaudions des hypothèses pour savoir si le Principe permettait de voir dans l'avenir ? Nous aurions dû nous rendre compte, mais nous étions d'une stupidité criminelle et nous n'avons pas compris cette douloureuse évidence : nous pouvons voir l'avenir parce que l'avenir a déjà eu lieu.

— Tu vas encore trop vite pour moi, dit Gannadius avec tristesse.

— Oh ! pour l'amour des dieux ! (Gannadius sentit toute la galerie vibrer et l'air se chargea de poussière.) Nous pouvons voir Theudas massacrer les hommes des plaines parce que nous pouvons voir Bardas faire la même chose. Nous pouvons voir la chute de la Périmadeia impériale parce que nous avons déjà vu la chute de Périmadeia. Nous pouvons tout voir de cette manière, parce qu'il s'agit des mêmes événements. Nous pouvons même voir notre propre mort, à supposer qu'on puisse ressentir un besoin aussi morbide. Bien entendu, en règle générale, on commence par mourir…

Le toit de la galerie s'effondra et le tunnel se remplit de poussière. Gannadius eut l'impression d'être à l'intérieur d'un sablier qu'on vient de retourner. Il s'étrangla, reçut une poutre sur le coin de la tête et ouvrit les yeux.

— Mon oncle ?

— Theudas ! Que se passe-t-il ? Où sommes-nous ?

— Vous avez fait un cauchemar, dit Theudas en approchant la lampe. Tout va bien. Nous sommes parmi les hommes des plaines, vous vous souvenez ? Temrai nous a fait appeler et il va nous renvoyer chez nous.

Gannadius s'assit en secouant la tête.

— Il avait tort, dit-il. On peut le changer, à condition de trouver le bon endroit et le levier adéquat. Nous avons déjà réussi à le faire avec Bardas et cette fille. (Il regarda le visage de Theudas comme s'il voulait s'assurer que ce n'était pas une illusion.) La coriandre, cela ne signifie-t-il pas l'ennemi ?

Theudas posa la lampe.

— Ne bougez pas. Je vais essayer de trouver cette femme docteur. Tout ira bien, vous verrez.

Gannadius soupira. Il s'était réveillé avec une migraine terrible.

— Je vais bien, dit-il. Ce ne sont que les souvenirs de mon cauchemar. Je ne suis pas devenu fou. Je m'excuse. Je t'ai fait peur ?

Theudas revint vers lui avec prudence, comme s'il craignait une embuscade.

— C'était encore un de ces *rêves*, pas vrai ? Je croyais que ce thé à l'anémone vous en avait débarrassé.

— Pas tout à fait, dit Gannadius. J'ai cessé de t'en parler parce que cette mixture était une horreur et je voulais que tu arrêtes de me la faire avaler. (Il expira et s'allongea sur le lit.) D'ailleurs, maintenant que j'y pense, il me semble avoir lu que l'anémone était un poison lent — enfin, que ce n'est pas bon pour la santé du moins. Je crois que ça abîme les reins.

Theudas se renfrogna.

— Rendormez-vous, dit-il. Nous avons une longue journée devant nous, demain. Et vous avez besoin de repos. En fait, je vais aller parler avec le bouvier. Il est hors de question de vous faire voyager aussi longtemps dans un chariot branlant. Un homme de votre âge !

— Oh ! je ne me tracasserais pas pour cela. (Gannadius eut un sourire désolé.) Je sais que j'ai survécu jusqu'à un âge mûr et avancé, que j'ai perdu tous mes cheveux ainsi qu'une bonne moitié de mes dents. Et toi aussi — tu as survécu, je veux dire. Tu es peut-être mort d'une pneumonie, mais on ne peut pas m'en tenir pour responsable. Je ne fais qu'extrapoler à partir de diverses données.

— Mon oncle...

— Oui, je sais. Je parle encore comme si j'avais perdu l'esprit. J'arrête. (Gannadius bâilla consciencieusement et se tourna sur le côté, les yeux ouverts.) Éteins la lampe, dit-il, je te promets que je vais essayer de dormir.

Theudas soupira.

— Je m'inquiète pour vous, mon oncle. Je vous assure.

— Moi aussi, dit Gannadius d'une voix aussi somnolente que possible. Moi aussi.

— Alors comme ça, vous êtes guéri ?

Bardas sourit.

— Il semblerait, répondit-il. Au pire, je ne suis pas plus fou qu'avant. Et puis, je faisais désordre à l'infirmerie, alors ils m'ont jeté dehors.

Anax, le vieux Fils du Ciel qui tenait les rênes de la forge des épreuves, hocha la tête comme un vénérable sage.

— Ce n'est pas le genre d'endroit où on a envie de rester trop longtemps. Leur point fort, c'est l'amputation. Ils ont un tour de main incroyable pour ça ; sans doute parce que le chirurgien était le contremaître de l'atelier de menuiserie dans le temps. Il a acquis tant d'ancienneté qu'il a fallu lui accorder une promotion. Vous devriez voir certaines des jambes de bois qu'il a fixées à des moignons. Ils les fabriquent dans des os de baleine sur leur grand tour mécanique. Quelques-unes sont de véritables œuvres d'art.

— J'aurais dû m'y attendre, dit Bardas.

Anax se percha sur le pied de lit tandis que Bardas entassait quelques affaires dans un sac ; il songea que le vieil homme lui rappelait un lutin dans une histoire entendue quand il était enfant. Si ses souvenirs étaient bons, le petit personnage s'occupait en construisant des poupées mécaniques grandeur nature, des automates d'une finesse et d'une complexité incroyables, très difficiles à différencier de véritables garçons et filles. Il les substituait aux enfants de familles pauvres qu'il enlevait au milieu de la nuit. Ce conte l'avait horrifié au point qu'il n'en avait pas dormi pendant des semaines. De plus, il avait pris l'habitude — assez irrationnelle — de se tapoter les jambes et les bras pour s'assurer qu'ils n'étaient pas en métal.

— Alors comme ça, vous partez, dit Anax après un long silence.

— Il semblerait, répondit Bardas. C'est vraiment dommage, juste au moment où je commençais à m'habituer.

Anax sourit.

— S'habituer, dit-il, c'est ce que tout le monde peut

faire de mieux ici — à moins d'aimer taper sur des plaques métalliques à coups de marteau, bien sûr. Ne riez pas, ça existe. Bollo, par exemple. Pas vrai, Bollo ?

Le monstrueux jeune homme qui servait d'aide à Anax grimaça. Bardas éclata de rire.

— Ne vous laissez pas abuser par ses airs, dit le vieux Fils du Ciel. Au fond de lui, il adore son travail. Quand il était enfant, on lui criait toujours dessus parce qu'il ne cessait pas de casser des objets — et un gaillard de cette taille dans une petite chaumière de paysans, comment voulez-vous qu'il ne brise pas quelque chose de temps en temps ? C'est inévitable. Ici, il peut le faire toute la journée et il est payé pour. (Anax baissa les yeux pour regarder ses doigts, puis les releva.) Si vous partez en guerre, comment allez-vous faire pour votre équipement ? Il est des plus réduits, à ce que je vois.

Bardas haussa les épaules.

— On m'en fournira un, je suppose. Enfin, j'espère.

— On dirait que vous êtes patient, le coupa Anax. Après tout, on fabrique le matériel ici. Pourquoi prendre des risques avec le clerc d'un intendant militaire du bureau des Provinces quand vous pouvez avoir ce qui se fait de mieux ? (Il sauta de son perchoir.) Encore mieux, vous pourriez avoir du sur-mesure. Comme ça, vous sauriez au moins que votre armure a passé les tests.

— Je n'ai pas vraiment songé à la question, répondit Bardas en tenant une chemise contre sa poitrine afin de la plier. D'après ce qu'on m'a dit, mon rôle principal sera de m'exposer à la vue de Temrai sur une hauteur et de prendre un air terrifiant. (Il s'interrompit un instant.) Ce rôle me convient à merveille. Les dieux savent bien que je ne suis pas pressé de prendre part à de nouveaux combats.

Anax soupira.

— Il n'a pas vraiment songé à la question, répéta-t-il. Il est directeur-adjoint de la forge des épreuves — ou je ne sais quel titre dont il s'affuble — et il est prêt à se contenter de je ne sais quelle camelote antédiluvienne prise sur les étagères de l'intendance. Nous ne pouvons pas tolérer ça, pas vrai, Bollo ? Imagine un peu notre réputation s'il venait à se faire tuer ou s'il perdait un bras ! Il y a des gens qui ne pensent à rien, c'est ça leur problème.

— D'accord, dit Bardas avec un sourire. Choisissez une armure pour moi, comme ça, je saurai à qui me plaindre.

— On va faire mieux que ça, dit Anax. On va vous en fabriquer une nous-mêmes.

Bardas haussa un sourcil.

— Je croyais que vous ne faisiez que leur taper dessus. J'ignorais que vous saviez aussi en faire.

Anax prit une mine faussement outragée.

— Je vous demande pardon ? J'ai travaillé vingt ans comme marteleur d'étain !

— Jusqu'à ce que vous ayez tant d'ancienneté qu'il a fallu vous accorder une promotion ?

Anax lui assena une claque dans le dos.

— C'est vraiment dommage, quand même. Ce gars commençait juste à comprendre comment tourne cet endroit et voilà qu'il est muté ailleurs. C'est du gaspillage, si vous voulez mon avis.

Avant que Bardas puisse émettre une objection, Anax était sorti de la pièce à grands pas. Il marchait si vite qu'il était difficile de le suivre, surtout dans le dédale de couloirs et de galeries vers lequel il se dirigeait, sous l'atelier principal. Bollo fermait la marche, avançant d'un pas lourd ; il n'était pas taillé pour la vitesse ou l'agilité, mais il connaissait le chemin.

— Bien, dit Anax en jetant un coup d'œil discret par l'embrasure d'une porte. Personne ne l'a encore découvert. Un de ces jours, j'arriverai ici et je trouverais l'endroit rempli de matériel et de gens au travail, et c'en sera fini de mon petit atelier privé. Où sont Bollo et la lampe ? Il faut préparer un feu si on veut y voir quelque chose.

Quand ils eurent de la lumière, Bardas regarda autour de lui. Au milieu de la pièce, il y avait une enclume, le modèle de cent cinquante kilos, boulonnée sur une grande poutre en chêne pour amortir le choc des coups. Un peu plus loin, une étampe était fixée sur le bois; c'était un gros cube d'acier lourd garni de trous, de gorges et de creux de tailles et formes variées — en demi-sphère ou cubiques, plus ou moins profonds. Dans ces niches, les plaques de métal pouvaient être martelées pour obtenir divers reliefs comme des cannelures ou des bords relevés. À l'extrémité de la poutre, on avait évidé un creux atteignant quatre centimètres de profondeur — il évoquait plus ou moins une coquille Saint-Jacques avec un côté peu incliné et un autre assez abrupt. Bardas remarqua que les fibres du bois étaient devenues lisses, résistantes et brillantes à force d'être martelées.

— C'est un plan à incurver, expliqua Anax. Pour bomber et évider. Et voilà la plieuse. (Il montra du doigt un ustensile fixé sur un gros établi à l'autre extrémité de la pièce). Et à côté, il y a les cylindres et la cisailleuse. Il y a tout ce qu'il faut. Maintenant, voyons ce qu'il y a par là. (Il s'agenouilla et passa la main derrière l'établi.) À moins que quelqu'un soit venu et l'ait trouvée, elle devrait être là. Oui, je la sens. (Il tira une plaque d'acier couverte d'une couche homogène de rouille marron terne.) Ça doit bien faire une quinzaine d'années que je l'ai mise de côté, au cas où j'aurais envie de fabriquer quelque chose de solide. Je l'ai vue sortir d'un seul bloc de véritable fer de Colleon — et de sacrée qualité, pas truffé de poussières et d'autres impuretés comme la saleté sur laquelle on a l'habitude de travailler ici. Cette plaque pèse vingt-cinq kilos, bien assez pour ce qu'on veut en faire si on la découpe avec soin. (Il se mordit les lèvres avant de poursuivre.) Vous savez, ce que je vais dire va sans doute vous paraître idiot, mais quand je l'ai vue, j'ai tout de suite su que je trouverais à l'utiliser un jour.

À ces mots, Bardas ressentit un vague malaise.

— Vous êtes sûr de vouloir faire ça ? Je veux dire : si cet acier est d'une telle qualité…

— Ne vous inquiétez pas, répliqua Anax avec un sourire un peu ridicule. Tant que c'est pour quelqu'un qui en fera bon usage.

— Je ne suis pas sûr d'apprécier le sous-entendu de cette remarque.

Anax attrapa un ensemble de patrons de coupe en bois fin dans une boîte peu profonde posée dans un coin.

— Celui-ci est pour la partie avant de la cuirasse, dit-il en agitant le plus grand. Celui-là pour le dos ; et voilà pour le gorgerin, les canons d'avant-bras, les différentes plaques de l'armet, les joues, les passe-gardes… Malédiction ! Où est passé celui des passe-gardes ? Ah ! il est là ! On dirait que tout est complet : cuissards, grèves, articulations, brassards… Est-ce que ça vaut la peine de vous faire des solerets ? Non, je ne crois pas. Vous aurez déjà assez de mal à avancer comme ça. Vous voulez une tassette ?

— C'est quoi, une tassette ?

— D'accord, pas de tassette. Ça suffira comme ça. Bollo, installe la plaque sur l'établi. Je vais commencer le traçage.

Pendant que son assistant maintenait la feuille d'acier en place, Anax y dessina le contour des patrons de coupe avec une craie.

— Vous avez de la chance d'être d'une taille convenable, dit Anax. J'ai découpé ces patrons pour nous — les Fils du Ciel, je veux dire. Contrairement à vous, la plupart des étrangers sont vraiment minuscules.

— Comme vous, remarqua Bardas.

— C'est ça, approuva Anax. Mais moi, je suis différent. Et heureusement pour vous. Le seul cadeau que vous pouvez espérer de mes compatriotes, ce sont vos trois jours de ration. Bollo, empêche cette maudite plaque de bouger au lieu de l'agiter dans tous les sens !

Il fallut un bon moment pour tracer les contours et plus longtemps encore pour les découper sur la cisailleuse. Bollo effectua les coupes droites, abaissant le grand manche sans effort et l'esprit visiblement ailleurs. Anax se chargea des arrondis — Bardas aurait juré que la tâche était impossible : la cisailleuse n'était rien de plus qu'une paire de ciseaux géante avec une lame fixée sur l'établi et l'autre actionnée par un levier d'un mètre.

— Ça vous inquiète que je coupe ce truc comme si c'était une feuille de papier, pas vrai ? demanda Anax entre deux ahans. Vous pensez que c'est trop fin pour offrir une bonne protection. Eh bien, tout ce que je peux vous dire c'est : ayez la foi.

— En fait, je ne m'inquiétais pas, dit Bardas.

Mais Anax ne sembla pas entendre sa remarque et il poursuivit.

— Le truc, c'est que l'acier est un matériau extraordinaire. Je peux le couper, le plier, le modeler comme du parchemin ou de l'argile ; et quand j'en aurai fini, Bollo et son plus gros marteau n'arriveront même pas à y faire la plus petite éraflure. Et vous connaissez le secret de cette résistance ? La pression ! (Il continua avant que Bardas puisse ouvrir la bouche.) Un peu de pression, un peu de tension, et peut-être même un peu de torture, et vous vous retrouvez soudain avec une solide armure, capable de résister à n'importe quelle épreuve. (Il s'entailla le doigt sur un copeau métallique acéré.) Aïe ! Ça m'apprendra à ne pas me concentrer sur ce que je fais.

Une perle de sang tomba comme une goutte de pluie sur la surface de la pièce qu'il découpait et y forma une petite protubérance, comme la tête d'un rivet.

— La pression, répéta Anax en glissant une plaque d'acier dans la plieuse.

Cet outil était encore plus curieux que les autres : il

était composé de deux châssis carrés disposés comme des fenêtres à guillotine, le premier fixe et le second pivotant à angle droit. Anax coinça la pièce entre les deux et appuya sur le bras mobile. La plaque plia sans résistance en son milieu, comme si ce n'était qu'un morceau de carton. Le vieux Fils du Ciel la glissa alors entre les cylindres — qui rappelèrent à Bardas la grosse essoreuse en fer qu'il utilisait à la laverie de Périmadeia, celle qui était au coin de la rue, en bas de son île. Anax ajusta la vis de réglage pour laisser un peu de jeu entre les deux rouleaux et tourna la poignée d'un geste brusque et puissant. La pièce passa entre les cylindres et ressortit de l'autre côté sous la forme d'un plan incurvé : l'angle droit imprimé par la plieuse s'était transformé en une nervure arrondie qui traversait la plaque.

— Cette partie-là subit une pression vers l'extérieur, comme une arche. (Il fit glisser un doigt sur l'arête.) Frappez-la de l'extérieur et je vous garantis que vous aurez du mal à l'enfoncer. C'est donc votre première ligne de défense, vous comprenez ? Elle protégera tout votre tibia. Quelle que soit la puissance du coup, sa force ne réussira pas à pénétrer pour vous briser l'os. Vous me remercierez quand quelqu'un feintera en haut avant de frapper de taille à hauteur du genou.

Bardas sourit poliment.

— Merci. C'est un cuissard, n'est-ce pas ?

— Une grève ! le corrigea Anax. Ne parlez pas de ce que vous ne connaissez pas. Ça vous protège du genou jusqu'à la cheville.

Il prit la pièce et la leva pour que Bardas puisse voir. Il rapprocha les deux bords sans forcer avant de les écarter. Puis il répéta l'opération un certain nombre de fois.

— Je l'ajuste pour qu'elle soit à la bonne taille. Pas trop serrée, pas trop lâche. Vous ne le croirez pas, mais ça demande un sacré savoir-faire.

— Je n'en doute pas un seul instant.

Quand Anax fut enfin satisfait du résultat — Bardas

ne remarqua aucune différence entre avant et après la séance de torsion —, il s'approcha de l'enclume et attrapa un gros maillet de cuir. Il disposa la pièce contre la pointe selon une certaine inclinaison et tapa à petits coups sur les bords afin de les ourler et de former une gouttière. La main tenant le maillet se levait et retombait à un rythme rapide et froid, l'autre faisait glisser la grève pour que les frappes soient espacées avec régularité.

— Encore de la pression, dit-il d'une voix un peu essoufflée. Une fois que les rebords sont incurvés, vous n'arriverez plus à les plier à main nue, comme je viens de le faire. Le métal est devenu aussi dur et rigide que le règlement du bureau des Provinces. (Il termina la gouttière.) Là, on va dire que ça suffit et passer à autre chose — tant que je me souviens encore comment on fait. Le planage peut attendre qu'on ait fini.

Anax s'occupait désormais des articulations des coudes et des genoux.

— Maintenant, passons à l'incurvation. C'est là qu'on exerce vraiment une pression.

Il était devant la souche évidée et tenait la pièce tronquée en forme de diamant au-dessus du creux, de manière que le centre se trouve juste à la verticale de la partie la plus profonde.

— Mais il faut bien comprendre ce que c'est que la pression pour faire ce genre de travail. Sinon, vous gâchez tout. (Il commença à tapoter avec le bord du maillet afin de comprimer la plaque d'acier entre la tête en cuir et le bois de la souche.) Si vous frappez trop fort au milieu, elle deviendra trop fine ; vous chasserez le métal comme si vous essoriez un vêtement mouillé. C'est de la pression qui ne vaut rien, trop importante et trop rapide. Non, il faut procéder avec calme, commencer par le côté que vous voulez bomber et progresser doucement vers le centre. Ainsi, vous chassez la résistance des bords vers le sommet du dôme, où vous en avez le plus besoin.

Il s'arrêta, s'essuya le front d'un revers de poignet et grimaça un sourire.

— Je trouve que c'est un peu vicieux, mais personne n'a dit que c'était un travail décent.

Sa main droite se levait et s'abattait avec rapidité et minutie, si bien que le maillet était entraîné par son propre poids avant de rebondir de lui-même sur la paroi de métal. L'effort était minimal, l'effet escompté étant obtenu par la précision et la persévérance, le nombre de coups appliqués avec soin.

— Il y a la pression, mais aussi la compression, poursuivit Anax. Vous écrasez davantage la partie intérieure que la partie extérieure, créant plus de pression. Et la pression, c'est pour ainsi dire la force. C'est ce qu'on appelle l'«écrouissage»; c'est un procédé fantastique, sauf si vous en abusez. Il ne faut pas l'oublier, mon ami: la force extérieure dépend de la pression interne et ce sont tous ces coups de maillet qui vont rendre l'armure résistante. Si vous avez compris ça, vous avez compris l'essentiel.

La lueur orange du feu se mêlait à l'éclat poli de la plaque d'acier, comme un fond de vin dans une coupe d'argent.

— Je crois que je vois ce que vous voulez dire, dit Bardas. Mais est-ce que les coups peuvent fragiliser le métal?

Anax hocha la tête.

— Ah! C'est différent. Vous parlez de la fatigue. Ça arrive quand vous avez exercé tant de pression que l'acier ne peut plus en supporter. C'est une mauvaise pression. Ou alors, il est cassant — c'est-à-dire que vous l'avez rendu si dur qu'il devient trop rigide; si vous faites quelque chose de trop rigide et qu'il vous échappe, cette saleté se brise comme du verre en tombant par terre. C'est une très mauvaise pression. Mais ce n'est pas la peine de vous inquiéter; ce genre de camelote ne passe jamais les tests. Ils sont faits pour ça.

Quand il eut terminé, la plaque d'acier avait perdu sa forme plate pour devenir un dôme parfait sans le moindre plat ou froncement.

— Il faut que ce soit lisse, dit Anax. Si ça ne l'est pas, vous aurez des points faibles. C'est pour ça que vous devez marteler chaque centimètre carré de la même manière. (Il souleva la jointure pour voir si la lumière se reflétait sur une irrégularité.) Les coups de maillet donnent à l'acier sa forme, et sa forme lui donne sa force. Regardez ! C'est la forme qu'il veut avoir. Le dieu de nos ancêtres pourrait bien chausser ses lourdes bottes et sauter dessus à pieds joints toute la journée, il n'arriverait même pas à l'érafler.

Bollo glissa la plus grande pièce entre les cylindres et appuya si fort sur le levier que ce dernier plia.

— C'est grâce à la mémoire qu'on maintient la pression. Donnez une mémoire au métal, une forme qu'il reprendra quand on voudra le déformer ; à ce moment-là, quand il pliera, il essaiera de retrouver cette forme. C'est ce qui lui confère la force de résister. La mémoire est pression, et la pression est résistance. En fait, c'est très simple une fois que vous avez compris les bases.

Anax se mit à courber avec soin une plaque incurvée pour la transformer en ébauche de cuirasse. Il la tenait par les côtés et appuyait le centre contre la pointe de l'enclume. Bollo l'avait déjà pliée pour former une arête le long d'une ligne centrale et passée entre les cylindres pour lui donner sa forme primitive. Anax fit les dernières retouches, une série de torsions contrôlées et appliquées avec minutie.

— Les Fils du Ciel…, demanda alors Bardas. Je vais être franc avec vous, je n'ai jamais réussi à les comprendre vraiment. Ça ne vous dérange pas que je vous pose la question, n'est-ce pas ?

Anax leva les yeux et lui adressa un sourire assez terrifiant, une exposition soigneusement contrôlée de ses dents.

— Vous me posez la question à moi ? Je suppose que je dois le prendre comme un compliment, selon vos critères. Vous vous êtes dit : « Les Fils du Ciel sont des salauds, mais lui n'est pas comme eux, il est presque normal. » (Anax continua à exercer une pression et le métal lui obéit.) Ce qui ne fait que démontrer que vous ne connaissez rien de rien sur nous. Personne ne sait rien sur nous. (Il accentua un peu sa poussée sur la plaque d'acier.) Sauf nous — et on garde le secret.

— Je vois, dit Bardas. Je m'excuse. Je n'avais pas l'intention de vous offenser.

— L'ignorance n'a rien d'offensant, répliqua Anax sur un ton aimable. Pas pour un esprit éclairé, du moins. Et nous sommes des esprits éclairés, voyez-vous. C'est ce qui nous rend supérieurs. Mais voilà ce que je vous propose : je vais vous donner quelques indices. Les informations, c'est une armure pour l'âme.

— Merci, dit Bardas avec gravité.

Anax tapait avec un maillet pour former une gouttière sur les bords de la cuirasse. Il éleva un peu la voix pour que Bardas l'entende sans difficulté malgré les bruits nets et stridents du maillet.

— Les Fils du Ciel... Eh bien, les Fils du Ciel sont comme ça. (Il immobilisa le marteau au milieu de sa trajectoire et le garda ainsi, immobile, pendant un moment.) Et vous, vous êtes comme ça. (Il désigna la cuirasse d'un mouvement de menton.) Ou bien vous êtes les Fils du Ciel et cette pièce d'armure est vous. Avez-vous déjà envisagé que toute chose a peut-être un sens dans ce monde ? Attention, je ne dis pas que c'est le cas ; ce serait une généralisation tout à fait absurde. Mais si c'est vrai, en partie ou en totalité, alors les Fils du Ciel sont cette signification — ou du moins, ils sont la signification vers laquelle toute chose tend. Nous sommes l'axe. (Il tourna légèrement la cuirasse.) Et tout le reste est la roue. Au fond, le monde entier n'existe que pour notre bénéfice, pour simplifier notre tâche.

— Je vois, dit Bardas. Et quelle est donc cette tâche ?

Anax sourit.

— La recherche de la perfection. Notre but est de perfectionner. Nous rendons parfait tout ce que nous touchons. (Il changea légèrement sa prise sur le manche du maillet.) Enfin, en théorie, parce que dans la pratique, on abîme pas mal de choses et on fait beaucoup de dégâts. Vous voyez où je veux en venir ou bien vous avez besoin d'explications supplémentaires ?

— Je crois que j'ai compris l'idée générale, répondit Bardas. Vous êtes les vérificateurs qui font passer les épreuves.

Anax arrêta ce qu'il faisait et lui adressa un large sourire.

— Béni soit-il ! Il a *vraiment* écouté ce que je disais du début à la fin. C'est ça, nous sommes des vérificateurs. Nous perfectionnons les choses en les testant, jusqu'à leur destruction. Celles qui passent l'épreuve, nous les ajoutons à notre collection ; celles qui la ratent, nous les jetons. C'est comme tout le reste : ça devient très simple quand on a compris le système.

Une fois l'armure découpée et planée, Anax y perça des trous pour les rivets, coupa les lanières, fixa les boucles et assembla les différentes pièces.

— Et voilà, dit-il enfin. Maintenant, vous pouvez l'essayer si vous en avez envie.

Elle était exactement à la taille de Bardas, bien sûr. Elle l'habillait comme une seconde peau ; la force à l'extérieur, la pression à l'intérieur.

— Et vous ne lui faites pas passer les épreuves ? demanda-t-il avec un sourire.

— Les épreuves ? (Anax grimaça.) Ah ! Et à quoi croyez-vous que vous allez servir ?

Chapitre 10

La guerre entre le peuple des plaines et l'empire commença par une fin d'après-midi sur le bord d'un lac, dans la région marécageuse située entre Ap' Escatoy et l'estuaire de la Rivière Verte. Et comme il se devait, ce fut un canard qui déclencha les hostilités.

Leuscai, le vieil ami de Temrai, était affecté à une unité de constructeurs de trébuchets qui avait épuisé ses réserves de bois; par conséquent, on lui confia le commandement d'un petit groupe d'éclaireurs et ils partirent à la recherche d'arbres assez grands pour y tailler les bras des machines de guerre. Les pins droits qui poussaient si vite étaient les plus communs, mais, à l'occasion, il était possible de trouver dans les forêts du Sud un sapin au tronc inhabituellement rectiligne ou un épicéa. Quand Leuscai et ses hommes atteignirent la région où il avait ordre de commencer les recherches, il y découvrit aussitôt des vestiges de pins, d'épicéas et de sapins: il y avait là un nombre considérable de souches sciées au ras du sol par des générations de charpentiers navals périmadeiens. Ces derniers les dégrossissaient sur place avant de les envoyer à la Cité pour être transformés en mâts. Le temps pressait: les stocks étaient insuffisants pour fournir les bras des trébuchets en cours de production — sans parler des cinquante unités supplémentaires que Temrai venait de commander.

De l'autre côté de la Rivière Verte, Leuscai savait qu'il y avait beaucoup d'arbres aptes à remplir ces fonctions. Assis sur la souche d'un pin couverte de lierre, il les apercevait, les yeux fixés sur la rive opposée. Mais d'un point de vue technique, le sud de la rivière était territoire impérial ; il y avait peu encore, ce n'était qu'une longue bande étroite de terre réclamée par Ap' Escatoy, mais cette revendication n'avait pas été suivie d'effet pendant au moins quarante ans en raison de l'influence déclinante des cités. Leuscai réfléchit aux risques : l'invasion de l'empire ne faisait pas partie de ses ordres et il n'avait guère envie de se lancer dans cette aventure, mais il avait un besoin crucial de bois. Il estima qu'il n'y avait pas à s'inquiéter : la probabilité d'être repéré — sans parler de celle de se faire engager — par des Impériaux était trop mince pour cela. Et puis il fallait prendre en compte la réception qui l'attendrait s'il rentrait à Périmadeia — voire au camp — sans bois. Il inspira un grand coup et envisagea la meilleure manière de traverser le cours d'eau, qui était large, profond et rapide.

Ses hommes et lui passèrent une longue journée exaspérante à réfléchir au problème. Au bout du compte, il rejeta toutes les idées proposées et décida de longer la rive vers l'aval dans l'espoir de trouver un vague gué naturel. Par chance, il n'eut pas à aller très loin : à quelques kilomètres de là, il découvrit un passage difficile, mais peu profond, dominant des rapides impressionnants. La traversée fut tendue et assez désagréable, mais ils l'effectuèrent sans perdre d'hommes, ni de matériel indispensable. En revanche, une demi-douzaine de mules transportant les provisions furent emportées par le courant.

Ce coup du sort modifia leurs objectifs à court terme. Leuscai avait été élevé dans le principe que seul un suicidaire pouvait mourir de faim à proximité d'un lac ou dans un bois. Il divisa donc ses hommes en groupes de chasse, leur indiqua l'endroit et l'heure pour se retrouver et s'enfonça dans la forêt.

Ses espoirs furent vite déçus. Le bois n'était en fait qu'un marécage planté d'arbres et le peu de gibier décela sa présence de loin. Il revint bredouille et constata que ses compagnons n'avaient pas eu plus de chance. Pourtant, un groupe annonça qu'il avait découvert un lac susceptible d'héberger des canards, deux kilomètres plus au sud.

La nouvelle n'enthousiasma pas leur chef. Le peuple des plaines avait connu une rupture de son approvisionnement juste avant l'attaque de Périmadeia. Leuscai avait fait partie des hommes que Temrai avait envoyés chasser ces maudits volatiles pour fournir de la nourriture et des plumes. Depuis ce jour, il ne supportait plus ces créatures. Il avait été victime de son propre succès : son groupe avait trouvé une mine inépuisable de canards et commencé à les abattre avec détermination, un par un ; ils avaient employé des filets, des frondes, des lances, des flèches... Parfois, quand ils avaient affaire à une espèce de volatiles particulièrement stupide et naïve, ils les tuaient même à mains nues. Pendant de longues semaines, il n'avait fait que tordre des cous et arracher des plumes au milieu d'une odeur répugnante de canard et avec leur seule chair comme nourriture — une chair filandreuse au goût poissonneux. Il en était venu à détester leur contact quand il les tuait ; il fallait les attraper juste sous la tête et faire des cercles jusqu'à ce que l'animal suffoque — et il y en avait toujours qui refusaient avec obstination de mourir, qui continuaient à vivre après que vous leur aviez brisé le cou et écrasé le crâne d'un coup de talon. Il n'existait rien au monde de plus difficile à tuer qu'un canard dans cet état, pas même un buffle ou un homme revêtu d'une armure complète. Et aujourd'hui, son calvaire allait recommencer : il devrait encore abattre et manger ces volatiles s'il ne voulait pas mourir de faim. Il songea qu'il était peut-être leur ange exterminateur : leur holocauste était sa raison d'être ici-bas — il fit le rapprochement entre le colonel Loredan et le peuple des plaines. Mais si c'était là l'apostolat de Leuscai, il était futile de chercher à éviter l'inéluctable.

Oui, se dit-il, *ça doit être ça. Dans ce cas, allons tordre le cou de ces volatiles !*

Comme cela devait arriver, ils s'égarèrent ; le lac avait dû bouger, car il n'était plus à l'endroit signalé par les éclaireurs. Les hommes de Leuscai passèrent la plus grande partie de la journée de chasse à le chercher, traversant tant bien que mal les marais humides et dangereux, perdant leurs bottes, se maculant de boue et secourant leurs compagnons qui s'enfonçaient soudain dans la vase jusqu'aux cuisses. Quand ils trouvèrent enfin le lac, Leuscai fut à peu près certain que ce n'était pas le bon : les éclaireurs avaient mentionné une colline au sud qu'on apercevait au-dessus de la cime des arbres ; et il ne voyait rien de tel ici. Pourtant, il y avait bien une étendue d'eau et, aucun doute possible, elle était couverte de canards. Ils barbotaient par milliers, formant de gigantesques taches marron et noir, comme des déchets amenés par les premiers orages d'été. Ils ne montrèrent pas la moindre inclination à s'enfuir quand Leuscai et ses hommes sortirent du bois pour atteindre la berge. Ils se contentèrent de lancer quelques cris et de s'éloigner un peu ; il était clair qu'ils n'avaient pas conscience d'être observés par l'ange de la mort en personne. Des volatiles idiots et répugnants.

Leuscai organisa une brève réunion pour déterminer la meilleure façon de remplir leur tâche. Ils n'avaient pas de filets, pas de frondes, pas de lances, pas de chiens et pas de bateaux ; ce qui écartait toutes les formes de chasse au canard conventionnelles. Ils avaient certes des arcs, mais pas assez de flèches pour se permettre d'en perdre une seule — et s'ils tiraient sur ces bestioles, ils perdraient bon nombre de traits qui iraient sombrer au fond des eaux immobiles.

— Il va falloir qu'on leur jette des pierres, suggéra quelqu'un.

Et comme personne n'eut de meilleure idée, la proposition fut adoptée.

Bien sûr, Leuscai était un maître dans l'art de lapider les canards. Son groupe trouva une grande quantité de pierres tout près, dans le lit d'un ruisseau qui se jetait dans le lac, et tout le monde se mit d'accord sur la stratégie à adopter. Il y avait une petite langue de terre sèche qui s'avançait dans l'eau et formait une baie en forme de fer à cheval où un rassemblement de canards très dense se prélassait au gré des flots. Les chasseurs pourraient les bombarder de trois côtés ; ils disposeraient d'une vingtaine de secondes d'intense agitation avant que les palmipèdes s'envolent dans une tempête de plumes et de gerbes d'eau, abandonnant morts et blessés derrière eux. S'ils n'en abattaient pas assez dès le premier assaut, ils auraient sans doute une nouvelle occasion le lendemain matin — et le lendemain soir si besoin était. L'attaque ressemblerait un peu au bombardement de Périmadeia, et Leuscai et ses hommes feraient office de trébuchets — ce qui était assez ironique compte tenu de la raison de leur présence.

Leuscai n'avait pas la moindre envie de répéter l'opération et il mit un soin particulier à déployer son artillerie. Si les chasseurs effrayaient un canard, il y avait un risque minime, mais réel, que tout le lot s'envole avant qu'une seule pierre ait été lancée. Ils commencèrent donc leur approche d'assez loin et rampèrent avec lenteur et difficulté jusqu'à la rive, faisant très attention à ne pas faire de bruit, ni de mouvement brusque. D'un point de vue tactique, le plan était irréprochable et aurait sans doute été couronné de succès si un guerrier n'avait pas glissé avant de tomber dans une flaque marécageuse. Il essaya de se retenir à un de ses camarades et l'entraîna dans sa chute. Par malchance, un canard isolé et audacieux furetait justement dans les fourrés au bord du lac, à quelques mètres de l'endroit où les deux hommes avaient perdu l'équilibre ; en entendant leurs brusques et pitoyables appels à l'aide, le volatile s'envola aussi vite qu'un projectile tiré par une catapulte, aussitôt imité par ses semblables. Le vol de canards éclipsa soudain le soleil comme une incroyable nuée de flèches décochées à grande distance et passant très haut par-dessus les murailles d'une ville. Leuscaï hurla de rage et de frustration avant de lancer la pierre qu'il tenait dans la main. Il était beaucoup trop loin, bien entendu, et le caillou tomba dans l'eau avec un gros « plouf ». Les canards virèrent et passèrent au-dessus des arbres ; puis ils changèrent une nouvelle fois de direction et se dirigèrent vers le centre du point d'eau, entraînant derrière eux les autres groupes de palmipèdes. Toute la surface du lac sembla monter vers le ciel, comme un homme qui sort de son lit.

Sur la rive opposée, une patrouille impériale avait décidé de prendre son après-midi pour venir chasser le gibier à plumes. Les soldats étaient furieux : ils avaient attendu ce moment de loisir toute la semaine ; ils avaient quitté le camp en cachant sous leurs armures des filets, des frondes ainsi que des sacs en toile de jute ; ils avaient traversé les marais en pataugeant pour arriver jusque-là et, au moment où ils s'apprêtaient à tout installer et à se mettre en position, quelque chose avait effrayé les volatiles et tout gâché. Le sergent de la patrouille songea d'abord à un renard, mais un renard ne quittait pas son terrier aussi tôt. Quel autre animal avait pu affoler la majorité des cinq mille canards du lac ? La seule créature assez effrayante était un homme, et cela était impossible puisque cet endroit était zone interdite. Une pensée lui traversa alors l'esprit ; il ordonna à ses soldats de se taire et de ne pas bouger.

Ses craintes se révélèrent fondées : sur la rive opposée, il aperçut des hommes en mouvement. Il ne les distingua pas assez bien pour les identifier, mais cela était superflu: ils étaient trop nombreux pour que leur présence ici soit justifiée. Pendant un moment, il fut incapable de décider quelle était la meilleure décision à prendre. Si son estimation était juste, les effectifs des envahisseurs étaient presque deux fois supérieurs aux siens, mais il avait pour lui l'effet de surprise. De plus, son unité était composée de fantassins lourds du bureau des Provinces et cela permettait d'envisager la situation sous un angle très différent: beaucoup considéraient qu'un détachement de soldats impériaux se battant à un contre deux était encore en état de supériorité numérique…

Cet axiome était très bien — et il faisait merveille pour le moral des troupes si vous arriviez à les convaincre de sa véracité —, mais en tant que sergent, son devoir était de prêcher une doctrine et d'en croire une autre. La seule autre solution était de retourner au camp, à un jour et demi de marche à travers les marais, et de laisser le capitaine Suria décider de la suite des événements. Mais il faudrait trois ou quatre jours pour revenir ici avec des renforts et ensuite, ce ne serait sans doute pas une mince affaire de retrouver l'ennemi. En fin de compte, l'élément déterminant fut la perspective d'expliquer au capitaine Suria les raisons de sa présence au bord du lac — l'endroit était fort éloigné de la zone qu'il était censé surveiller. L'entrevue avec son supérieur se passerait beaucoup mieux si le sergent repoussait une invasion du territoire impérial et devenait un héros. Certes, cette solution présentait quelques inconvénients, car si l'empire appréciait l'héroïsme, il méprisait en général les héros; mais au cours de son histoire longue de plusieurs milliers d'années, aucun n'était encore passé en cour martiale pour avoir chassé le canard au filet.

Une fois sa décision prise, il ordonna à ses hommes d'avancer. Leurs bottes s'enfonçaient dans le marécage et provoquaient des bruits de succion à chaque pas. Au fur et à mesure qu'ils se rapprochaient de l'ennemi, le sergent commença à se demander s'il avait fait le bon choix : les envahisseurs étaient beaucoup plus nombreux qu'il l'avait estimé ; il s'agissait sans l'ombre d'un doute d'hommes des plaines et ils étaient armés d'arcs — *et de quoi d'autre un homme des plaines pourrait-il être armé ?* Il était tombé sur un groupe d'attaque important — peut-être même les éclaireurs de toute une armée d'invasion. Et lui se proposait de les affronter à la tête d'un unique peloton d'infanterie lourde. La seule manière de ne pas se faire tirer comme... eh bien, comme un canard, c'était de les approcher autant que possible sans se faire repérer ; puis ils chargeraient avant même que leurs adversaires aient la chance de sortir leurs arcs de leurs étuis.

Par chance, l'ennemi semblait décidé à lui faciliter la tâche — le sergent se demanda bien pourquoi. Les hommes des plaines n'avaient disposé ni guetteurs ni sentinelles ; selon toute apparence, ils se disputaient avec véhémence, le dos tourné à l'endroit le plus propice pour une attaque. Pour la première fois depuis qu'il s'était engagé dans cette aventure idiote, le sergent ressentit une pointe d'optimisme. Certaines théories véhiculées par la doctrine officielle avaient pour seul but de maintenir le moral des troupes, mais d'autres étaient fondées ; et l'une d'elles expliquait que les hommes des plaines étaient davantage des guerriers que des soldats : ils étaient plutôt indisciplinés et désordonnés.

Le sergent était à peu près certain de ne pas être repéré sur la plus grande partie du chemin à parcourir, tant que son unité resterait à couvert à l'orée de la forêt. Il avait décidé d'approcher par la rive ouest et son choix se révéla judicieux. Le bois était assez dense pour qu'ils puissent bondir de racine en racine et éviter les trous marécageux formés par les feuilles en décomposition. En atteignant la rive sud, où les arbres étaient plus âgés et espacés, ils étaient à moins de deux cents mètres de l'ennemi. Mais deux cents mètres ou deux kilomètres, cela ne faisait pas une grande différence : sur la distance restante, le sol était particulièrement détrempé et collant; personne — pas même le capitaine Suria et les Fils du Ciel — ne pouvait patauger jusqu'aux genoux dans cette mélasse noire et progresser sans se faire remarquer. Il ordonna à ses soldats de s'arrêter et se creusa la tête afin d'imaginer une meilleure tactique — une tâche injuste et abusive : après tout, il n'était que sergent ; il n'avait reçu aucun enseignement dans ce domaine et ses supérieurs n'attendaient pas de lui qu'il se comporte en stratège.

Il ordonna de faire demi-tour et sentit que cela n'enthousiasmait guère ses hommes ; mais un ordre était un ordre et il n'y avait pas à discuter. Ils reculèrent de cinquante mètres — toujours en sautant d'une racine à l'autre — et s'enfoncèrent à angle droit dans la forêt sur cent cinquante mètres. Le raisonnement du sergent était simple : s'il devait faire du bruit, il était plus logique d'en faire aussi loin que possible de l'adversaire — avant qu'ils soient trop proches pour passer inaperçus. Ils allaient les contourner pour se placer dans leur dos, puis ils feraient de leur mieux pour charger les arrières de l'ennemi — enfin, pour patauger rapidement vers les arrières de l'ennemi. Le sergent ne savait pas du tout si son plan fonctionnerait, mais il était trempé, couvert de boue, éreinté et mort de peur ; et aucune idée de rechange ne lui était venue à l'esprit.

Rétrospectivement, et compte tenu des circonstances, cette tactique se serait sans doute révélée excellente s'ils ne s'étaient pas perdus dans la forêt. Mais tout le monde sait qu'il est difficile de garder le sens des distances et de l'orientation dans les bois, à moins d'être un forestier averti. Quand le sergent lança son attaque, il eut la mauvaise surprise de constater qu'il était allé trop loin : son peloton échevelé et à bout de souffle fit irruption du sous-bois et s'aperçut qu'il n'était pas dans le dos de l'ennemi, mais sur son flanc, à une quarantaine de mètres à l'est. C'était une erreur, mais dans l'ensemble, elle n'était pas irréparable.

Leuscai réalisa soudain qu'une unité impériale était à proximité et son premier réflexe fut de cacher ses armes plutôt que de les sortir. Telle qu'il envisageait la situation, son groupe avait été surpris en flagrant délit d'entrée dans une zone interdite, et de braconnage ; son cerveau essaya en catastrophe d'imaginer un mensonge plausible pour expliquer sa présence et celle de ses hommes à cet endroit.

On s'est perdu dans la forêt. Excusez-moi, mais… est-ce qu'on est bien dans la direction de la Rivière Verte ?

Il comprit qu'il allait devoir se battre seulement quand deux de ses hommes — qui essayaient de dissimuler leur arc dans leur dos — se firent embrocher comme des cochons par des fantassins lourds.

Sans le moindre effort conscient de la part des commandants, les deux unités avaient réussi à rassembler toutes les conditions optimales pour un carnage. Les guerriers de Leuscai eurent juste le temps d'attraper leur arc, d'encocher et de les bander. De leur côté, les Impériaux eurent à peine celui d'arriver au contact avec les hommes des plaines les plus proches. La bataille fut brève et fort peu académique : personne ne pouvait manquer de tuer son adversaire — ou de se faire tuer. Les archers de Leuscai décochaient à bout portant et les pointes effilées de leurs flèches pénétraient sans difficulté les cuirasses pour s'enfoncer dans la chair et l'os ; les Impériaux frappaient de taille et d'estoc sur des ennemis presque nus : sans armure, bouclier ou épée pour parer les coups. Un tacticien aurait remarqué avec intérêt que le rapport des pertes confirmait plus ou moins la doctrine officielle du bureau des Provinces — un fantassin impérial pour trois hommes des plaines ; au point que si la bataille s'était poursuivie jusqu'à l'anéantissement d'un groupe, il ne serait resté que quatre Impériaux debout. Malheureusement pour la science militaire, l'expérience fut abandonnée en cours de route lorsque les survivants des deux camps décidèrent d'un commun accord de cesser le combat et de se replier. Ainsi donc, les statistiques — bien que convaincantes — ne purent acquérir le statut de preuve faute d'avoir terminé les tests.

Leuscai mourut pendant la brève troisième phase de la bataille, lorsque les Impériaux se rapprochèrent pour la seconde fois après avoir essuyé une volée de flèches meurtrière. Il encochait avec précipitation quand il fit un faux mouvement et laissa échapper le trait qui tomba dans la boue ; il tendit la main par-dessus son épaule pour en attraper un autre, mais un homme qu'il n'avait même pas vu lui planta sa lance dans les côtes. La lame était trop large pour s'enfoncer plus loin et trop engagée pour qu'on puisse la retirer ; son propriétaire eut donc la sagesse de la laisser là où elle était et essaya d'achever le travail avec son épée. Cependant, il voulut aller trop vite : au lieu de lancer une attaque nette et classique pour fendre le crâne de son adversaire, il porta un coup de taille maladroit ; sa lame arracha la moitié gauche du cuir chevelu de Leuscai et projeta ce dernier dans la vase de feuilles en décomposition. Tandis que cette boue recouvrait sa chair à nu comme un cataplasme, Leuscai remarqua enfin son agresseur. L'homme posa une lourde botte sur sa poitrine et tira sur le manche de la lance afin de la dégager — en vain. Après trois tentatives, il abandonna et s'éloigna en laissant sa victime perdre son sang et mourir en paix. L'expérience se révéla beaucoup moins traumatisante que Leuscai l'avait imaginé. Par une ironie du sort, les derniers bruits qu'il entendit furent les cris lointains des canards opérant une retraite prudente vers le milieu du lac.

— Merveilleux ! s'exclama Eseutz Mesatges. Maintenant, nous allons avoir la guerre, en finir avec elle, toucher notre argent et récupérer nos navires !

Elle avait rencontré Athli Zeuxis dans la rue, devant la boutique d'un des couturiers les plus talentueux et les plus chers d'Île — un des rares endroits où on pouvait encore dépenser son argent. Pour une raison inconnue, la mode féminine venait de connaître une transformation radicale : la tenue de princesse guerrière était désormais complètement dépassée. Elle avait été supplantée en fanfare par celle de caravanier nomade, tout en soie nuageuse et laissant le ventre à nu. Cela convenait tout à fait à Eseutz : la précédente insistait trop à son goût sur le décolleté et le cuir la faisait transpirer.

— Nous n'aurons pas de détails avant un jour ou deux, dit Athli. Il faudra attendre que je reçoive la dépêche officielle du bureau central de Shastel. Mais leurs rapports sont toujours assez fiables.

Eseutz réfléchit un instant.

— À court terme, ça va bouleverser pas mal de choses. Ce sera comme au début de cette affaire, mais encore pis. Il y a trop d'argent disponible et pas assez de bonnes occasions. Tout le monde est à l'affût d'un investissement avant que les prix fassent la culbute, mais il n'y a rien à acheter.

— Sauf les perspectives d'avenir, remarqua Athli. Mais c'est un domaine où j'ai toujours évité de m'aventurer : je ne suis pas un excellent devin. À ta place, je garderais mon argent jusqu'à ce que la situation revienne à la normale. Bientôt, ceux qui ont cédé à la première vague d'excitation et acheté tout et n'importe quoi voudront vendre, c'est à ce moment-là qu'il faudra investir. (Elle fit une courte pause.) Par malheur, je ne peux pas m'offrir le luxe de suivre mes propres conseils : tout le monde demandera à récupérer son argent pour le dépenser. Si je n'obtiens pas une couverture du bureau central, je vais me retrouver dans une situation difficile d'ici à une semaine ou deux.

Eseutz examina à la lumière un chausson couvert de paillettes.

— Rembourse-les en papier-monnaie, dit-elle. Ils râleront un peu, mais ils le prendront quand même. Après tout, tout le monde sait que les titres émis par Shastel ne présentent aucun risque. (Elle grimaça un petit sourire.) Remarque, on disait la même chose de ceux émis par Niessa Loredan.

— En effet, dit Athli en baissant les yeux vers un plateau couvert de bracelets de cheville en argent. Et si je commence à submerger Île de papier-monnaie, on pourra bientôt dire : « On disait la même chose de ceux émis par Athli Zeuxis. » Non, merci. Je vais juste m'en servir pour rembourser Hiro et Venart. Ça va rogner mes marges, mais comme ça, je serai encore à flot l'année prochaine.

Une des vendeuses de la boutique sortit de l'arrière-salle et commença à papillonner autour des deux femmes avec un mètre à ruban dans la main. Eseutz ne sembla pas la remarquer.

— Je n'ai rien contre le papier-monnaie. N'hésite surtout pas à m'en donner si tu en as trop, dit-elle sur un ton innocent. Je me ferai une joie de t'en débarrasser.

Athli sourit.

— Ne rêve pas.

— Tant pis ! Je pouvais toujours essayer. Je ne plaisante pas, tu sais. En ce moment, un peu d'argent supplémentaire ferait bien mon affaire. (Elle fronça les sourcils.) C'est ce qui me dérange. Je n'ai pas l'habitude de prendre des crédits. Avoir un crédit sur le dos, par nature, c'est reconnaître que tu as raté une bonne occasion à un moment ou un autre.

— Peut-être, dit Athli. Mais tes bonnes occasions ont la déplorable habitude de finir au fond de la mer.

— Tu exagères. C'est arrivé une seule fois…

— Ou d'être saisies par les services des impôts, poursuivit Athli, d'être volées par des pirates, infestées de charançons, ou encore récupérées par leur véritable propriétaire.

— Je t'accorde que j'aime faire des investissements un peu risqués, mais ils ne tournent pas tous à la banqueroute, tu sais.

— Tous ceux que j'ai financés, si !

— Oh ! arrête ! Et les dix-sept tonneaux de curcuma ?

Athli plissa le front.

— Ah oui ! Je les avais oubliés, ceux-là. Je dois reconnaître que ça s'est bien terminé — après que j'ai racheté la part de ton fameux associé dont tu n'avais pas pris la peine de me parler, et réglé la taxe d'importation que tu avais omis de mentionner. Le profit que j'ai tiré de cette affaire m'a permis de payer l'huile de ma lampe pendant toute une semaine. (Elle tressaillit en s'apercevant que la jeune fille avec le mètre à ruban la fixait.) Je ne veux pas te faire de peine, mais je préfère tenter ma chance avec Hiro et Venart, merci beaucoup. Hé ! qu'est-ce que tu penses de ça ? (Athli tenait un pendentif en argent et améthyste.) Ça irait bien sur de la soie mauve, tu ne crois pas ?

Eseutz secoua la tête.

— Trop pompeux, dit-elle. Avec ça, il faut prendre quelque chose de discret et intense. Comme des diamants. Alors, à ton avis, combien de temps cette guerre va-t-elle durer ? Tu devrais connaître les hommes des plaines mieux que quiconque.

— Ça dépend, répondit Athli en enroulant la chaîne et le pendentif avec soin avant de les remettre en place. S'ils jettent toutes leurs forces dans la bataille, ça devrait être bref. S'ils font traîner les choses, ça peut durer des mois.

— Ce Loredan, demanda Eseutz, il ressemble à quoi ? Tu l'as fréquenté pendant des années, non ?

Athli hocha la tête.

— J'ai travaillé pour lui comme clerc. Par tous les dieux ! J'ai l'impression que c'était dans une autre vie. Chez moi, j'ai une épée qui lui appartenait rangée dans un coin. Je me demande si je ne devrais pas la lui envoyer.

Pendant un moment, Eseutz observa la jeune femme

avec attention, comme si elle représentait un investissement potentiellement risqué.

— Te voilà bien troublée tout à coup. Remarque, ce
ne sont pas mes affaires…

— Eh bien, tu te trompes. Et non, ce ne sont pas tes
affaires. Je croyais que tu voulais entendre mon opinion
sur lui en tant que chef militaire.

— Mmm ! Il est bon ?

Athli hocha la tête.

— Il a fait un travail extraordinaire compte tenu de ce
qu'il a dû supporter des autorités périmadeiennes. Mais
je ne crois pas qu'il aurait réussi à sauver la Cité, même
si on lui avait laissé carte blanche. Il n'a pas la détermination nécessaire pour faire un grand général.

— Mais, cette histoire qu'il est censé avoir avec le roi
des hommes des plaines, c'est vrai ou pas ?

Athli haussa les épaules.

— Il s'est passé quelque chose à Périmadeia, j'en suis
persuadée. Mais il ne m'en a jamais parlé, alors je ne sais
pas. Et puis, d'après ce que j'ai entendu, il ne jouera
qu'un rôle symbolique. Ce sont les commandants du
bureau des Provinces qui vont mener la guerre, pas lui ;
et je n'ai pas la moindre information sur eux. Mais s'ils
font partie du bureau des Provinces, tu peux être sûre
qu'ils sont compétents — dans le pire des cas. Ils accom-
pliront leur mission, d'une manière ou d'une autre.

En rentrant chez elle, Athli ne put s'empêcher de penser à la guerre et au petit rôle qu'elle y jouait. Elle se
demanda si, au cours de sa vie, elle avait déjà exercé un
métier où ses revenus ne dépendaient pas de la mort des
autres. C'était ainsi quand elle était le clerc de Bardas, et
elle était sur le point de récidiver. Pourtant, elle ne s'était
jamais considérée comme un charognard tournoyant au-
dessus des fosses de cadavres et des champs de bataille.
Elle ne cherchait qu'à gagner correctement sa vie grâce à
ses efforts et à être indépendante. Et elle avait atteint
son but : elle était devenue chaque fois plus forte, mais

de nombreuses personnes étaient mortes pour qu'elle conserve cette existence à laquelle elle s'était habituée. C'était le facteur Loredan : malgré tous ses efforts, elle avait toujours vécu pour et à travers lui, quand elle travaillait pour lui à Périmadeia et, aujourd'hui, avec cette guerre. Si elle avait réussi à monter une affaire sur cette île, c'était grâce à Vetriz et Venart Auzeil — et elle les avait rencontrés par l'entremise de Bardas. Elle se demanda ce que ces maudits Loredan pouvaient avoir de si particulier : ils étaient à l'origine de tout, à la conclusion de tout et traversaient ces événements comme une tache de sang s'infiltrant dans un vêtement. Elle songea à Alexius et au Principe ; le vieil homme lui manquait.

Comme pour confirmer ses pensées, elle rencontra Vetriz Auzeil qui l'attendait chez elle. La sœur de Venart voulait savoir si elle avait des nouvelles de la guerre.

— Tu veux dire des nouvelles de Bardas ? répliqua Athli, car elle était lasse de tout. Non, je suis désolée. S'il y a quelque chose d'intéressant dans la dépêche de Shastel, je te le ferai savoir.

— Oh ! (Vetriz sourit.) Ça se voit tant que ça ?

— En effet, lâcha Athli.

Elle se demanda ce qu'Eseutz avait voulu dire par « troublée ».

Pourquoi diable lui avait-elle dit cela ?

— Si tu es tellement inquiète, pourquoi est-ce que tu ne lui écris pas une lettre ? Je suis persuadée que la poste de Shastel la lui ferait parvenir. Il y a maintenant une liaison postale diplomatique avec le bureau des Provinces et, une fois là-bas, les postes impériales font très bien leur travail.

— Merci, dit Vetriz. Mais je n'ai pas grand-chose à lui raconter. J'étais juste curieuse. Tu sais ce que c'est, quand tu connais quelqu'un qui est mêlé à des événements importants, tu t'y intéresses.

Athli songea qu'attendre une personne devant chez elle pour obtenir des informations allait au-delà de la simple curiosité, mais il n'était pas utile de le faire remarquer.

— Tu veux entrer ? demanda-t-elle.

— Pourquoi pas ?

Athli ouvrit la porte.

— En fait, dit-elle, j'ai peut-être entendu quelque chose qui va t'intéresser, puisque tu es restée si longtemps l'hôte des autres Loredan. Gorgas fait de nouveau des siennes.

Vetriz retint son souffle.

— Ah bon ? C'est bizarre, mais je ne peux pas dire que ça me surprenne beaucoup.

— Je vais prendre un verre, tu veux boire quelque chose ? Il semblerait que ce cher homme ait écrit au préfet pour lui proposer un pacte d'alliance contre Temrai. Le préfet a refusé net.

— Eh bien, ça me paraît logique. Qui voudrait s'associer avec un individu comme Gorgas Loredan ?

Athli sourit.

— Ah ! mais il y a mieux ! Le préfet lui a envoyé une lettre d'Ap Escatoy pour lui signifier qu'il pouvait aller au diable, mais un ou deux jours après, Gorgas est parvenu à capturer un certain Partek…

— Ce nom me dit quelque chose.

— Ce n'est guère étonnant. C'est un des bandits les plus recherchés par l'empire, et depuis des années. Il semblerait que ce soit une espèce de chef rebelle.

Elle tendit à Vetriz une coupe de cidre doux épicé à la mode périmadeienne, avec du miel et du clou de girofle. Son amie parvint à retenir une grimace quand elle le goûta.

— Ah bon ? Je ne savais pas qu'il y avait des rebelles au sein de l'empire.

— Eh bien si, dit Athli en se laissant tomber sur un sofa et en envoyant ses chaussures voler à l'autre bout de la pièce. Mais ils n'aiment pas le reconnaître. Les avis de recherche parlent toujours de « pirates » ou de « bandits de grand chemin ». Mais il est de notoriété publique qu'ils sont prêts à tout pour mettre la main sur cet homme. (Elle ferma les yeux.) Je dois l'avouer, ça ne me plaît pas quand des types comme Gorgas ont de tels coups de chance ; car personne n'en bénéficiera — pas même lui, sans doute, s'il y a un fond de vérité dans tout ce que j'ai entendu sur lui.

Vetriz était maintenant silencieuse, ce qui n'était pas dans ses habitudes. Elle fixait le mur une trentaine de centimètres au-dessus de la tête de son amie, comme s'il y avait quelque chose d'écrit là. Athli décida de changer de sujet.

Mais Vetriz n'écoutait pas.

Malédiction, pensa-t-elle. *Je croyais en avoir fini avec ce genre de choses.*

Mais elle devait se tromper.

Elle se tenait dans une espèce d'atelier ou de manufacture et elle prit aussitôt conscience du bruit — il eût été difficile de faire autrement. Des hommes martelaient des morceaux de métal. La lumière du jour pénétrait par d'immenses fenêtres placées en hauteur et dessinait des carrés argentés sur le sol ; en comparaison, le reste de la salle était sombre et lugubre. Au centre, elle aperçut une pile d'objets qui ressemblaient à des morceaux de corps humain : des bras, des jambes, des têtes et des torses entassés dans le plus grand désordre ; c'était dans la partie sombre de l'atelier et elle ne distinguait pas grand-chose en dehors d'un reflet métallique et de silhouettes d'articulations et de membres évocatrices. Devant les établis, les hommes frappaient sur des formes identiques, martelant une jambe, un buste ou une main avant de les ajouter à la pile.

Pourquoi font-ils cela ? se demanda la jeune femme.

Elle ne comprenait pas l'intérêt de taper sur un bras déjà coupé ; ou peut-être était-elle dans une manufacture où on construisait des hommes mécaniques, comme ceux de la fable qu'on lui racontait quand elle était enfant ?

Puis l'angle des rayons du soleil se modifia légèrement et elle s'aperçut qu'ils fabriquaient des armures…

Il n'y a guère de différence, en fait : des hommes d'acier qu'on ne peut pas casser ou endommager de l'extérieur. Si seulement ces gens étaient un peu plus intelligents, ils trouveraient peut-être le moyen de se passer de l'élément fragile et faillible qui va à l'intérieur.

… Et il y avait une personne qu'elle connaissait : les ouvriers le fabriquaient pièce par pièce en partant des pieds ; et quand ils posèrent sa tête sur ses épaules, le corps avait son visage.

Mais il n'y a rien à l'intérieur. Il fut un temps où il y avait quelque chose ; en règle générale, il y a toujours quelque chose à l'intérieur. Peut-être que dans son cas, on a fait une exception.

— Triz ?

— Pardon, s'excusa Vetriz. J'étais ailleurs. (Elle sourit.) Tu disais ?

La bataille ne se déroulait pas au mieux.

Temrai se pencha et déplaça le poids de son corps sur le talon du pied arrière. Il resta en garde haute, les poignets bas, et observa l'ennemi le long du plat de sa lame tendue. Bien sûr, il n'était pas du tout dans son élément ici, essayant avec peine de se souvenir de la première position des leçons d'escrime reçues quinze ans plus tôt. C'était la seule qu'il maîtrisait à peu près quand on avait attaqué le camp, et il était trop tard pour parfaire son éducation en matière de science du combat.

« Ne regarde pas ton épée, regarde-moi », lui avait-on dit sur un ton encourageant, répété avec patience, crié avec colère ou hurlé dans les oreilles ; et cela avait continué sans interruption jusqu'à ce qu'il se décide enfin à obéir pour obtenir la permission de baisser sa garde et reposer ses poignets douloureux. Maintenant, il comprenait le but de l'exercice, mais il était trop tard pour demander la suite de la leçon.

Dans les yeux de son adversaire, il ne lut qu'une concentration intense et farouche, quelque chose qu'il trouvait bien plus dérangeant que la simple haine. Il eut l'impression de voir les lignes, les angles et les projections géométriques que l'homme calculait derrière son visage métallique dénué d'expression ; c'était comme contempler des mathématiques pures. Au moment même où il envisageait sérieusement de lâcher son épée et de s'enfuir en courant, son adversaire passa à l'action. Il effectua un mouvement d'une coordination incroyable : un grand pas du pied avant, une puissante rotation des hanches et un coup de taille basique porté de revers — en inclinant le poignet pour augmenter habilement la vitesse de la lame pendant sa trajectoire en arc de cercle. Temrai réagit en sautant à pieds joints en arrière et tendit son arme droit vers le visage de son adversaire, comme s'il enjoignait à ce dernier de la prendre. L'impact des deux lames lui remonta du poignet jusque dans l'épaule — une douleur morne qui lui ébranla les os comme un coup de marteau sur le pouce.

La situation avait tourné à la catastrophe si vite… Cela avait commencé par une volée de flèches qui s'était abattue sur eux. Il s'était alors souvenu du jour où il était parti faucher des fougères pour la litière des chevaux. Il avait planté par inadvertance la lame de sa faux dans un nid de frelons et ressenti cette même impression à couper le souffle. Les guerriers de la colonne n'étaient pas encore remis de leur surprise : ils s'agitaient dans tous les sens ou se relevaient quand l'infanterie lourde avait fait irruption d'un petit bois que les éclaireurs avaient affirmé être sans danger quelques minutes auparavant. Les deux unités étaient entrées en contact alors que les dernières flèches finissaient de tomber dans un grand tourbillon, comme un vol de pigeons ou de corbeaux sur un champ de haricots couché par la pluie. Les assaillants avaient mis à bas les cavaliers postés à la périphérie et les avaient piétinés tandis qu'ils enfonçaient les lignes ennemies. Ils écartaient hommes et chevaux avec leurs boucliers, tranchaient bras, jambes et genoux exposés comme s'ils élaguaient une haie. Temrai eut à peine le temps de comprendre qui ils étaient et d'où ils venaient quand les piquiers enfoncèrent l'arrière-garde de la colonne. Puis son voisin lui avait fait perdre l'équilibre et il était tombé de sa monture comme un sac de farine mal attaché; pendant un moment, il ne vit de la bataille que les sabots des chevaux effrayés qui piétinaient le sol tout autour de sa tête.

À première vue, il avait paré la première attaque, mais il savait qu'il ne l'avait pas fait correctement: il n'avait fait qu'aggraver sa situation. D'un geste court et précis, son adversaire dégagea son arme, ajusta légèrement son inclinaison et se fendit — bien trop vite pour que Temrai puisse réagir. La pointe de l'épée le toucha en haut des côtes, mais contre toute attente, la plaque arrondie de son armure fit glisser la lame le long de la cuirasse jusqu'à l'aisselle. Sans réfléchir, Temrai frappa de taille et son arme balaya le front de son adversaire avec un terrible bruit sourd. L'homme fit un pas en arrière, posa le talon sur la tête d'un cadavre, se tordit la cheville et s'effondra sur le dos; ses jambes partirent en l'air si vite qu'elles auraient brisé la mâchoire de Temrai s'il n'avait pas évité le soleret lancé à pleine vitesse.

Par malheur, le jeune roi avait lâché son épée dans le feu de l'action. Il se pencha avec maladresse pour la chercher à tâtons, mais quand il la trouva enfin dans la boue, son adversaire s'était redressé et reculait pour récupérer sa propre arme. Temrai frappa et réussit à toucher son casque sur le côté. La violence de l'impact fut déviée par la plaque d'acier inclinée; la boue avait rendu la garde de son arme si glissante qu'elle lui échappa des doigts — comme la première truite qu'il avait attrapée dans le lit d'une rivière et qu'il n'avait pas osé serrer trop fort. Son adversaire se mit à genoux et essaya de frapper de taille. Temrai esquiva le coup sans difficulté en faisant un pas en arrière. Cependant, ce fut une erreur : son arme était désormais à cinq mètres de lui, derrière son ennemi.

Malédiction ! songea-t-il.

Son adversaire frappa de taille, mais le coup manquait de force. Temrai bondit au-dessus de la lame et bloqua au passage le cou de l'homme entre ses cuisses avant de lui attraper le sommet du crâne en retombant. Il atterrit sur l'épaule et sentit une douleur atroce dans le genou qui avait presque tourné à cent quatre-vingts degrés. Sans chercher à comprendre ce qu'il faisait, il glissa les doigts sous le rebord du casque de son adversaire et le souleva avec toute la force dont il était capable. Il sentit l'homme se tortiller et se débattre entre ses jambes, ses mains essayant d'attraper les siennes. Temrai tira de plus belle et hurla tandis que la douleur remontait de son genou pour se répandre dans tout son corps. La souffrance était telle qu'il mit plusieurs secondes avant de s'apercevoir que son adversaire avait cessé de bouger, étranglé par la lanière de son casque.

Temrai réalisa qu'il ne pouvait pas cesser de tirer : s'il lâchait, tout le poids de son corps se porterait sur son genou démis — et cette seule pensée était intolérable.

— Au secours ! hurla-t-il.

Mais bien sûr, personne ne l'entendit. Cinquante pour cent des hommes présents dans un rayon de cinq mètres étaient des ennemis, et cent pour cent étaient morts. Ils n'étaient donc pas vraiment à même de le tirer de ce mauvais pas.

C'est quand même fantastique, les armures, songea Temrai dans un recoin de son esprit épargné par la souffrance. *La mienne m'a sauvé la vie, la sienne l'a tué. Quel dommage qu'on ne puisse pas leur apprendre à se battre* toutes seules, on pourrait tous rester chez nous !

Et puis la douleur infiltra aussi cet ultime refuge.

Il ferma les yeux et essaya de la chasser de ses doigts qui commençaient à glisser. Il sentit le rebord acéré du casque trancher méthodiquement sa chair à hauteur de la dernière articulation. S'il résistait assez longtemps — une semaine, par exemple —, est-ce que le métal finirait par lui scier les os ?

— Temrai ? C'est toi ?

Il ouvrit les yeux. Il ne vit pas celui qui venait de lui parler et ne parvint pas à mettre un visage sur cette voix.

— Oui. Bien sûr que c'est moi. Aide-moi. Je suis coincé.

— Qu'est-ce qui se… Oh ! d'accord ! Je vois. Ne bouge pas. Ça va sans doute faire mal.

— Fais attention à ce que tu…, commença Temrai.

Puis il hurla et ses doigts lâchèrent prise. Quand il reprit conscience, il sentit d'abord le sol plat sous son dos et sa tête, ainsi qu'une douleur un peu différente dans le genou.

— Merci, dit-il.

Et il ouvrit les yeux.

— Ce n'est rien. (C'était Dassascai, l'espion.) Maintenant, je me demande comment je vais faire pour te sortir de cet enfer.

Temrai inspira aussi profondément que possible.

— Que se passe-t-il ?

— Nous avons contre-attaqué, répondit Dassascai. La manœuvre n'était pas des plus subtiles, on les a battus grâce à notre supériorité numérique, rien de plus. Et pour l'instant, je ne crois pas que tu aies envie d'en savoir davantage.

— Ah bon ? D'accord. Est-ce que tu peux me mettre à l'abri et aller me chercher Kurrai ou quelqu'un d'autre… ?

— Pas Kurrai, dit Dassascai. Il ne te serait pas d'une grande aide.

— Oh ! lâcha Temrai. Malédiction ! Je ne me rappelle plus qui vient après dans la hiérarchie. Tant pis ! Trouve-moi quelqu'un ! J'ai besoin de savoir ce qui se passe.

— Faisons les choses dans l'ordre, dit l'espion. Je vais essayer de te tirer jusqu'à cet arbre… Ah oui ! Tu ne peux pas le voir en étant allongé comme ça. Tu dois souffrir comme un damné.

— Ça ira, dit Temrai.

Mais Dassascai avait raison.

Quelques instants plus tard, l'espion s'agenouilla à côté de lui et demanda :

— Tu veux toujours que j'aille chercher quelqu'un ou tu préfères que je reste ici ? Quand j'ai vu la bataille pour la dernière fois, on était en train de les repousser, mais je ne sais pas si on y a réussi pour de bon. Ils pourraient être ici d'une minute à l'autre. Je n'ai pas très envie qu'ils te trouvent allongé comme ça s'ils reviennent.

Temrai secoua la tête.

— Tu ferais mieux d'y aller. Envoie quelqu'un me chercher quand tu en auras l'occasion. Et merci.

Dassascai acquiesça.

— Ce n'est rien.

— Excuse-moi de te poser la question, mais. . tu es vraiment un espion ?

Dassascai baissa les yeux pour le regarder, sourit et secoua la tête.

— Non, répondit-il. Bien, reste ici. Je vais faire aussi vite que possible.

Les paupières de Temrai se fermèrent et il constata aussitôt qu'il était épuisé. Maintenant, il serait facile de se laisser entraîner dans le sommeil, mais ce ne serait pas convenable — pas au beau milieu d'une bataille ! Il songea aux paroles de Dassascai : « La manœuvre n'était pas des plus subtiles, on les a battus grâce à notre supériorité numérique, rien de plus. »

Et moi, je suis sûr que tu en es un, d'espion.

Puis il sombra dans l'inconscience.

Quand il reprit connaissance, il entendit des voix au-dessus de lui.

— … pas censé être un affrontement décisif, c'était juste pour voir de quoi on était capable et nous ralentir un peu, tu vois. Que les dieux nous viennent en aide le jour où ils se décideront vraiment à attaquer...

— Tais-toi. Il est réveillé.

Temrai ouvrit les yeux. D'abord, il n'y eut que l'obscurité, comme s'il était dans un tunnel. Puis il distingua la lueur d'une lampe que quelqu'un porta au-dessus de lui avant de la poser sur le côté.

— Temrai ? (Il reconnut la voix et le visage, mais le nom lui échappait — ce qui était curieux, car il connaissait très bien cet homme.) Temrai, ne t'inquiète pas. Tu es de retour au camp.

Il essaya de remuer les lèvres, mais son palais était sec et engourdi.

— On a gagné ?

— Si on veut, répondit l'autre. Au moins, on les a fait déguerpir. Maintenant, nous nous replions sur Périmadeia.

— En fait... — commença le deuxième homme dont la voix était familière, elle aussi —, en fait, leurs troupes font barrage pour nous empêcher de regagner les plaines. C'est comme s'ils voulaient nous acculer dans le delta de Périmadeia, dos à la mer. Les derniers rapports indiquent qu'ils ont engagé trois armées différentes maintenant. Si on essaie de forcer le blocus, ils nous tomberont dessus sur les deux flancs.

— Je vois. (Temrai pensa à Tilden, sa femme, au camp principal.) Est-ce que Kurrai est mort ?

Le deuxième homme fronça les sourcils.

— Tu ne vas pas bien, hein ? Tu trouves que j'ai l'air d'un mort ?

— Oh ! (Temrai ferma les yeux avant de les rouvrir.) Je suis désolé. Je n'ai pas l'esprit très clair. Quelqu'un m'a dit que tu avais été tué.

— Il semblerait que beaucoup de gens l'aient pensé, dit Kurrai. J'espère qu'ils ne sont pas trop déçus.

— Les pertes ?

Temrai se souvint alors d'un temps où il n'aurait

jamais utilisé ce mot. Il aurait demandé : « Combien de mes hommes sont morts ? Combien de mes hommes sont grièvement blessés ? »

— Elles sont importantes, dit le premier — celui qui n'était pas Kurrai.

Au prix d'un gros effort, Temrai réussit à lui lancer un regard noir.

— Parce qu'il existe des pertes qui ne sont pas importantes ? Combien de guerriers avons-nous perdus ?

Les deux hommes s'entre-regardèrent.

— Plus de deux cents, répondit Kurrai. Deux cent trente, je crois. Et environ soixante-dix blessés. On a tué une trentaine d'ennemis.

Temrai hocha la tête.

— Je vois. Deux cent trente sur un effectif de cinq cents. Qu'est-ce qu'on va faire ?

Celui qu'il n'avait pas encore identifié fronça les sourcils.

— Je ne sais pas ce que nous, nous allons faire, dit-il. Mais toi, tu vas dormir un peu. C'est un docteur qui te l'ordonne.

— Ah bon ! Tu es donc docteur ?

— Qu'est-ce que tu veux dire par « tu es donc docteur ? » Enfin, Temrai ! C'est moi qui te soigne depuis que tu es né.

Temrai esquissa un faible sourire.

— Je plaisantais.

— Et tu espères que je vais te croire ? Est-ce que tu as pris un coup sur la tête pendant la bataille ?

— Je ne me souviens pas.

— Bien sûr, il est possible que tu aies oublié. C'est ma faute. J'aurais dû t'examiner avec plus d'attention. Est-ce que tu te sens nauséeux ? Tu as mal au crâne ? Est-ce que tu vois des lumières clignoter devant tes yeux ?

— Tu crois que j'ai perdu la mémoire.

— Une petite partie. Ça arrive, parfois.

Temrai sourit, et son sourire s'élargit jusqu'à ses oreilles.

— Si seulement ça pouvait être vrai. Si seulement ça pouvait être vrai.

Le diplomate Poliorcis frissonna et essuya la pluie qui lui coulait dans les yeux d'un revers de la main.

— Sommes-nous bientôt rendus ? demanda-t-il.

Le charretier grogna sans tourner la tête. De grosses gouttes tombaient lentement du large rebord de son chapeau en cuir, mais il ne semblait pas s'en rendre compte. Selon ses critères, c'était sans doute une journée radieuse.

En général, Poliorcis faisait confiance à son sens de l'orientation — un talent fort utile pour un homme qui passait une grande partie de sa vie à voyager dans des lieux inconnus. Mais ce jour-là, il n'avait pas la moindre idée de l'endroit où il était. Le charretier suivait une route tout à fait différente de celle que Gorgas Loredan avait prise ; soit le roi du Mesoge lui avait fait emprunter le chemin touristique, soit il ne connaissait pas ce raccourci. Poliorcis avait aussi perdu la notion du temps — ce qui ne lui ressemblait guère. D'après lui, cette confusion était liée à l'influence que le pays exerçait sur lui ; ici, il avait un peu l'impression de nager dans les lagons d'Ap' Sendaves, de faire la planche dans une eau calme et d'oublier peu à peu son corps, ce qui l'entourait. Il devenait une simple conscience sans contexte, une conscience seulement consciente du vide autour d'elle. Cette sensation l'avait surpris, mais elle n'était pas désagréable. De son point de vue, le Mesoge n'était certes pas un endroit plaisant, ni assez intéressant pour paraître étrange ; et pourtant, il déconcertait le diplomate.

Poliorcis était même si perplexe qu'il oublia de préparer ce qu'il allait dire et de réviser les arguments qu'il allait avancer. C'était malheureux : ce rendez-vous l'inquiétait davantage que des négociations beaucoup plus importantes auxquelles il avait déjà participé. Mais plus il faisait d'efforts pour se concentrer, plus ses pensées étaient enclines à vagabonder. S'il n'avait pas plu, il aurait fermé les yeux et dormi un peu ; mais pour vous tenir éveillé, rien ne vaut la pluie se glissant dans votre col et ruisselant sur votre dos. Il enfonça un peu plus son chapeau informe et détrempé et abandonna toute idée de réflexion. Il se contenta d'observer d'un œil maussade les étendues vertes et gorgées d'eau qui l'entouraient, les haies où perlaient des gouttes, les flaques marron dans les ornières du chemin et les reflets sur les feuilles des patiences et des fougères. L'air était moite et lui chatouillait la gorge, le froid était mordant.

Il doit bien exister une façon moins pénible de gagner sa vie, grommela-t-il pour lui-même. *Un homme de mon âge !*

Il était ridicule qu'un haut diplomate du bureau des Provinces patauge dans la boue et soit bringuebalé sous la pluie dans un chariot de marchandises — au risque d'attraper une pneumonie et une pleurésie dans le meilleur des cas. Et dans quel dessein ? Faire entendre raison à un fou sans statut officiel, un homme dont l'autorité n'était même pas reconnue par l'empire ! Obtenir l'extradition d'un rebelle sans importance — mais adopté et érigé en héros populaire par un ramassis de mécontents sans doute incapables de le reconnaître s'il venait s'asseoir à leur table !

Le chariot s'était arrêté. Poliorcis leva la tête et regarda autour de lui, mais il ne vit qu'un rideau de pluie. Le charretier ne bougea pas d'un pouce.

— Restez ici ! dit le diplomate. J'aurai besoin de vous pour me ramener à Tornoys.

Il entreprit de descendre du véhicule, mais le conducteur saisit son passager par le coude avec une rapidité dont Poliorcis ne l'aurait jamais cru capable.

— Deux sols, dit-il.

Poliorcis hocha la tête et fouilla sa manche gorgée d'eau à la recherche de sa bourse.

— Restez ici, répéta-t-il avant d'essayer de poser le pied à terre.

Il était encore trop haut, et l'ourlet de sa robe s'accrocha à quelque chose. Il se retrouva à genoux dans la boue.

— Restez ici ! dit-il encore une fois.

Il se releva, maculant ses mains de terre au passage, et se dirigea vers le portail qu'il distinguait plus ou moins à travers la pluie. Il batailla un moment avec le loquet rouillé ; Gorgas et ses frères devaient passer par-dessus sans se donner la peine de l'ouvrir. Dans ces conditions, il n'était pas étonnant que le bois soit aussi plié à hauteur du seul gond qui fonctionnait encore — et qu'une pelote de chanvre grossier enchevêtrée remplace le second. Il entendit alors les rênes claquer dans son dos, suivi du bruit des roues s'enfonçant lentement dans une flaque.

La porte de la ferme était ouverte, mais il semblait n'y avoir personne.

— Il y a quelqu'un ? cria Poliorcis.

Il n'obtint aucune réponse. Il resta quelques instants immobile, observant les gouttes perler de ses vêtements et s'écraser sur les dalles. Puis il décida qu'il devait réagir. Il n'était peut-être pas un Fils du Ciel, mais il représentait l'empire ; l'empire ne reste pas planté et ruisselant dans une embrasure de porte, il entre, s'assied et croise les pieds sur une table.

À l'intérieur, au moins, il faisait sec et les dernières braises de l'âtre dégageaient encore un peu de chaleur. Il s'installa près de la cheminée, toujours emmitouflé dans son manteau de voyage désormais constitué de trois quarts d'eau pour un quart de tissu. Le banc était plus confortable qu'il en avait l'air et le diplomate laissa sa tête s'appuyer contre le dossier avant de fermer les yeux.

Il se réveilla pour constater que Gorgas Loredan était

penché sur lui, une expression un peu méprisante sur le visage.

— Vous auriez dû nous avertir de votre arrivée, dit-il. J'aurais envoyé un chariot vous chercher.

— C'est sans importance, je vous assure, dit Poliorcis, qui se réveillait avec une migraine terrible. Je suis ici, maintenant.

— Bien. (Gorgas s'assit sur le banc à côté du diplomate — si près que ce dernier dut se déplacer un peu pour éviter son contact.) Dans ce cas, nous pouvons passer sur les politesses et en venir tout de suite à l'essentiel. Je suppose que vous êtes ici pour me faire une proposition.

— Eh bien, en effet, marmonna Poliorcis. Mais pas vraiment.

Son esprit était plongé dans le brouillard et fonctionnait au ralenti. Au cours des derniers jours, il avait envisagé différentes manières d'aborder les négociations, mais il ne parvenait pas à se rappeler une seule d'entre elles.

— Je suis surtout ici pour apprendre ce que vous souhaitez de nous. Je pense que vous allez vous rendre compte que nous sommes prêts à étudier toute proposition raisonnable.

Gorgas soupira et secoua la tête.

— Je suis désolé, dit-il. J'ai dû mal comprendre. Vous voyez, je croyais que nous allions régler cette affaire de manière constructive et intelligente, pas nous lancer dans des petits jeux. Au revoir.

— Je vois, dit Poliorcis sans bouger d'un pouce. J'ai fait tout ce chemin pour venir jusqu'ici et vous me jetez dehors.

— Je n'oserais jamais envisager pareille grossièreté, répliqua Gorgas. Mais dans la mesure où vous n'avez rien à me dire, je dois reconnaître que je ne vois aucun intérêt à votre présence ici. Et comme vous avez déjà admiré le paysage, et que notre climat ne semble guère vous convenir…

— Soit !

Poliorcis eut la désagréable impression qu'il avait laissé l'initiative des négociations lui échapper avant même qu'elles commencent. Et maintenant, il était peu probable qu'il réussisse à la reprendre.

— Je vais vous faire une proposition ferme, sans ambiguïté aucune. De l'argent : combien voulez-vous en échange du prisonnier ?

Gorgas éclata de rire.

— S'il vous plaît, faisons au moins semblant de nous respecter. Vous avez visité le Mesoge ; que pourrais-je bien faire de votre argent dans un endroit pareil ?

Juste de l'autre côté de la porte, un chien aboya avec colère. Le bruit attisa la migraine de Poliorcis comme de l'huile jetée sur le feu.

— Très bien. S'il ne s'agit pas d'argent, alors quoi ? Je suppose que vous voulez quelque chose en notre possession. Des outils ? Des armes ? Des matières premières ?

Gorgas secoua la tête.

— Vous vous moquez de moi, répondit-il. Pour ma part, je ne trouve pas votre attitude très diplomate. Dites-moi, est-ce que vous nous méprisez à ce point ? Est-ce que vous croyez vraiment que nous ne sommes qu'un ramassis de bandits et de voleurs, des gens à peine meilleurs que ceux qui dérobent des objets par une fenêtre ouverte avec un crochet au bout d'un bâton ? Je pensais que vous aviez compris quand j'ai fait l'effort de vous faire visiter la région. Nous sommes des fermiers, un peuple paisible qui souhaite vivre en bonne entente avec ses voisins. Montrez-nous un peu de respect et je vous donnerai votre maudit rebelle pour rien.

— Vous parlez d'une alliance, dit Poliorcis, Je suis profondément désolé, mais le bureau des Provinces estime qu'une alliance officielle serait inopportune en ce moment.

— Inopportune ?

Poliorcis eut l'impression qu'il s'enfonçait lentement

dans la boue et que celle-ci lui arrivait maintenant jusqu'aux genoux.

— Je souhaiterais juste vous faire remarquer que votre demande est sans précédent. L'empire n'a jamais signé d'alliance officielle avec qui que ce soit, pas plus avec Shastel qu'Île ou Colleon. Je vous en prie, essayez de comprendre notre position : si nous passions un tel pacte avec vous, comment ces nations l'interpréteront-elles ? N'oubliez pas qu'elles nous ont toutes fait des propositions et que nous les avons toutes refusées. Pour résumer la situation en quelques mots, il n'entre pas dans nos habitudes d'accepter ce genre d'offre.

— Très bien, dit Gorgas en bâillant. S'il y a une qualité que je me vante de posséder, c'est la faculté d'adaptation. Je m'adapte, je suis réaliste, je cherche toujours le marché qui satisfera les deux parties. Maintenant, vous me dites que l'empire n'a pas d'alliés, et je suis certain que vous ne mentiriez pas sur un tel point. Bon ! ne parlons plus d'alliance. Je vais vous dire ce que je pense vraiment. En vérité, tout ce que je vous demande, à vous, le bureau des Provinces, c'est de me donner une chance de faire quelque chose que je dois faire — que nous soyons officiellement alliés ou non. Réfléchissez à cela et dites-moi si vous trouvez un moyen de rendre ma proposition compatible avec votre politique. Après tout, vous êtes un diplomate ; moi, je ne suis qu'un soldat, un fermier ; ce genre de travail dépasse mes compétences. Je dois m'acquitter d'une vieille dette — non, attendez, ce n'est pas ça. Je dois m'amender pour une très mauvaise action que j'ai commise autrefois. Vous voyez, c'est moi qui ai permis à Temrai de raser Périmadeia. Je vous choque ?

Poliorcis le regarda.

— Je suis au courant.

— Oh ! (Gorgas resta immobile, le visage impassible.) Et qu'en pensez-vous ?

— Je n'en pense rien, répondit le diplomate. En fait,

je sais pourquoi vous l'avez fait, les raisons qui vous ont amené à agir ainsi. Votre sœur devait de grosses sommes d'argent à de riches particuliers périmadeiens et elle savait qu'elle ne parviendrait jamais à les rembourser. C'était une décision en rapport avec ses activités professionnelles. Maintenant, je peux vous donner une opinion quant à l'opportunité d'une telle manœuvre d'un point de vue financier, mais ne vous attendez pas à entendre mon avis sur l'aspect éthique de votre geste ; j'en suis tout à fait incapable. Je ne raisonne pas en ces termes. C'est un peu comme si vous demandiez à un daltonien ce qu'il pense d'une certaine nuance de vert. Et donc, quel est le rapport entre cette affaire et l'empire ?

Gorgas expira et se frotta le menton.

— Je suppose que c'est moi qui suis choqué. Je ne suis pas daltonien, comme vous le dites. Je sais que j'ai commis un acte terrible. Je savais que mon frère défendait la Cité. J'ai ruiné sa vie et failli causer sa mort. C'est pour cela que je dois m'amender. Il faut que je tue Temrai et que je détruise le peuple des plaines en me battant au côté de mon frère. Pour rembourser ma dette, vous comprenez ? Maintenant, je me fiche de mon statut officiel, je veux juste être présent et faire ma part du travail. Sinon, je ne pourrai plus jamais me regarder en face. Mes actes ont également causé la mort de mon fils ; je dois aussi le faire pour lui. Vous voyez à quel point cette histoire est simple ?

Poliorcis réfléchit un moment.

— Une chose est certaine, dit-il enfin. Vous êtes un homme fort intéressant. Et s'il y a un sujet qui fascine les Fils du Ciel, ce sont les hommes intéressants. Mais réglons donc cette affaire si cela ne vous dérange pas. Avec tout le respect que je vous dois, nous disposons déjà de toutes les ressources militaires nécessaires. Lors de notre première rencontre, vous avez évoqué les archers et notre carence dans ce type d'unités. Mais il se trouve que vous aviez tort : nous en avons assez.

Nous avons des nations entières d'archers au sein de l'empire — des spécialistes de l'arc long, classique — long et court —, des archers à cheval, des arbalétriers, tout ce que vous voulez... Nos manufactures sont capables de produire vingt mille arcs et deux cent mille flèches par semaine ; et toutes ces armes respecteront le cahier des charges, toutes seront identiques même si les différents sites de fabrication sont à des milliers de kilomètres les uns des autres. Vous voyez, nous n'avons pas besoin de vos hommes. D'un autre côté, vous m'avez expliqué la raison pour laquelle vous vous sentez obligé de prendre part à cette guerre. Laissez-moi vous exposer pourquoi nous nous battons. Nous avons davantage de soldats de métier qu'il y a d'hommes, de femmes et d'enfants dans Shastel, Île, Colleon, Périmadeia et tous les autres endroits que vous connaissez réunis. Nous avons construit cette armée de manière à ce que personne — je dis bien personne — ne puisse un jour présenter la moindre menace pour nous. Entre les Fils du Ciel et le plus hypothétique des dangers, il y a un mur de fer et de muscles si épais que rien au monde ne pourra jamais le franchir. Si la terre s'ouvrait soudain pour engloutir notre mère patrie, nous pourrions combler ce gouffre avec des corps et rebâtir nos foyers dessus. Non, nous faisons la guerre parce que nous devons occuper nos soldats, pour les empêcher de s'ennuyer, de s'agiter et de céder à la mollesse. Vous voyez, nous n'avons besoin de personne pour se battre à notre place, cela irait à l'encontre du principe même de cette guerre. Je suis désolé, mais c'est ainsi. Je ne peux pas vous aider.

Gorgas hocha la tête avec lenteur, comme si on venait de lui expliquer une opération difficile.

— Je vois. Et tôt ou tard, vous arriverez ici, pour faire faire un peu d'exercice à vos chiens de garde si on peut dire. Et ce serait ennuyeux qu'on vous voie attaquer des gens que vous traitiez autrefois en amis et alliés. Tout cela me semble très logique et je comprends très bien votre point de vue. Mais ça ne résout pas mon problème. Poliorcis, je vous le demande parce que c'est vous l'expert : comment présenter la situation pour concilier vos buts — récupérer votre fameux pirate — et les miens ? Il doit bien exister une solution. Tout ce que nous avons à faire, c'est trouver laquelle.

Poliorcis fronça les sourcils.

— Je dois faire remarquer que vous envisagez avec beaucoup de calme l'hypothèse d'une attaque et d'une invasion imminente de votre pays par nos troupes. La plupart des gens réagiraient à une telle supposition avec colère, ou peur.

— C'est sans intérêt, dit Gorgas. Vous ne m'avez rien appris que je ne sache déjà. C'est assez évident ; vous l'avez dit vous-même : c'est un des points qui motivaient ma volonté de faire alliance avec vous. Mais vous êtes trop intelligent pour moi et je l'accepte. Il n'y a aucune raison qui nous empêche de joindre nos efforts pour rendre l'inévitable un peu moins douloureux. S'adapter, être réaliste, voilà ce qui est important. (Il se mordit les lèvres et frappa dans ses mains si fort que Poliorcis sursauta.) J'ai trouvé ! Je sais exactement ce que nous pouvons faire Je déclare par la présente que le Mesoge capitule et se rend à l'empire, et je me jette aux pieds des vainqueurs pour implorer ma grâce et celle de mon peuple. (Un magnifique sourire éclaira son visage.) Et en geste de bonne volonté, nous vous serions reconnaissants d'accepter nos troupes comme auxiliaires au sein du corps expéditionnaire qui va combattre Temrai. Voilà, cette solution ne résout-elle pas tous les problèmes avec élégance ?

Il y avait bien longtemps que Poliorcis n'avait pas été choqué et il n'était pas certain de se rappeler l'attitude à adopter dans une telle situation.

— Vous plaisantez, lâcha-t-il

Gorgas secoua la tête.

— Pas du tout. Je mets mes principes en pratique. J'épargne à mon peuple les horreurs d'une guerre que nous n'avons pas le moindre espoir de remporter et j'obtiens le moyen de rembourser ma dette par la même occasion. Si vous voulez que j'abdique, je le ferai. Vous pouvez constater par vous-même que je ne suis pas très à mon aise dans un rôle de dictateur militaire. Tout ce que je demande après avoir réglé cette vieille histoire, c'est de m'installer ici pour travailler à la ferme. Je suis certain que le bureau des Provinces n'y verra pas d'inconvénient. Et maintenant, songez aux points positifs : imaginez le Mesoge et Tornoys comme base d'opération pour vos conquêtes dans la région. Ce serait beaucoup plus facile de cueillir les pays voisins un par un. Imaginez les avantages que vous allez en retirer à titre personnel — vous êtes venu ici chercher un rebelle et vous ramenez en prime toute une province à l'empire. Pouvez-vous concevoir un plan avec des répercussions aussi positives pour tout le monde ? Eh bien ?

Le plus remarquable chez cet homme, c'était avant tout son enthousiasme, sa joie turbulente de jeune chien. Poliorcis avait du mal à le supporter.

— Non, reconnut-il pourtant. Je dois avouer que j'en suis incapable. Eh bien, vous m'avez sans aucun doute donné matière à réflexion. Cela vous dérangerait-il que je passe la nuit ici et parte demain matin ?

Gorgas lui adressa un sourire aussi large et lumineux qu'un lever de soleil.

— Faites comme il vous plaira, répondit-il. Après tout, vous êtes ici chez vous.

Chapitre 11

On réveilla Temrai au milieu de la nuit pour l'informer des dernières nouvelles. Le messager avait chevauché sans interruption du champ de bataille jusqu'au camp à proximité de Périmadeia. Il était éreinté et ses bottes étaient pleines du sang qui s'écoulait d'une blessure infligée par une hallebarde à l'aine. Il ne verrait sans doute pas le soleil se lever.

Temrai ouvrit les yeux, affolé, se cramponna aux couvertures avec frénésie et fit un faux mouvement avec son genou blessé. On lui annonça que tout allait bien et qu'il n'avait pas à s'inquiéter. Puis on fit entrer le messager couvert de sang et soutenu par deux hommes. Encore embrumé par le sommeil et tétanisé par la douleur qui montait de son genou, Temrai eut d'abord quelques difficultés à comprendre ce que le mourant racontait. Il était question d'« embuscade » et de « soixante-dix pour cent de pertes », de « retraite désordonnée » et d'une « nouvelle attaque avant qu'ils se regroupent ». Ce fut seulement quand Kurrai exprima sur un ton excité la possibilité de « profiter de l'occasion » et de « lancer une contre-attaque massive » que Temrai comprit enfin ce qu'on venait de lui dire : ses troupes avaient remporté une victoire importante et non pas subi une défaite catastrophique.

— On a gagné, marmonna-t-il. Par tous les dieux !
Comment est-ce arrivé ?

Mais à ce moment, le messager n'était déjà plus de ce
monde. On l'emporta avant de l'envelopper dans des
couvertures ; il était mort juste après l'aube. Ce fut donc
Kurrai qui résuma la bataille à son roi — en y ajoutant le
bénéfice de ses opinions éclairées de général en matière
de stratégie et de tactique.

Tout avait commencé tandis que les troupes impériales
traquaient et éliminaient avec soin les derniers survivants
de l'affrontement où Temrai avait été blessé. Elles se
heurtèrent par hasard à un petit groupe d'hommes des
plaines renégats qui fuyaient l'armée de Temrai depuis
leur défaite lors de la guerre civile. Mais pour le bureau
des Provinces, des hommes des plaines étaient des
hommes des plaines ; la cavalerie impériale chargea et
accula les dissidents dans une gorge encaissée avant
d'envoyer chercher d'importants renforts d'infanterie.

L'air était lourd et chargé de poussière ; il y avait de
l'eau au fond du ravin occupé par les renégats, mais pas
sur les hauteurs où les Impériaux avaient installé leur
poste d'observation. Le messager envoyé au quartier
général de campagne prit soin de souligner l'urgence de
la situation et une colonne d'un peu moins de deux mille
hommes se mit en marche le jour même sous le commandement d'un Fils du Ciel.

L'endurance et la forme physique éblouissantes des
soldats impériaux causèrent leur perte. S'ils avaient été
plus lents, ou s'ils n'avaient pas emprunté la route la
plus courte, ils n'auraient sans doute pas croisé la route
des renforts d'infanterie à cheval de Temrai. Ces derniers s'étaient dégagés et repliés dès le début de la première bataille. Ils avaient été coupés du reste de l'armée
et venaient tout juste de trouver le chemin pour quitter
les terres impériales. Les deux détachements se rencontrèrent dans une vallée entre un bois et une rivière.
Par un pur hasard, les hommes des plaines se retrou-

vèrent dans une position qui leur conférait un énorme avantage tactique. L'infanterie impériale longeait la rivière en crue et infranchissable ; un méandre protégeait le premier flanc de l'armée des plaines et l'autre était dissimulé par la forêt. Le commandant impérial avait le choix entre rester sur place et voir son unité décimée par de petites attaques éclair des archers ennemis, ou bien lancer un assaut frontal sous les volées de flèches. Il prit sa décision en se fondant sur la supériorité de ses soldats et opta pour la seconde solution.

À sa décharge, il faut reconnaître que la première option se serait sans doute révélée tout aussi désastreuse ; mais cette pensée ne dut pas lui être d'une grande consolation quand il vit les rangs de ses hommes avancer et plier comme du métal de mauvaise qualité sous des coups de marteau. Quatre détachements furent incapables d'approcher à moins de soixante-quinze mètres de l'ennemi et s'effondrèrent dans un enchevêtrement de corps et d'acier. Le commandant impérial décida alors de se replier vers la rivière dans le fol espoir que la manœuvre pousserait les hommes des plaines à charger et à céder leur avantage. Son plan échoua. Ses adversaires restèrent sur leurs positions et dépêchèrent de petites unités pour harceler et désorganiser les deux flancs de ses forces. Malgré leur entraînement et leur discipline, les soldats impériaux commencèrent à reculer devant les attaques et se replièrent vers le centre de leur détachement — qu'ils estimaient moins dangereux ; ce faisant, ils ouvrirent des brèches assez larges entre leurs rangs et la rive pour que les hommes des plaines les encerclent rapidement. Désormais, des archers mobiles les encadraient sur quatre côtés ; les Impériaux n'eurent d'autre choix que de se pelotonner derrière leurs boucliers et regarder les flèches tomber sur eux. Ils effectuèrent quelques tentatives peu enthousiastes pour briser l'encerclement, mais elles étaient vouées à l'échec : les archers visés par les attaques reculaient au rythme de l'avancée ennemie tandis que leurs camarades se rapprochaient dans le dos des Impériaux. Les soldats participant à ces sorties progressèrent tant bien que mal de quelques mètres avant d'être décimés.

La bataille dura six heures, dont cinq à l'intérieur de ce cercle. Si le commandant impérial avait tenu une demi-heure supplémentaire, les hommes des plaines se seraient retrouvés à court de flèches et auraient dû se replier. Mais, bien entendu, il n'avait aucun moyen de le savoir. Il se rendit et ses soldats furent emmenés sous bonne escorte, laissant les cadavres de mille deux cents de leurs camarades derrière eux.

Un jour ou deux plus tard, des marchands itinérants traversèrent le champ de bataille sans en croire leurs yeux. Ils passèrent les deux journées suivantes à récupérer les armures des morts et les entassèrent dans leurs chariots après avoir rafistolé trous et bosselures à coups de marteau. Au bout du compte, ils vendirent l'intégralité de leur butin à un ferrailleur d'Ap' Idras pour une somme qui dépassait leurs espoirs les plus fous. Le nouvel acquéreur céda à son tour le lot à l'armurerie impériale d'Ap' Oule en majorant le prix de cent cinquante pour cent, prouvant ainsi que les tragédies les plus affligeantes font toujours le bonheur de quelqu'un.

— On a gagné, répéta Temrai quand Kurrai eut terminé son récit. C'est incroyable !

— Ne prends pas cet air surpris, répliqua Kurrai. Et quoi que tu décides, ne va pas croire que c'est la fin de nos ennuis, parce que c'est loin d'être le cas. Je ne voudrais pas trop t'inquiéter, mais sais-tu que toutes les nations ayant infligé une défaite cuisante aux Impériaux depuis cent cinquante ans ont aujourd'hui disparu ? Nos ennemis deviennent très chatouilleux quand ils perdent une bataille. Les Ipacriens avaient un dicton : « Il est terrible d'être vaincu par les Impériaux, mais pire encore de les vaincre. »

Temrai acquiesça avec lenteur.

— Merci beaucoup. Une nouvelle victoire et nous sommes fichus, c'est ça ?

Kurrai eut l'air mal à l'aise et haussa les épaules.

— Je pense juste qu'il est important de ne pas laisser cette victoire nous monter à la tête, c'est tout. Et nous ne devons pas oublier qu'une guerre contre l'empire ne ressemble à aucune autre.

— Je crois que j'ai compris le message, dit Temrai.

Désormais, il était trop réveillé pour se rendormir, bien sûr. Dans des circonstances normales, il se serait débarrassé de ses idées noires en se levant et en s'occupant, mais aujourd'hui, il n'avait pas cette possibilité. Tilden n'était pas là, elle était de l'autre côté du détroit avec le reste des civils, dans le camp dressé au milieu des ruines de Périmadeia. Plus Temrai s'agitait, plus son genou était douloureux. Au bout d'un moment, il décida qu'il était inutile de faire semblant de se reposer et cria pour appeler la sentinelle.

— Va réveiller quelqu'un et ramène-le ici ! Je m'ennuie.

L'homme grimaça un sourire et revint peu de temps après en compagnie de deux membres du conseil à moitié endormis — il les avait apparemment choisis au hasard. Il s'agissait de Joducai, chargé des équipes de transport, et de Terscai, le commandant en second des ingénieurs. Sa mission accomplie, la sentinelle salua et retourna à son poste

— Temrai, nous sommes au milieu de la nuit, dit Joducai.

Temrai lui lança un regard désapprobateur.

— Je n'y peux rien, dit-il. Bien, à propos de ces deux Îliens, le vieux sorcier et le garçon…

— Les Îliens ? (Joducai eut l'air déconcerté — ce qui était fort compréhensible.) Excuse-moi, mais je ne comprends pas bien ce que tu veux dire.

— On a capturé deux Îliens qui erraient dans le Sud, expliqua Temrai. Ils ont déclaré qu'ils venaient de faire naufrage et qu'ils désiraient rentrer chez eux ; mais ce sont peut-être des espions, alors je les ai fait amener ici.

Terscai sourit.

— Et depuis quand est-ce que les espions t'intéressent ? demanda-t-il.

— Depuis que l'un d'eux m'a sauvé la vie, je suppose. J'envisage désormais de recruter mes gardes du corps uniquement parmi les espions. Rendez-moi service, allez les chercher et ramenez-les ici.

— Pourquoi nous ? demanda Joducai,

— Parce que vous êtes là et que vous êtes réveillés, répondit Temrai. Tous les autres sont en train de dormir.

Joducai soupira.

— Tu vas mieux, ça se voit. C'était le paradis quand tu agonisais : on pouvait avoir une bonne nuit de sommeil.

Un peu plus tard, les conseillers revinrent en compagnie des deux Îliens, Gannadius et Theudas Morosin.

— Morosin, répéta Temrai. C'est un nom périmadeien, n'est-ce pas ?

Le garçon resta silencieux.

— C'est exact, répondit le vieil homme. Nous sommes tous deux périmadeiens de naissance. Je suis son oncle.

Temrai réfléchit un moment.

— Mais Gannadius n'est pas un nom de la Cité, je me trompe ?

— C'est le nom que j'ai choisi lorsque je suis entré dans l'ordre de Périmadeia. C'était une tradition de prendre un nouveau nom, en général celui d'un grand philosophe du passé. Auparavant, je m'appelais Theudas Morosin.

Temrai haussa un sourcil.

— Comme lui ?

— C'est cela. Morosin est notre nom de famille, et Theudas est un prénom très courant chez nous. J'espère que vous me suivez.

— J'ai un peu de mal, avoua Temrai en posant le menton dans la paume de sa main. J'ai l'impression que vous manquez singulièrement d'imagination.

— C'est comme ces gens dont le nom se termine toujours par *ai*, répliqua Gannadius. C'est juste notre manière de procéder, un point c'est tout.

Temrai hocha la tête avec lenteur.

— Vous étiez donc périmadeiens et, aujourd'hui, vous êtes îliens. Je vois. Vous ne devez pas vous sentir très à votre aise ici.

Gannadius sourit.

— C'est le cas de mon neveu, en effet. Moi, je suis philosophe, alors ce genre de détail ne me dérange pas beaucoup.

Temrai étouffa un bâillement — un vrai, mais il arrivait à point nommé pour parfaire sa mise en scène.

— Tiens donc ? Et pour quelles raisons un philosophe se promenait-il sur notre territoire ?

— Nous avons fait naufrage, répondit Gannadius.

— Je vois. Et vous alliez où ?

— À Shastel.

Gannadius réalisa soudain qu'il ne connaissait pas l'état des relations diplomatiques entre Shastel et le peuple des plaines ; *a priori*, il ne voyait aucune raison pour que les deux nations entretiennent de mauvais rapports — ni même qu'ils en entretiennent le moindre. Pourtant, un raisonnement logique n'est pas aussi rassurant qu'un fait établi. Mais l'annonce de leur destination ne sembla pas troubler Temrai.

— Et puis-je vous demander ce que vous alliez faire à Shastel ?

— J'y habite, répondit Gannadius.

— Ah ! Je croyais que vous étiez îlien ?

— En effet. Je suis citoyen îlien.

— Vous êtes citoyen îlien, né à Périmadeia, résidant à Shastel et vous portez deux noms. Votre vie doit être parfois bien compliquée.

— Oh! vous ne pouvez pas imaginer! répondit Gannadius. Comme je pense vous en avoir informé au préalable, je suis philosophe.

Temrai sourit comme s'il concédait la victoire au vieil homme.

— Et lui? demanda-t-il. Je vous pose la question à vous parce qu'il ne semble pas avoir une grande envie de me parler.

— C'est un timide.

— Bien sûr. Et il habite à Shastel, lui aussi?

Gannadius secoua la tête.

— Il habite sur Île. Il travaille pour une banque.

— Ah bon? Comme c'est intéressant! Et avant? Est-ce qu'il a gagné Île aussitôt après la chute de Périmadeia?

Gannadius resta impassible.

— Pas en droite ligne, répondit-il. Il a passé quelques années à l'étranger. Vous savez ce que c'est, n'est-ce pas?

Temrai acquiesça.

— Et il a été l'apprenti de Bardas Loredan, dit-il. Le colonel Loredan l'a sauvé lors de la destruction de la Cité; il l'a sauvé alors que je m'apprêtais à le tuer. (Il tourna la tête et adressa à Theudas un regard long et froid.) Tu as grandi.

L'expression de rusticité affable de Gannadius vacilla pour la première fois, mais de manière presque imperceptible.

— Alors, qu'allez-vous faire de nous?

— Vous renvoyer dans votre pays, bien entendu, répondit Temrai avec un grand sourire. Mais dans votre cas, monsieur le philosophe, il va falloir que vous me précisiez lequel. Vous semblez avoir tant de nationalités.

— Île me conviendra très bien, répondit aussitôt Gannadius. Ou Shastel. Choisissez ce qui est le plus simple pour vous, cela ne me dérange en rien.

— N'importe où pourvu que ce ne soit pas ici, en résumé.

— C'est cela, reconnut Gannadius.

— Je comprends votre point de vue. (Temrai grimaça en sentant un élancement dans son genou.) Je vous prie de m'excuser, j'ai réussi à m'abîmer le genou l'autre jour.

Gannadius hocha la tête.

— En étranglant un soldat impérial à main nue, d'après ce que j'ai entendu. Je suis certain qu'il s'agit d'un véritable exploit.

— En fait, je l'ai étranglé avec la lanière de son casque, corrigea Temrai. Bien, je crois que c'est tout. Il me semble qu'un bateau doit partir pour Île dans quelques jours, mais de but en blanc, j'ai peur de ne pas pouvoir vous dire son nom. Je vous conseille instamment de le prendre. Le trafic maritime est plus ou moins au point mort en ce moment, depuis que l'empire a affrété tous les navires îliens.

Il était clair que Gannadius ignorait cette information.

— Ah bon ? Et puis-je vous demander dans quel dessein ?

— Les Impériaux vont nous attaquer par la mer, déclara Temrai. Les Îliens leur ont donc prêté leurs navires pour mener cette offensive puisque les Fils du Ciel ne possèdent pas de marine — excusez-moi, ils ne les ont pas *prêtés*, mais *loués*. Je ne voudrais pas offenser votre fierté nationale en laissant entendre que vos compatriotes ont fait cela gratuitement.

— Il n'y a pas de mal, dit Gannadius. Comme vous le savez, je suis d'abord Périmadeien, alors vos propos ne me dérangent pas.

Temrai regarda le jeune homme, Theudas — c'était étrange de pouvoir enfin mettre un nom sur ce visage après toutes ces années de cauchemars. L'ancien apprenti de Bardas Loredan était blanc comme un linge et ses poings étaient crispés.

— S'il vous arrivait de rencontrer le colonel Loredan avant moi, dit Temrai, ayez la gentillesse de lui transmettre mon bon souvenir. Et dites-lui de rester aussi loin de moi que possible.

Theudas ouvrit la bouche pour parler, mais Gannadius fut plus rapide.

— Nous ne manquerons pas de lui faire part de votre message si nous le voyons. Je pense cependant que cette éventualité est assez improbable. N'interprétez pas mal mes propos, je vous en prie : votre hospitalité est admirable et votre peuple d'une gentillesse exceptionnelle ; mais dans le fond, la seule raison de notre présence ici, c'est que les Impériaux essayaient de nous tuer.

Temrai sourit.

— C'est parce qu'ils vous ont pris pour des Shastelliens.

— Oh ! mais c'est ce que nous sommes. Enfin, c'est ce que je suis. (Gannadius parlait d'une voix grave.) De temps en temps, du moins.

— Ça doit être merveilleux d'avoir autant de personnalités. Moi, je n'ai que la mienne. Je vous envie.

— Vraiment ?

— Je vous assure ! Si j'avais pu choisir qui je suis, je n'aurais pas eu à faire ce que j'ai fait, et je ne serais pas confronté aux problèmes actuels. Tout ce que je suis, ce que j'ai fait et ce que j'ai enduré n'est que le résultat de mon histoire. Mais vous… Eh bien, vous avez de la chance. (Il fit un signe au garde, qui ouvrit le rabat de la tente.) Je vous remercie de votre visite. Cette discussion fut très intéressante.

— Je partage votre opinion, répondit Gannadius. Ce fut un plaisir de vous rencontrer, après tout ce temps.

— Ap' Calick ? dit le Fils du Ciel. Alors, vous avez sans doute croisé mon cousin.

La colonne avait établi son camp pour la nuit et les cuisiniers préparaient le repas du soir. Ils venaient de tuer et vider un mouton ramené par les éclaireurs et s'affairaient maintenant à ériger un chevalet pour l'y suspendre. Étant un Fils du Ciel, le colonel Estar observa leur travail avec un intérêt très personnel.

— Votre cousin ? répéta Bardas.

— Il s'appelle Anax et il dirige la forge des épreuves. Un homme petit et chauve qui va sur ses quatre-vingts ans. Vous vous souviendriez de lui si vous l'aviez rencontré.

Bardas ne faisait pas partie de l'armée impériale depuis très longtemps — enfin, pas selon les critères des Fils du Ciel —, mais il songea que le comportement d'Estar était sans doute inhabituel : il devait être rare — au mieux — qu'un officier commandant de colonne s'assoie sous un arbre près du feu où cuisait la viande et discute aimablement avec un étranger — même si cet étranger était en théorie son supérieur. Soit il s'ennuyait à mourir, soit il trouvait en Bardas un compagnon beaucoup plus intéressant qu'à l'ordinaire ; ou peut-être profitait-il de l'occasion pour évaluer l'arme secrète de l'empire bien avant de la déployer contre l'ennemi. Bardas ne connaissait pas grand-chose sur les Fils du Ciel, mais il soupçonnait que le comportement d'Estar devait découler de ces trois raisons.

— Ah oui ! Je l'ai rencontré, en effet. C'est lui qui m'a fabriqué l'armure que je porte.

— Vraiment ? (Les cuisiniers avaient réussi à monter le chevalet et glissaient maintenant une corde entre l'os et le tendon des pattes arrière du mouton, juste au-dessus de la cheville.) Je ne l'ai pas vu depuis des années. Il faut que je fasse un effort pour aller lui rendre visite la prochaine fois que je passerai dans les environs. Comment va-t-il ?

— Il se porte plutôt bien, répondit Bardas. Il est dans une forme remarquable pour un homme de son âge.

— Je suis heureux de l'entendre, dit Estar, les yeux fixés sur les cuisiniers en plein travail. C'est… Voyons voir, c'est le fils de la sœur aînée de la mère de mon père. Je pense que vous avez dû être surpris de voir que… Eh bien, un de nous gagne sa vie en travaillant de ses mains.

Bardas hocha la tête. Les cuisiniers avaient suspendu

la carcasse de mouton et commençaient à l'écorcher ; l'un d'eux était à genoux et tirait sur les membres avant tandis que le deuxième tranchait la peau avec délicatesse autour de la patte, en évitant avec soin de toucher le tendon, juste en dessous de l'endroit où passait la corde.

— J'ai pensé qu'il aimait ce travail. Je ne vois pas d'autre explication.

Estar sourit.

— Ce n'est pas tout à fait ça. En vérité, Anax a mené une vie assez fascinante, d'une certaine manière. Par le passé, il a été préfet adjoint des services de police au beau milieu de l'empire. Et puis il a commis une erreur.

Maintenant, les cuisiniers incisaient la peau avec des couteaux dont la pointe était conçue spécialement à cet effet ; ils suivirent l'os jusqu'à atteindre la grande entaille qu'ils avaient pratiquée dans le ventre pour éviscérer l'animal.

— Une erreur, répéta Bardas. Je crois que je ferais mieux de ne pas poser de question à ce sujet.

— Tiens donc ! Et pourquoi ? (Estar sourit.) Je ne suis pas assez méchant pour vous allécher avec une histoire savoureuse et vous laisser sur votre faim, si vous me permettez cette image. Anax était responsable d'une région et une rébellion a éclaté. Enfin, ce n'était pas une rébellion au sens strict du terme. Un collecteur d'impôts avait des méthodes un peu trop brutales et il lui est arrivé malheur. C'est une affaire qui aurait pu être réglée sans grande difficulté, mais pour une raison inconnue, Anax s'est très mal débrouillé. D'abord, il a laissé courir les responsables trop longtemps et ensuite, il a envoyé un peloton de soldats démolir le village. Alors, une rébellion a vraiment éclaté.

Les cuisiniers écorchaient la croupe. L'un d'eux attrapa la queue et la tordit d'un coup sec, jusqu'à ce que l'os casse.

— Je vois, dit Bardas. Qu'est-il arrivé ensuite ?

— Cette histoire a traîné en longueur. Anax a envoyé

de nouvelles troupes, les rebelles ont rasé leurs propres maisons et se sont réfugiés dans les bois. Les soldats ont voulu les déloger en attaquant les autres villages de la région, mais ils n'ont fait qu'aggraver la situation. Tous les paysans chassés de chez eux rejoignirent les rebelles et bientôt, il y eut plusieurs milliers d'hommes cachés dans les bois, assez pour nous infliger une défaite cinglante si nous faisions une erreur en essayant de les débusquer. D'un autre côté, Anax ne pouvait pas fermer les yeux sur une telle agitation et, au bout du compte, il n'eut plus le choix. Cette affaire fut une catastrophe du début à la fin, je vous assure.

Les cuisiniers écorchaient le dos de la carcasse, glissant le poing entre la peau et les muscles pour empêcher la chair de se déchirer. L'opération produisait un bruit tout à fait particulier.

— Je suppose qu'il a gagné, dit Bardas en regardant les deux hommes travailler. À la fin, je veux dire.

— Oui, bien sûr. L'empire finit *toujours* par gagner. L'important, c'est la manière dont il gagne. Et dans cette histoire, nous n'avons pas gagné comme il fallait. J'ai oublié le nombre d'hommes qu'Anax a perdus en ratissant les bois avant de réussir à exterminer les rebelles, mais c'était autour de deux cents. Quelles qu'eussent été les circonstances, c'était un véritable désastre, mais pour une opération de police dans une province intérieure réputée calme et docile… (Estar secoua la tête.) Il les a brûlés, en fin de compte. Il a fait établir des coupe-feu tout autour de la partie du bois où les rebelles s'étaient installés, il a posté des gardes sur le périmètre dégagé et incendié tout ce qui se trouvait au milieu. Pas un n'a essayé de sortir. Il paraît que l'odeur était assez répugnante.

Les cuisiniers rasaient les membranes entre le cuir et l'os pour mettre les côtes à nu sans déchirer la peau. Ils prenaient grand soin de ne pas l'entailler.

— J'imagine, dit Bardas avec une grimace ironique. Et qu'est-il arrivé à Anax par la suite ?

Estar attrapa une flasque en cerisier — que Bardas avait aperçue glissée dans l'écharpe de son uniforme — et se remplit un verre.

— On devait le faire passer en jugement, mais la famille a fait jouer quelques relations. Au lieu d'un procès, il a reçu un blâme officiel et a été muté sur la frontière ouest. Enfin, c'était la frontière ouest il y a quarante ans de cela, car elle s'est bien sûr déplacée par la suite — mais pas Anax. En théorie, il a été nommé responsable adjoint de la forge des épreuves, mais en réalité, on l'a fourré là en lui disant qu'il n'en sortirait jamais. Il est resté là-bas depuis et se distrait comme il peut. Je suppose qu'il l'a bien cherché, mais je ne peux pas m'empêcher de trouver la sanction plutôt lourde pour — en fin de compte — une simple erreur de jugement.

Avec la pointe de leur couteau, les cuisiniers suivaient l'os au toucher et découpaient la peau le long des pattes avant.

— Ce n'est pas à moi de porter un jugement là-dessus, dit Bardas. Quand on accepte de prendre en charge la vie des autres, je pense qu'il faut vivre avec ce genre de risque.

— Oui, c'est le cauchemar de tout le monde, vous ne croyez pas ? demanda Estar avec une expression de tristesse sur le visage. Vous êtes le responsable quand tout commence à aller de travers, ou bien celui qui doit mener la bataille impossible à gagner, attaquer la ville imprenable, arrêter la horde irrésistible. On pourrait dire qu'Anax n'a pas eu de chance, c'est tout. Car enfin, aurions-nous mieux réagi que lui si nous avions été à sa place ?

Avec de gros efforts, les cuisiniers finirent enfin par tirer la peau au-dessus des épaules et à la dégager en la faisant passer par le cou — la tête avait été coupée plus tôt. Ils la dégagèrent donc en une seule pièce et en parfait état, propre à l'intérieur et vierge de toute coupure aussi bien sur le cuir que sur la carcasse. La chair scintillait à la lueur du feu, comme un bébé à peine sorti du ventre de sa mère, ou un homme brillant de sueur qui vient d'enlever son armure un jour de canicule. Puis les deux cuisiniers commencèrent à découper les jointures tandis que le marmiton fendait la tête à l'aide d'une grande paire de cisailles.

— Je vais profiter de mon rang et demander la cervelle, dit Estar avec un sourire. Tout droit sortie du crâne, vous la faites cuire à feu doux pendant une demi-heure dans de la saumure et vous ajoutez deux œufs avec un peu de citron. Il n'y a rien de meilleur. Certaines personnes la préfèrent sautée, mais à mon avis, c'est une hérésie.

Bardas haussa les épaules.

— Ma mère en préparait quand nous étions enfants, mais je ne me souviens pas comment elle la cuisinait. De toute façon, tous ses plats avaient tendance à avoir le même goût. Depuis, je ne me suis jamais beaucoup intéressé à la nourriture.

Estar éclata de rire.

— Je vous plains du fond du cœur ! Vous passez là à côté d'un des grands plaisirs de la vie. Et maintenant, je suppose qu'il est trop tard pour vous apprendre à l'apprécier. Quel dommage ! (Il observa le marmiton avec attention.) Et dire que je pensais que Périmadeia était célèbre pour la variété et l'excellence de sa cuisine !

— C'était le cas, en effet. Enfin, c'est ce que des gens m'ont dit. Et j'ai été très heureux de les croire sur parole.

— Et le vin, alors ? Mais peut-être que vous ne buvez pas non plus ?

— Nous buvions surtout du cidre, répondit Bardas. Il était bon marché et remplissait très bien son rôle. Et il ne vous rendait pas aussi malade que le vin — enfin, celui des tavernes que je fréquentais. Je ne crois pas que vous l'auriez beaucoup apprécié.

Les cuisiniers coupaient le sternum à l'aide d'une scie.

— Oh ! dit Estar. Je ne crachais pas sur le tord-boyaux lorsque j'étais étudiant et sans le sou. C'est étonnant la vitesse à laquelle on s'y habitue quand il n'y a rien d'autre à boire.

Bardas remarqua l'intensité avec laquelle le commandant observait les cuisiniers. Elle allait au-delà de l'attention obsessionnelle du détail que les fins gourmets portent aux préparatifs culinaires. Estar dut s'apercevoir qu'il le regardait, car il sourit.

— Tout ceci fait partie de l'éducation des garçons, chez moi. Nous apprenons l'orthographe, le calcul élémentaire, la géométrie et, en même temps, on nous enseigne l'art et la manière de découper une carcasse et de préparer la viande. Le but, c'est de pouvoir confier un mouton mort et un couteau bien aiguisé à un enfant de dix ans ; vous, vous allez vous promener pendant deux heures et vous revenez juste à temps pour déguster un succulent plat de mouton rôti, assaisonné au romarin et aux baies, et cuisiné comme il se doit — c'est-à-dire en respectant les traditions du Livre. Si nous étions chez moi en ce moment, c'est moi qui exécuterais ces tâches ; préparer le repas pour les invités est le privilège de l'hôte. C'est très important pour nous. De la bonne nourriture, du bon vin, de la bonne musique et une bonne conversation. Le reste n'est que mal nécessaire.

— C'est un point de vue intéressant, dit Bardas avec diplomatie. Mais il faut déjà avoir à manger avant de faire le difficile.

Estar fronça quelques instants les sourcils et éclata de rire.

— Vous n'y êtes pas du tout, dit-il. L'essence même du luxe, c'est la simplicité. Le luxe n'a pas grand-chose à voir avec la richesse et la puissance. C'est juste que les trois vont souvent ensemble, comme les mouches et les bouses de vache. Imaginez que vous n'ayez qu'une fronde et une poignée de cailloux ; vous pouvez escalader la montagne pour tuer un coq de bruyère ou descendre dans la vallée pour tuer un lapin ; en chemin, vous ramassez quelques herbes aromatiques et assaisonnements ; à votre retour, vous accordez à la cuisson du repas un peu plus d'attention et de temps que le strict nécessaire. Le bon vin est fait avec les mêmes ingrédients que le mauvais. Quant à la bonne musique et aux bonnes conversations, elles ne coûtent rien. (Il soupira et croisa les mains sur sa nuque.) Vous devriez lire certains de nos grands poètes, Bardas : Dalshin, Silat, *La Flèche au parfum de rose*. Ils évoquent tous une vie simple, une existence idéale purgée de tout ce qui est grossier et importun — un monde raffiné dans le véritable sens du terme. C'est la base et l'origine même de notre culture. C'est ce que nous sommes. « Nul ne peut plier un papier de soie avec le talent d'une rose. »

— Je vois, l'interrompit Bardas avant qu'il puisse poursuivre. Mais que faites-vous donc ici, dans ce cas ?

Estar ferma les yeux.

— C'est un mal nécessaire. Pour vivre une vie parfaite, vous devez vous fonder sur la stabilité, la sécurité. Comment peut-on se concentrer sur l'essence de l'existence s'il subsiste un danger extérieur potentiel ? L'armée, les provinces, constituent un mur que nous avons bâti autour de nous, l'armure dont nous avons besoin pour nous protéger ; la force à l'extérieur et une douce simplicité à l'intérieur. Par malheur, cela implique que certains d'entre nous se détournent des choses importantes pendant un temps. Mais le jeu en vaut la chandelle, car nous savons que la simple perfection nous attendra, elle sera toujours là quand nous rentrerons chez nous. (Il ouvrit les yeux et se redressa.) Vous souriez. Il est clair que vous ne partagez pas ce point de vue.

Bardas secoua la tête.

— En fait, je pensais à mon pays — enfin, mon pays d'origine parce que j'ai vécu un peu partout. Je songeais à l'endroit où j'ai grandi, le Mesoge. Vous pouvez difficilement trouver un lieu plus simple.

— Ah bon ?

— Je peux vous l'assurer.

Estar haussa un sourcil.

— Quand y êtes-vous allé pour la dernière fois ?

— Il y a environ quatre ans. Et l'expérience ne ma guère enthousiasmé.

— Le Mesoge, répéta Estar. N'est-ce pas là que votre frère… ?

Bardas hocha la tête.

— Ah ! Gorgas serait sans doute d'accord avec vous ; il dirait aussi que la terre natale et les choses simples sont ce qu'il y a de plus important. Je crois qu'il n'a jamais été intéressé que par la maison et la famille — enfin, c'est ce qu'il a toujours voulu penser. J'ai été comme ça pendant des années, moi aussi — jusqu'à ce que je rentre chez moi et revoie mes proches. (Il sourit.) C'est pour cela que je me suis engagé dans l'armée impériale.

— Excusez-moi, mais j'ai du mal à vous suivre.

— L'empire est grand et je voulais mettre autant de distance que possible entre ma famille, mon pays et moi.

— Oh ! (L'expression d'Estar laissa deviner qu'il aurait du mal à saisir ce concept.) Eh bien, votre malheur fait notre bonheur, je suppose. Ça vous plaît de faire cela ?

Bardas fronça les sourcils.

— Je ne sais pas, répondit-il. Enfin, je ne suis pas sûr. Si ça me plaît ou pas ? C'est… Eh bien, en ce qui me concerne, je n'ai pas l'habitude d'évaluer la situation d'après ces critères. C'est un peu comme si vous demandiez à un naufragé perdu en pleine mer s'il aime la couleur du morceau de bois auquel il est accroché.

Les yeux d'Estar se plissèrent en un regard faussement mauvais.

— Oh ! arrêtez un peu ! Vous forcez un peu trop sur le mélodramatique. Regardez-vous : vous êtes fort, en bonne santé, et dans la fleur de l'âge. Bien sûr, vous devez travailler pour gagner votre vie, mais ne serait-ce pas plus simple de choisir un métier que vous aimez, ou du moins, un métier qui ne vous répugne pas ? C'est comme l'histoire que je vous ai racontée, mais le chasseur à la fronde a encore le choix entre escalader ou descendre la montagne. Si vous n'aimez pas la vie de soldat, partez et faites autre chose ; tressez des paniers, confectionnez des bols ou effrayez les corbeaux dans un champ. Ou bien fabriquez-vous une fronde et ramassez une poignée de cailloux.

Bardas sourit. Le marmiton avait terminé de fendre le crâne du mouton ; il récupéra la cervelle blanche et molle à l'aide d'une cuillère en étain et la transvasa dans un bol.

— Ah ! dit Bardas en souriant. Mais avant de faire ça, il faudrait que je me procure une armure, comme vous le disiez vous-même. Il faudrait que je sois à l'abri de tous mes ennemis.

Estar haussa les épaules.

— Venez vous installer dans l'empire. Quand vous vous enfoncez à l'intérieur, une fois les provinces frontalières franchies, tout le monde y est en sécurité. Vous pourriez vous mettre hors de portée de vos ennemis. Et même s'ils réussissaient à vous retrouver, ils n'oseraient jamais provoquer le moindre trouble à l'intérieur de l'empire.

— C'est une offre tentante, dit Bardas en se rappelant l'homme qui avait essayé de voler le fourgon du service des dépêches avec ses enfants. Mais à votre place, je réfléchirais à deux fois avant de me faire une telle proposition. Vous voyez, ce dangereux excité assoiffé de sang me suit où que j'aille et je ne suis pas certain que vous apprécieriez longtemps de l'avoir dans les environs.

Le front d'Estar se plissa.

— Vous parlez de votre frère ? demanda-t-il.

Bardas regarda le marmiton qui secouait le crâne pour en faire tomber les dernières gouttes de gelée blanche.

— Ma chair et mon sang, dit-il.

— Qu'est-ce que tu en penses ? demanda Iseutz.

— Tu as l'air ridicule, répondit sa mère sans lever les yeux de son tableau de comptable. Par chance, personne ne te verra attifée de la sorte, alors c'est sans importance.

Iseutz fronça les sourcils.

— Je trouve que ça me va bien.

Dans un coin de la pièce, le chat de sa mère dévorait un oiseau avec une discrétion toute relative et sans se soucier de savoir si sa proie était encore vivante. Iseutz reconnut entre ses pattes le mainate apprivoisé des voisins.

— Il faudrait la reprendre un peu ici et là, tu ne crois pas ? demanda-t-elle. (De la main gauche, elle tira un coup sec sur l'ourlet de la jupe.) Je ne sais pas trop. Est-ce qu'elle doit arriver aux genoux ou quelques centimètres au-dessus ?

Niessa Loredan lança un regard noir aux jetons étalés devant elle.

— Qui peut bien s'en soucier ?

— Moi.

— Et depuis quand ? (Niessa éclata d'un rire désagréable.) Et puis, si tu t'intéressais un tant soit peu à la mode, tu saurais que cette tenue n'est plus du tout au goût du jour. Tu la portes dans le seul dessein de m'énerver, comme d'habitude.

Iseutz fit comme si elle n'avait pas entendu. Elle s'assit à côté de la fenêtre, dos à la mer bleutée, et examina les moignons de ses doigts.

— Si personne ne me voit jamais, dit-elle sur un ton charmant, quelle importance que ce ne soit plus au goût du jour ?

— Il faut que je te regarde, moi, dit Niessa d'une voix amère. Et j'ai assez de problèmes comme ça ; je ne tiens pas en plus à te voir cabrioler dans toute la maison accoutrée de la sorte. (Elle leva les yeux.) C'est parce que j'ai mis un terme à ta correspondance avec ton oncle Gorgas, c'est ça ?

C'est ce que tu crois !

— Ça n'a rien à voir, dit Iseutz. Tu penses toujours que tout ce que je fais est fonction de toi.

Niessa croisa les bras.

— Si tu t'intéressais vraiment à ton apparence, ce serait différent. Si tu t'intéressais vraiment à quelque chose de normal… Mais ce n'est pas le cas. Regarde-toi. Tu es un monstre de foire.

— Merci, répliqua Iseutz avec gravité.

— Et maintenant, tu insistes aussi pour t'attifer en monstre de foire. C'est trop. Je ne le tolérerai pas dans cette maison, un point c'est tout.

Iseutz observa la mer par-dessus son épaule.

— Je ne suis pas un monstre. Je suis une Loredan. Il y a une différence entre les deux, même si elle n'est pas grande.

Niessa secoua la tête.

— Et pour commencer, ces habits doivent être inconfortables au possible. Ils en ont l'air, en tout cas.

Elle avait raison, bien entendu. C'était même une des raisons pour lesquelles la tenue de princesse guerrière était passée de mode chez d'autres peuples plus sensés. Ici, à Ap' Bermidan, il fallait presque être masochiste pour porter de tels vêtements : le cuir était raide, moite de sueur et le simple poids de la cotte de mailles comprimait le cou et les épaules d'Iseutz en lui infligeant des crampes le long du dos.

— Pas du tout, répliqua-t-elle. C'est beaucoup plus confortable que toutes ces robes longues d'une banalité affligeante.

— Alors, dis-moi pourquoi tu ne cesses pas de te masser le cou quand tu crois que je ne regarde pas ? questionna Niessa. Je vois d'ici qu'il est tout irrité. Il y a une grosse marque rouge dessus. C'est bien fait pour toi.

Iseutz tambourina contre le mur avec ses talons.

— J'aime beaucoup cette tenue. Je trouve qu'elle reflète ma personnalité.

Niessa grimaça un sourire.

— Je ne te contredirai pas sur ce point. Mais tu ne t'habilles que dans un seul dessein : *masquer* ton identité. (Elle fit claquer sa langue — ce qui ne manquait jamais d'exaspérer sa fille.) Et tu dis ne pas comprendre pourquoi je t'empêche de sortir dans la rue…

Masquer mon identité, c'est comme prendre des aromates pour cuisiner de la viande avariée.

— Tu ne m'as toujours pas donné ton avis sur la longueur de la jupe. En fin de compte, je crois que je vais la laisser comme ça. Après tout, je ne suis pas très habile avec une aiguille.

— Pas plus que pour le reste, soupira Niessa. Maintenant, tais-toi ou va dans ta chambre. J'ai du travail.

Iseutz sourit et se déplaça légèrement sur sa chaise pour regarder à l'extérieur sans se tordre le cou. Une mer bleue, un ciel bleu et une langue de sable blanc pour les séparer. Le spectacle était plutôt ennuyeux, mais c'était sa seule distraction.

Un tambourinement violent éclata soudain contre la porte.

— Qu'est-ce que c'est ? demanda Niessa en relevant aussitôt la tête. Ça m'a fait sursauter.

Iseutz fit semblant de ne rien remarquer. Elle espéra qu'il s'agissait du courrier d'Ap' Muren, un grossiste en ail qui faisait parfois commerce avec un Îlien allant dans le Mesoge de temps à autre pour acheter des champignons sauvages séchés et de la colle de poisson. Mais sa mère n'avait passé aucun contrat avec Ap' Muren depuis des lustres et, par conséquent, il était peu probable que ce soit lui.

La porte s'ouvrit, mais l'homme qui entra n'était pas le concierge. Ce dernier s'agitait avec un air affolé derrière l'inconnu. Le nouveau venu était un soldat.

— Niessa Loredan, dit-il.

C'était une affirmation, pas une question.

— Que voulez-vous ?

— Vous allez nous suivre, dit le soldat.

À ce moment, deux autres — en tout point identiques au premier — bousculèrent le concierge pour entrer dans la pièce. Leur armure les rendait gigantesques et massifs.

— Vous rêvez, dit Niessa. (Mais un soldat la saisit à la nuque, comme s'il attrapait un chiot, et la poussa vers la porte.) Mais qu'est-ce que c'est que cette histoire ? brailla-t-elle. Où m'emmenez-vous ?

L'homme ignora sa question. Iseutz se laissa glisser de son siège.

— Je peux venir ? demanda-t-elle.

Le militaire la regarda.

— Iseutz Loredan, déclara-t-il. Vous aussi.

— Avec plaisir, répondit-elle. Est-ce que nous avons le temps de rassembler quelques affaires, ou… ?

Il sembla que non, car le soldat l'attrapa par le bras et la poussa hors de la pièce ; il lui fit descendre l'escalier en colimaçon en la bousculant si fort quelle faillit glisser et tomber. Une fois en bas, il s'arrêta, tira la petite épée de pacotille du fourreau suspendu à la taille de la jeune fille et la jeta.

— Par ici, dit-il.

— Non ? Nous allons passer par le chemin ? Vous êtes si bon de m'en informer. Je ne l'aurai jamais deviné toute seule.

Mais les soldats n'avaient guère le sens de l'humour. Sa remarque lui valut une bourrade sur l'épaule et la jeune femme faillit tomber. Elle réussit à maintenir son équilibre assez longtemps pour saisir le poignet de l'homme avec sa main gauche. Puis elle le projeta par-dessus ses épaules. À en juger par le bruit qui s'ensuivit, son atterrissage fut difficile.

— *Iseutz !* cria sa mère, partagée entre la colère, la terreur et la gêne.

Un autre soldat tira son épée — sans doute par instinct ou réflexe conditionné, mais Iseutz n'agissait pas non plus avec la plus grande clairvoyance. Elle effectua un ou deux bonds en avant et décocha un coup de pied au visage de l'homme à terre avant qu'il ait eu la possibilité de se relever. Elle entendit l'os du nez craquer. Elle s'accroupit et dégaina l'épée du soldat de la main gauche, puis avança vers les deux autres. Ces derniers avaient sorti leur arme, mais ils hésitaient sur l'attitude à adopter. Ils n'avaient aucune envie d'affronter une jeune fille amputée de plusieurs doigts, réclamée vivante par le bureau du préfet et qui lançait les caporaux comme des pétales de rose — pas sans avoir reçu au préalable des instructions très strictes d'un officier supérieur.

— Iseutz ! cria Niessa au comble de la fureur. Mais qu'est-ce que tu fais ? Jette cette arme tout de suite avant de nous faire…

Si sa mère n'était pas intervenue, Iseutz aurait peut-être posé son épée d'elle-même. Après tout, sa position était intenable. Mais en fin de compte, elle serra la garde encore plus fort et invoqua en silence la chance des imbéciles pour que les soldats ne devinent pas qu'elle se battait fort mal de la main gauche. Les deux hommes reculèrent tandis qu'elle avançait. Elle les contourna petit à petit jusqu'à ce qu'elle ait la route derrière elle. Elle se retourna alors tout d'un coup et s'enfuit à toutes jambes. Les deux soldats se lancèrent à sa poursuite, la talonnant et gagnant du terrain tandis que le caporal avait du mal à suivre le rythme. Ce n'était pas la bonne solution : elle avait passé trop de temps enfermée chez sa mère, elle manquait d'exercice. Elle attendit donc qu'ils l'aient presque rattrapée et se retourna sans crier gare. Sa lame balaya l'air à hauteur d'épaule. Ses poursuivants s'arrêtèrent net et l'un d'eux trébucha avant de s'affaler face contre terre. Le deuxième adopta une garde défensive et la fixa avec une lueur terrifiée dans les yeux :

Pourquoi moi ?

Iseutz lui adressa un sourire mauvais et se fendit. Son mouvement n'était pas d'une grande qualité — oncle

Bardas ne l'aurait pas félicitée —, mais le soldat n'était pas un très bon escrimeur. Au lieu de parer, il esquiva le coup en sautant en arrière et faillit atterrir sur la main de son camarade à terre.

Rends-toi, pensa-t-elle. *Ils ne te feront pas de mal.*

Mais elle se fendit de nouveau. Une attaque vraiment ratée, cette fois-ci ; la tête en mouvement et aucun équilibre. La parade de son adversaire fut encore pire : la réaction typique et malhabile d'un droitier affrontant un gaucher. Iseutz reprit une position à peu près convenable, feinta en bas et lança une courte attaque de revers. Le coup frappa l'épée du soldat à peine un centimètre en dessous des quillons et lui arracha l'arme de la main. L'homme resta parfaitement immobile, les yeux rivés sur elle. À côté de lui, son camarade faisait de son mieux pour se relever. Iseutz se retourna et partit en courant.

La situation s'était améliorée : le premier soldat s'était arrêté pour ramasser son épée et celui qui était tombé s'était foulé la cheville et boitillait ; quant au caporal, eh bien… Il était loin derrière. Pourtant, tout n'était qu'une question de temps et de distance, et Iseutz le savait. Et puis qu'importe ! Ce serait amusant de voir jusqu'où elle pourrait aller.

— Iseutz !

La voix de sa mère retentit au loin. Il n'y avait sans doute pas de meilleure motivation au monde : elle força ses genoux engourdis et chancelants à gravir l'escarpement puis à descendre la pente de l'autre côté…

Les dieux n'existent pas. Il n'y a que la chance qui effleure parfois les imbéciles. Et aujourd'hui, c'est moi quelle a choisie.

… pour tomber dans les bras d'un homme qui en fut fort étonné. L'inconnu se tenait à côté d'un cheval tout harnaché et serrait les sangles de la selle. Iseutz laissa échapper un glapissement de surprise, transforma le glapissement en grondement et agita son épée dans le vide.

Le malheureux recula en titubant, glissa et tomba en arrière.

Mais je déteste les chevaux, songea la jeune fille en mettant un pied dans l'étrier.

Elle se hissa d'un bond sur le dos de l'animal et essaya d'attraper les rênes avec les moignons de sa main droite, mais en vain. Elle glissa l'épée entre la selle et sa cuisse droite qu'elle serra pour maintenir l'arme en place. Elle saisit alors la bride et éperonna sa monture.

Elle n'avait pas la moindre idée de sa destination. Elle avait à peine mis les pieds dehors depuis son arrivée dans cet endroit oublié des dieux. Mais c'était sans importance : ils l'attraperaient sans doute tôt ou tard et il était donc inutile de réfléchir à un itinéraire. Le cheval, de son côté, semblait avoir des idées très arrêtées sur ce point : malgré tous les efforts de la jeune femme pour lui faire tourner la tête, il reprenait toujours le même chemin. Si on lui avait posé la question, Iseutz se serait hasardée à répondre qu'ils allaient plein ouest — mais le sens de l'orientation n'avait jamais été son fort. Son épée et une couture épaisse de sa tenue idiote lui rentraient dans la chair en provoquant une sensation des plus désagréables. Dans l'ensemble, elle songea qu'elle serait heureuse que cette histoire se termine.

Des réactions sur le coup, des réflexes rapides, des décisions instantanées ; et puis tu voles un cheval et tu décampes, aussi vite que possible ; c'est ainsi que font les Loredan. Oncle Gorgas sera si fier de moi quand je le lui raconterai.

Et soudain, elle n'eut nulle part où aller : elle se tenait sur une bande de terre aride et la mer s'étendait devant elle, légèrement en contrebas. Elle avait atteint la côte.

Sa monture voulut tourner à gauche et longer le littoral en direction d'Ap' Bermidan. À dire vrai, Iseutz n'avait pas d'opinion tranchée sur la question et ils allèrent donc à gauche. Ils atteignirent bientôt la périphérie de la ville et la jeune fille aperçut les châssis de bois carrés où les pêcheurs accrochaient les prises de la journée pour les sécher au soleil et au vent. Elle remarqua au passage les poissons que la mort et la dessiccation avaient figés dans des poses complexes et mélodramatiques ; ils étaient raides comme des planches et perdaient leurs écailles. Plongés dans de l'huile d'olive ou frottés avec du beurre à l'ail, ils avaient un goût de bois graisseux et les habitants des environs n'en auraient mangé pour rien au monde. Ils se contentaient de les expédier à l'intérieur des terres où cette nourriture était tenue en haute estime.

En arrivant à la limite du port — une anse en demi-lune fermée par une longue digue artificielle qui partait d'un gros éperon rocheux —, la jeune fille s'aperçut qu'il n'y avait que deux navires à quai. Le premier était une petite galère courtaude, un pitoyable semblant de bateau qui illustrait l'incompétence des Impériaux en matière de construction navale. Le second était très différent : ses deux extrémités relevées étaient effilées et incurvées comme celles d'une tranche de melon ; à la proue et à la poupe, un petit château se dressait au-dessus de la surface de l'eau. Iseutz n'était pas restée très longtemps fille de marchands, mais elle était capable de reconnaître un cargo long-courrier de Colleon. Elle amena sa monture au pas, fronça les sourcils et sourit. Tous ces efforts étaient vains, bien sûr ; ils ne marcheraient jamais et, de toute façon, leur emploi du temps ne coïnciderait pas avec le sien — ils venaient sans doute d'arriver et ne devaient pas être pressés de reprendre la mer. Pourtant, elle ne vit aucune raison de ne pas tenter sa chance. Dans le pire des cas, elle essuierait un refus.

Un petit groupe d'hommes chargeait des tonneaux à bord du navire avec un palan.

— Bonjour, dit Iseutz. (Les marins s'arrêtèrent de travailler et levèrent la tête.) Vous allez où ? demanda-t-elle en sautant de cheval.

Il y eut un long silence, puis un homme répondit :

— Île.

— Quelle chance ! s'exclama la jeune fille avec entrain. C'est justement ma destination.

Celui qui avait parlé l'examina de la tête aux pieds.

— Marchande ?

Iseutz comprit que son accoutrement ridicule était peut-être le genre de tenue portée par les marchands îliens.

— Courrier, dit-elle. Pour la banque de Shastel. Je ne transporte que des lettres. (Elle sourit.) Pas d'argent liquide. Inutile de me jeter pardessus bord dès que nous serons au large. J'ai raté ma correspondance il y a quelques jours et je commence à être très en retard. Si vous aviez la possibilité de m'aider, je vous en serais très reconnaissante. Moi et la banque.

— C'est pas moi qui décide, répondit l'homme.

Iseutz acquiesça.

— Alors, si vous aviez la gentillesse de m'indiquer où trouver la personne qui…

Le marin tourna soudain la tête vers le navire.

— Faut voir le capitaine Yelet. Vous avez beaucoup de bagages ? On doit partir dès qu'on a fini de charger ça à bord sinon on va rater la marée.

La jeune fille sourit et secoua la tête. Puis, elle défit la sacoche de selle et la glissa par-dessus son épaule. Elle était plus lourde qu'elle s'y attendait. Tandis que le sac passait à hauteur de son visage, elle crut entendre un tintement de pièces.

— Le capitaine Yelet, répéta-t-elle. Je vous remercie beaucoup. À plus tard.

Le capitaine ne fut pas difficile à trouver, mais quand elle l'eut déniché — vérifiant que la cargaison était bien attachée dans la soute —, elle avait eu le temps de jeter un coup d'œil à l'intérieur de la sacoche. La chance des imbéciles l'avait bel et bien choisie : il y avait une petite fortune à l'intérieur.

— Vous devriez faire plus attention, l'avertit le capitaine d'une voix grave tandis qu'elle posait deux sols d'or dans sa grosse main calleuse. Ce n'est pas prudent de voyager seule avec une telle somme.

Iseutz haussa les épaules.

— Ne vous inquiétez pas pour moi.

Mon cher oncle,

Elle écrivait de la main gauche pour la première fois et le résultat était à peine lisible, mais bien meilleur que ce qu'elle obtenait avec les moignons de la droite.

Tandis que le soleil se couchait, le vent faiblit et le navire cessa de tanguer assez longtemps pour qu'elle pose son encrier sur le bureau avec l'espoir raisonnable qu'il y resterait. Un véritable trésor, cette sacoche : en plus de l'argent, elle y avait découvert cette adorable écritoire miniature, des plumes, un joli petit canif pour les tailler, de l'encre en poudre, de l'encre liquide dans une corne et un petit pupitre — le tout dans une boîte plate qui pouvait servir de support. Et la chance des imbéciles ne s'était pas arrêtée là : une fois ses affaires réglées sur Île, le capitaine Yelet ferait voile vers Barzea ; selon lui, il y trouverait sans difficulté un marchand de jute allant à Tornoys et qui serait très heureux d'y porter la lettre d'Iseutz. En fin de compte, c'était plutôt une bonne journée.

Mais elle n'était pas terminée, bien entendu. Le soleil ne se coucherait pas avant un petit moment, assez long pour qu'une galère remplie de soldats les arraisonne pour l'appréhender — à condition que les Impériaux aient entendu parler de ce navire et fait le lien avec elle. C'était sans doute ce qui allait arriver. Mais d'un autre côté, la chance des Loredan…

Après tout, oncle Gorgas a réussi à s'enfuir, lui. Je me demande comment il a fait. Est-ce qu'il a chevauché jusqu'à Tornoys le jour où j'ai été conçue ? Et est-ce qu'il a trouvé par hasard un navire en partance pour Périmadeia ? Est-ce qu'il a ouvert les sacoches de selle du cheval

de mon père, et y a-t-il découvert une bourse bien remplie
— avec assez d'argent pour payer son passage à bord ?
Est-ce qu'il s'est arrêté pour se demander jusqu'où il irait
avant que sa chance s'épuise ?

Elle réfléchit un moment pour essayer de trouver les mots justes — une tâche qui lui était toujours difficile. Quand la destinée de toute une vie peut dépendre d'une nuance mal interprétée, c'est un travail délicat.

Mon cher oncle, cela te dérangerait-il que je vienne
habiter chez toi pendant un moment ? Ces derniers temps,
la situation est devenue un peu difficile…

Inutile de s'étendre sur ce point.

… et je pense qu'un changement d'air me ferait le plus
grand bien. Il va sans dire que tu n'auras pas à te plaindre
de mon comportement, je peux te l'assurer…

Cette dernière remarque était-elle pertinente ? Cela dépendrait beaucoup du moment où la lettre lui parviendrait, s'il la lisait ou non avant que l'empire annonce officiellement qu'elle était recherchée — et ce facteur dépendait à son tour du capitaine Yelet : ferait-il voile droit sur Barzea après son escale à Île ou s'arrêterait-il dans chaque ville pour y livrer des marchandises et des messages ? Le prix du jute entrait aussi en ligne de compte : si son cours actuel était trop bas, les propriétaires des corderies barzeiannes n'importeraient pas de matière première du Mesoge. Au bout du compte, il était préférable de ne pas s'étendre sur ce sujet ; de toute façon, Gorgas ne la croirait pas — ou la nouvelle ne lui ferait ni chaud ni froid.

… un changement d'air me ferait le plus grand bien. J'ai
l'impression d'être restée cloîtrée dans cet endroit épou-
vantable pendant des siècles. Et puis, je ne t'ai pas vu
depuis des années. D'ailleurs, comment vont oncle Clefas
et oncle Zanoras ? Tu te rends compte que je ne les ai
jamais rencontrés ? Ce serait une bonne occasion de le
faire. Ainsi donc, si tu avais la possibilité de…

Non ! Tu ne dois pas lui demander quoi que ce soit !

... Oh! juste une dernière chose. D'après le capitaine du navire sur lequel j'ai embarqué, il est difficile de quitter Île en ce moment — à cause des Impériaux qui ont affrété tout ce qui flotte. Je suis si peu au courant des dernières nouvelles que je mélange sans doute tout. Et donc, si tu connaissais par hasard un bateau qui effectue un aller-retour entre le Mesoge et Île, pourrais-tu demander au capitaine de m'accepter à son bord et me ramener avec lui ? Je ne sais pas trop où je vais séjourner en attendant, mais je suppose qu'il y a bien une auberge...

Elle avait trouvé la bonne mesure de pathétique, mais ne devrait-elle pas en rajouter un peu ? Non ! Un excès de zèle se révélerait sans doute contre-productif.

Quand elle eut achevé sa lettre, elle la scella avec un bâton de cire d'un bleu magnifique quelle avait découvert dans l'écritoire. Elle s'apprêtait à y apposer le petit sceau en cornaline quand elle songea qu'oncle Gorgas connaissait peut-être l'homme à qui elle l'avait dérobé. Elle se contenta donc de tracer un grand L pour Loredan avec l'ongle de son pouce. Elle apporta ensuite la missive au capitaine Yelet qui prit soin de la ranger dans son propre coffre à documents, enroulée avec minutie dans un joli cylindre de cuivre. Yelet semblait croire qu'Iseutz était la fille d'une riche famille îlienne envoyée à l'étranger pour y faire ses premières armes ; elle s'était probablement révélée incapable d'accomplir sa tâche et avait raté son bateau. Lui venir en aide aurait sans doute des répercussions bénéfiques pour lui dans l'avenir. Iseutz ne lui avait rien dit de tel, mais Yelet avait sûrement été abusé par sa cotte de mailles et ses cuissardes de cuir finement gaufré.

Chapitre 12

— Cela ne fait que prouver ce que j'ai toujours affirmé à notre sujet, dit Eseutz Mesatges en regardant le chargement des bateaux ravitailleurs près du quai de la Cité. Nous ne sommes pas de vrais commerçants, nous sommes des romantiques. Nous jouons aux marchands parce que c'est amusant, tout comme les autres pays jouent à se faire la guerre. Nous ne sommes pas dans les affaires pour gagner de l'argent, ce n'est qu'une excuse pour prendre du bon temps et vivre des aventures excitantes.

— Alors là, je ne...

Athli interrompit Venart Auzeil avant qu'il aille plus loin.

— Ne fais pas attention à elle, Ven. Ce n'est que de la provocation. N'est-ce pas, ma chère ?

— Pas du tout ! (Eseutz se percha sur le coin d'une grosse balle de laine d'Ap' Imaz et posa les coudes sur ses cuisses.) Je pense chaque mot que je viens de dire. Si l'argent nous intéressait tant que ça, nous serions bien tristes à l'heure qu'il est, parce que ce merveilleux contrat est sur le point de s'achever ; mais je sens des vagues de soulagement monter de vous comme les odeurs de cuisine par un chaud après-midi. Vous en aviez assez d'attendre les bras croisés et de recevoir l'argent du préfet. Maintenant, il se passe enfin quelque chose : vous êtes impatients de voir éclater une bonne petite guerre et de récupérer vos navires pour quitter cette minuscule île sans intérêt et parcourir de nouveau le vaste monde. (Elle grimaça un sourire.) Reconnaissez-le, j'ai raison. Nous sommes sans doute conditionnés par la force de l'habitude.

— Oui, Eseutz, dit Athli d'une voix sévère. Si tu veux.

Pourtant, elle devait avouer qu'il y avait une certaine part de vérité dans les paroles de son amie. En tant que non-Îlienne, elle le sentait. Les autres en étaient incapables, comme on pouvait s'y attendre.

Le quai de la Cité tenait son nom de la route commerciale empruntée par les navires qui y accostaient pour assurer l'échange régulier de produits avec Périmadeia. Lors de sa construction, il n'y avait pas eu besoin de préciser de quelle cité il s'agissait ; c'était comme si vous parliez du ciel : c'était évident. Depuis la *Chute* — sur Île, ce terme était sans équivoque, lui aussi —, l'activité de cette partie du port avait baissé d'un tiers. Seuls les cargos de Colleon y faisaient encore escale ; les navires îliens assurant la liaison avec Shastel, l'empire ou l'Ouest partaient désormais du quai de la Mer ou du Drutz. Aujourd'hui, le quai de la Cité était de nouveau en effervescence et les gens disaient que cela leur rappelait le bon vieux temps — c'était un signe, ajoutaient-ils d'une voix chargée d'espoir : le bureau des Provinces finirait par reconstruire Périmadeia et rouvrirait ses innombrables manufactures et ateliers.

— Il est grand temps qu'ils draguent le Canal, remarqua Venart qui en était resté à son idée première. Depuis la Chute, il s'est ensablé. Si on doit réutiliser le quai…

Athli sourit.

— C'est un peu prématuré, tu ne crois pas ? La flotte n'a pas encore appareillé et tu rêves déjà à de nouvelles affaires.

— Tu me prêtes des intentions que je n'ai pas, répliqua Venart sur un ton maussade. Je disais simplement que le Canal avait besoin de quelques travaux. Et plus nous attendrons, pis ce sera.

Le Canal avait fait sensation en son temps. Creusé entre le quai de la Cité et le Drutz, il traversait Île en ligne droite, coupant à travers les collines basses juste au-dessus de la ville ; il passait ensuite sous la Montagne Blanche en empruntant un tunnel long d'un kilomètre — foré dans la roche dure deux cents ans plus tôt par une équipe d'ingénieurs périmadeiens. Comparé à cette réalisation, le petit port construit de main d'homme de l'autre côté d'Île faisait pâle figure ; mais c'était ce débarcadère qui portait le nom de Renvaut Drutz, le chef de l'équipe d'ingénieurs, et non pas le Canal qui était pourtant son chef-d'œuvre — aussi bien en termes de prouesse technique que de commodité. Les Îliens étaient ainsi.

— Eh bien, dit Vetriz Auzeil qui était restée assise et silencieuse à l'abri de sa petite ombrelle de tissu peint, je suis d'accord avec Eseutz. Enfin, je crois. Plus tôt ils en auront terminé avec leur maudite guerre, plus tôt nous récupérerons nos navires. J'attends avec impatience que Venart se remette au travail. Je n'ai plus un moment de paix à la maison. Il n'a plus rien à faire depuis des semaines et il est devenu insupportable. Pas plus tard qu'avant-hier, il a passé trois heures à faire un inventaire écrit des armoires à linge…

— C'est juste parce que tu ne le fais jamais…

Vetriz l'ignora.

— Vous auriez dû voir ça. C'était d'un drôle ! « Objet : un drap, usé, reprisé, blanc, décoloré. Objet… »

Eseutz gloussa et Athli sourit avant de dire :

— C'est un travail très utile, Ven. Maintenant, si jamais il y a un incendie, tu auras une liste détaillée à soumettre aux assureurs.

— Pas du tout, répliqua Vetriz. Quand il a eu fini, il a

370

rangé son papier dans l'armoire à documents de la comptabilité. Elle brûlera avec tout le reste.

— Ma mère avait l'habitude de faire ça, dit Eseutz. Je parle de raccommoder les vieux draps. Quand elle est morte, la plupart du linge de maison et des vêtements avaient été reprisés si souvent qu'il y avait davantage de ficelle que de tissu. Nous avons tout apporté au moulin à papier. Et ce n'était pas parce que nous n'avions pas les moyens d'en acheter d'autres ! Pour ma mère, c'était une espèce d'obsession…

— Alors, ça doit être héréditaire, remarqua Athli. Mais pour toi, c'est dans l'autre sens : je suis venue souvent chez toi, et je suis prête à jurer que je n'y ai jamais vu deux fois la même décoration.

— C'est pour les affaires, rétorqua Eseutz. Des objets que j'ai en stock. Quand je n'ai plus assez de place dans mon entrepôt, je les accroche aux murs. Alors, les gens viennent et disent : « Ma chère, mais où as-tu trouvé de telles merveilles ? » Et je les leur vends.

Les bateaux ravitailleurs étaient typiques d'Île, on n'en trouvait de semblables nulle part ailleurs. C'étaient de longues barges à clin avec une quille d'une hauteur encombrante — et dont nul ne connaissait la raison d'être, sinon d'allonger de plusieurs jours le délai de construction des navires. De face, ils ressemblaient beaucoup à un cygne noir se posant sur l'eau. La ligne de flottaison de ceux qui étaient dans le port surplombait à peine les flots ; ils étaient alourdis par le poids des balles de matériel et de provisions qui surgissaient comme par magie sur le pas des entrepôts bordant le quai. Ces derniers étaient sans doute les bâtiments les plus beaux et les plus impressionnants d'Île, ils avaient été construits en imitant des centaines de styles architecturaux empruntés à des centaines de lieux différents et il n'y en avait pas deux identiques.

En matière d'habitation, les marchands se satisfaisaient souvent d'un minuscule appartement étriqué ou de mansardes venteuses cachées derrière les portes discrètes des rues et des allées défoncées de la ville ; mais ils avaient dépensé des fortunes pour décorer la façade et la métope de leurs entrepôts, affirmant qu'ils y passaient plus de temps que chez eux et y recevaient leurs clients. La *Grande Maison* de la famille Semplan était un bâtiment de sept étages et on y accédait par de lourdes portes en bronze hautes de quatre mètres et épaisses de sept centimètres ; la façade était recouverte de marbre de Colleon décoré de bas-reliefs illustrant d'anciennes batailles navales. Un siècle auparavant, chaque détail de ces sculptures avait été rehaussé avec soin de peinture rouge, bleue et or, mais l'air marin avait rongé les couleurs en quelques mois. Personne n'avait la moindre idée de l'identité des vaisseaux ou de la bataille représentée. Mehaut Semplan avait accepté ces œuvres en règlement d'une lourde dette contractée par un client périmadeien. Elle avait d'ailleurs dépensé une somme équivalente à ladite dette pour les transporter sur Île et les faire installer. Les Semplan, eux, habitaient dans la partie basse du sud de la ville, dans une bâtisse cachée derrière un entrepôt d'engrais de cendre d'os.

— Mais d'où vient tout ce bazar ? demanda Venart. Ils nous l'ont sans doute acheté, mais je ne reconnais pas les marchandises.

— C'est malheureux, tu ne trouves pas ? admit Eseutz. Si tu regardes attentivement, tu verras les numéros des lots et des magasins impériaux peints au pochoir sur toutes les balles. Tout vient de l'étranger. Ils se font livrer ici et stockent le matériel dans nos entrepôts sans débourser un sol. Et maintenant, ils l'envoient chez eux à bord de nos navires. Ils n'ont absolument pas besoin de nous.

Athli sourit.

— Ils ont peut-être utilisé ton entrepôt sans payer, mais c'est ta faute : tu n'avais qu'à faire attention. Tu étais trop occupée à rêvasser à ce que tu ferais une fois ton navire récupéré.

Eseutz se renfrogna, puis se détendit.

— Ah ! tant pis ! Mais vous ne m'ôterez pas de la tête qu'ils sont culottés quand même ! Ils achètent, vendent et entreposent ici comme s'ils étaient chez eux et pendant ce temps, on reste assis à se tourner les pouces. Ça donne l'impression d'être inutile. Je serai contente quand tout ça sera fini et qu'ils rentreront dans leur pays. Et au diable leur argent !

— Je suis d'accord avec toi, dit Venart. À vrai dire, ils me donnent la chair de poule. Ces gens préparent une guerre avec un tel détachement…

— C'est la meilleure attitude possible, dit Athli avec un visage impassible. Enfin, c'est la plus efficace, du moins. Tu te prépares de bonne heure, tu t'assures que tu disposes de tout le matériel et des provisions nécessaires avant de t'engager, tu mets au point tes plans de campagne à l'avance. Après tout, c'est ainsi que Temrai a procédé et regarde ce qu'il a accompli. Je ne crois pas que je serais ici s'il s'était contenté de conduire ses guerriers aux portes de Périmadeia et de patienter jusqu'à ce qu'on lui ouvre.

Comme il fallait s'y attendre, un lourd silence suivit cette remarque. Quand il devint embarrassant, Eseutz prit la parole avec un grand sourire.

— Au fait, Athli, est-ce que tu t'es décidée à te lancer dans cette affaire d'armures ? Je sais que tu y réfléchissais il n'y a pas très longtemps.

Athli soupira.

— Je ne veux pas me lancer dans une affaire, répondit-elle. Je veux juste investir dans l'entreprise de quelqu'un d'autre. Eh oui, c'est réglé. Les dieux savent que ce n'est pas le genre d'article qui risque de me rester sur les bras par les temps qui courent.

Venart fronça les sourcils.

— Si j'étais toi, je m'abstiendrais. Dès que le conflit

sera terminé, le marché va être inondé par les surplus de guerre et le butin des pillages. C'est toujours comme ça. Je me souviens de cette histoire à Scona il y a quelques années ; les affrontements étaient restés limités, mais on avait récupéré tant de cottes de mailles sur les champs de bataille qu'il y en avait partout et qu'il était impossible de les écouler ; et les hallebardes… On les coupait pour en faire des serpettes ou on les vendait au poids à des ferrailleurs. Quant aux flèches…

— Ah ! l'interrompit Athli, le visage écarlate. Mais la situation n'était pas la même. L'empire va gagner cette guerre et il ne revend jamais d'équipement militaire ; il se contente de le stocker. Et une fois qu'il aura obtenu la victoire et pris le contrôle de la Cité — pardon, de l'endroit où était la Cité —, tous les pays à l'ouest du détroit vont commencer à se demander qui sera le prochain sur la liste. Et la demande en armes et armures dépassera tout ce que tu peux imaginer. Ça ne leur servira sans doute pas à grand-chose, mais ce n'est pas mon problème. Après la construction navale, les armureries sont le meilleur investissement possible en ce moment.

Venart releva légèrement la tête.

— La construction navale ? demanda-t-il.

— Oui, répondit Athli en regardant en direction du quai. Quand ils s'apercevront que les armes et les armures ne leur sont d'aucune utilité et qu'ils commenceront à fuir…

Dassascai l'espion — ainsi baptisé pour le différencier de son homonyme qui réparait les tentes — s'assit près du feu à côté de l'enclos à canards et entreprit d'affûter un couteau. L'arme était équipée d'une lame longue et fine avec un manche tronqué, comme ceux dont on se servait pour racler la viande sur les os. Une fois qu'il en eut fini avec l'huile et la pierre à aiguiser, il fit glisser le tranchant avec patience sur le côté non tanné d'une ceinture de cuir.

C'était sans doute la seule personne du camp à rester tranquillement assise : Temrai avait décidé d'emmener les clans vers le sud-est, à la rencontre de l'armée impériale qui approchait en venant d'Ap' Escatoy. Après presque sept ans de sédentarité, les hommes des plaines avaient perdu l'habitude de se déplacer avec rapidité. Ils ressemblaient à des gens venant de se réveiller après une nuit trop courte.

La moitié des travailleurs étaient partis dès les premières lueurs de l'aube pour entreprendre la tâche difficile de rassembler le bétail. Après sept ans à brouter sans relâche, le cheptel avait rasé jusqu'à la dernière touffe d'herbe dans les environs du camp — ou peu s'en fallait. Comme à l'époque où ils étaient nomades, les hommes des plaines avaient donc renoncé à garder les animaux à proximité ; ils les avaient divisés en troupeaux et répartis sur les milliers d'arpents de terre des plaines de l'Est. La plupart des jeunes garçons chevauchant aux côtés des bouviers participaient pour la première fois à un rassemblement total des bêtes et ils ne savaient pas trop quoi faire. En tout état de cause, la majorité voyait une sorte d'aventure dans cette opération et leur enthousiasme suffisait à empêcher les adultes de trop réfléchir aux implications de la décision de Temrai. Un sac en peau de chèvre contenant des provisions était accroché à l'épaule des cavaliers ainsi qu'un arc et un carquois de chaque côté de la selle ; ils avaient aussi un manteau et une couverture roulés et attachés sur la croupe de leur monture. Quelques-uns avaient revêtu leur cotte de mailles et leur casque, d'autres les transportaient enveloppés dans du tissu ciré ou dans un panier en osier. Personne ne savait avec certitude où les Impériaux surgiraient et les hommes des plaines leur avaient déjà attribué certains pouvoirs de lutins ou de démons — ces créatures tapies dans les forêts obscures et prêtes à jaillir de l'ombre d'un rocher au moment où on s'y attendait le moins.

L'autre moitié du clan était occupée à démonter le camp. Des personnes déterraient les mâts des tentes, pliaient les parois en feutre et les tapis, essayaient d'entasser sept années de vie sédentaire dans des paniers et des travois conçus pour transporter le strict nécessaire. Nombreux étaient ceux qui abandonnaient les trésors extraordinaires, mais inutiles, qu'ils avaient récupérés pendant le sac de Périmadeia. Les rues — qui s'évanouissaient comme neige au soleil — étaient jonchées de trépieds et de gigantesques marmites en bronze, de tables en ivoire, d'un étrange assortiment de statues en airain et en marbre — une tête par ici, un bras ou un énorme pied botté par là ; il n'y en avait pas une complète dans tout le camp, si bien qu'il ressemblait à un champ de bataille après un affrontement entre deux tribus de géants. Dès qu'ils en avaient l'occasion, les gens démontaient les machines et les outils qu'ils avaient fabriqués au cours des dernières années : les bancs de scie, les tours, les meules alimentées par eau, les trébuchets, les mangonneaux, les presses, les treuils, les trépigneuses et les moulins ; ils les démembraient comme un boucher fait de la carcasse d'un animal et chargeaient les pièces sur des chariots à plateau. Il resterait néanmoins beaucoup d'objets qu'ils ne pourraient emporter avec eux, soit par manque de place, soit parce qu'ils étaient trop lourds. C'était le cas de l'énorme baratte en partie conçue et réalisée par Temrai lui-même — l'engin avait été fixé dans une fondation en brique pour l'empêcher de se renverser. Les femmes découpaient en petits carrés facilement transportables les gigantesques tapis fabriqués sur les grands métiers à tisser que les hommes terminaient de démembrer. Le bûcher était déjà démonté et sa charpente sortait maintenant de terre comme les os d'un cadavre enterré trop peu profondément. On avait essayé de tirer quelque chose des barrages à poissons, mais la plupart des planches maîtresses étaient trop pourries pour être utiles. Sur la rive haute, où ils avaient installé des cibles permanentes pour l'entraînement au tir à l'arc, les grands mamelons de paille tressée étaient renversés, trop encombrants pour faire partie du voyage ; les châssis de cible avaient été démolis pour servir de rambardes improvisées aux chariots. Déjà, le camp semblait avoir été dévasté par l'ennemi ; un peu partout, on apercevait des débris et des déblais, des objets de valeur abandonnés et du matériel brisé. Ici et là, on avait brûlé le surplus de foin et de fourrage ; les feux dégageaient une fumée nauséabonde et de mauvais aloi.

— Alors comme ça, tu restes ici ? demanda quelqu'un tandis que Dassascai faisait glisser sa lame d'avant en arrière sur la bande de cuir.

— Bien sûr que non ! répliqua l'espion. Mais il ne me faudra pas longtemps pour rassembler mes affaires. Pas la peine que je me précipite, sinon je vais devoir vous attendre deux jours sans rien à faire.

— Si les prévisions de Temrai sont justes, ça ne prendra pas deux jours, répliqua l'homme. Nous partons demain à l'aube. Les personnes et le matériel qui ne seront pas prêts resteront ici.

Dassascai sourit.

— Nous verrons. Je crois que notre roi a oublié ce que représente la levée d'un tel camp. Ce n'est pas comme si nous étions ici depuis une semaine. On ne peut pas empaqueter sept ans de sa vie dans un balluchon et le passer à l'épaule comme ça.

— Ce sont pourtant ses ordres. Si tu veux les discuter, libre à toi d'aller lui en parler.

— Inutile, dit Dassascai. Moi, je n'ai qu'à plier ma tente, rassembler les canards et je suis prêt à partir. On est habitué à déménager en catastrophe quand on est un réfugié.

L'homme grimaça un sourire.

— Je veux bien te croire. Au fait, c'est vrai ce qu'on raconte ? Que tu es un espion ?

Dassascai pencha la tête.

— Bien sûr, répondit-il. Plumer les canards, c'est juste mon passe-temps favori.

L'homme fronça les sourcils et haussa les épaules.

— Évidemment. Si tu es un espion, c'est sûr que tu ne vas pas le dire comme ça.

— Tu crois que j'en suis un ?

— Moi ? (L'homme réfléchit un moment.) Eh bien, c'est ce que les gens racontent.

— Je vois. Et pour le compte de qui suis-je censé travailler ? Le bureau des Provinces ? Bardas Loredan ? Le croque-mitaine ?

— Et comment le saurais-je ? répliqua l'autre sur un ton irrité. Et puis de toute façon, qui que ce soit, ça ne lui servira pas à grand-chose. Temrai aura toujours une longueur d'avance sur lui, tu verras.

— Je devrais m'en réjouir, si c'est lui qui doit nous conduire en sécurité.

Quand l'homme fut parti, Dassascai enveloppa avec soin son couteau dans un tissu huilé et le rangea dans sa sacoche. Puis il attrapa un petit cylindre de cuivre et en tira un rouleau de papier vierge qu'il étala sur ses genoux. Il regarda ensuite autour de lui afin de s'assurer que personne ne l'observait, tendit la main et prit une brindille carbonisée au bord du feu de camp. Il l'essaya sur un coin de la feuille : elle servirait très bien de crayon.

Il ne commença pas par l'identité du destinataire. Le message ne serait lu que par une seule personne et celle-ci n'avait nul besoin qu'on lui rappelle son nom. Il écrivit donc :

Par tous les dieux ! Mais dites-moi ce que vous voulez que je fasse !

Puis il roula le papier et le glissa dans le tube. Il entra dans l'enclos à canards et repéra un gros mâle bien gras. Il le saisit sous la tête et lui brisa le cou en faisant tourner le corps à toute vitesse, comme un homme maniant une fronde. Quand l'animal fut mort, Dassascai tira un petit couteau pliant de sa sacoche, déplia la lame et fendit la carcasse des côtes jusqu'au croupion. D'une brusque rotation de poignet — que des années d'expérience avaient rendue presque élégante —, il vida l'estomac et les entrailles avant de leur substituer le cylindre. Il cousit aussitôt la plaie avec du crin de cheval et une aiguille en acier qu'il cachait à l'intérieur du col de son manteau. La tâche terminée, il s'éloigna du camp en direction de l'embouchure du fleuve où un unique navire était amarré aux restes du vieux quai de Périmadeia. Il arriva juste à temps pour trouver les deux personnes qu'il cherchait.

— Excusez-moi, dit-il.

Gannadius leva les yeux.

— Oui ?

— Je suis désolé de vous déranger, mais j'ai besoin d'envoyer ce canard à quelqu'un. Auriez-vous la gentillesse de l'apporter à Île de ma part ?

Gannadius le fixa.

— Vous envoyez un canard à quelqu'un ?

— C'est ça.

— Mort ou vivant ?

— Oh ! mort.

Gannadius fronça les sourcils.

— Mais, c'est idiot ! On peut acheter un canard à n'importe quel marchand de volaille sur Île.

— Ah non ! Pas un canard comme celui-là. C'est impossible. C'est un échantillon. Une commande spéciale. (Dassascai sourit.) J'ai reçu les détails de la livraison aujourd'hui. Si mon client est satisfait, il en commandera mille d'un coup. Vous me rendriez un grand service en acceptant. (Dassascai sourit de nouveau avec amabilité et tira le canard de l'intérieur de sa chemise.) Vous voyez ? Allez, reconnaissez-le ! On ne voit pas des animaux pareils tous les jours.

— Je suppose que non, répondit Gannadius sur un ton dubitatif. Mais est-ce qu'il ne va pas... vous savez... pourrir ?

Dassascai secoua la tête.

— Vous n'allez pas me croire, mais quatre jours, c'est juste le temps nécessaire pour que la chair développe toute sa saveur. Mon ami saura se montrer reconnaissant pour votre peine si c'est ce qui vous inquiète.

— Oh ! pas du tout ! répondit aussitôt Gannadius.

Les Îliens mettaient un point d'honneur à porter et remettre des messages chaque fois que c'était possible. C'était une question d'éthique primordiale pour une nation de commerçants, et espérer quelque chose en retour était considéré comme une grave impolitesse — comme demander à un homme qui se noie une récompense en espèces sonnantes et trébuchantes avant de le secourir.

— Merci, dit Dassascai avec un grand sourire. Vous m'ôtez une sacrée épine du pied. J'essaie d'obtenir ce contrat depuis des lustres, mais il y a si peu de navires qui vont dans votre direction… Je craignais que mon commanditaire se lasse et que l'affaire tombe à l'eau.

Il tendit le canard à Gannadius en le tenant par le cou. Le vieil homme observa l'animal avec un léger dégoût.

— Je ne voudrais vous vexer en aucun cas, mais cet animal me paraît on ne peut plus ordinaire.

Dassascai hocha la tête.

— Tout à fait ! Mais il est *très* bon marché. C'est une espèce des plus rares et des plus recherchées.

— Très bien, dit Gannadius sur un ton peu convaincu. Mais ne serait-il pas préférable de lui envoyer un canard en vie ? Votre commanditaire pourrait se charger de le tuer sans risque que la chair se gâte.

— Ah ! (Dassascai plissa le front et sourit.) Et imaginez que quelqu'un s'en empare et commence à en faire l'élevage. Je n'aurais plus le moindre espoir de signer ce contrat, c'est certain. Si vous vous y connaissiez en canards, vous comprendriez ce que vous avez entre les mains.

— Si vous le dites, dit Gannadius qui aurait préféré ne pas être mêlé à cette affaire. Bon ! à qui dois-je le remettre ?

— Je l'ai noté ici, répondit Dassascai. (Il sourit.) N'ayez pas l'air tellement étonné, certains d'entre nous savent lire et écrire, je vous assure.

— Bien entendu. Je n'avais aucune intention de…

— Il n'y a pas de mal dans ce cas. (Dassascai glissa un petit morceau de parchemin dans la main du vieil homme, referma ses doigts dessus et les serra si fort que Gannadius tressaillit.) J'apprécie beaucoup ce que vous faites pour moi. Ceci pourrait se révéler une bonne affaire pour votre pays et le mien.

Et toutes les nations du monde s'enverront des canards.

— Parfait, dit Gannadius. Eh bien, je ferais mieux de monter à bord ou le bateau partira sans moi.

— Que voulait cet homme ? demanda Theudas quand son oncle le rejoignit sur le pont. (Il avait réservé deux places dans les rouleaux de bouts, à la poupe du navire.) Et je peux savoir pourquoi vous vous promenez avec un canard mort ?

— Je me le demande, répondit Gannadius. Je dois le livrer à quelqu'un. Il semblerait que ce volatile marque le début d'une ère nouvelle.

— Tiens donc ? Quand nous arriverons à Île, il empestera la viande pourrie.

Gannadius lança le palmipède au milieu d'un rouleau de bouts et posa sa sacoche dessus.

— Ridicule ! C'est quatre jours après sa mort qu'un canard est à l'apogée de sa vie — enfin, de sa mort. Bref ! Et cesse de me regarder ainsi, tu veux bien ? Ce n'est qu'un échantillon commercial tout à fait banal. Si c'était un bout de tapis ou un sac de clous, tu n'y aurais même pas prêté attention.

Theudas soupira et s'assit sur les bouts.

— D'accord, d'accord. Je trouve juste bizarre qu'un type d'ici envoie un échantillon commercial à Île avec cette guerre, le démantèlement du camp et le reste. J'aurais cru que les hommes des plaines auraient autre chose en tête.

— Il semble que non.

Gannadius s'adossa au bastingage. Il savait que, tôt ou tard, il aurait le mal de mer ; par conséquent, il était préférable de ne pas s'éloigner de la rambarde.

— Il n'y a aucun mal à se montrer optimiste, poursuivit-il. À condition que personne ne *me* demande d'investir dans ce projet ! En un sens, la foi de ces gens en l'avenir fait chaud au cœur.

Theudas secoua la tête.

— Soit votre homme est fou à lier, soit il vous prépare un mauvais coup. Dans tous les cas, je jetterais cette saleté à la mer si j'étais vous — avant quelle empeste tout le navire et que ce soit *nous* qu'on jette par-dessus bord.

— Ne sois donc pas aussi rabat-joie, lui dit Gannadius. Nous quittons enfin cet endroit, non ? Je plongerais avec joie dans une pile de canards en putréfaction si cela me permettait de partir d'ici et de rejoindre la civilisation. (Il fit une pause.) Je dois néanmoins reconnaître que je ne m'attendais pas à un tel dénouement. Pour commencer, nous sommes toujours en vie — et c'est bien plus que j'espérais quand nous pataugions dans cet infâme marais, pourchassés par les soldats du bureau des Provinces. En fait, ces gens des plaines se sont montrés fort généreux avec nous, selon leurs critères. Transporter ce canard mort est sans doute la moindre des politesses à leur rendre.

— Généreux ? (Theudas lui lança un regard dégoûté.) Vous ne vous sentez plus concerné, n'est-ce pas ?

Gannadius garda le silence un long moment.

— Tu sais, dit-il enfin, tu as peut-être raison. C'est sans doute parce que je n'étais pas présent — je parle de la chute de Périmadeia. Je n'ai pas vu ce que tu as vu. Oh ! je sais ce qu'on m'a raconté. Et en un sens, j'y crois. Mais pour ma part, on s'est contenté de me transporter de la Cité à Île, puis d'Île à Shastel où on m'a confié un bon travail et où les gens me traitent avec respect. Alors, au

diable ! Oui, je suis heureux ! Je croyais que revoir cela…
(Il agita la main en direction de la Cité en ruine sans
tourner la tête.) Je pensais que cela changerait les choses,
que cela me ferait les haïr de nouveau. Mais ce ne fut pas
le cas. Aujourd'hui, quand je regarde ces hommes, je vois
des gens si inquiets à la perspective d'une invasion qu'ils
entassent leur vie dans des tonneaux et des sacs avant de
partir. C'est exactement ce que nous avons fait. En un
sens, je ne peux pas me résoudre à détester des gens qui
me ressemblent autant.

Un sourire amer se dessina sur les lèvres de Theudas.

— Moi, je le peux.

— Oui, mais tu es jeune et plein de vie. (Gannadius
changea de position : le contact de la rambarde contre
son dos devenait douloureux.) Quand tu auras mon âge,
tu t'apercevras qu'il est très facile d'oublier de haïr tes
ennemis un instant. Et une fois que tu as mis le doigt
dans l'engrenage, que tu cesses de détester l'un d'eux, il
devient presque impossible de détester les autres. Alors,
tu te laisses aller à des pensées comme : « Le peuple n'y
est pour rien, ce sont les chefs qui sont responsables de
tout le mal qui a été commis. » Et puis un jour, tu rencontres un de ces chefs et tu t'aperçois qu'il est presque
humain ; et c'est un coup terrible, comme un doigt cassé
pour un joueur de harpe professionnel. (Il déplaça de
nouveau son dos.) J'ai ressenti quelque chose d'étrange
en revoyant Temrai. Cela m'a rappelé une histoire qui
m'est arrivée quand j'étais jeune : un requin s'était
empêtré dans des filets à maquereaux et les pêcheurs
l'avaient pendu par la queue ; il était mort et raide
comme un morceau de bois ; je les ai vus le découper et il
était beaucoup plus petit que je m'y attendais.

Theudas ferma les yeux.

— C'est étrange que vous disiez ça. Je pensais la
même chose en me retrouvant face à lui. Bien sûr, c'est
une réaction courante quand un enfant rencontre une
personne et qu'il la revoit une fois adulte. Mais pour ma

part, le spectacle de Temrai pendu à une corde ne me dérangerait pas. Je pense même que j'apprécierais s'il était accroché par les pieds.

— C'est ton droit, dit Gannadius en étouffant un bâillement. Je n'ai jamais dit que tu devais cesser de le haïr. Après tout, tu as une bonne raison de le faire. Je dis juste que, pour ma part, ce n'est peut-être plus le cas.

— Vous pourriez le haïr par égard pour moi. N'est-ce pas là les enseignements que vous m'avez inculqués ? Aime les amis de tes amis et déteste leurs ennemis ?

— Oh ! soit ! Par égard pour toi, je le hais et j'espère de tout cœur que son lézard apprivoisé va mourir !

Une malédiction ! songea Gannadius. *Pour faire plaisir à un jeune homme dévoré par le désir de vengeance, je suis en train de lancer une malédiction contre une personne que je ne déteste pas. Un jour, Alexius a fait de même et voilà ce qui est arrivé. Par tous les dieux ! j'espère que la migraine que je sens venir n'est rien d'autre qu'une simple migraine.*

… Et il vit l'image du requin imprimée sur sa rétine : la graisse et la chair étaient découpées et laissaient apparaître les cartilages — comme la charpente d'un navire avant qu'on y cloue les planches de la coque. Gannadius aperçut des cuisiniers qui préparaient un joli festin : du requin, des steaks d'ours, des aigles entiers cuits à la broche comme des poulets et tournant lentement devant le feu, des loups rôtis farcis à la pomme et aux châtaignes, de longs serpents vidés de leurs entrailles pour servir de boyaux à boudin, une flèche de lard provenant d'un lion fumé était suspendue au plafond par un crochet… Un véritable dîner de prédateurs. Le vieil homme vit les cuisiniers aligner des filets de léopard au fond d'un plat à tarte et mettre en conserve des araignées géantes de Colleon comme s'il s'agissait de grosses prunes…

— Qu'est-ce que tu veux dire par là ? demanda Theudas. Temrai n'a pas de lézard apprivoisé.

— Tu as vu ? répliqua Gannadius. Le processus est déjà en marche.

Bardas Loredan en était certain : il n'avait pas quitté la flèche des yeux entre le moment où elle n'était qu'un point minuscule dans le ciel et celui où elle l'avait frappé. Un laps de temps d'une longueur insupportable, mais pas assez long pour lui laisser l'occasion de faire un pas à droite et d'éviter le trait — malgré des efforts enthousiastes en ce sens.

Le temps fonctionne parfois de manière très étrange, songea-t-il au moment de l'impact. *Ça vous amènerait presque à croire au Principe.*

Le choc de la flèche contre la joue de son casque projeta sa tête sur le côté comme s'il venait de recevoir une gifle mémorable. Il fut persuadé que le coup allait lui être fatal — *en général, on commence par mourir* —, puis il réalisa qu'il s'était sans doute trompé — *mais dans ton cas, on va faire une exception*. Au lieu de plonger dans le néant, il sentit une douleur aiguë dans les tempes. S'il avait bien compris les règles, les morts étaient dispensés de ce genre de désagrément — un lot de consolation en quelque sorte. Il tourna la tête pour la remettre droite ; la flèche avait perforé l'acier et les bords déchiquetés du trou le griffèrent sans douleur de la naissance de la mâchoire jusqu'au coin des lèvres. Il prit conscience du sang qui coulait à l'intérieur du casque rembourré — une sensation tiède et humide, en tout point semblable à celle de l'urine coulant le long de sa jambe quand il était petit garçon. Puis vint le choc posttraumatique : il chancela un instant, retrouva son équilibre et se redressa.

Ils avaient attaqué par surprise. Tout avait commencé par un sifflement lointain ressemblant à celui de l'huile dans une poêle chaude ; une nuée de flèches était montée dans le ciel, comme un grand vol de colombes surprises dans un champ, avant de dessiner de gracieux motifs sur le soleil au zénith. Il avait fallu un certain temps pour déterminer l'emplacement des archers — un repli de terre stérile entre la colonne et l'arête opposée de la vallée. Leurs adversaires n'étaient pas des amateurs : ils tiraient à la limite de portée d'arc et sur des cibles qu'ils ne voyaient même pas ; les auxiliaires de l'armée du bureau des Provinces n'avaient pas le talent ou l'assurance nécessaire pour un pareil exploit. Il est toujours affolant de se faire tuer par un ennemi invisible et pour le reste de la colonne, ce fut une expérience terrifiante qui paralysa les soldats d'effroi. Bardas, lui, ne ressentit qu'une pointe de nostalgie pour les mines.

Il chercha Estar des yeux, mais sans succès. Personne ne semblait donner d'ordres et les fantassins impériaux disciplinés maintenaient les rangs et attendaient avec patience de recevoir des instructions, comme des chevaux de trait sous une pluie battante.

Malédiction ! pensa Bardas.

Il fit un pas en avant pour sortir de la colonne et commença à crier des termes militaires : « Conversion à gauche ! » et « Alignez les rangs ! » — le genre de manœuvres qu'il avait apprises dans l'armée de Maxen et qu'il croyait avoir oubliées. Mais les Impériaux étaient sans commune mesure avec les soldats de Maxen : c'était un plaisir de les commander à l'exercice, car ils étaient vifs et précis ; ils ne se contentaient pas d'exécuter les ordres, ils y croyaient comme aux préceptes sacrés d'une religion. Cette obéissance aveugle était quelque peu troublante, tout comme ses implications en matière de responsabilité et de confiance.

Ne me dis pas que tu vas encore te laisser entraîner là-dedans ! pensa Bardas avec ressentiment.

Mais si quelqu'un ne prenait pas l'initiative de sortir ces hommes du champ de tir ennemi, il y aurait inévitablement des morts et des blessés. Estar était introuvable et les autres officiers restaient plantés sur place avec la même ferveur que leurs soldats. Le sang avait maintenant atteint la clavicule de Bardas et imbibait le revers de son gambison. Les bords acérés de la déchirure du casque taillaient des plaies étroites et profondes avec la précision des lames fines comme du papier que les cuisiniers employaient pour préparer un mouton.

Il a presque réussi le test, mais pas tout à fait. Un petit trou à l'extérieur et une série d'entailles sanguinolentes à l'intérieur.

Sous son commandement, les soldats abandonnèrent la formation en colonne pour s'aligner et commencèrent à avancer. Dans ce genre de situation, les stratèges impériaux recommandaient une manœuvre qu'ils appelaient « le marteau et l'enclume » ; il s'agissait d'inviter l'ennemi à concentrer ses tirs sur une charge — apparemment suicidaire — de fantassins ; le gros des troupes semblait avancer droit sur un mur de flèches — après tout, les armures étaient faites pour cela — tandis que les ailes de cavalerie et l'infanterie légère contournaient l'adversaire pour le pousser sur les piquiers. C'était une tactique assez sûre, à condition que les officiers de cavalerie soient compétents. Bardas avait vu les unités à cheval s'éloigner dès qu'il avait fait manœuvrer ses hommes ; ils étaient partis dans la direction opposée à l'ennemi avant d'opérer un grand arc de cercle et de surgir dans leur dos. Sur un tel terrain, ils devraient faire un large détour pour contourner la crête éloignée sans être repérés ; ils ne seraient donc pas en position avant un long moment et par conséquent, les fantassins en armure resteraient exposés à cette pluie mortelle. C'était un pari dont dépendait la vie de milliers d'hommes.

Nos armures réussiront-elles l'épreuve des flèches ?

Nous sommes bien contents de te revoir à la forge des épreuves, Bardas. On savait que tu ne pourrais pas t'en passer très longtemps.

Mais où diable était passé le colonel Estar ? La logique voulait qu'il ait été abattu par la première volée, mais Bardas ne l'avait pas vu tomber. Il était inconcevable qu'il se soit enfui. Après tout, c'était un Fils du Ciel, et même Bardas Loredan avait besoin de croire en quelque chose. Si Estar était mort… Mais cela ne se passe jamais ainsi : les commandants en chef de puissantes armées ne sont pas tués par la première volée de flèches de leur première bataille. Mais s'il était mort — *et c'est arrivé à Maxen, rappelle-toi* —, le commandement revenait au sergent Loredan jusqu'à l'arrivée d'un autre Fils du Ciel d'Ap' Escatoy. Cette pensée fit frissonner Bardas.

Le problème était intéressant, digne d'un examen sur l'art de la guerre. Pour atteindre l'ennemi, ils devaient descendre un terrain en pente. Il était essentiel qu'ils maintiennent les rangs, mais le simple poids de l'armure — sur laquelle tout reposait — avait tendance à les entraîner en avant, obligeant presque les fantassins à courir. Bardas devait planter ses talons dans la tourbe sèche et friable pour ne pas perdre l'équilibre. Il imagina le spectacle grotesque des soldats de toute une armée, cuirassés de la tête aux pieds et descendant la pente sur leurs fesses, glissant, se percutant les uns les autres et culbutant pour former un enchevêtrement de chair et d'acier. C'était le genre d'événement susceptible de se produire pendant une guerre, c'était ainsi que les catastrophes naissaient et que les conflits se perdaient. Pendant un instant, il vit cette image avec une grande clarté, comme si cela était déjà arrivé : un gigantesque monceau de débris, de pièces ayant échoué à l'examen — les hommes comme les armures, *nous sommes heureux de te revoir ici* ; au sommet de la petite éminence, leurs adversaires tiraient à volonté sur cet amoncellement chaotique et riaient si fort qu'ils avaient du mal à bander leurs arcs. L'image était si concrète que Bardas fut presque incapable de la distinguer de la réalité. Il cria aux commandants de peloton — invisibles puisque derrière lui — de maintenir les rangs et de ralentir l'allure. Il était facile de donner de tels ordres, mais plus difficile de les faire appliquer et de transformer les mots en actions ; c'était le travail d'un véritable chef et Bardas espéra qu'il y en avait quelques-uns parmi les hommes qui le suivaient. La pluie de flèches ne s'était pas interrompue et ne facilitait guère les opérations ; les archers se découpaient sur le ciel et tiraient vers le bas presque à la verticale. Les traits glissaient sur les surfaces métalliques aux angles étudiés avec soin avant de ricocher dans toutes les directions, frappant de côté les visages et les corps des hommes des quatrième et cinquième rangs. On ne pouvait rien y faire. Il fallait les ignorer, comme s'il s'agissait de taons un jour de grande chaleur. Il y avait une chose que les soldats ne pouvaient pas faire : s'arrêter et rebrousser chemin. Si l'envie les en avait pris, ils auraient aussitôt roulé pêle-mêle en bas de la pente.

La seule solution était de parcourir les derniers mètres au trot. Quelques hommes tombèrent, et chacun en entraîna deux ou trois autres dans une collision suivie d'un bruit sourd, comme un accident dans une forge. Bardas n'avait pas le temps de s'occuper d'eux, ils devraient se débrouiller seuls s'ils en étaient encore capables. Il savait que des survivants étaient prisonniers sous des cadavres, comme des mineurs ensevelis par un éboulement, mais il leur faudrait attendre. Leur survie dépendait de la capacité du général — du sergent Loredan — à gagner la bataille. En cas de défaite, ils resteraient là jusqu'à leur mort, ou jusqu'à l'arrivée des ferrailleurs venus récupérer les restes et éplucher les carcasses avec leurs couteaux effilés. Il les entendait maintenant : « On n'aurait jamais dû laisser le commandement échoir à un étranger, ça ne pouvait tourner qu'à la catastrophe. »

Les fantassins impériaux avaient maintenant terminé leur descente et le plus dur restait à faire. Ils devaient encore gravir une pente courte, mais abrupte, dont le sommet était occupé par l'ennemi.

Ça ne va pas du tout ! Si j'avais voulu en baver à ce point, je serais resté dans cette maudite ferme.

C'était pis que de porter des sacs de grains jusqu'au

grenier en montant par l'échelle, ou hisser de lourdes poutres en haut d'un échafaudage. À chaque pas, Bardas avait l'impression que ses genoux allaient exploser ou que la peau de ses mollets allait se fendre sous la pression des muscles. Il sentait ces derniers se déchirer.

Ce n'est pas très intelligent ce que tu fais, Bardas. Tu vas finir par te faire mal.

À l'idée d'affronter un adversaire une fois en haut de la colline, il faillit éclater de rire. Si les hommes des plaines tenaient tant à se battre contre lui, il faudrait qu'ils lui donnent un coup de main pour gravir les derniers mètres, comme on aide un vieillard chancelant à monter un escalier.

Le bruit des flèches déviées par l'armure était incroyable : un sifflement strident ressemblant à un cri de frustration. Toutes ne rebondissaient pas sur les plaques de métal : les archers occupaient une position surélevée et pouvaient donc viser des endroits intouchables lors d'un affrontement classique ; certaines parties aplaties étaient maintenant exposées et susceptibles d'être transpercées sans difficulté. Pendant la descente, chaque homme touché entraînait deux ou trois camarades avec lui tandis qu'il partait en arrière et roulait en bas de la pente — si l'ennemi avait eu un peu de bon sens, il aurait jeté des rochers et des troncs d'arbre ; cette difficulté supplémentaire n'arrangeait en rien la situation des Impériaux. Leur progression était presque au point mort, comme si le temps avait cessé de s'écouler — comme au moment où la flèche fondait vers lui — et Bardas n'avait d'autre choix que se forcer à grimper encore d'un pas, puis d'un autre. Il arrivait à peine à respirer maintenant. C'est ainsi qu'on perd des batailles. C'est ainsi que les catastrophes se produisent ; la pile de rebut, la pile des pièces qui ont échoué aux épreuves.

Son regard se posa soudain sur une paire de bottes — de vieilles bottes usées dont un bout était rapiécé.

J'en avais de semblables dans le temps, songea Bardas.

Tandis qu'il se rappelait le cadavre à qui il les avait prises après une bataille dans les plaines, le propriétaire des bottes lui assena un coup de pied au front. C'était encore une erreur : ce genre de chaussure n'est pas assez solide pour frapper un casque en acier. En dépit de la situation, Bardas ne put s'empêcher de sourire — il n'avait pas assez de souffle pour éclater de rire — en entendant le hurlement de douleur de son agresseur. Puis, malgré un horizon limité aux genoux de son adversaire, il donna un coup de pique vers le haut — cette maudite arme pesait des tonnes et il avait dû la transporter jusqu'ici, alors autant s'en servir. Le cri cessa.

Nous sommes au contact. Eh bien, nous savons où nous en sommes maintenant. Et au moins, c'est un domaine qui ne m'est pas étranger.

Profitant de l'élan de son attaque, il grimpa avec peine le dernier mètre qui le séparait du sommet de la crête et réussit à enjamber le cadavre avec la pique plantée dans le ventre — l'arme lui avait été arrachée des mains quand l'homme s'était effondré. Tandis qu'il avançait en vacillant, quelqu'un le frappa en travers des épaules. C'était gaspiller sa force que de taper à la jointure des épaulières, du gorgerin et de la partie postérieure de la cuirasse, mais Bardas n'avait ni le temps, ni l'énergie de s'occuper de son nouvel adversaire. Il poursuivit son chemin de la même manière qu'il aurait évité un alcoolique dans une rue. Tout son corps se soulevait au rythme de sa respiration et l'air se bloquait dans sa gorge comme s'il avait avalé une pomme. Un imbécile martela le sommet de son casque avec une hache, mais cela ne dura pas longtemps. Bardas leva son bras et le laissa retomber : entraînée par le poids du canon d'avant-bras, de l'articulation, de l'épaulière et du gantelet, son épée trancha chair et os. L'armure connaissait son devoir ; à l'intérieur, l'homme ne jouait qu'un rôle secondaire.

Ça y est, songea Bardas en dégageant la lame de la clavicule sectionnée. *L'armure m'a emprisonné, elle a poussé autour de moi, comme les cernes d'âge d'un arbre ; seul l'extérieur, la partie en acier, est vivant.*

Les hommes des plaines commencèrent alors les tests — avec des épées, des lances, des haches et même des rochers et d'énormes gourdins, mais ils ne parvinrent pas à prendre l'armure en défaut. Quand il s'agissait d'écraser et de broyer des plaques de métal, ils n'étaient pas à la hauteur de Bollo et de son gigantesque marteau. En revanche, leur chair et leurs os n'obtinrent que des résultats fort décevants : tout le lot échoua aux épreuves, à l'exception de quelques unités qui furent retirées de l'examen au dernier moment. Une fois la séance terminée, il y avait cette grosse pile de déchets que Bardas n'avait pas quittée des yeux, ce tas de bras, de jambes, de troncs et de têtes incapables de réussir les tests. Il n'en fut guère surpris maintenant qu'il les observait de plus près : les pièces étaient faites dans un matériau autre que l'acier. C'était idiot.

Quand les cavaliers daignèrent enfin faire leur apparition, il ne leur restait rien à se mettre sous la dent et ils en conçurent clairement une certaine irritation ; ils n'apprécièrent pas davantage de se retrouver sous les ordres d'un sergent d'infanterie étranger. Leur capitaine était un Périmadeien du nom d'Olethrias Saravin et Bardas essaya de le convaincre de prendre le commandement du détachement, mais en vain.

— Vous pouvez toujours rêver, dit Saravin. Vous avez tout raté la dernière fois que vous avez combattu le peuple des plaines. Maintenant, vous avez l'occasion de régler vos comptes.

Bardas comprit qu'il ne servirait à rien de discuter avec lui, il changea donc de sujet et lui ordonna de prendre la tête de trois compagnies et de partir en reconnaissance. Et il lui conseilla, cette fois-ci, de vérifier s'il n'y avait pas une concentration importante d'archers ennemis se promenant dans la région. De mauvaise grâce, Saravin s'éloigna au galop et Bardas ordonna de monter le camp pour la nuit.

On trouva le corps d'Estar et on le lui apporta. Il ne portait pas la moindre blessure, sinon quelques traces de piétinement. Selon toute probabilité, il était tombé de cheval et avait eu une crise cardiaque en tentant de se relever, sans aide et revêtu de sa lourde armure.

— On devrait essayer *L'Honneur et la Gloire*, suggéra Eseutz. Il ne devrait pas y avoir trop de monde à cette heure-ci et leur soupe de poisson n'est pas trop mauvaise.

Vetriz hocha la tête. Peu lui importait la taverne pourvu qu'il y ait un siège libre. Elle avait fait l'erreur de porter ses nouvelles sandales — avec des lanières en cuir dur et des talons de trois centimètres comme l'exigeait la tenue de caravanier nomade — et elles n'étaient pas faites à ses pieds ; les sangles entraient dans sa chair comme du fil à couper le beurre.

La soupe de poisson se révéla tout juste médiocre et les cuisiniers ne s'étaient même pas donné la peine d'ouvrir les coquillages.

— C'est censé être une preuve de fraîcheur et de retour à une simplicité élémentaire, commenta Eseutz. (Avec sa cuillère, elle poussa une moule au fond de son assiette et la regarda refaire surface.) Mais en ce qui me concerne, ça prouve juste que le cuisinier déteste écailler les coquillages — un point de vue que je partage de tout cœur. Le plus dégoûtant, c'est que vous terminez le repas avec un monceau de coquilles vides sur le bord de votre assiette — et ce n'est pas un spectacle très réjouissant quand on mange.

Vetriz sourit, un peu ailleurs. Elle avait la migraine et n'était pas d'humeur à supporter les bavardages d'Eseutz Mesatges.

— Tu n'as qu'à ne pas y toucher, dit-elle. Contente-toi de la soupe.

— Quoi ? Et laisser de la nourriture que j'ai payée avec du bon argent ? Jamais de la vie ! (Eseutz grimaça et ouvrit une moule d'un geste brusque.) Le pire, ce sont ces petits trucs roses qui ressemblent à des scarabées, tout roulés en boule comme des cloportes morts. Je défie quiconque d'ouvrir une de ces choses sans l'aide d'un pied-de-biche et d'un gros marteau.

Une personne entra et Vetriz eut l'impression de la reconnaître. Elle aperçut le dos d'un crâne chauve et de larges épaules.

— Tu sais, dit-elle, je n'ai pas très faim. Je crois que je vais rentrer chez moi, lâcha-t-elle en se levant.

— Oh ! ne sois pas bête, Vetriz ! Écoute, si la soupe ne te dit vraiment rien, nous allons commander autre chose. Que dirais-tu d'un curry de mouton ?

— Je t'assure, dit Vetriz d'une voix plus forte qu'elle ne s'y attendait. Je n'ai pas faim.

Plusieurs personnes tournèrent la tête vers elle, y compris le chauve aux larges épaules. Il la regarda un moment, sourit et s'éloigna en direction de la table près de la fenêtre. Vetriz se rassit, au bord du malaise.

— Ce n'est pas la soupe de poisson, hein ? demanda Eseutz.

— Non. Ce n'est pas la soupe de poisson.

Eseutz observa le dos qui s'éloignait pendant un moment.

— Ça ne me regarde pas, c'est ça ?

— Non, dit Vetriz. Ça ne te regarde pas.

— Soit. Si tu n'as vraiment pas faim, ça te dérange si je prends ton pain ?

Gorgas Loredan s'arrêta et examina la salle jusqu'à ce qu'il aperçoive la personne qu'il cherchait. Ces frêles épaules un peu voûtées, il n'y avait pas d'erreur possible. Il s'approcha et passa un bras autour.

Iseutz Loredan fit un saut de carpe en se retournant, puis elle reconnut l'homme et se détendit un peu — mais pas tout à fait.

— Oncle Gorgas !

— J'ai reçu ta lettre, dit Gorgas. (Il enjamba le banc et s'assit à côté d'elle ; il paraissait trop massif dans un endroit si ordinaire.) En fait, je l'ai eue alors que je partais pour un rendez-vous ici. Alors bien sûr, je me suis dit que je pourrais te proposer de venir avec moi.

Iseutz sourit.

— C'est merveilleux, dit-elle. Merci beaucoup.

— Tout le plaisir est pour moi, je t'assure. J'aurais dû t'inviter depuis bien longtemps, mais je ne savais plus trop où on en était ta mère et moi. Cette soupe a l'air délicieuse.

— Dans ce cas, ne te gêne pas. Je la trouve infecte.

Gorgas haussa les épaules.

— Au fait, dit-il. C'est vrai que tu as presque tué un soldat ? Et de la main gauche encore. Tu as vraiment un don pour l'escrime, hein ?

— Ça doit être un trait de famille, dit Iseutz d'une voix monocorde. Alors, tu es au courant de toute cette histoire ?

— Mmm, répondit Gorgas en avalant une cuillerée de soupe. (Il ouvrit la bouche et en tira deux coquilles de moule qu'il laissa tomber sur la table.) Sale affaire, à mon avis. Tu comprends, j'ai quelque chose que les Impériaux veulent, mais ils refusent de payer le prix que j'en demande — ce que je trouve idiot de leur part, ils en ont un grand besoin et mon offre ne leur coûterait rien, mais c'est ainsi. Je suppose que ta mère et toi deviez servir de monnaie d'échange. Nous vivons une bien triste époque : on ne peut même plus faire affaire avec des gens comme les Impériaux sans qu'ils enlèvent les membres de votre famille contre rançon. S'ils ne détenaient pas encore ta mère, j'annulerais le contrat et je les enverrais au diable.

Il attrapa l'assiette et la porta à ses lèvres pour finir le restant de soupe.

— Je suis au courant de ce contrat, dit Iseutz. Je ne pensais pas que tu tenais autant à nous.

Gorgas fronça les sourcils. Il mastiqua un moment sans la moindre discrétion et avala.

— Ne sois pas ridicule, dit-il. Tu fais partie de ma famille et il n'y a rien de plus important que la famille. Mais en fin de compte, j'ai eu le dernier mot avec eux — enfin, c'est ce que j'ai cru. Je leur ai donné le Mesoge.

Iseutz écarquilla les yeux.

— Tu as fait quoi ?

— Je le leur ai offert, sans contrepartie, gratuitement, pour rien. (Il sourit.) Ils m'avaient envoyé un émissaire aussi imperturbable qu'une statue, mais tu aurais vu la tête de cet enfoiré quand je le lui ai annoncé — d'ailleurs, elle ressemblait tout à fait à celle que tu fais en ce moment. On aurait dit qu'il avait avalé un beignet avant de s'apercevoir que c'était un hérisson. (Il s'interrompit.) En y repensant, il est possible qu'ils se soient emparés de vous pour avoir une garantie au cas où je changerais d'avis. Enfin bref, quelles que soient leurs raisons, c'est raté. S'ils veulent récupérer leur maudit pirate, il va falloir qu'il me rende ta mère *et* qu'ils acceptent ma proposition initiale. (Il fronça un peu les sourcils.) En fait, tu viens de me donner une idée. Ce voyage va peut-être se révéler plus utile que je le pensais.

Iseutz sourit.

— Je suis heureuse d'avoir pu t'aider. Écoute, je ne voudrais pas te presser ou quoi que ce soit, mais est-ce que ton affaire va prendre longtemps ? J'aimerais partir le plus tôt possible. Je sais bien que ces soldats ont sûrement plus important à faire que chercher des prisonniers en maraude, mais ils me mettent mal à l'aise.

Gorgas hocha la tête.

— Je vais te surprendre, mais s'il y a une chose que le bureau des Provinces déteste plus que tout, c'est perdre un prisonnier. Non, tu as raison de t'inquiéter. Le mieux serait de te conduire en sécurité à bord de mon navire et de quitter Île. Je dirai à l'équipage de revenir me chercher.

— Tu es sûr ? Je ne veux surtout pas te causer d'ennuis.

Gorgas la regarda.

— Inutile d'en faire trop, dit-il. Allez, tu peux être franche avec moi, je suis ton oncle. C'est sur moi que tu crachais dans cette prison de Scona. C'est pour cette raison que nous nous entendons si bien : aucun de nous ne se fait d'illusions sur l'autre. C'est ainsi que ça devrait se passer, dans une famille.

Iseutz lui lança un regard mauvais avant de secouer la tête.

— Excuse-moi, dit-elle. Je n'avais pas l'intention de t'insulter.

— Ah ! tu sais, je suis imperméable aux insultes, répondit Gorgas avec un sourire. Écoute, je vais être sincère, comme je te demande de l'être avec moi. Je veux que tu sois en sécurité dans un endroit où les sbires du préfet ne pourront pas te mettre la main dessus ; je ne tiens pas à ce qu'ils récupèrent un second otage. Et si ça signifie que je dois passer cinq jours ici au lieu de deux, ce n'est pas cher payé. Ça me laissera le temps de m'occuper de cette petite affaire à laquelle je viens de penser. En fait, tu me rends un service — deux, d'ailleurs, puisque c'est toi qui m'as donné cette idée —, et moi, je t'en rends un en retour. Et nous sommes tous les deux satisfaits, c'est donc parfait. Bien, tu as fini ton repas maintenant, alors allons au quai. Est-ce que tu veux emporter quelque chose, ou bien es-tu prête à partir ?

— Je n'attends que toi, répondit Iseutz. Je suppose que tu ne vas rien me dire à propos de cette idée géniale que je t'ai suggérée, n'est-ce pas ?

— Tu as tout à fait raison. Allons, mettons-nous en route. Au fait, la soupe n'était pas si mauvaise que ça, il faudra que je me souvienne de cette taverne. Nous allons sortir par-derrière.

En passant devant la table où Vetriz était assise, Gorgas s'arrêta, s'inclina avec politesse et poursuivit son chemin.

— Qui était cette femme ? demanda Iseutz.

— Une amie de ton oncle Bardas.

— Oh !

Dans l'intervalle, Eseutz s'était penchée vers son amie.

— Allez, dis-moi qui c'est ? demanda-t-elle.

— Je te l'ai déjà dit, répliqua Vetriz avec irritation, ça ne te regarde…

— Tu es en colère, continua Eseutz, parce qu'il était accompagné par une femme. Elle est assez jeune pour être sa fille. Tu n'as pas perdu grand-chose avec ce type, si tu veux mon avis.

— Je ne me rappelle pas te l'avoir demandé, dit Vetriz. Alors, tais-toi !

— Je ne dis plus un mot. Mais je croyais que tu étais encore entichée de ce fameux Bardas Loredan. Tu sais, celui qui est devenu un héros pendant le siège d'Ap' Escatoy…

— Eseutz !

— Désolée. (Eseutz sourit et leva les mains.) Je change de sujet. Je ne voulais pas me montrer indiscrète. C'est juste que tu n'es pas très amusante dans ce domaine. Tu ne t'intéresses jamais à un homme, alors tu ne peux pas me reprocher de… (Vetriz la fusilla du regard.) D'accord ! Changeons de sujet. Est-ce que tu as acheté ces chaussures dont tu me parlais ? J'en ai essayé une paire, mais les sangles me tailladaient les chevilles. Un véritable instrument de torture — pas la peine de recourir aux fers portés au rouge et aux écrase-pouces, tu me mets ça aux pieds pendant cinq minutes et je te raconte aussitôt ce que tu veux savoir.

Quand elle réussit enfin à se débarrasser d'Eseutz, Vetriz retourna tout droit chez elle et verrouilla la porte. C'était un geste inutile, et en rentrant, Venart serait furieux de s'apercevoir qu'il était enfermé dehors. Pourtant, c'était un premier pas pour recouvrer son calme. Elle gagna le balcon du premier étage et s'assit derrière le rideau. Elle observa la rue jusqu'à ce qu'il fasse trop sombre pour distinguer quelque chose.

De son côté, Eseutz se rendit au marché de la laine — où il ne se passait rien ; elle rendit ensuite visite à Cens Lauzeta, le magnat de l'huile de poisson, mais il n'était pas chez lui ; elle acheta une perche de mer et une pierre à encre au marché de la Deuxième Main et s'arrêta chez le bijoutier pour demander si sa broche en forme de sauterelle était réparée — ce qui n'était pas le cas. Puis elle rentra chez elle.

À son arrivée, deux hommes étaient assis sous le porche de sa maison. Elle eut la désagréable surprise de constater que l'un d'eux était Cens Lauzeta. Elle avait déjà vu le second, mais ne connaissait pas son nom.

Le problème fut vite résolu néanmoins : dès qu'il eut terminé de sermonner la jeune femme pour ses sorties si tardives, Cens lui présenta son compagnon. Il s'agissait d'un certain Gorgas Loredan et il avait une affaire à lui proposer.

Chapitre 13

— Je trouverais la situation très amusante si je n'étais pas pétrifié de peur, dit Temrai en lâchant la poignée de la scie et en s'asseyant sur la poutre. Me voilà en train de construire des fortifications pour que Bardas Loredan vienne en faire le siège. (Il essuya ses yeux couverts de sciure.) Ça me rappelle quand on était enfant : on jouait aux bons et aux méchants à tour de rôle. Par malheur, je crains d'avoir perdu le fil : je ne sais plus si c'est à moi d'être le gentil.

Ils avaient presque atteint la Rivière Gris Ardoise quand la nouvelle leur était parvenue : l'armée de Cidrocai avait été balayée et Bardas Loredan avait pris le commandement de la colonne ennemie après la mort du colonel impérial.

C'est bien ma chance, avait dit Temrai en l'apprenant. *Nous tuons un colonel et regardez ce qui arrive.*

Il avait aussitôt ordonné une halte.

Dans les griffes de la mort, soit, je l'accepte. Mais dans celles de Bardas Loredan, jamais !

Il avait envoyé des éclaireurs trouver un lieu susceptible d'être fortifié au maximum pour se préparer à l'inévitable confrontation.

En fait, il n'aurait pas pu choisir meilleur endroit s'il avait eu l'intention de s'y installer dès le début. À une heure de marche, les éclaireurs découvrirent un plateau aux pentes escarpées qui surplombait une plaine plate et sèche ; en contrebas, il y avait un bois d'un côté et une petite rivière rapide qui contournait l'éminence de l'autre. Quand il vit les lieux pour la première fois, Temrai ne put retenir un sourire. Avec un peu de temps et beaucoup d'efforts, cet endroit pouvait être transformé en une réplique assez fidèle de la Triple Cité.

— Au pire, cela nous donne un modèle à suivre, avait-il fait remarquer à ses ingénieurs Nous allons copier le travail des Périmadeiens du mieux possible dans la limite du temps qui nous est imparti. Nous ne devrions pas être loin du compte si on se retrousse les manches et si on ne traîne pas.

Il n'y eut pas la moindre question. S'il y avait un domaine où les hommes des plaines ne craignaient personne, c'était le travail. Il n'y eut ni plaintes ni objections quand Temrai présenta l'ébauche de son projet devant le conseil de guerre : creuser un canal pour détourner le cours de la rivière afin qu'elle encercle complètement le plateau ; abattre et élaguer tous les arbres utilisables de la forêt ; ériger des bastions à la périphérie de l'éminence afin d'y poster les trébuchets. En fait, il demandait à son peuple de reconstruire Périmadeia en un mois ; et pour l'instant, personne n'avait osé suggérer que la tâche allait être rude — et encore moins qu'elle était impossible.

À l'autre extrémité de la scie, le compagnon de Temrai bâilla et lui tendit la bouteille d'eau. Il s'agissait d'un lointain parent du nom de Morosai ; il était âgé, petit, chauve et au moins cinq fois plus endurant que Temrai.

— Les travaux avancent bien, dit-il.

— N'est-ce pas ? Je dois reconnaître que je ne m'attendais pas à ce que ça aille si vite.

— Les hommes sont heureux d'avoir quelque chose à faire. Quand ils sont occupés, ils ont l'impression d'être moins vulnérables. Plus le travail est dur, mieux ils se sentent.

Temrai haussa les épaules.

— Je voudrais bien qu'il en aille de même pour moi.

— Ah! dit Morosai en hochant la tête. (Il aimait à se donner des airs de vieux sage.) Ça ne marche pas avec toi parce que tu connais la vérité.

— Tu crois? (Temrai s'interrompit pour chasser la sciure de ses yeux.) Je n'étais pas au courant.

— Tu sais que si nous entrons en guerre contre l'empire, nous n'avons pas la moindre chance. Avec ces gens-là, même une victoire est pire qu'une défaite. C'est leur politique: tue l'un des leurs et tu peux être sûr que cinq hommes vont surgir pour le remplacer. C'est pour cette raison que tu étais tout prêt à battre en retraite, jusqu'à ce qu'*il* t'arrête.

— Tiens donc? dit Temrai avec irritation. Ainsi donc, je sais tout ça? C'est curieux.

— Bien sûr que tu le sais, continua Morosai. (Il ne sembla pas se rendre compte qu'il attisait la colère de son roi.) Je ne te ferais pas l'insulte d'envisager le contraire.

— Parfait! Et est-ce que je connais un moyen de nous sortir de ce guêpier? Une solution qui éviterait que nous y laissions tous la vie?

Morosai hocha la tête.

— Bien sûr. Il faudrait que tu sois un imbécile pour l'ignorer.

Temrai se leva et saisit la poignée de la scie.

— Remettons-nous au travail plutôt que de rester là à jacasser toute la journée. Nous sommes censés montrer l'exemple.

— *Tu* es censé montrer l'exemple, corrigea Morosai. Je suis assez vieux pour être dispensé de ces tâches, mais j'ai vu que tu ne t'en tirerais jamais tout seul.

Temrai se rappelait que, enfant, il avait toujours détesté le cousin Morosai.

— Tu as tout à fait raison, dit-il. Bon! tu es prêt? À toi l'honneur, alors.

Ils travaillèrent pendant un moment, jusqu'à ce que le bois commence à accrocher la lame.

— Attends, dit Morosai en fronçant les sourcils. Tu vas casser la scie si tu forces.

Temrai lâcha l'outil et s'appuya sur la poutre.

— D'accord. Et qu'est-ce qu'on fait, maintenant ?

— On ne fait rien. Tu te tiens tranquille pendant que je libère la lame avec la scie à archet.

Morosai entreprit de découper un morceau de bois près de la fente. Le travail ne semblait pas l'avoir fatigué le moins du monde alors que les mains et les poignets de Temrai le faisaient souffrir le martyre.

— Continue donc ce que tu disais tout à l'heure, dit Temrai. Quelle peut bien être cette solution qui nous crève les yeux à tous les deux ?

— Se rendre, répondit Morosai.

La lame de sa scie s'était déjà enfoncée de trois largeurs de doigt et il n'avait même pas le souffle court.

— Ils veulent cette terre, tu n'as qu'à la leur donner. Ensuite, nous retournerons dans les plaines d'où nous sommes venus. En fait, c'est exactement le plan que tu avais en tête.

Temrai acquiesça avec lenteur.

— Ainsi, nous n'avons qu'à rassembler nos affaires et à nous remettre en route. Et le colonel Loredan va gentiment camper sur ses positions et nous laisser passer, sans lever le petit doigt. Excuse-moi, mais je ne pense pas que ce soit très crédible.

Le but de leur travail était de transformer le tronc d'un vieux hêtre en une pile de planches coupées avec soin ; celles-ci serviraient ensuite à construire une partie du pont tournant en travers de la rivière. D'après les calculs de Temrai, l'ouvrage nécessitait une centaine de planches de trois mètres de long. Jusqu'ici, Morosai et lui avaient trimé et sué pendant trois heures sur la grande scie, et ils n'en avaient pas encore découpé une seule.

— Tu préfères qu'on change de place ? demanda Morosai.

Il était au fond de la fosse de bûcheron alors que Temrai se tenait en haut. En règle générale, le jeune et vigoureux apprenti descendait dans le trou tandis que le vieux débris restait à l'extérieur ; le sens de cette proposition n'échappa pas à Temrai.

— Ou mieux, poursuivit Morosai. Pourquoi est-ce que tu ne vas pas faire un tour pour me trouver quelqu'un avec qui je pourrais scier ces planches ? Je sais que tu fais ton possible, mais on ne peut pas dire que tu sois très doué.

Temrai soupira.

— D'accord, j'ai compris. Mais réponds à ma question, s'il te plaît. Qu'est-ce qui te fait penser que Bardas Loredan nous laissera passer sans attaquer ?

— Parce que c'est ce que ses supérieurs lui ordonneront de faire, déclara Morosai. Le préfet ne tient pas à se battre s'il peut l'éviter. Nos cadavres ne lui seront d'aucune utilité — à moins qu'il ait trouvé le moyen de tanner la peau humaine pour en tirer un cuir de bonne qualité, ou qu'il se soit lancé dans le commerce de l'engrais à base d'os broyés. Ce qu'il veut, c'est ce territoire. S'il peut l'obtenir avec jouissance immédiate, c'est tout bénéfice pour lui. Et même si le colonel Loredan est décidé à nous tuer — ce dont je doute, soit dit en passant —, il ne se mettra pas sur notre route si le préfet lui en donne l'ordre. C'est aussi simple que ça. Ton premier plan était bon, jeune Temrai, et il a fallu que tu t'arrêtes pour jouer au guerrier. Enfin, tu sais que j'ai raison.

— Dans l'ensemble, c'est vrai, reconnut Temrai. (Il se leva et s'épousseta.) Mais je ne peux pas courir un tel risque.

— Je sais, dit Morosai. C'est dommage, tu ne crois pas ?

Après avoir trouvé une personne compétente pour le

remplacer, Temrai gagna le point culminant de l'éminence, observa les alentours et essaya de visualiser le résultat final. La citadelle se dresserait ici ; une tranchée et un rempart de terre surmonté d'une palissade l'isoleraient du reste du plateau. Une seconde barrière entourerait ce dernier, avec des tours à intervalles réguliers pour abriter les archers et les machines de guerre. À mi-hauteur des pentes, des bastions accueilleraient les gros trébuchets ; ils seraient construits sur d'épais monticules de terre damée et disposés au plus près les uns des autres. À l'endroit où l'unique chemin étroit et tortueux montait vers le plateau, il y aurait le pont tournant et la pompe — un nom un peu grandiloquent pour une série de seaux accrochés à des cordes et destinés à transporter l'eau jusqu'au sommet. Le système serait protégé par un abri de planches lourdement renforcé et gardé par des tours de chaque côté. Il s'agissait par nature d'un endroit vulnérable et il était donc logique de le placer à proximité du second point faible : le pont. Ce que Temrai avait l'intention de faire, s'il en avait le temps, c'était rassembler la pompe et la barbacane dans une tour en brique — voire en pierre — et de transformer ainsi l'endroit le plus vulnérable en l'endroit le mieux défendu — un peu comme la tête, la partie la plus fragile du corps, est protégée par le casque, la pièce la plus solide d une armure.

Bon ! tout cela était très bien en théorie. Il restait encore à voir le résultat quand les fortifications seraient mises à l'épreuve. Morosai avait raison, bien entendu. C'était une erreur de fonder leurs espoirs sur des murailles et des armures. C'était la méthode employée par leurs adversaires, pas la leur. Quelle que soit la résistance d'une plaque de métal, elle finit toujours par céder quand on la martèle avec un marteau assez gros. Mais Temrai était incapable de marcher vers l'ennemi — vers Bardas Loredan — en espérant que le bon sens et les arrangements prévaudraient. Comme l'avait remarqué Morosai, c'était dommage ; parce que l'armée et l'homme qui avaient permis la prise d'Ap' Escatoy n'auraient sans doute guère de mal à enfoncer quelques palissades de bois vert.

Et je suis ici, attendant Bardas Loredan, le Destructeur de Cités. Il me semble qu'hier encore c'était moi, Temrai, qui étais dépositaire de ce titre. Au fond de moi, je savais que même les murailles de Périmadeia n'étaient pas de taille à résister à ma force et à mon gros marteau.

Enfin ! Il est bon de savoir quelque chose, mais au fond, c'est inutile tant que cette chose n'a pas été prouvée et quelle n'a pas passé l'épreuve du feu. Certes, mais ils n'en étaient pas encore là. Et en attendant, ils avaient largement de quoi se distraire.

Il descendit le chemin sans but précis et s'arrêta à mi-hauteur afin d'observer les hommes qui creusaient les fossés et entassaient les remblais sur le côté pour établir une seconde ligne de défense. La plupart travaillaient en silence, ce qui était rare chez le peuple des plaines ; mais ici et là, il entendait des bribes de vieilles chansons formant des chœurs concurrents et discordants. Désormais, les ouvriers avaient atteint une profondeur qui exigeait le soutien de mâts de charge et de treuils pour extraire les paniers de terre du lit du canal. Il vit quelques groupes de charpentiers tailler les différentes pièces de ces appareils dans du bois trop vert et trop souple. Un peu plus loin, il observa les longs chariots des bûcherons qui avançaient en direction du plateau, chargés de grumes massives empilées à une hauteur inquiétante et arrimées par des kilomètres de corde grossière. Celle-ci était tressée à base de brins d'herbe dans la corderie improvisée en face du chantier du pont, à une centaine de mètres de la route ; les femmes y travaillaient sans relâche sous la direction de Tilden — une supervision toute théorique, car elle n'avait jamais fabriqué une corde de sa vie et s'en souciait comme de sa première dent de lait. Temrai entendit le tintement froid et bref des marteaux sur l'acier et de l'acier sur les enclumes tandis que les forgerons façonnaient des milliers de clous, des pelles, des lames de hache et des serpettes, des têtes de pioche, de masse et de marteau, des essieux, des rubans métalliques pour les tonneaux et des jantes pour les chariots. Non loin des forges improvisées, il observa les tonneliers et les charrons, agitant sans relâche leurs planes, leurs herminettes et leurs départoirs. À côté d'eux, un peu comme des voisins, les vanniers travaillaient avec rapidité et régularité sans trahir le moindre signe d'inquiétude ; leurs enfants galopaient sans interruption entre les ateliers et le bois pour ramener d'énormes brassées de brindilles et de petites branches. Sur le chemin, à la même hauteur que Temrai, des hommes creusaient l'escarpement pour y installer un emplacement de trébuchet ; l'un d'eux tenait un gros marteau tandis que l'autre maintenait le foret droit et le dégageait d'un geste sec après chaque coup. Au loin, il apercevait les fosses de bûcheron et les reflets intermittents du soleil sur la lame des scies en mouvement. Le camp bourdonnait d'animation, de travail, de création et de bonne volonté ; une multitude d'objets y étaient fabriqués grâce aux talents si différents de tant de personnes. Il ne put s'empêcher de songer à sa première journée à Périmadeia, à ce jeune garçon qui déambulait, éberlué, les yeux écarquillés, dans les rues fébriles et vibrantes de l'activité d'innombrables ateliers et manufactures.

Un jour, avait-il alors pensé, *je voudrais que mon peuple soit ainsi.*

Et grâce à lui, c'était aujourd'hui chose faite.

— Excusez-moi, dit Gannadius, mais n'attendriez-vous pas un canard ?

L'homme se retourna.

— Vous l'avez apporté ? Magnifique !

Il portait un chapeau, ce qui expliquait pourquoi Gannadius ne l'avait pas reconnu de dos.

— Vous êtes le docteur Gannadius, n'est-ce pas ?

Rassurez-vous, je ne m'attends pas à ce que vous vous souveniez de moi.

— Gorgas Loredan ! lâcha Gannadius.

— Oh ! vous vous rappelez ? (Gorgas sourit.) Je suis flatté. Eh bien, que voilà une plaisante surprise. Je vous en prie, asseyez-vous. Laissez-moi vous offrir un verre.

Un sourire nerveux se dessina sur les lèvres de Gannadius.

— En fait…, commença-t-il.

Mais il était trop tard. Gorgas avait déjà incliné le gros pichet et poussa vers lui une coupe en corne remplie de cidre.

— Il n'est pas aussi bon qu'à Périmadeia, mais il n'en reste pas moins buvable. Vous devriez vous laisser tenter par certains produits que nous élaborons dans le Mesoge depuis quelque temps. Je suis persuadé que ça vous rappellerait d'agréables souvenirs.

— J'ai toujours cru que la spécialité de votre pays, c'était la bière, dit Gannadius. (Il n'avait pas la moindre idée de ce qu'on buvait dans le Mesoge, et n'en avait cure.) C'est donc une innovation dont vous êtes à l'origine.

Gorgas secoua la tête.

— Nous avons toujours fabriqué du cidre, là-bas. Je me rappelle que j'étalais les pommes écrasées, quand j'étais petit garçon. L'odeur suffisait à vous faire tourner la tête, je vous assure. Mais vous avez raison, j'en ai encouragé la production. C'est un produit que nous pouvons exporter, vous voyez. J'ai dans l'idée qu'il y a à travers le monde bon nombre d'expatriés périmadeiens qui constituent un marché croissant pour un cidre de qualité. Et je veux être celui qui satisfera cette demande. À la vôtre ! au fait.

— Santé ! répondit Gannadius par politesse.

La boisson était rance, et âpre comme du vinaigre.

— Je vous remercie de m'avoir apporté mon canard, dit Gorgas d'un ton solennel. C'est un projet qui nous intéresse beaucoup en ce moment. Cette nouvelle espèce qu'ils ont découverte là-bas… Vous vous y connaissez en canards, docteur Gannadius ?

Gannadius secoua la tête.

— Je sais seulement les manger.

Pour une raison qui échappa au vieil homme, Gorgas trouva sa réponse hilarante.

— Ah ! eh bien, dans ce cas…, dit-il quand il eut enfin calmé son fou rire, vous ne faites que démontrer mon point de vue. Je suis prêt à vous parier qu'il y a une demande quasi illimitée pour de la volaille de qualité — et je ne vous parle pas des œufs et des plumes. (Il souleva le canard par les pattes, si bien que la tête de l'animal se balança d'avant en arrière.) Oui, je pense que nous allons connaître un franc succès avec celui-ci. Mais vous-même, comment allez-vous ? Et, si vous voulez excuser ma curiosité, que faisiez-vous donc chez les hommes des plaines ? Ce n'est pas tout à fait l'endroit où je m'attendais à trouver un philosophe de renommée mondiale.

Gannadius le lui expliqua. Son récit fut un peu confus, mais il eut l'impression que son interlocuteur connaissait déjà toute l'histoire. Quand il eut terminé, Gorgas hocha la tête et remplit de nouveau la coupe du vieil homme.

— C'est une situation difficile, il n'y a pas de doute sur ce point. J'ai le sentiment que la fin de Temrai et de son peuple est proche. C'est regrettable, d'une certaine manière ; on ne peut qu'admirer leur courage, leur sens de l'initiative et la manière dont ils ont évolué au cours de ces sept dernières années. Oh ! je vous demande pardon ; j'espère que vous ne pensez pas que j'ai voulu vous choquer. Pendant notre petite guerre à Scona, j'ai pris l'habitude de vous considérer comme un érudit shastellien et j'en ai oublié que vous étiez périmadeien.

— Ce n'est pas grave, dit Gannadius. (Il se sentit paniqué à l'idée que Gorgas ait pu penser à lui — dans quelque circonstance que ce soit.) Eh oui, je suis en partie d'accord avec vous : j'ai eu beaucoup de mal à ne pas les apprécier lorsque je me trouvais parmi eux.

Gorgas sourit.

— Enfin, à quelque chose malheur est bon, comme on dit. Dans mon cas, j'aurai le plaisir de voir la carrière de mon frère progresser au sein de l'armée impériale. Je sais que je dois vous paraître idiot, mais je m'inquiète pour lui. Ah ! j'en ai bien le droit après tout, c'est quand même mon frère. Vous voyez, depuis qu'il a quitté l'armée — je parle de l'armée périmadeienne, après la mort de Maxen —, eh bien, il n'a fait que végéter ; il s'est laissé porter par les événements sans se fixer de véritable but. Je trouve que c'est dommage. J'ai vraiment cru que nous pourrions l'intéresser à nos affaires, à Scona. En fait, mon intention était de lui confier mon travail. Après tout, il s'en serait beaucoup mieux tiré que moi. Et tout ce que j'ai toujours souhaité, c'est retourner dans le Mesoge et jouer au fermier. (Il soupira.) Aujourd'hui, j'ai ce que je voulais, mais que fait Bardas ? Par tous les dieux ! Il est sergent — quand il ne risque pas sa peau au fond d'un trou ou ne s'échine pas dans une vague manufacture minable. Au lieu de ça, il devrait donner un sens à sa vie, accomplir quelque chose dont il serait fier. Non, si Bardas défait le peuple des plaines et tue Temrai — surtout après ses exploits à Ap' Escatoy —, on lui confiera sans doute un poste à sa mesure. Il est même possible que sa carrière évolue très vite dans une préfecture, bien qu'il soit étranger. (Il sourit de nouveau et se laissa aller contre le dossier de sa chaise.) Je sais que je vais vous paraître sans cœur, mais même si je regrette ce qui va arriver à Temrai et à son peuple, je *veux* cette guerre. Pour le bien de Bardas. Elle pourrait offrir des réponses à bon nombre de ses questions.

Gannadius but une gorgée de cidre. La boisson était toujours infecte, mais il avait la bouche aussi sèche qu'un parchemin.

— Comme vous l'avez dit, murmura-t-il, c'est malheureux. Quant à vos canards, j'espère que le projet connaîtra tout le succès qu'il mérite.

Une pensée lui traversa alors l'esprit : si le peuple des plaines se faisait massacrer, cette histoire de canards tomberait à l'eau ; dans ce cas, pourquoi Gorgas se donnait-il tant de peine ? Il décida cependant de ne pas aborder cette question. Il se leva, sourit et s'éloigna d'un pas un peu trop rapide pour rester poli.

Et voilà, songea-t-il en traversant la place du marché. *Cela devrait marquer la fin de mon odyssée. Je suis sain et sauf, en pleine forme et chez moi — car dans les faits, Île est bel et bien mon pays d'adoption.*

Pourtant, il eut l'impression que cette aventure n'était pas finie. En fait, il se sentait comme un athlète qui vient d'être éliminé d'une épreuve d'un concours régional et doit patienter des heures avant le début de la suivante ; il tournait en rond pour passer le temps.

Il était censé se rendre chez Athli. Theudas l'y attendrait et la maîtresse de maison serait ravie — il se demandait bien pourquoi — de le voir en si bonne santé ; pourtant, sans savoir pourquoi, il traversa la place et se dirigea vers l'intérieur de l'île, au sud, en direction de la briqueterie et de la manufacture de fil d'acier.

Les Îliens refusaient avec obstination de fabriquer tout produit qu'ils pouvaient acheter ou vendre à l'étranger, mais pour une raison inconnue, ils avaient fait une exception pour les briques et le fil d'acier. Il n'existait aucune explication à ce phénomène — et les Îliens en avaient pourtant à propos de tout et n'importe quoi. C'était juste une terrible aberration commerciale à laquelle on ne devait et ne pouvait accorder la moindre signification.

Par un curieux hasard, les portes de la manufacture étaient ouvertes ce jour-là et Gannadius s'arrêta pour regarder à l'intérieur.

D'abord, il ne comprit pas le but du travail des ouvriers. Une série de poteaux d'un mètre vingt de haut avaient été érigés deux par deux tous les soixante centimètres ; entre chaque paire, il y avait une fine baguette d'acier épaisse comme le bout du petit doigt ; chacune était aussi grande que Gannadius et pourvue d'une manette en L à une extrémité et d'une fente à l'autre. Dans ces dernières, les ouvriers avaient encoché du fil et ils tournaient les manivelles pour l'embobiner autour des baguettes, comme des bandes de cuir sur la poignée d'un arc. Lorsqu'il n'y avait plus de place, ils les soulevaient et les retiraient grâce à une encoche pratiquée dans chaque poteau ; puis ils les apportaient jusqu'à une enclume où deux hommes avec des ciseaux à froid tranchaient les boucles le long de la barre métallique. Ainsi, des anneaux d'acier non fermés tombaient par terre et étaient ramassés par deux jeunes garçons ; ces derniers les entassaient dans de grands paniers avant de les emporter au fond de l'atelier.

L'activité de ces gens rappela quelque chose à Gannadius. Il réfléchit un moment et se souvint des manufactures de fil d'acier de Périmadeia ; on y confectionnait un produit similaire, mais d'un diamètre supérieur pour faire des anneaux de chaîne. Gannadius comprit alors que ces hommes fabriquaient des anneaux de cottes de mailles. Pour une raison curieuse, il trouva cette idée dérangeante. Il était évident que ces articles étaient destinés à l'exportation : il ne connaissait aucun Îlien possédant une telle armure, par contre il en connaissait plusieurs qui en détenaient des centaines, bien empaquetées dans du foin imbibé d'huile et prêtes à être livrées — mais leur but était d'en rester propriétaire le moins longtemps possible. Ils ne possédaient pas davantage d'épées — sinon pour satisfaire à la mode —, d'arcs, de lances ou de hallebardes. En tant que nation, les Îliens envisageaient la guerre comme un événement qui n'arrivait que dans des contrées lointaines, entre deux groupes rivaux de clients potentiels. Leur attitude était unique, à la fois charmante et très critiquable, comme c'était souvent le cas avec ce peuple.

Gannadius secoua la tête comme s'il cherchait à se réveiller. Il était fort improbable que les Îliens aient décidé de prendre les armes et de partir en guerre, même si le reste du monde semblait déterminé à le faire. Il y avait bien plus qu'une simple mer qui séparait ce peuple des autres nations, et Gannadius en était très heureux. Pourtant, ses envies de promenade avaient disparu. Il était grand temps de rentrer à la maison, même si — comme tous les endroits qu'il avait considérés comme tels depuis sa plus tendre enfance — c'était celle de quelqu'un d'autre.

Les armées des Fils du Ciel chantaient en marchant et, en règle générale, elles chantaient bien. En plus des clairons qui sonnaient la charge et la retraite, de nombreux soldats transportaient une flûte, un rebec, une mandoline, un violon ou un petit tambour avec leur couverture roulée et leurs trois jours de rations. Quand l'envie les en prenait, ils confiaient leur pique à un camarade de la colonne et accompagnaient les chanteurs. À une certaine distance, l'arrivée de l'armée ressemblait parfois davantage à une procession de mariage qu'à une invasion impériale.

Bardas Loredan n'avait pas l'oreille musicale et il avait été surpris par cette frivolité assez inhabituelle. Pourtant, il appréciait ces airs entraînants ou mélancoliques, mais toujours rapides ; ils étaient sans commune mesure avec l'apathie des fugues raffinées et des motets en vogue à Périmadeia, ou les chansons populaires dissonantes et interminables du Mesoge. Il ne savait pas chanter et était à peine capable de siffler, mais très vite après son incorporation dans la colonne, il s'aperçut qu'il fredonnait — « bourdonnait » était peut-être plus approprié — quand les soldats entamaient un de leurs airs favoris.

Pourtant, il ne comprenait pas les paroles. Elles étaient dans une langue qui ne ressemblait à aucune de celles qu'il avait déjà entendues. C'était très différent du péri-

madeien officiel aux intonations marquées et très chan-
tantes utilisé un peu partout, du Mesoge jusqu'aux
plaines. Il n'y avait pas davantage de points communs
avec le dialecte arrondi et sec des nations marchandes
comme Île, Colleon et par extension, de Shastel et de
Scona — une langue que personne ne se donnait la peine
d'apprendre de son plein gré, mais qu'on acquérait
comme un bronzage, au contact répété des gens qui le
parlaient. Cela ne ressemblait pas plus au dialecte périmadeien aux intonations écrasées qui était la deuxième
langue de toutes les provinces de l'ouest de l'empire.
Quand Bardas se décida enfin à poser la question, il
s'entendit répondre que les soldats chantaient dans le
langage des Fils du Ciel, et que personne n'avait la
moindre idée du sens des paroles.

Dans l'esprit de Bardas, cette ignorance gâcha l'effet
de ce joyeux défilé de ménestrels — au point que les
mélodies commencèrent à l'agacer. Il n'aimait pas l'idée
que vingt mille soldats marchent en scandant des paroles
qu'ils ne comprenaient pas ; ils chantaient peut-être
l'invasion et la chute des cités où ils étaient nés, le massacre détaillé des hommes par les Fils du Ciel victorieux
et les projets de ces derniers vis-à-vis des femmes et des
enfants.

Il demanda au même soldat si cela ne le dérangeait
pas, et l'autre lui répondit que non. Ces chansons et le
fait de les chanter en marchant étaient de vieilles traditions militaires et c'étaient les traditions qui soudaient les
armées de métier. C'était un honneur d'apprendre les
paroles et de se joindre au chœur ; elles étaient secrètes
et leur enseignement signifiait la fin d'une initiation,
l'accession au statut de membre d'une entité glorieuse et
invincible. Un simple soldat n'avait nul besoin de comprendre le sens des chansons, les plans de campagne ou
les motifs de la guerre, il était là pour mettre en œuvre ce
que les Fils du Ciel avaient décidé dans leur infinie
sagesse. Et il n'y avait rien à ajouter !

Malgré son désenchantement, Bardas ne put s'empêcher de fredonner un air qu'il ne parvenait pas à chasser
de sa tête. C'était une de ces mélodies rapides et souvent
entraînantes en général accompagnées par les tambours
et les flûtes — les paroles étaient, bien entendu, un grondement indistinct, mais il devait s'agir d'une chanson de
marche, car il était très difficile de ne pas la fredonner en
avançant... Son rythme était récurrent et à moins d'un
effort de volonté, vous pouviez la chanter jusqu'à la fin
des temps.

Bardas se fit à ses fonctions de commandant avec
autant de facilité qu'aux fredonnements. Comme toujours, ce n'était qu'une question de commodité et d'habitude ; il avait appris depuis longtemps que le meilleur
moyen de réaliser quelque chose, c'est de le faire dans
les règles : il était plus simple de montrer aux officiers et
aux sergents la bonne manière de procéder, car, si vous
les laissiez trouver une solution par eux-mêmes, il vous
faudrait gérer la pagaille qui en découlerait Chaque
matin, juste avant le lever du soleil et le réveil des
troupes, Bardas tenait une réunion d'état-major avec les
responsables des différentes unités. Il leur expliquait ce
qu'il attendait d'eux et les interrogeait sur leurs erreurs
et retards de la veille. L'intendant et le colonel du groupe
de ravitaillement étaient questionnés sur les provisions
et le matériel ; le colonel des éclaireurs, sur le terrain
qu'ils traverseraient dans la journée ; le capitaine de
chaque division, sur l'état de ses hommes ; le capitaine
des ingénieurs, sur la manière dont il envisageait de franchir les obstacles naturels et autres. Si ses interlocuteurs
lui fournissaient de mauvaises réponses, Bardas les corri-
geait — d'abord avec patience. Cette méthode était
beaucoup moins fatigante que les discussions et les
débats sur leur mérite respectif. Bardas n'était pas novice
en la matière, il savait qu'il n'y avait guère d'intérêt à
faire semblant d'écouter une personne qui en connaissait
moins que vous sur le sujet. Tout le reste revenait à par-

ler des lettres de l'alphabet avec un groupe d'enfants qui n'avaient pas encore appris à lire plutôt que de les tracer au tableau et de leur dire : « Apprenez ça. »

Non, il n'était pas novice en la matière. Et c'était curieux de constater à quelle vitesse les habitudes revenaient après vingt ans d'oubli délibéré. La colonne passa l'endroit où Maxen avait remporté une victoire éclatante, écrasant quatre mille hommes des plaines avec cinq cents cavaliers lourds. Bardas s'attendit presque à voir les cadavres gisant là où il les avait laissés, mais rien ne marquait l'emplacement de la bataille sinon un cairn de pierre qu'il avait fait ériger sur la fosse où reposaient les quelques soldats qu'il avait perdus. Ils traversèrent la rivière du Ciel Bleu en empruntant le gué où Maxen avait finalement rattrapé le prince Yeoscai, l'oncle du roi Temrai. Ce jour-là, le cours d'eau était en crue et quand les soldats périmadeiens étaient arrivés, Yeoscai était à cheval et contemplait les flots ; il semblait se demander pourquoi la rivière — qui n'était même pas humaine — nourrissait une si injuste rancune contre lui. Bardas et ses troupes passèrent la nuit dans la petite vallée où Maxen était mort — le cairn marquant l'emplacement de sa tombe était encore debout, mais Bardas fut heureux de ne pas le voir de trop près. À partir de là, c'était juste une affaire de souvenirs, il n'avait plus besoin de réfléchir.

À deux jours de marche du cairn de Maxen — *si j'avais été à la place de Temrai, il y a longtemps que j'aurais éventré cette tombe et jeté les os en pâture aux chiens sauvages* —, leur progression fut ralentie par un autre cours d'eau. Le Gentil Courant avait été endigué dans les collines et avait inondé la combe de Pierrelongue. La solution la plus simple consistait à construire un pont à la pointe de la vallée, mais il fallait une journée de chariot pour retourner à la forêt la plus proche. Bardas ordonna de décharger les véhicules de ravitaillement et les envoya chercher du bois avec les pionniers et le groupe d'éclaireurs. Il leur donna des instructions précises sur la quantité et les dimensions des planches nécessaires, puis s'installa en attendant leur retour. Il n'y avait aucune raison pour que ses hommes restent inoccupés pendant ce laps de temps : il y avait l'équipement à ravauder et à vérifier, les armures à réparer, les bottes à recoudre et à reclouer ; il y avait aussi l'entraînement au tir à l'arc, les exercices de combat et de parade — l'occasion de préparer les soldats à des techniques spécifiques dont ils auraient besoin contre les cavaliers et les archers des plaines. Les capitaines et les lieutenants assistèrent à des séminaires de tactique ; on régla aussi quelques affaires de manquements à la discipline trop complexes pour être traitées en une séance après une journée de marche ; on en profita pour mettre à jour et corriger les cartes plutôt vagues du bureau des Provinces. Quand il regagna sa tente, tard dans la deuxième nuit qui avait suivi leur installation, Bardas se sentit plus fatigué qu'il l'aurait été s'ils avaient poursuivi leur chemin. Il ôta son armure qui était devenue une seconde peau pour lui ; il avait une curieuse sensation et était un peu déséquilibré sans ce poids sur le dos. Il commença par défaire les cuissards, puis le gorgerin, les épaulières, les cubitières, les canons d'avant-bras, la cuirasse et termina avec la cotte de mailles et le gambison. À ce stade, il était redevenu un petit ver blanchâtre, un escargot sans sa coquille. Il enleva ses bottes et s'allongea sur le lit de camp pliable en bois de rosé de feu le colonel Estar.

Il avait à peine fermé les yeux qu'il se retrouva dans un endroit qu'il connaissait bien — presque aussi bien que les plaines. Il y faisait sombre et il ne distingua ni les murs ni le plafond. Il était dans un tunnel sous la cité, avec des odeurs d'ail et de coriandre entremêlées, une cave sous une manufacture, la forge des épreuves. Il se retourna — ce qui signifiait se mettre à genoux et tâtonner contre les parois de la galerie. Il s'aperçut alors qu'Alexius avait allumé un feu. Il vit la fumée monter droit vers l'orifice de ventilation aux bords noircis ménagé dans le plafond.

— Vous êtes en avance, dit Alexius.

— Nous avons progressé plus vite que prévu, répondit Bardas. Il reste beaucoup à faire ?

Alexius secoua la tête. Assez curieusement, il n'avait pas le corps d'Alexius cette fois-ci ; ou plutôt, il avait enfilé le visage d'un autre — comme un casque d'armure — et était devenu Anax, le Fils du Ciel qui avait échoué aux épreuves.

— Ça ne devrait pas prendre longtemps. Allez chercher le marteau et mettons-nous au travail.

Il se rappela ce qu'il avait ressenti en tenant la masse de Bollo dans sa main — un outil imposant, lourd et implacable, la mesure de toute chose. Mais pour la première fois — et combien de fois était-il donc venu ici ? Il avait perdu le compte —, il remarqua que le marteau était en fait l'empire — parce que, bien sûr, rien ne résistait à la masse de Bollo, tout se résumait à observer combien de temps la pièce allait tenir et comment elle allait finir par céder.

Le premier objet à tester était un bras — un bras de qualité très moyenne, de l'équipement standard à base de chair et d'os ordinaires ; on n'attendait pas de lui qu'il passe la première série d'épreuves. Anax le posa sur l'enclume et Bardas le réduisit en bouillie en quelques coups assenés avec précision.

— Au rebut, dit Alexius. Bon ! au suivant.

Il attrapa un torse. C'était une pièce de choix, avec des pectoraux bien moulés et des côtes dessinées avec soin — et il portait la marque des hommes des plaines, ce qui était en général un gage de qualité. Bardas commença avec deux coups puissants sur le sternum.

— C'est ce que je pensais, dit Anax. De jolies fioritures sur un matériau qui ne vaut rien.

Bardas entreprit ensuite de briser méthodiquement

les côtes avec autant de facilité que s'il s'agissait de gla-
çons.

— Au rebut, dit Anax.

Bardas saisit le torse et le jeta parmi les déchets.

— Suivant, dit Alexius.

Bardas attrapa une tête.

— Une pièce de collection, dit-il. (C'était celle d'un
Fils du Ciel, celle de feu le colonel Estar.) Je me suis
toujours demandé comment ça résisterait.

Il ramena le marteau en arrière et l'abattit en enga-
geant son coude gauche et son épaule droite dans un
mouvement de rotation. Le crâne craqua, mais resta en
une seule pièce.

— Ça, c'est du matériel de qualité, dit Anax.

Bardas dut frapper sept fois pour le réduire en miettes.

— C'est à cause de la structure osseuse, remarqua
Anax. Regardez-moi ce front bombé haut et ces pom-
mettes. On va dire qu'elle a passé la deuxième série de
tests, mais c'est encore trop juste pour ce qu'on a voulu
en faire.

Un second torse arriva sur l'enclume, celui d'une
femme cette fois-ci, avec de petits seins et des épaules
rondes et un peu tombantes. Il avait été fait dans un style
périmadeien, mais on devinait à sa patine qu'il avait été
exposé au soleil îlien. Il ne fut guère difficile de briser les
côtes et le sternum, mais la chair était molle et élastique,
comme les armures de soie matelassée des provinces
d'Extrême-Orient ; il était facile d'y faire des marques,
mais presque impossible de l'écraser. Elle paraissait
absorber la force des coups comme le sable boit l'eau. Au
bout du compte, Bardas réussit à détruire le torse en le
coinçant entre la tête du marteau et le bord de l'enclume.

— Il a passé la troisième série, dit Anax. Impressionnant.

— Si vous voulez mon avis, c'est de la triche, répliqua
Bardas.

Vint ensuite une main, une main de jeune fille avec

des doigts longs et fins. Bardas posa le marteau pour attraper une hache de quatre kilos. Les doigts se détachèrent sans difficulté.

— Prenez la masse, maintenant, dit Alexius.

Bardas abattit l'outil sur le revers de la pièce et s'attendit à la réduire en bouillie. Elle résista.

— Ah ! dit Alexius avec un sourire. Regardez, c'est une véritable Loredan. Aussi solide qu'une vieille paire de bottes.

Quand Bardas eut enfin broyé la main à satiété, il était en sueur.

— Occupons-nous de cette tête-là, dit Alexius. (Il la fit tourner entre ses doigts.) Ah ! voilà un vrai défi pour vous. Voyons un peu si vous êtes aussi fort que cela.

Bardas grimaça un sourire. La tête était chauve, avec une mâchoire carrée et une grande bouche molle.

— Faites-moi confiance.

Mais le premier, le second et le troisième coup ne firent que rebondir sur la surface courbe du crâne sans y laisser une éraflure ; la tête ouvrit alors les yeux, lui adressa un clin d'œil et lui pardonna.

— Je suis prêt à déclarer qu'elle a passé le test, si vous voulez, dit Alexius d'un ton sardonique.

Bardas ne répondit pas. Il posa la tête sur la joue et martela les mâchoires jusqu'à ce que l'articulation craque. Puis il s'attaqua aux tempes. Il parvint à y faire quelques dégâts, mais dut abandonner quand il frappa trop court : le marteau heurta le bord de l'enclume et le manche se brisa.

— Malédiction ! jura-t-il. Je vais prendre la hache.

— Comme vous voulez, dit Anax. Mais ce n'est pas l'outil adapté, le test ne sera donc pas équitable.

— Et alors ? répliqua Bardas.

La hache fut plus efficace que le marteau. Quand Bardas s'estima satisfait, la lame était presque émoussée et il y avait une entaille à l'endroit où elle avait touché l'œil qui clignait.

Tandis qu'il la poussait de l'enclume, la tête lui pardonna de nouveau.

— A passé la cinquième série de tests, dit Alexius. On n'en fait plus des comme ça.

Bardas était fatigué. Il essuya la sueur qui lui coulait sur le front d'un revers de main et demanda :

— C'est fini ?

— Presque, répondit Anax. Il reste encore un crâne et nous en aurons terminé. (Il tendit le bras sous l'établi et en tira la tête du colonel Bardas Loredan.) Allez, monsieur le petit malin, essayez donc de me fendre ça. Si vous y parvenez, je vous offre un pichet de lait froid.

Bardas fronça les sourcils.

— Et avec quoi ? J'ai cassé le marteau et la hache est hors d'usage.

Alexius lui lança un regard mauvais.

— Ne soyez pas si pathétique ! Quand j'avais votre âge, nous testions *tout* à main nue. On ne glandouillait pas avec des marteaux ! Cessez un peu de jouer les imbéciles et mettez-vous au travail !

Bardas martela donc la pièce avec ses poings — qui étaient plus durs que n'importe quelle hache et plus lourds que n'importe quel marteau, bien sûr. Mais une fois la peau et la chair arrachées, il ne parvint pas à entailler l'os malgré des efforts acharnés.

— Ça, c'est de la qualité, grommela Anax. Je ne crois pas que vous réussirez un jour à l'érafler, même avec une presse.

— Conneries ! s'exclama Bardas avec colère. Je peux briser n'importe quoi ! Je serais un piètre directeur-adjoint des tests de résistance si ça n'était pas le cas ! Donnez-moi ça !

Il désigna un membre qu'Anax avait ramassé sur la pile. C'était le bras droit du colonel Bardas Loredan, tranché net à hauteur du coude. Bardas dépeça la main avec son couteau de cuisine à lame étroite — celui qu'il utilisait pour découper et écorcher les carcasses. Il amena l'os massif au-dessus de son épaule et frappa de toutes ses forces. On entendit alors le claquement de l'acier contre l'acier, parce que la tête du colonel Loredan était un casque, et l'os de son bras un canon d'avant-bras, une articulation et des lamés.

— On reconnaît toujours la qualité d'une pièce au bruit qu'elle produit, lui rappela Anax. Écoutez ça ! C'est le meilleur acier du Mesoge. Quand vous en aurez fini avec ce crâne, je garderai les restes pour faire un marteau à planer.

— Quand j'en aurai fini avec lui, grogna Bardas, il n'en restera plus rien.

Et il s'attaqua à la pièce comme si c'était un ennemi et que sa vie dépende de sa victoire. À la fin de la bataille, il fallut admettre que le bras et le crâne avaient combattu avec la même vaillance et autant de ténacité — à peu de chose près. Tous deux étaient bosselés et tordus, mais avec des pièces d'une telle qualité, ce n'était rien qu'un bon armurier ne puisse réparer en les martelant avec force et habileté sur une enclume. Rien ne s'opposait à ce que la bataille se poursuive jusqu'à la fin des temps.

— Vous abandonnez ? demanda Alexius.

Et le crâne ouvrit les yeux...

— Quoi ? s'exclama Bardas. (Un homme se tenait devant lui.) Par tous les dieux ! C'est déjà le matin ?

— Réunion d'état-major, annonça le soldat. Puis entraînement au combat. Votre emploi du temps mentionne que vous allez travailler sur les techniques destinées à blesser et à tuer avec le neuvième, le dixième et le douzième peloton.

Bardas bâilla.

— J'avais complètement oublié. D'accord, dites-leur que j'arrive d'ici à une minute ou deux.

L'armée impériale avait un autre côté positif : ses hommes avaient soif d'apprendre. Deux siècles plus tôt, les Fils du Ciel avaient découvert la joyeuse notion de « prime liée aux performances des soldats sur le terrain ». Ces récompenses étaient calculées au niveau des pelotons — à plus petite échelle, elles auraient risqué d'encourager les hommes à privilégier l'intérêt personnel aux dépens des buts collectifs. Elles étaient basées sur le nombre de morts confirmés attribué à chaque unité après une bataille. Bien entendu, on ne comptait pas les ennemis tués lors d'une action qui allait à l'encontre d'un ordre ou qui mettait l'objectif de l'unité en péril. Seules les unités participant aux combats étaient susceptibles de bénéficier de cette prime, ce qui avait un effet très positif du point de vue militaire : les soldats attendaient avec impatience leur tour de monter au front. Par conséquent, les cours de guerre donnés par un expert comme le colonel Loredan étaient considérés comme une rare occasion d'augmenter les gains potentiels d'un peloton, et ils étaient donc suivis avec la plus grande attention.

— Aujourd'hui, dit Bardas en regardant par-dessus la masse des visages concentrés, nous allons étudier le mécanisme du coup mortel. Il s'agit de rentabiliser vos frappes, d'optimiser leurs dégâts en vous exposant et en prenant le moins de risques possible.

On aurait entendu une mouche voler. Bardas retint un sourire.

Si vous pouviez me voir en ce moment, Alexius. Je suis devenu maître de conférences.

— Pour résumer, il existe deux moyens de provoquer des dégâts avec une épée ou une hallebarde, à savoir le coup d'estoc et le coup de taille. Bien, et maintenant, que tous ceux qui ont étudié l'escrime ou un art de combat similaire en dehors de l'armée lèvent le doigt. (Deux mains se dressèrent, Bardas hocha la tête.) Parfait, la première chose que vous allez faire, c'est oublier ce qu'on vous a appris ; contrairement au dire de vos professeurs, un coup d'estoc n'est pas plus efficace qu'un coup de taille. Je reconnais qu'ils sont plus pratiques pour tuer, mais ils tuent *lentement*. Vous êtes au milieu d'une bataille en face d'un adversaire qui veut *vous* éliminer, vous n'avez pas juste envie de lui régler son compte, vous avez envie de lui régler son compte *tout de suite*. Et surtout, vous avez envie qu'il ne puisse plus vous toucher ; c'est pourquoi un coup de taille qui fait assez peu de dommages — mais qui peut trancher un pouce, par exemple — risque de vous être plus utile qu'une jolie frappe directe qui va lui transpercer les poumons et mettra une minute et demie à le tuer.

L'audience s'agita un peu sur les sièges. Bardas comprit pourquoi : les soldats ne savaient pas trop ce qui les intéressait le plus : rester en vie ou totaliser le plus de cadavres possible.

Parfait ! Veillons à ce qu'ils gardent ce dilemme à l'esprit.

— Si vous avez l'intention de tuer un homme ou de le mettre hors de combat, il vous faut endommager le mécanisme ou la tuyauterie. Le mécanisme, ce sont les muscles, les tendons et les os. La tuyauterie, ce sont les veines et les artères. Mais il n'y a pas que les dommages ; ce n'est pas parce que vous portez un coup mortel que votre travail va s'arrêter là. Le choc traumatique est tout aussi important que les blessures infligées, vous avez intérêt à ne pas l'oublier — dans la mesure du possible. (Bardas fit une pause et but une gorgée d'eau.) Pour porter un coup d'estoc mortel dans une bataille, ne vous souciez pas trop de la tête. Les crânes sont épais ; à moins que vous ayez la chance de traverser l'œil, l'oreille ou la bouche, vous risquez juste d'enrager un peu plus votre adversaire. Le cou est à privilégier, surtout si vous accompagnez le coup d'un mouvement de poignet une fois la lame à l'intérieur. Mais c'est une cible petite et difficile à toucher, tout comme le cœur. Si vous visez le cœur, vous avez neuf chances sur dix de coincer votre lame entre les côtes — qui sont souples et très gênantes. Vous pouvez transformer le torse d'un homme en étal de boucherie sans l'arrêter pour autant. C'est une cible peu rentable et une source d'ennuis pendant un affrontement difficile.

» Si vous affrontez des cavaliers, vous avez l'option de frapper d'estoc sous les côtes, bien entendu. Il en va de même si vous vous mettez à genoux pour recevoir une charge d'infanterie. En plus du cœur, vous avez aussi une ligne dégagée jusqu'au foie et à une bonne grosse artère. Le ventre est sans doute la cible la plus facile à toucher d'estoc, mais vous seriez surpris de voir la quantité d'organes inutiles qu'il y a là-dedans et qu'il faut traverser pour atteindre quelque chose d'intéressant. Rappelez-vous aussi que les muscles du ventre se contractent quand ils sont déchirés — assez pour dévier votre attaque. Au fait, lorsque vous crevez un estomac, ça fait « paf ! » quand l'air qu'il contient jaillit à l'extérieur. Vous faites un bond de trente centimètres la première fois que vous voyez ça, alors il faut s'y préparer.

» En fait, en attaquant d'estoc, c'est une assez bonne idée de viser les artères de l'aine, le creux des reins, le biceps, le genou, etc. Touchez un de ces points et vous êtes à peu près sûrs de tuer votre adversaire. Mais s'il vous plaît, n'oubliez pas que celui qui meurt d'une hémorragie a tendance à prendre son temps et que, dans l'intervalle, il reste armé et dangereux. Même si vous placez une excellente attaque au bon endroit, enchaînez toujours — de préférence avec un grand coup de taille, juste pour vous assurer qu'il mangera bien les pissenlits par la racine. Il en va de même pour les reins, les poumons et consorts. Si tout ce qui vous intéresse, c'est tuer, trouvez du travail dans un abattoir. Si vous voulez être des soldats, apprenez à tuer *vite*.

Il fit une pause pour reprendre son souffle. Ils écoutaient toujours ? Parfait !

— D'un autre côté, une attaque portée de taille provoque un traumatisme aussi important que la blessure en elle-même. Tranchez la main d'un homme et soudain, il ne sera plus un danger pour quiconque, même s'il vit jusqu'à cent ans. Rappelez-vous : la douleur est votre alliée, elle empêchera l'ennemi de s'en prendre à vous. Un coup d'estoc mortel à cent pour cent peut très bien être indolore, et si votre adversaire ne sait pas qu'il est mort, il peut continuer à vous attaquer jusqu'à ce qu'il soit trop tard. Maintenant, pour les coups de taille, les cibles à privilégier sont la tête et la gorge. Mais ne vous amusez pas à essayer de décapiter un ennemi alors qu'un petit coup décisif en travers de la jugulaire est tout aussi efficace. Pour commencer, quand vous ramenez votre épée en arrière et délivrez une attaque puissante, vous devenez une cible très vulnérable vous-même. Un petit coup dans le gras asséné en travers des côtes, c'est bien assez pour dîner à la viande froide. Le but, c'est de neutraliser votre adversaire, vous pourrez toujours l'achever ensuite.

» Pour finir, des gens vous diront que l'estoc est plus rapide que la taille ; c'est peut-être vrai, mais pour moi, ça signifie que vous armez trop votre attaque. Approchez-vous d'abord et frappez ensuite. Faites avancer vos pieds, déplacez le corps et le bras en même temps et vous ne devriez pas trop avoir à vous inquiéter de la vitesse de votre coup. Faites-le bien et votre adversaire n'aura pas le temps de comprendre ce qui lui arrive. Bon ! vous avez des questions ?

Il y en avait, et la plupart étaient intelligentes et réfléchies. Une fois de plus, Bardas songea au plaisir de travailler avec des gens qui s'intéressaient à l'art et à la manière. Si seulement il avait eu quelques étudiants de cet acabit — au lieu d'une seule — dans son école d'escrime, peut-être que la situation n'aurait pas tourné si mal.

Plus tard dans la journée, les premiers chariots chargés de bois arrivèrent au camp, et le rythme changea de manière notable. En quelques instants, les troncs furent déchargés et apportés là où on en avait besoin, laissant à peine le temps aux ingénieurs de terminer leurs plans. En observant les différentes équipes déplacer les lourdes grumes, il se rappela malgré lui les soldats de Temrai transportant du bois et construisant leurs trébuchets et leurs catapultes sous les murailles de la Cité. Quel que soit le camp auquel on appartient, il n'y a pas beaucoup de spectacles aussi stimulants qu'un grand nombre de personnes travaillant à l'unisson sur un projet ambitieux. Quand ils actionnent des treuils pour soulever des masses considérables de bois comme si elles ne pesaient rien, quand ils les hissent dans les airs avec des grues et des poulies, on se sent fier d'être un homme.

Est-ce que Temrai a ressenti la même chose? se demanda-t-il. *Il était en droit de le faire, aucun doute là-dessus.*

C'était étrange: en se retrouvant de nouveau ici, à refaire ce qu'il avait fait vingt ans plus tôt, il eut presque l'impression de rajeunir.

Jeune et chargé de responsabilités, comme Temrai quand il avait attaqué la Cité. Jeune et totalement sûr de lui, comme Bollo quand il s'apprêtait à abattre son marteau. Jeune et avec un avenir plein de promesses, comme Bardas Loredan quittant les champs de bataille pour ramener l'armée de Maxen à Périmadeia. Il pensa un instant au jeune apprenti avec qui il avait brièvement travaillé à Scona, quand il essayait de gagner sa vie comme facteur d'arcs. Il se souvint de ce qu'il avait ressenti la nuit où la Cité était tombée, une main maintenant le bras de Temrai dans son dos et l'autre appuyant le tranchant d'une lame contre sa gorge. Ce moment avait été un des plus intimes de sa vie.

En travaillant, les soldats des Fils du Ciel chantaient les chansons appropriées. Ils n'en comprenaient pas les paroles non plus, mais ils les scandaient avec ferveur, comme d'habitude. Bardas songea qu'il devait être merveilleux de posséder une telle foi; cela devait être si réconfortant et vous rendre la vie si facile, comme les cylindres sur lesquels on fait rouler les troncs pour éviter de les tirer.

Aie confiance, crois, et tu seras jeune de nouveau. C'est la récompense que t'amènera la motivation.

Par malheur, il y avait toujours quelqu'un de plus âgé et plus sage pour vous glisser un couteau sous la gorge et anéantir vos espoirs, un homme comme Bardas Loredan la nuit où la Cité était tombée.

— À mon avis, c'est chercher les ennuis, protesta de nouveau Venart.

Il l'avait répété si souvent que cela en devenait comique.

— Nous verrons, répondit quelqu'un. Comme le dit l'adage, il faut profiter de toutes les occasions. Ils ont besoin de nous. Ce sont les affaires et c'est aussi simple que ça.

— Ils sont en retard, remarqua un autre. C'est bien la première fois.

Dans la grande salle de la chambre de Commerce d'Île, une cinquantaine de représentants de l'Association des propriétaires de bateaux îliens — fondée la semaine précédente — attendait la délégation du bureau des Provinces. Comme l'indiquait l'invitation à cette réunion, il s'agissait de régler un problème urgent et délicat.

— C'est un abus de position dominante, voilà ce que c'est, insista Venart. Et vous le savez aussi bien que moi, vous pouvez appeler ça comme vous voulez, ça n'en reste pas moins un fait.

Runo Lavador, le propriétaire de sept navires, était assis juste au bord du fauteuil du président et balançait ses jambes comme un petit garçon.

— Soit, dit-il. C'est un abus de position dominante. Mais c'est une pratique commerciale tout à fait légitime. Nous avons ce qu'ils veulent : des bateaux. Ils ont ce que nous voulons : de l'argent. Dans un contrat, c'est à chacun de tirer au mieux son épingle du jeu.

— Mais nous avons passé un marché, dit une des rares personnes qui partageaient l'opinion de Venart. Et revenir dessus… Eh bien, ça ne me semble pas une très bonne idée. Je pense que nous avons déjà un accord très profitable.

Runo Lavador haussa les épaules.

— Si vous ne tenez pas à assister à cette réunion, alors je vous en prie, allez vous faire foutre ! Personne ne vous oblige à quoi que ce soit. Et puis, la nature de l'affrètement naval vous échappe complètement. Ils ont toujours eu la possibilité d'annuler le contrat et d'aller voir ailleurs si c'était plus intéressant. Ils ont décidé de ne pas le faire. Maintenant, c'est nous qui faisons un choix : nous voulons plus d'argent. Ils ont toujours le droit de refuser, à n'importe quel moment. À vous écouter, on dirait que nous leur mettons un couteau sous la gorge.

Les grandes et lourdes portes s'ouvrirent à l'autre bout de la pièce et les Fils du Ciel firent leur entrée. Il était difficile de ne pas songer à l'apparat et au théâtre dans de telles circonstances : il y avait d'abord une garde d'honneur composée de hallebardiers vêtus d'une cuirasse, puis un secrétaire ou deux suivis d'une paire de clercs adjoints portant bureaux, chaises et encriers ; derrière venaient les délégués — tous dépassant leurs subalternes d'une tête — et enfin, trois ou quatre domestiques sans rôle apparent — cuisinier, valet ou bibliothécaire personnel — se hâtaient en queue de cortège.

Attention ! pensa Venart. *Les parents rentrent à la maison !*

Il espéra qu'ils n'allaient pas trop se fâcher. Non, c'était peu probable. Après tout, ce n'était qu'un problème pécuniaire et jusqu'ici, les Fils du Ciel semblaient aussi intéressés par l'argent que les marins par l'eau de mer.

Cens Lauzeta, le magnat de l'huile de poisson, était assis à la place du président. Personne ne se rappelait l'avoir élu représentant de leur assemblée, mais personne ne voyait la moindre objection à ce qu'il remplisse cette fonction. Il se leva et fit un petit geste de tête poli tandis que les délégués défilaient — au sens propre du mot — à travers la pièce pour aller s'asseoir à l'autre bout de la longue table.

— Nous vous remercions de sacrifier un peu de votre temps pour venir jusqu'ici, dit Cens Lauzeta sur un ton encore plus effronté que d'habitude — pourquoi donc les marchands d'huile de poisson étaient-ils si grossiers ? Nous représentons l'Association des propriétaires de bateaux îliens.

— Excusez-moi, le coupa un délégué. Je ne me souviens pas avoir entendu parler de votre association.

— Je pense que votre mémoire est bonne, répliqua Lauzeta d'une voix enjouée. Elle n'existe pas depuis très longtemps. Jusqu'à aujourd'hui, elle n'avait pas de raison d'être. Mais la situation a changé. Et donc, si cela ne vous dérange pas, nous pourrions en venir aux négociations.

— Je vous en prie, dit le Fils du Ciel. Mais, auriez-vous l'obligeance de m'informer de ce qu'il y a à négocier ?

Lauzeta eut un sourire indulgent.

— L'argent. Jusqu'ici, vous avez affrété des navires appartenant aux membres de notre association — et personne n'a eu à s'en plaindre, soit dit en passant, vous avez été honnêtes avec nous et nous vous avons rendu la pareille. (Il s'assit sur un accoudoir du fauteuil du président.) Mais aujourd'hui, la situation est sur le point de changer. Vous allez utiliser nos bateaux pour mener une guerre et nous ne savons pas combien de temps le conflit va durer — bien sûr, c'est impossible. Ainsi donc, nous ignorons quand nous pourrons récupérer nos navires — ou si nous les récupérerons un jour. Je ne voudrais pas vous offenser, mes amis, mais nous sommes des hommes d'affaires ; et nous avons reçu des informations sur le déroulement de cette guerre ; des informations qui nous amènent à reconsidérer notre marché.

— Tiens ? lâcha un délégué d'une voix glaciale. Ayez donc l'amabilité de m'éclairer sur ce point.

— Si vous voulez, dit Lauzeta. Une colonne de vos soldats a été entièrement annihilée ; le colonel commandant d'une autre a été tué pendant un affrontement ; vos ennemis se sont mobilisés et sont passés à l'action, prenant l'offensive à leur compte. Ce n'était pas ainsi que nous envisagions le conflit lorsque nous avons conclu ce marché. Vos invincibles armées ne semblent plus aussi invincibles que ça et nous pensons que cela change un peu la situation.

— Je vois, dit le Fils du Ciel. Mais vous ne contestez pas le fait que nous avons un accord irrévocable avec les membres de votre association ?

Lauzeta secoua la tête.

— Ce n'est pas ainsi que nous voyons les choses. Nous estimons qu'une des conditions sur lesquelles repose le marché a changé. J'ai consulté quelques-uns de nos plus éminents hommes de loi et ils m'ont tous affirmé la même chose. Un contrat est comme une maison, si les fondations s'écroulent, tout le reste suit. De notre point de vue, notre accord est nul et non avenu.

Le délégué haussa un sourcil.

— Vraiment ? Je suis sans doute profane en matière de législation impériale, mais...

— La législation impériale est une chose, le coupa Lauzeta, mais les contrats ont été signés sur Île et sont donc du ressort de nos tribunaux et de nos lois. Et je vais vous dire que, pour le moment, ces contrats sont morts et enterrés. C'est irréfutable.

— Votre argumentation est intéressante, dit le délégué. Et, en partant du principe que votre interprétation de la loi est valide, je suppose que vous voulez que nous retirions nos hommes et vous restituiez vos navires ?

Lauzeta secoua la tête.

— Pas du tout ! Une telle décision entraverait beaucoup vos plans, et personne ici ne le souhaite. Non, nous serions très heureux de satisfaire aux termes du contrat à condition que la rémunération décidée soit revue à la hausse afin de prendre en compte l'augmentation potentielle des risques et de la durée de l'affrètement. (Son ton se fit plus conciliant.) Après tout, nous n'avons aucune intention de nous quereller avec vous sur un sujet pareil. Île et l'empire ont toujours été proches et…

— Jamais de la vie, murmura Eseutz Mesatges à l'oreille de Venart. Même avec un vent arrière, il faut au moins deux jours pour faire le voyage.

— Chut ! répliqua Venart.

Le délégué fronça les sourcils et sourit en même temps.

— Vous voulez maintenir le contrat existant, mais vous demandez plus d'argent. C'est bien cela ?

Lauzeta hocha la tête.

— Pour résumer, oui. Je crois qu'il est tout à fait justifié de prendre en compte une indemnité pour couvrir la perte de clientèle et de marchés potentiels. Je vais vous donner un exemple : à votre avis, quels contrecoups l'immobilisation de nos navires entraîne-t-elle sur nos entreprises ? Nous avons des concurrents, vous savez ?

Le délégué s'entretint un court moment avec son collègue.

— Combien voulez-vous de plus ?

À en juger par son expression, Lauzeta ne s'attendait pas à cette question-là. Il ouvrit la bouche, la referma et resta silencieux. Le délégué haussa de nouveau un sourcil.

— Ce que nous devons faire, dit enfin Lauzeta, c'est trouver une formule équitable qui nous permettra de calculer cela sur des bases scientifiques. Je ne voudrais pas vous laisser croire que nous avançons un montant sans y avoir réfléchi au préalable.

— Cela signifie que vous demandez davantage

d'argent, mais que vous ne savez pas combien. (Le délégué se leva, aussitôt imité par sa suite.) Peut-être que lorsque vous aurez calculé ce montant, vous aurez la bonté de m'en faire part. En attendant, je vous serais reconnaissant de me dire si nous pouvons continuer à charger notre matériel sur vos navires ou si vous voulez que nous les déchargions.

— Je...

Il était clair que Lauzeta ne savait pas quoi dire. Un silence embarrassé s'abattit sur la salle, puis Runo Lavador — qui était resté assis et discret pendant la majeure partie de la réunion — se leva d'un bond.

— Il serait sans doute préférable que vous les déchargiez, dit-il. Enfin, jusqu'à ce que nous parvenions à un accord sur les indemnités...

— Excusez-moi ?

Le délégué avait parlé sur un ton bas, mais tous les membres de l'assemblée tournèrent la tête vers lui. Avec une telle voix, il était inutile de crier.

— Puis-je savoir qui vous êtes et quel rôle vous jouez au sein de l'association ?

Une légère expression de panique se dessina sur les traits de Lavador. Il la chassa au prix d'un effort qui n'échappa à personne.

— Je suis Runo Lavador. Je ne suis qu'un simple propriétaire de bateaux, rien de plus. Mais je suis convaincu que mes paroles reflètent la pensée de tous mes camarades. Ce n'est pas la vérité ? (Il parcourut l'assemblée du regard et personne ne bougea d'un pouce.) Je suis sûr que vous comprenez.

Le délégué le fixa pendant trois longues secondes.

— Soit ! lâcha-t-il.

Sur ce, il sortit d'un pas vif et ses collègues lui emboîtèrent le pas sans préséance particulière. Lauzeta attendit que les portes se referment derrière eux.

— Et comment pouvais-je deviner que ça tournerait ainsi ? demanda-t-il avant que quelqu'un puisse ouvrir la bouche. (Il gratifia Lavador d'un regard noir.) Et toi, tu n'as pas arrangé la situation ! Tu nous as fait passer pour une bande d'imbéciles !

— *Je* nous ai fait passer pour des imbéciles ?

Tandis que l'altercation prenait rapidement de l'ampleur, Venart se glissa dehors avec la plus grande discrétion. Il mourait d'envie de courir après le délégué pour lui présenter des excuses, mais ce serait inutile, comme le reste. En fait, il ne trouva rien de judicieux à faire sinon rentrer chez lui — ce qu'il fit donc.

Vetriz était dans la salle des comptables quand elle l'entendit ouvrir la porte principale

— Alors ? lui cria-t-elle. Comment ça s'est passé ?

— Une véritable catastrophe ! répondit Venart en s'effondrant sur une chaise. On n'aurait pas pu faire pis, même avec la meilleure volonté du monde.

— Oh ! (Vetriz apparut dans l'encadrement de la porte et s'appuya contre le chambranle.) À ce point ? C'est curieux, mais ça ne me surprend pas vraiment.

Venart étendit ses jambes et glissa ses pieds sous une petite table basse.

— Je crois que ce serait une bonne idée de faire un voyage à l'étranger, jusqu'à ce que cette pagaille se soit un peu calmée. Mais par malheur, c'est impossible puisque nous n'avons plus de bateau. En tout cas, si jamais je croise Cens Lauzeta dans une ruelle sombre…

— Qu'est-ce qui s'est passé ?

Venart lui raconta.

— Et donc, résuma-t-il, d'une manière ou d'une autre, on a trouvé le moyen de leur causer de gros ennuis. Tu aurais dû voir l'expression de mépris sur le visage de cet homme quand il est sorti. Je n'avais jamais rien vu de tel.

— Eh bien, dit Vetriz, ils n'auront qu'à régler le problème une fois de plus, tu ne penses pas ? Regarde le bon côté : s'ils décident d'annuler le contrat, nous aurons toujours le bateau et l'argent déjà versé. Et si le pire doit arriver, nous n'aurons qu'à leur envoyer Cens vêtu d'un cilice pour qu'il rampe un peu à leurs pieds.

Venart soupira.

— Je suppose que tu as raison. Mais je vais te dire une bonne chose, pour des soi-disant représentants d'une nation de marchands, nous savons très bien nous rendre ridicules. (Il tendit la main vers la table et détacha quelques grains de raisin d'une grappe posée dans un bol en bois peu profond.)

— Faire une erreur, c'est une chose, dit-il en mâchant bruyamment. Mais tout rater en même temps.. Ça, c'est un geste qui ne manque pas de panache.

Vetriz sourit.

— Tu sais, dit-elle, si ça peut te consoler, je viens de terminer la comptabilité pour ce trimestre et nos bénéfices sont inférieurs de douze pour cent à ceux de l'année dernière ; alors, je pense que l'idée de Cens n'était peut-être pas si mauvaise, après tout. Bien sûr, l'an passé, nous avons connu une activité fébrile et on ne peut pas vraiment comparer. Enfin bref, je crois que nous devrions aller dîner au restaurant pour fêter cette soirée.

— Et en quel honneur ? Pour avoir des résultats financiers inférieurs à ceux de l'année dernière ? Pour nous être mis l'empire à dos ?

— Et pourquoi pas ? Qui a dit qu'il ne fallait fêter que les bonnes nouvelles ?

Chapitre 14

— De la cannelle, dit le préfet d'Ap' Escatoy après un silence long et tendu. De la cannelle, mais sans doute pas la variété locale. En fait, je dirais qu'il s'agit de cannelle provenant de Cuir Halla. Est-ce que je me trompe ?

— Vous brûlez, répondit l'administrateur en chef, la bouche pleine. Il se trouve que c'est une nouvelle variété. Mon agent sur Île m'en a envoyé une boîte avec les dépêches. Je pense qu'elle vient du Sud-Ouest, mais il n'a pas été capable de m'en dire davantage.

— Une nouvelle variété, répéta le préfet en chassant les miettes de ses doigts. Je dois avouer que vous me surprenez. Quelles sont les chances d'établir une ligne d'approvisionnement sûre et régulière ?

L'administrateur en chef adressa un signe de tête aux cuisiniers pour leur signifier leur congé.

— Je ne sais pas trop, dit-il. Ces Îliens ont une manière si chaotique de faire du commerce, je ne peux pas vous dire si cette cannelle provient d'un lot unique ou d'une livraison régulière et reconductible. Ils ont la manie de considérer tout ce qui touche au négoce comme un jeu. Cela fait partie du caractère puéril qu'on retrouve dans tout ce qu'ils font.

Le préfet leva les yeux.

— Cela me semble un trait plutôt charmant.

— Peut-être. Pour ma part, je dois reconnaître qu'il

m'agace. La puérilité est charmante chez un enfant. Chez un adulte, elle devient exaspérante.

— Je suppose que vous avez raison, dit le préfet en posant son assiette. Néanmoins, il est agréable de rencontrer des peuples qui prennent autant de plaisir dans leurs activités. J'imagine que tout cela est une introduction à votre rapport.

— C'est une bonne illustration de la situation, en effet. (L'administrateur s'assit en face de son supérieur et posa ses coudes sur ses genoux.) Pour ma part, je ne trouve rien de charmant à devoir retarder l'invasion et, de ce fait, à mettre en danger nos forces déjà engagées en territoire ennemi. Nous devrions avoir soixante-dix mille hommes à Périmadeia à l'heure actuelle et, au lieu de cela, nos soldats végètent dans le camp de cette ville, oublient la raison de leur présence et la tâche qu'ils sont censés accomplir. Pour être franc, cette situation grève mon budget et ridiculise l'empire.

Le préfet soupira.

— Je suis d'accord avec vous, c'est intolérable.

— Et c'est loin d'être le pire, poursuivit l'administrateur en jouant avec un petit plat en bronze ramassé sur la table. Temrai et ses troupes se dirigent par ici. Que se passerait-il s'il parvenait à écraser notre armée déjà sur place ? Comment pourrions-nous expliquer une telle défaite ?

— Ah ! (Le préfet sourit.) Tout ne va pas aussi mal que cela. Il semblerait que les hommes des plaines aient interrompu leur marche pour ériger une forteresse. Ils progressent à une vitesse stupéfiante, je dois le reconnaître. Ces gens sont animés par une énergie débordante et très différents des tribus nomades que j'ai connues jusqu'ici. Quand cette affaire sera terminée, je crois que j'aimerais les étudier d'un peu plus près. N'oublions pas qu'une des raisons de la construction d'un empire, c'est d'abord d'apprécier les peuples étranges que vous rencontrez, il n'y a pas de doute làdessus.

— Avec tout le respect que je vous dois, dit l'administrateur sur un ton grave, je crois que la dégustation du vin attendra la fin des vendanges. Il est vrai que si Temrai a interrompu sa marche, cela relâche un peu la pression sur nous, mais quand bien même ! Si nous avions pu respecter le calendrier du plan original, ses hommes ne seraient pas arrivés jusque-là ; et nous ne serions pas confrontés à la perspective de les déloger de cette nouvelle fourmilière miniature qu'ils sont en train de construire. Les faits sont là : ces Îliens vont nous coûter cher en vies, en argent et en temps. Nous ne pouvons pas laisser passer cela.

Le préfet soupira.

— Je suppose que non. Nous devons agir, c'est vrai. (Il ferma les yeux pour mieux se concentrer.) Quel dommage que nous ne puissions pas manœuvrer ces navires nous-mêmes ! Nous devons compter sur leurs équipages et cela va nous ralentir encore un peu plus. N'est-il pas possible de recruter des marins ailleurs ?

— J'ai envisagé cette solution, dit l'administrateur. Par malheur, ce n'est pas aussi simple qu'il y paraît. Nous pourrions trouver des hommes en quantité suffisante, mais je ne peux pas garantir leurs talents de marins. Ces navires îliens sont en général très difficiles à manœuvrer si vous ne les connaissez pas. Je ne voudrais pas prendre le risque d'engager des équipages inexpérimentés.

— Ah ? (Le préfet ouvrit les yeux.) Le voyage n'est pas très long, n'est-ce pas ?

— Je ne prétends pas savoir quoi que ce soit à propos de navires et de navigation. Je ne peux que me fonder sur les rapports de mes experts et, bien entendu, ils ne connaissent pas grand-chose dans ce domaine. Les seuls spécialistes en pilotage de bateaux à configuration îlienne, ce sont les Îliens. Néanmoins…

— Je comprends ce que vous voulez dire.

Le préfet se leva et regarda par la fenêtre. En contrebas, des hommes élaguaient les orangers dans le cloître et la symétrie des coupes l'intrigua.

— Je pense que nous devons nous résoudre à un certain retard, dit-il. Voire à une réévaluation de nos plans. Par chance, Temrai semble déterminé à nous en laisser l'occasion. (Il fit pianoter ses doigts, comme un joueur d'échecs qui calcule trois coups à l'avance.) Pour le moment, je vais affecter le sixième et le neuvième bataillon à l'armée du capitaine Loredan. Il disposera ainsi de trente mille soldats supplémentaires. Selon vous, combien d'hommes vous seront nécessaires ?

L'administrateur réfléchit un instant.

— Un bataillon devrait être amplement suffisant. En fait, cinq mille soldats devraient faire l'affaire. Ce travail ne causera pas de difficulté, à condition que vous me fournissiez un commandant à peu près compétent.

Les jardiniers taillaient les arbres de manière que les branchages prennent la forme d'une sphère parfaite. Ce n'était pas une mince affaire compte tenu de la tendance des orangers à pousser sur les côtés. *L'art est une subversion de la nature, développez le sujet.*

— Je pensais au colonel Ispel, dit le préfet.

— Il conviendrait à merveille. D'ailleurs, une telle mission n'est pas digne de lui. (L'administrateur fronça les sourcils.) J'ai une idée. Si Ispel est disponible, vous pourriez lui confier le commandement du corps expéditionnaire contre Temrai et affecter ce Loredan à mon service ? Je trouve un peu ridicule de consigner un de nos meilleurs officiers à des tâches de basse police alors que nous avons une armée considérable sur le terrain commandée par un étranger.

Le préfet secoua la tête.

— En temps normal, j'aurais partagé votre avis. Mais les faits sont là : Temrai ne se montrerait pas si conciliant avec nous s'il n'avait pas le capitaine Loredan en face de lui. C'est la mort d'Estar et son remplacement par ce Loredan qui l'ont effrayé au point d'abandonner ses plans ; c'était pourtant une excellente stratégie de porter la guerre chez nous, mais la peur l'a poussé à s'enterrer comme une taupe. Par conséquent, j'ai besoin de Loredan à ce poste et vous pouvez donc disposer d'Ispel — à condition que vous vouliez de lui, bien entendu. Si vous préférez un autre commandant, n'hésitez pas à m'en informer.

— Pas du tout !

L'administrateur ne put cacher son irritation.

Ispel est d'un rang social supérieur au sien, pensa le préfet avec un plaisir malicieux, *mais ils devront se traiter en égaux lors de leurs apparitions publiques. Ce spectacle promet d'être fort intéressant.*

— Eh bien alors, la question est réglée.

Le préfet tourna la tête et regarda la grande et superbe clepsydre posée dans un coin de la pièce. Elle était faite d'un matériau presque invisible qui la rendait aussi transparente que l'eau qu'elle contenait ; seuls les étalonnages gravés sur les deux récipients trahissaient sa présence. C'était un cadeau d'un riche entrepreneur qui souhaitait obtenir un contrat avec l'armée ; il ne l'avait jamais signé, mais il n'avait pas réclamé son horloge après coup — cela devait lui être égal, sans doute.

— Que diriez-vous de marcher jusqu'aux Arcades ? proposa le préfet. Nous pourrons parler en chemin. Je me fais un devoir d'y aller en personne ces jours-ci ; il n'existe rien de mieux qu'une distraction mesurée pour vous aider à rester concentré.

L'administrateur sourit — de plaisir non feint, remarqua le préfet avec contentement.

— J'espérais trouver le temps nécessaire d'y passer pour l'arrivée des produits frais, répondit l'administrateur. Mais dernièrement, je n'ai pas eu un instant à moi et…

— Comment ? le réprimanda le préfet. Personne n'est trop occupé quand il s'agit de déguster du pain tout juste sorti du four. J'ai pour règle de ne jamais faire confiance à un homme qui n'a pas le temps de faire ses courses lui-même.

Le portique était noir de monde — comme il fallait s'y attendre à cette heure de la journée. Les libraires et les papetiers avaient déjà monté leurs étals ; de nombreuses personnes flânaient le long des échoppes en lisant et sans regarder où elles allaient, obligeant ainsi les autres piétons à avancer avec lenteur et prudence.

— Rappelez-moi de m'arrêter au marché aux fleurs sur le chemin du retour, dit le préfet. Je ne suis pas satisfait du tout des roses qu'ils nous fournissent ces derniers temps, et il y a peu de choses aussi déprimantes que de voir un bouquet de roses à moitié fanées.

L'administrateur lâcha un grognement approbateur.

— Je le répète depuis longtemps : nous devrions envisager de grouper les achats de fleurs des différents services et nous adresser à un seul et unique fournisseur de confiance. Avec notre système actuel, la qualité est très irrégulière. Il y a quelques jours encore, les roses livrées au bureau d'État étaient couvertes de moisissure, et quand on s'en est aperçu, il était beaucoup trop tard pour qu'on puisse les remplacer.

— Votre idée est très intéressante, dit le préfet sur un ton que l'administrateur eut du mal à déchiffrer. Approfondissez-la et tenez-moi informé des développements.

Une fois le portique franchi, la foule se fit moins dense et ils purent marcher à une allure plus confortable.

— On ne devinerait jamais que la plus grande partie de tout cela n'existait pas il y a encore dix ans, remarqua l'administrateur. Dites-moi, avez-vous des nouvelles du bureau du maréchal à propos de leurs plans de réaménagement ? À ma connaissance, nous n'avons même pas reçu confirmation du maintien des services administratifs ici, maintenant que le siège d'Ap' Escatoy est terminé.

Le préfet sourit : l'administrateur essayait d'orienter

la conversation vers le sujet qu'il voulait aborder. La manœuvre ne manquait pas d'une certaine subtilité, même s'il la jugeait assez élémentaire.

— Je peux confirmer que la plus grande partie des services administratifs de cette préfecture restera ici, dit-il en observant les réactions de son subalterne du coin de l'œil. Dans la mesure où nous avons bâti cette petite ville pendant le siège — et que nous avons fait du bon travail —, on a estimé que ce serait du gaspillage de plier bagage pour s'installer ailleurs. Quant à la reconstruction éventuelle d'Ap' Escatoy, nos dirigeants m'ont laissé l'appréciation de cette décision.

Il regarda droit devant lui et attendit la réaction de l'administrateur, mais il avait sous-estimé la patience de son subordonné. Ils avaient presque atteint les portes des Arcades quand ce dernier relança la discussion.

— Et avez-vous déjà fait votre choix ? Je ne pense pas que ce soit le cas, sinon vous en auriez parlé.

Son supérieur s'arrêta pour regarder un chariot qui passait ; le véhicule était équipé d'un curieux système pour relier le frein à l'essieu. Le préfet s'intéressait à presque tout ; en règle générale, l'administrateur trouvait ce trait de caractère innocent, voire digne d'éloge ; mais en certaines occasions, il lui donnait des envies de meurtre.

— Cela dépend, dit le préfet. Cela dépend des décisions de Temrai et du déroulement de cette guerre. Si nous nous emparons du site de l'ancienne Périmadeia dans des délais assez brefs, et que nous puissions nous lancer dans de grands travaux de reconstruction avant le début de l'hiver, il est clair que je préférerai rebâtir là-bas. La position est bien meilleure pour assurer les communications et le reste, une fois que nous aurons commencé notre expansion vers l'ouest. D'un autre côté, si nous ne parvenons pas à prendre le site avant la fin de l'année budgétaire, il faudra que je me décide à rebâtir Ap' Escatoy sous peine de perdre les financements du bureau des Provinces — que j'ai eu tant de mal à obtenir. C'est une partie de la subvention que je dois allouer à un projet de reconstruction avant la fin de l'année, je n'ai aucun moyen de faire autrement. Si je la perds, je ne serai pas simplement frustré de voir tous mes efforts pour l'obtenir réduits à néant : il faudra aussi que je finance les travaux avec les impôts sur le revenu et les prises de guerre ; ce qui signifie que je devrai faire de nombreux compromis dont je préférerais me passer dans la mesure du possible. Comme vous le voyez, je suis dans une position difficile.

Une lueur se mit à briller dans l'esprit de l'administrateur.

— Bien sûr, dit-il, si vous aviez de solides assurances que les impôts et les prises de guerre vont générer une somme substantielle, cela vous donnerait un peu plus de latitude dans vos décisions.

— Tout à fait, répondit le préfet en gardant une expression impassible. Dans ce cas, je pense que je serais d'autant plus tenté de rebâtir Périmadeia. Après tout, l'endroit a toujours été le centre d'attraction de toute la région ; les gens considèrent spontanément la Cité comme leur point de référence économique et culturel. Si nous pouvons faire croire que nous voulons reprendre le flambeau des Périmadeiens — voire que nous souhaitons que tout redevienne comme avant, cette décision faciliterait dans une certaine mesure la restructuration de la zone ouest. (Il se pencha en avant, toujours absorbé dans la contemplation du chariot.) Mais j'ai le sentiment qu'il serait néanmoins préférable de rattraper le retard que nous avons pris dans le déroulement du conflit. Les bénéfices potentiels auxquels vous faites allusion sont bien jolis, mais je préférerais quand même toucher cette manne *en plus* des subventions, vous n'êtes pas de mon avis ? (Il se redressa.) En un sens, le capitaine Loredan a déjà accompli ce que j'attendais de lui ; il nous sera possible de prendre Périmadeia avec jouissance immédiate dès que nous pourrons débarquer assez d'hommes pour tenir l'endroit. (Il fronça un peu les sourcils.) Ce qui rend ce problème avec les Îliens encore plus agaçant. J'espère de tout cœur que vous parviendrez à le régler au plus vite. Ce serait frustrant de perdre une si belle occasion à cause d'un obstacle tellement insignifiant.

L'odeur exquise et unique du pain frais vint leur chatouiller les narines ; d'instinct, les deux hommes levèrent la tête.

— Voilà qui nous apprendra à traîner, dit le préfet. Et je refuse de m'afficher en train de trotter dans les rues comme un âne en fuite. Il va falloir accepter le fait que nous avons manqué le meilleur moment de la journée.

Ils pressèrent le pas, mais quand ils atteignirent l'arcade des boulangers, les pyramides de miches chaudes et immaculées étaient déjà délabrées et mises à bas — comme des murailles d'une cité après un bombardement de machines de guerre.

— Quand nous reconstruirons Périmadeia, grommela l'administrateur d'un air renfrogné, nous aurons au moins cinq arcades de boulangers — avec des fournées échelonnées. Ainsi, nous ne serons plus esclaves d'horaires si stricts.

Le préfet sourit.

— Mais si vous faites cela, vous ôtez tout le sel de l'expérience. En garantissant la réussite de l'opération, vous vous privez de la joie d'un succès incertain.

— Si vous le dites, lâcha l'administrateur sur un ton peu convaincu. Pour ma part, je ne demande que l'assurance d'avoir du pain tout juste sorti du four.

— Bien entendu. Comment pourrait-on imaginer quelque chose de plus important ?

Le chariot des dépêches était en retard — un événement extraordinaire qui n'était qu'en partie justifié par l'augmentation du trafic routier provoquée par la guerre.

À l'arrière, parmi les bagages et comprenant fort bien ce que pouvait ressentir un sac de navets, Niessa Loredan était en proie à une terrible migraine.

Elle ne savait pas quelle région elle traversait — et n'en avait cure ; il faisait beaucoup trop chaud, la pression sur sa vessie devenait de plus en plus inconfortable et le véhicule visait les moindres nids-de-poule et ornières avec une précision qui eût été remarquable en d'autres circonstances. Pour comble de malheur, elle était flanquée d'une compagne de voyage qui parlait — ou plutôt hurlait — sans interruption. La torture était telle que Niessa regrettait de ne pas être restée à Scona et de ne pas avoir tenté sa chance contre les hallebardiers.

La voyageuse impossible avait réussi à se persuader — seuls les dieux savaient comment — que Niessa voulait connaître son nom.

— Comme vous êtes étrangère, vous risquez de trouver ça un peu compliqué, dit l'importune. Attendez que je réfléchisse. Si j'étais un homme, je m'appellerais Iasbar Hulyan Ap' Daic — Iasbar pour moi, Hulyan à cause de mon père et Ap' Daic pour le lieu de naissance de ma mère. Mais comme je suis une femme, je suis juste Iasbar Ap' Cander. L'idée est la même, mais Ap' Cander indique l'endroit où mon mari est né. Si je ne m'étais pas mariée, je serais encore Iasbar Hulyan Ap' Escatoy — qui est mon lieu de naissance. Ne vous inquiétez pas si vous avez du mal à suivre, les étrangers mettent une éternité à saisir les différentes nuances.

Niessa grogna, tourna la tête et fit semblant d'être subjuguée par le paysage — des dunes surmontées de maigres touffes d'herbe sèche et blanche. Selon toute apparence, la fâcheuse ne remarqua pas son manque d'enthousiasme.

— Et bien sûr, vous vous demandez pourquoi j'emprunte les chariots du service des dépêches. Pour tout vous dire, je n'aurais jamais imaginé le faire un jour.

C'est à cause de mon fils. Je vous parle du cadet. L'aîné est à la maison, évidemment ; il a hérité du domaine quand mon mari est mort et il est devenu musicien — on commence d'ailleurs à le tenir en haute estime. Mon benjamin est militaire ; il n'est pas encore très gradé, comme vous vous en doutez ; il est aide de camp de ce colonel Ispel dont tout le monde dit qu'il va être promu commandant en chef de la région ouest. Mais mon cadet, Poriset, est administrateur général de la fabrique d'armes d'Ap' Calick — ce n'est pas un métier très intéressant, il est le premier à l'admettre, mais un poste de cette importance n'avait jamais été confié à quelqu'un de si jeune ; je suppose donc qu'il est assez doué dans son domaine. Il est censé augmenter la production ou réduire les coûts — quelque chose de ce genre ; il me l'a expliqué un jour, mais je suis tellement écervelée... Et bien sûr, il peut s'arranger pour que j'emprunte les chariots du service des dépêches chaque fois que je vais lui rendre visite, à lui et à son épouse — je vous ai dit qu'il venait tout juste de se marier ? C'est une gentille fille, mais je ne suis pas sûre qu'une femme si discrète lui convienne. Enfin, c'est lui qui a choisi et c'est un jeune homme si sérieux... Je suis persuadée qu'il y a longuement réfléchi, qu'il a pesé le pour et le contre...

Niessa ferma les yeux et essaya de s'isoler des bruits extérieurs — en vain, bien entendu. Elle avait travaillé assez longtemps dans le milieu de la finance pour reconnaître une espionne quand elle en croisait une. Celle-ci devait être affectée à la surveillance de cette ligne, condamnée à endurer les cahots de cette horrible route jour après jour, année après année pour des motifs de procédures routinières. Elle n'était pas très douée pour ce travail. C'était sans doute une tante à qui il avait fallu trouver un emploi. Confrontée à un manque crucial de distractions, Niessa envisagea un moment de la jeter sous les roues du chariot — elle devait être assez forte pour y arriver, mais il faudrait ensuite maquiller la chute en accident et ce ne serait pas chose facile. Il était plus simple de lui intimer l'ordre de se taire, mais elle avait appris depuis peu à mieux connaître les Fils du Ciel : elle savait qu'il valait mieux éviter de les insulter.

Je me doutais bien qu'ils allaient me torturer, mais je ne m'attendais pas à ce que ce soit si horrible. Ni si intense.

— Je dois aller pisser, grogna-t-elle. Vous savez comment on fait pour arrêter le chariot ? Parce que sinon, je vais faire partout sur le plancher.

Ça, ça lui coupa la chique à cette vieille garce ! Niessa se sentit tout de suite mieux. Pourquoi n'avaient-elles pas discuté avec franchise dès le début ? Elle aurait pu informer cette enquiquineuse qu'une banale discussion entre femmes n'était pas la meilleure façon d'entrer dans ses bonnes grâces. Elles auraient pu alors choisir ensemble un rôle moins pénible parmi ceux du répertoire de l'agent secret — et le voyage aurait même pu devenir plus ou moins distrayant.

— Je crains de ne pas le savoir, répondit l'espionne d'une voix un peu plus modérée — à peine plus forte qu'un cri suraigu. C'est quand même terrible qu'ils ne prévoient pas ce genre de chose. Ça ne les tuerait pas de coller un pot de chambre à l'arrière, ou même un vieux récipient. Je crois que je vais demander à mon fils de faire quelque chose à ce sujet.

Niessa ne put s'empêcher d'admirer l'aisance avec laquelle cette femme était retombée sur ses pieds. En fin de compte, elles avaient peut-être quelque chose en commun, de professionnelle à professionnelle. Si elles se parlaient en tant que telles, entre initiées, la conversation pouvait devenir fort intéressante.

— Et dites-moi, interrogea Niessa, vous êtes espionne depuis longtemps ?

La vieille femme la fixa avec un air ébahi, puis secoua la tête.

— Mais pourquoi me posez-vous une question si étrange... ? commença-t-elle. (Niessa la regarda droit dans les yeux.) Vous devez être Niessa Loredan. On m'a dit que vous viendriez à un moment ou à un autre.

— Vous me connaissez, donc.

La femme éclata de rire.

— La célèbre sorcière des terres étrangères ? Il serait difficile d'affirmer le contraire. Ce n'est pas que je croie à toutes ces histoires, mais bien des gens ne pensent pas comme moi. (Elle se reprit aussitôt.) Des étrangers, bien entendu. Vous êtes nettement plus âgée que je m'y attendais. Je suppose que c'est ça qui ma déconcertée.

— Merci beaucoup, répliqua Niessa. Et pour votre gouverne, je ne suis pas une sorcière, je suis une banquière. La sorcellerie, ça n'existe pas — vous le savez très bien. (Le chariot roula sur un nid-de-poule particulièrement profond et Niessa sentit ses mâchoires claquer avec force.) Vous avez dû offenser un personnage important pour qu'on vous confie un tel travail. On vous a condamnée à être secouée jusqu'à ce que mort s'ensuive ?

La femme haussa les épaules.

— En fait, vous n'êtes pas loin de la vérité. Le changement de poste n'a pas été suivi d'une perte d'échelon en tout cas. Et pour répondre à votre première question, ça fait cinq ans. Auparavant, j'étais directrice administrative à la préfecture d'Ap' Escatoy. C'était un travail agréable et je l'aurais bien gardé, mais je le faisais depuis trop longtemps ; il était impensable qu'une Fille du Ciel avec mon ancienneté occupe un poste où elle pouvait avoir un étranger pour supérieur. Et me voilà !

— Condoléances, dit Niessa. Bien, vous avez été franche avec moi, alors s'il y a quelque chose de particulier à me demander, n'hésitez pas. Mais je ne crois pas que vous ayez de questions puisque vous avez dit que vous ignoriez mon identité il y a encore quelques minutes. À moins qu'on vous ait donné une série d'objectifs à remplir dans l'hypothèse où vous rencontreriez Niessa Loredan ?

— Rien que des questions très vagues, répondit

l'espionne. Et elles sont surtout en rapport avec l'évasion de votre fille : était-ce prémédité ? A-t-elle reçu de l'aide de la part de vos compatriotes ? Ce genre de choses. Si vous aviez la gentillesse de me raconter ce que vous savez là-dessus, je vous en serais reconnaissante.

Niessa glissa son dos dans un interstice entre deux tonneaux.

— Avec plaisir, mais je ne peux pas vous apprendre grand-chose, enfin, rien que vous ne puissiez corroborer — ce qui revient au même. Non, ce n'était pas prémédité — pas à ma connaissance du moins. Vous voyez, ma fille et moi ne sommes pas tout à fait dans les meilleurs termes. En fait, nous nous détestons. Cordialement ! Vous avez des enfants ? (L'espionne secoua la tête.) Tant mieux pour vous ! Bref, il est possible qu'Iseutz ait su ce qui se préparait et qu'elle ait mijoté un plan dans mon dos, mais j'en doute. Vous ne l'avez pas encore attrapée ?

— Je ne crois pas. Aux dernières nouvelles, elle était chez son oncle, dans le Mesoge. Mais vous comprendrez que je n'ai pas vraiment accès aux informations confidentielles. Ce n'est qu'une rumeur qui court.

— Je vois, dit Niessa. Et la guerre, vous savez comment ça se passe ? On ne m'a rien dit, d'où je viens.

La femme plissa les yeux.

— Vous devez quand même savoir que votre frère Bardas commande l'armée en campagne ?

Niessa secoua la tête.

— Je croyais que c'était un commandement conjoint. Et qu'il n'était là que pour le spectacle.

— Ce n'est plus le cas. Le colonel Estar a été tué. Votre frère a les pleins pouvoirs maintenant. C'est curieux d'ailleurs qu'un étranger soit à la tête de quatre bataillons. Je ne dis pas ça pour vous insulter, mais je ne suis pas sûre que cette idée me réjouisse.

— Si on considère ses états de service, moi non plus, grogna Niessa. Les hommes des plaines l'ont déjà battu une fois — deux, en fait, puisque tout ce qu'il a réussi à faire en remplaçant l'oncle Maxen, c'est d'ordonner à ses troupes de se replier sur Périmadeia. En tant que subordonné, c'est un soldat assez compétent, notre Bardas, mais je ne crois pas qu'il ait ce qu'il faut pour faire un bon chef. Il en va de même pour mon frère Gorgas, à un moindre degré. C'est aussi un bon soldat, mais il n'arrive pas à gérer les problèmes à grande échelle. Au fond, c'est pour cette raison que les choses ont mal tourné à Scona : il ne comprenait pas que le jeu n'en valait plus la chandelle. Remarquez, Gorgas n'a jamais su quand il fallait abandonner. C'est son plus gros défaut, je vous assure.

Le chariot fit une nouvelle embardée — encore plus violente que la précédente — et s'immobilisa soudain. Un tonneau rempli d'étranges biscuits se détacha du haut de la pile de marchandises et tomba, manquant de peu la tête de Niessa.

— Si j'étais à votre place, je ferais changer le conducteur.

Elle remarqua alors que l'espionne était morte : une flèche était plantée au beau milieu de sa gorge, la clouant au tonneau où elle s'était adossée. Niessa vit la tête de la vieille femme rouler sur le côté et s'écraser avec mollesse contre son épaule droite, les yeux toujours grands ouverts.

Qu'est-ce qui se passe encore ? se demanda Niessa avec colère.

Elle regarda autour d'elle pour déterminer le point de départ de la flèche.

Alors, ça sert à quoi d'avoir un empire si vous n'êtes même pas fichus d'avoir des routes sûres ?

Rien ne semblait se passer, mais quel que soit l'endroit où elle se trouvait, il était désespérément à découvert. Une tentative de fuite équivalait à un suicide si les bandits avaient l'intention de se débarrasser des témoins, mais rester immobile ne valait guère mieux. S'ils s'apprêtaient à dérober les marchandises, il était inutile de chercher à se cacher : ils finiraient tôt ou tard par la trouver en déchargeant le chariot.

Alors, ça va se terminer comme ça, songea-t-elle. *J'aurai fait tout ce chemin pour rien. Quelle perte de temps et d'efforts !*

Un casque apparut au-dessus de la rambarde du véhicule. Enfin quelque chose sur quoi passer sa colère. Elle attrapa le tonneau de biscuits et l'écrasa sur la partie couvrant le haut du crâne — l'endroit où se rejoignaient les lanières maintenant en place les différentes plaques. Le résultat fut satisfaisant — voire franchement hilarant ; on entendit un soupir et le casque se volatilisa dans un nuage de lamelles métalliques et de miettes de gâteaux secs.

Voilà ce qui arrive quand on se frotte à l'esprit combatif des Loredan, pensa Niessa en souriant. *Ce n'est pas parce que je suis une fille que je suis une proie facile.*

— Niessa Loredan ?

La voix retentit derrière elle. Elle se retourna si vite que sa cheville se coinça entre deux caisses et une douleur aiguë lui remonta le long de la jambe.

— Aïe ! s'écria-t-elle. Oui, qui la demande ?

— Nous sommes venus pour vous sauver, annonça un autre de ces maudits casques avec une espèce de visière qui cachait tout le visage de son propriétaire.

Était-ce trop demander que de parler à des êtres humains plutôt qu'à toute cette quincaillerie ?

— Qu'est-ce que vous racontez ?

— Ce sont les ordres de votre frère, dit le casque. Nous sommes venus vous sauver et vous ramener à la maison.

Niessa se renfrogna.

— Quel frère ?

Le casque eut l'air déconcerté — un exploit assez remarquable pour un morceau de métal.

— Gorgas Loredan, répondit-il.

— Oh ! (Niessa soupira.) Eh bien, dans ce cas, vous

451

pouvez rentrer et annoncer à Gorgas que je n'ai pas besoin d'être sauvée. Et que si c'était le cas, il serait bien la dernière personne que je souhaiterais voir venir à mon aide. Vous avez saisi le message ou bien est-ce que je dois vous l'écrire sur un bout de papier ?

À ces mots, toute la misère du monde se peignit sur le casque.

— Vous ne comprenez pas, dit-il. Nous allons vous ramener dans le Mesoge. Un navire nous attend. Mais nous devons faire vite, car une colonne de cavalerie sera ici dans moins d'une heure et…

— Ne vous inquiétez pas, le coupa Niessa. Je ne leur dirai pas par où vous êtes partis — à condition que vous filiez maintenant. Rendez-moi juste un service : volez donc une partie de ce bric-à-brac ; essayez de faire croire qu'il s'agissait d'une attaque par des bandits ordinaires.

Pauvre casque, pensa-t-elle en prononçant ces paroles.

Elle entendit la voix d'autres casques — elles résonnaient toutes avec un écho, elles lui évoquaient celle d'un homme au fond d'un puits, ou celle de feu son mari, Gallas, le jour où il s'était coincé la tête dans un seau à lait.

Les autres casques parlaient avec agitation — ce qui était fort compréhensible.

— Je suis désolé, dit le premier d'entre eux, mais j'ai des ordres. Vous devez venir avec nous. Les relations entre votre frère et vous ne me regardent pas…

— Une minute, l'interrompit Niessa. Vous êtes sconien, pas vrai ? Oui, bien entendu. Vous allez vraiment faire usage de la force pour m'enlever ? Et vous savez aussi qui je suis, n'est-ce pas ? En dehors de la sœur de Gorgas, je veux dire…

— Oui, répondit le casque au bord de la panique. Mais ce n'est pas moi qui décide. Je dois remplir ma mission. Maintenant, levez-vous. Je vais vous aider à descendre du chariot.

— Allez au diable ! répliqua Niessa. Ou plutôt, allez

donc voir Gorgas et dites-lui de ma part qu'il arrête de se comporter comme le roi des imbéciles. Parce que j'en ai assez de lui et de ses actes de bravoure ridicules. Allez-y. Il ne vous mordra pas. Pas si vous lui dites que c'est moi qui...

À ce stade, Niessa n'avait pas encore remarqué qu'un homme avait grimpé sur le chariot en silence et dans son dos. Il lui abattit soudain un sac sur la tête, la poussa au sol avec délicatesse et s'agenouilla à côté d'elle pour la ligoter.

— On peut dire que tu as pris ton temps ! grogna le premier casque. Virez-moi toute cette camelote du chariot ! On va s'en servir pour les lancer sur une fausse piste.

À l'intérieur du sac, Niessa laissa échapper des bruits tout à fait extraordinaires. Plusieurs hommes la soulevèrent et la firent descendre du chariot sans trop la cogner contre les planches. Un de leurs camarades s'occupait du soldat que Niessa avait sonné avec le tonneau de biscuits. Un troisième acheva le conducteur qui s'enfuyait en rampant malgré deux flèches plantées presque au même endroit dans sa poitrine. Ils coupèrent les cordes qui maintenaient les marchandises en place et firent tomber les caisses et les tonneaux. Ces derniers se fracassèrent par terre ou s'éloignèrent en roulant, répandant leur cargaison d'épices, de parfums, d'herbes, de vins fins et d'huiles d'assaisonnement aromatisées — les différentes odeurs se mélangèrent pour ne plus en former qu'une seule, si extraordinaire, abstruse et exotique que même un Fils du Ciel aurait eu des difficultés à en identifier tous les ingrédients.

— Ça ira comme ça, dit le premier casque en relevant sa visière pour s'essuyer le front. (Sous le métal, il y avait un homme au visage rond avec un petit nez en forme de pompon.) Vous deux, prenez le chariot. Nous vous retrouverons au navire.

Environ une heure après le départ des attaquants, la

colonne de cavalerie arriva tout comme le casque l'avait prédit. Les soldats impériaux découvrirent deux corps — celui d'un homme et celui d'une femme — dépouillés de leurs vêtements ainsi qu'un gros tas de biscuits en morceaux ; mais ni tonneaux, ni caisses. En fait, des pillards opportunistes avaient surgi des dunes et les avaient démantelés en quelques minutes. Ils avaient arraché les clous pour les redresser plus tard, collecté avec soin les bandes métalliques ceignant les tonneaux ainsi que les douves — celles qui étaient intactes dans un tas pour être réutilisées, les autres à part pour servir de petit bois. Toutes les marchandises avaient été volées à l'exception de la cannelle et des biscuits au miel de rose sauvage — si prisés par le préfet d'Ap' Escatoy. D'après les indices, les pillards en avaient grignoté quelques-uns avant de les recracher et de piétiner le reste — au cas où un imprudent se serait risqué à les goûter.

Le dernier chariot chargé de grumes s'immobilisa.

— C'est le dernier, soupira Habsurai, le chef d'équipe du contingent affecté à la collecte du bois. Je déclare solennellement qu'il n'y a désormais rien de plus haut qu'un pissenlit qui se dresse entre ici et la Rivière Pigeon. (Il enchaîna avant que Temrai ait le temps d'ouvrir la bouche.) Et si tu as l'intention de nous envoyer plus loin, il faudra que tu nous donnes une escorte armée parce que de là où on abattait les arbres hier, on voyait les éclaireurs de Loredan faire les andouilles de l'autre côté du gué du cours nord. Si tu veux davantage de bois, tu devras te battre pour l'obtenir.

C'était encore une journée chaude. Une ligne d'enfants à la mine épuisée remontait et descendait le chemin avec peine en portant des seaux, formant une chaîne en mouvement perpétuel. Les tailleurs de pierre avaient tous déclaré forfait ; ce n'étaient pas des professionnels, car les clans n'avaient jamais eu besoin de gros rochers jusqu'à présent. Tous ceux qui ne possédaient pas de chapeau avaient improvisé avec frénésie : un sac noué sur la tête et les épaules, maintenu en place par un bout de ficelle à hauteur des tempes ; un des grands paniers en osier plat utilisés par les boulangers pour transporter le pain ; l'étendard de feu le préfet de la Cité — pillé par acquit de conscience lors de la prise de la ville et qui se révélait enfin utile à quelque chose — enroulé autour du crâne de son propriétaire comme un turban. Temrai était coiffé du calot de son armure, le rembourrage amovible livré avec le magnifique casque barbute — impossible à porter — qu'il avait acheté à un marchand îlien avant la guerre civile. Le bonnet était en épais feutre gris et c'était le seul élément de l'ensemble qui soit à la taille de Temrai.

Il essuya la sueur qui lui coulait dans les yeux et secoua la tête.

— Ça irait à l'encontre des objectifs de l'exercice, dit-il. Bien, si c'est ainsi, c'est ainsi ! Il faudra nous contenter de ce que nous avons. Merci, vous avez fait du bon travail.

Les hommes de Habsurai avaient rapporté une grande quantité de bois — les piles de troncs élagués faisaient penser à une petite cité à part —, mais il n'y en aurait sans doute pas assez. Les palissades au pied et à mi-pente du plateau étaient achevées, la pointe de chaque pieu aussi affûtée que celle d'une flèche ; le pont tournant, la chaussée et les chemins de ronde étaient presque finis ; mais le rempart du haut relevait désormais de la chimère, ou il faudrait abandonner la construction des autres défenses prévues faute de bois. Temrai s'assit sur un seau retourné et essaya de trouver une solution. Une simple tranchée accolée à un remblai, oui, ce serait mieux que rien, mais trop juste — surtout si Bardas Loredan avait retenu les excellentes leçons sur l'emploi de trébuchets contre une position fortifiée. Sans bois, ils avaient le choix entre la terre et la pierre ; les deux exigeaient beaucoup de main-d'œuvre, prenaient du temps et étaient inefficaces. Il faudrait de nombreux ouvriers et une éternité pour extraire la terre nécessaire à l'édification d'un mur assez haut et épais pour offrir un intérêt défensif, mais au moins, il ne manquait pas de matière première. Quant à la pierre, eh bien, il y avait quelques affleurements de granit érodé par les vents et la pluie ici et là — de quoi bâtir quelques tours et fortifier les portes à la rigueur. Mais si cela ne suffisait pas, ils seraient obligés de creuser pour en extraire davantage.

Ce n'était pas en restant assis qu'il résoudrait ces problèmes. Temrai se leva.

Depuis quand est-ce que j'ai si mal aux genoux ? On dirait que je me fais vieux.

Avec un air emprunté, il traversa en clopinant la zone où le bois était stocké. Les hommes d'Habsurai terminaient d'empiler les dernières grumes à l'aide de la grande grue et malgré son humeur maussade et sa lassitude, il ne put s'empêcher de s'arrêter pour les observer. Le tronc d'un chêne centenaire fut soudain soulevé du sol et emporté dans les airs comme un jouet d'enfant.

Nous sommes capables de ce genre d'exploit aujourd'hui. Comment diable avons-nous appris à faire ça ? Quel brillant avenir s'offrirait à nous si seulement nous avions un...

Et puis la grue se brisa. Plus tard, quand les ingénieurs l'examinèrent, ils s'aperçurent que la jambe de force supportant le madrier du contrepoids avait été taillée dans du bois humide et rendu friable ; la pièce n'avait pas résisté aux tensions exercées par la grue — c'était une erreur de débutant par excellence. Tandis que le contrepoids s'écrasait par terre, le magnifique chêne que Temrai admirait interrompit son vol et s'affaissa soudain ; il glissa hors d'un des deux anneaux auxquels il était accroché et commença à se balancer dans tous les sens. Désormais, il était retenu par une seule corde et agité de mouvements incontrôlés. Il fonça droit sur Temrai et ce dernier fut tellement surpris qu'il resta planté sur place...

... Quelqu'un bondit alors comme un félin et se jeta sur lui. Temrai fut poussé à terre au moment où le chêne tourbillonnait au-dessus de son crâne. Une extrémité du tronc faucha l'endroit où il se tenait une fraction de seconde auparavant. Temrai essaya de relever la tête, mais une main la lui plaqua contre le sol et lui enfonça le nez dans la terre tandis que la grume revenait dans un mouvement de pendule ; elle percuta le côté de la grue et, sous l'effet du choc, cessa son balancement.

— Ça va ? (La voix était inquiète et familière.) Temrai ? Tu vas bien ?

— Mmm.

Il poussa sur ses bras afin de se relever. Il avait la bouche pleine de terre.

— Merci, dit-il au moment où il se rappelait le nom de son sauveur. Dassascai ? C'est toi ?

— Oui, répondit Dassascai. Je crois que je me suis démis l'épaule. C'est plutôt ennuyeux. J'ai encore deux cents canards à tuer et à plumer.

Temrai se releva avec beaucoup de précautions. Des gens se précipitèrent vers lui de toutes les directions.

— Je vais bien, leur dit-il. Il n'y a rien de grave...

— Parle pour toi ! grommela Dassascai.

Temrai tendit la main et l'aida à se remettre debout.

— Ça fait deux fois, dit-il. On dirait que tu as le don de surgir au moment où je vais me faire tuer.

— Tu crois ? (Dassascai fit rouler ses épaules et cria de douleur.) Eh bien, tu peux me montrer ta reconnaissance en envoyant deux hommes tordre le cou à mes canards. Et un docteur ne serait pas de refus non plus. Désolé, j'ai dit quelque chose de drôle ?

Temrai secoua la tête.

— Tu as vécu à Ap' Escatoy pendant des années, n'est-ce pas ?

— C'est exact. Toute ma vie d'adulte, en fait.

— C'est bien ce que je pensais. À mon avis, tu vas t'apercevoir que ta conception d'un docteur n'est pas tout à fait la même que la nôtre. Je crois qu'il est préférable de t'avertir, c'est tout.

Dassascai grogna.

— Même si vos médecins sont aussi ignares que des cochons, ils doivent savoir comment soigner une luxation. Et s'ils ont envie d'éventrer quelques canards dans la foulée, ce n'est pas moi qui les en empêcherai.

— Alors, tout va bien. Tant que tu sais dans quoi tu t'engages.

En fait, il suffit d'un mouvement sec et contrôlé pour remettre l'épaule en place. Dassascai hurla de douleur, mais cela ne dura qu'un instant.

— Tu survivras, déclara le boucher de service sur un ton joyeux. Repose-toi un peu si possible. (Et à Temrai :) Assure-toi qu'il soit dispensé de travail pendant un jour ou deux. Que fait-il ?

— Il tue des canards.

Le médecin hocha la tête.

— Ça exige des mouvements répétitifs du bras et de l'épaule. Ce n'est pas une bonne idée. Charge quelqu'un d'autre de cette tâche et laisse celui-là se reposer.

— Bien sûr, dit Temrai. C'est la moindre des choses.

Curieusement, il eut du mal à trouver un volontaire enclin à massacrer des canards. En fin de compte, il dut confier la tâche à un détachement affecté à l'excavation des tranchées — et les hommes concernés lui manifestèrent sans détour leur peu d'enthousiasme. Il regagna ensuite sa tente où il avait laissé Dassascai allongé sur le lit. Tilden n'était pas là, elle supervisait la fabrication de feutre.

— Comment te sens-tu, maintenant ? demanda-t-il.

— J'ai mauvaise conscience, répondit Dassascai avec un sourire. Enfin, tu ne voudrais quand même pas que je te dise que tout va bien alors que j'ai une occasion en or de profiter de la gratitude du chef de l'État !

Temrai sourit à son tour.

— Tu es le bienvenu. Comme je te l'ai dit, ça fait deux

fois maintenant. On va finir par croire que tu es mon ange gardien.

— Je ne fais que prendre soin de mon avenir. Comment voulais-tu que je me débarrasse de ces maudits canards ?

Il régnait une fraîcheur agréable dans la tente tandis que, dehors, la chaleur était insupportable. Temrai se souvint qu'il ne s'était pas reposé depuis presque trente-six heures.

— Prends un verre avec moi, dit-il. Il y a quelque chose que je voulais te demander.

— Ah bon ?

Temrai hocha la tête en débouchant la carafe.

— C'est à propos des galettes. Tu n'aurais pas hérité de la recette de ton oncle par hasard ?

Dassascai éclata de rire.

— Oh ! la recette est toute simple. Des œufs, de la farine, de l'eau et un peu de graisse d'oie pour la poêle. Il me l'a répétée bien souvent. L'unique problème, c'est qu'il ne la respectait jamais.

— Oh !

— Il était comme ça, continua Dassascai en prenant la coupe que lui tendait Temrai. Il n'a jamais supporté l'idée qu'on puisse l'égaler dans le seul domaine où il était meilleur que les autres. Je ne peux pas dire que je le lui reproche. Quand tu es le maître incontesté d'un art si populaire, tu n'as pas d'envie d'apprendre aux gens à se passer de toi.

— Je suppose que tu as raison, dit Temrai. Mais à sa place, je n'aurais pas voulu que mon secret me suive dans la tombe.

— C'est parce que tu n'es pas mon oncle, répliqua Dassascai. Je suis certain que c'est exactement ce qu'il souhaitait. Comme ça, tout le monde secouera la tête pendant des années en disant : « Plus personne ne fait des galettes comme celles de Dondai le plumeur. » Les gens ont tendance à se rappeler ce genre de chose, tu sais.

C'est l'occasion de passer à la postérité, comme un grand poète. En fait, c'est encore mieux : compare un peu le nombre de personnes intéressées par la poésie avec celui des personnes intéressées par les galettes.

— Je vois, dit Temrai avec gravité. Donc, si je veux qu'on se souvienne de moi pour l'éternité, j'aurais mieux fait d'apprendre à préparer la pâte à galettes plutôt que de conquérir Périmadeia.

Dassascai bâilla.

— C'est bien possible. Pour commencer, c'est moins risqué. Je ne veux pas t'offenser, mais tu passeras peut-être à la postérité comme celui qui a été battu à plate couture par Bardas Loredan et l'empire. C'est un moyen d'entrer dans l'histoire, c'est vrai, mais ce n'est pas le meilleur. Avec les galettes, on se souvient de toi seulement si tu fais les plus délicieuses de tous les temps. (Il fronça un peu les sourcils.) C'est ce que tu cherches ? L'immortalité ?

— Pas vraiment, répondit Temrai. Oh ! je ne dis pas que l'idée ne m'a pas traversé l'esprit ; c'est arrivé tout à l'heure, quand je regardais travailler les ouvriers. Si dans un siècle, on se souvient de moi comme celui qui a transformé notre peuple en une nation d'artisans et d'ingénieurs, je ne m'en plaindrai pas si je suis encore là pour le voir. Mais ça ne sera pas le cas, bien sûr. Je serai mort et je m'en ficherai.

Dassascai bâilla de nouveau et grimaça de douleur.

— C'est une attitude très raisonnable dans les circonstances actuelles. Je me demande si Bardas Loredan partage ton point de vue. Pour l'instant, il a la réputation d'être le responsable de la chute de Périmadeia. Tu crois qu'il est prêt à tout pour y remédier ou qu'il s'en fiche, lui aussi ?

— C'est la deuxième fois que tu parles de lui, remarqua Temrai d'une voix calme. Pourquoi ?

— Aucune raison particulière.

Temrai se gratta la nuque.

— Tu n'essaies pas de me faire enrager ou quelque chose dans ce genre ?

— Et pourquoi je ferais ça ?

— Je ne sais pas, répondit Temrai. Je suppose que tu pourrais chercher mes points faibles, ou vérifier si je deviens blanc comme un linge et si je commence à frissonner à la simple évocation de ce nom... Ce genre d'informations est susceptible d'intéresser un espion.

— Je ne crois pas, dit Dassascai en tendant sa coupe pour que Temrai la remplisse. Pour autant que je sache, je ne fais que spéculer, mais les espions sont à l'affût de renseignements sérieux : mouvements de troupes, disposition des unités, plan au sol des défenses de la ville, angles morts des champs de tir... Je ne vois pas en quoi mieux te connaître permettrait de gagner des batailles.

— Alors, il n'y a pas de problème. Au fait, tu es un espion ? Honnêtement ?

— Non.

— Soit. Je vais te croire sur parole.

Dassascai pencha la tête.

— Merci. Et par pure curiosité, tu en as dans l'armée ennemie, toi ?

— Pas vraiment, répondit Temrai.

— Et si tu en avais, tu ne me le dirais pas. Des fois que je le signale dans mon prochain rapport.

— C'est tout à fait ça. À mon tour : qu'est-ce qui t'a poussé à venir ici après Ap' Escatoy ? Il est clair que tu t'intègres mal parmi nous.

— Si je m'intègre mal, c'est parce qu'on me rejette : tout le monde est persuadé que je suis un espion.

Temrai fit la moue.

— C'est vrai en partie, dit-il. Mais il faut aussi reconnaître que tu ne te comportes pas comme l'un des nôtres. Tu aurais pu aller n'importe où : sur Île, à Colleon, à Ausira ; tu aurais pu aller vers l'est, ou rester dans les environs d'Ap' Escatoy en attendant que la ville soit

Dassascai sourit.

— Qu'est-ce qu'il y a à comprendre chez ces bestiaux ?

— Ah ! nous y voilà. Quand j'étais enfant, mon père et mon oncle m'ont emmené à la chasse pour la première fois et ils m'ont dit qu'un vrai chasseur devait comprendre sa proie. Pour être honnête, je crois qu'ils *aimaient* les cerfs et les sangliers que nous chassions. Ils en parlaient avec affection, comme si c'étaient des membres de la famille. Je suppose que c'était parce qu'ils les avaient observés et étudiés depuis si longtemps qu'ils s'étaient attachés à eux. Ils prenaient toujours la peine de dire merci aux animaux que nous abattions. Un jour — j'étais tout petit —, j'ai demandé à mon père si ça ne le dérangeait pas de tuer des bêtes comme ça. Et il m'a répondu que si, ça le dérangeait beaucoup, parce que chaque fois, il avait l'impression de perdre un ami. Je n'ai pas compris ce que ça signifiait avant d'aller vivre dans la Cité. Et je suis toujours incapable de l'expliquer. Mais aujourd'hui, au moins, je vois ce qu'il voulait dire.

— Ça n'a aucun sens, dit Dassascai. Mais bon ! l'amitié n'en a pas non plus — pas plus que l'amour d'ailleurs. Je suppose que ça ressemble à ces terribles vengeances familiales dont on entend parler de temps en temps. Ils ne pourraient pas se haïr à ce point s'ils ne s'aimaient pas autant. C'est un peu comme les frères Loredan, par exemple.

— Troisième fois.

— Pardon ? Oh oui ! Excuse-moi. Mais c'est un bon exemple.

— Tu as raison, en effet. Il fut un temps où je détestais Bardas Loredan plus que tout au monde. Je ne peux pas dire que ce soit encore vrai aujourd'hui. Peut-être parce que c'est maintenant lui qui me chasse, et plus le contraire.

Dassascai le regarda.

— Et s'il parvient à te tuer, est-ce que tu lui pardonneras ?

464

Temrai sourit.

— Je l'ai déjà fait.

Ils commencèrent à se douter de quelque chose juste
après le petit déjeuner, quand ils sortirent pour vaquer
à leurs occupations. Et même à cet instant, il leur fallut
un certain temps pour le remarquer.

Il y avait des soldats impériaux dans les rues et plusieurs demi-pelotons stationnés aux carrefours, l'air plus
ennuyé qu'autre chose — comme un jeune homme à qui
sa petite amie vient de poser un lapin. Venart sentit que
quelque chose n'allait pas, mais il était trop tôt pour qu'il
comprenne les implications de cette présence militaire.
Et puis, sur Île, il n'était pas rare de voir des groupes de
gens désœuvrés aux coins des rues. Il devait y avoir une
explication simple et rationnelle — enfin, Venart était
tout à fait disposé à croire qu'il y en avait une.

Ce fut en atteignant la place du marché que le malaise
commença à les gagner : à leur arrivée, toute une compagnie de soldats était stationnée là — alignée comme à
la parade, mais les armes tirées.

— Ne me dites pas que quelqu'un a essayé de cam-
brioler leur trésorerie, dit Eseutz. Ce serait d'un manque
de tact...

— Cet homme qui placarde un avis sur la porte du
Hall du marché, demanda Athli en pointant un doigt,
est-ce l'un d'eux ?

— Aucune idée. Bon ! allons voir ce qu'il y a d'écrit
sur ce papier.

Le style typique du bureau des Provinces était bref,
clair et professionnel.

À partir de l'aube de ce jour, le dix-septième de Butre-
pidon...

— Qu'est-ce que c'est que ça ? demanda Eseutz.

— C'est aujourd'hui, répondit Venart. Et maintenant,
tais-toi.

... le préfet d'Ap' Escatoy, par les pouvoirs qui lui sont

— Des mercenaires, dit Eseutz. On pourrait engager des mercenaires — qu'importe ce que ça coûtera, nous devons nous débarrasser de ces envahisseurs. Une fois que ce sera chose faite, nous serons tranquilles.

Athli secoua la tête.

— Tu rêves, dit-elle. Il doit y avoir... quoi ? Cinquante mille hommes dans ce corps expéditionnaire ? Il vous en faudrait le triple pour tenter un débarquement hasardeux. Où voulez-vous trouver... ?

— Non ! la coupa Eseutz. Tu te trompes. Ils sont cinquante mille aujourd'hui, mais quand ils seront partis attaquer Temrai, il ne restera qu'une petite garnison. C'est à ce moment que nous les aurons.

Athli ferma les yeux et les rouvrit.

— Tu veux les attaquer alors que nos bateaux seront toujours entre leurs mains ? Ce n'est pas très intelligent. Dès qu'ils apprendront la nouvelle, ils reviendront ici en force et nous n'aurons pas la moindre chance de résister. Tu as une idée du sort qu'ils réservent aux rebelles ?

— Il *doit* y avoir une solution...

Eseutz s'interrompit au milieu de sa phrase : cinq soldats et un sous-officier se dirigeaient vers eux. Venart paraissait sur le point de s'enfuir en courant, mais sa sœur l'attrapa par le bras.

— Si tu t'enfuis, ils te tueront, lui murmura-t-elle.

Les hommes s'arrêtèrent devant eux.

— Venart Auzeil, Eseutz Mesatges, dit le sous-officier.

Venart inspira un grand coup.

— Je suis Venart Auzeil, dit-il. Qu'est-ce que... ?

— Eseutz Mesatges.

Athli, Vetriz et Eseutz restèrent parfaitement immobiles. Le sous-officier attendit quelques secondes, puis hocha la tête.

— Très bien, dit-il. On embarque le lot et on fera le tri plus tard. (Il sembla alors se rappeler quelque chose.) Vous êtes en état d'arrestation. Par ici.

Chapitre 15

— Je déteste me faire arrêter, dit Eseutz. C'est d'un ennui. On reste assis pendant des heures dans des cellules, des salles d'interrogatoire, des salles d'attente et des antichambres, sans rien à faire, ni à lire. Et il fait toujours trop chaud ou trop froid. Et la nourriture…

Ce matin-là, ses compagnons et elle avaient attendu devant le bureau de la secrétaire de la guilde, tapi au fond d'un couloir partant de la galerie qui longeait la maison de la guilde des entrepreneurs-marchands sur trois côtés. Ce matin-là, ils avaient attendu devant un endroit où on rêvait d'être invité : un grand bureau spacieux caché dans un petit passage étroit — un monument d'harmonie entre discrétion et décoration ostentatoire. La secrétaire Aloet Cor avait la réputation d'être une collectionneuse fanatique de meubles — surtout les chaises et les tables en ivoire et en os fabriquées par six générations de la famille Arrazin de Périmadeia, des objets délicats, coûteux et impossibles à utiliser. La rumeur affirmait qu'elle ne les appréciait pas beaucoup, mais qu'elle les collectionnait en raison de leur rareté et de leur prix astronomique — susceptible d'atteindre des sommes encore plus élevées maintenant que la production avait été arrêtée du fait de la mort de tous les Arrazin pendant la chute de Périmadeia. Au dire de certains, une heure d'attente sur le banc en marbre inconfortable

ment, mais je ne crois pas qu'il fera beaucoup de difficultés. Je dois d'ailleurs vous féliciter pour la tenue et la clarté de vos bilans. Lorsque la situation se sera un peu calmée, je suis certain que l'empire sera très heureux de vous engager comme premier clerc.

Athli le regarda pendant un long moment avant de hocher la tête.

— Ce serait très aimable de sa part.

— À moins, poursuivit Javec en l'observant avec attention, que vous vous sentiez encline à accepter un poste à l'état-major du capitaine Bardas — où que sa prochaine affectation le conduise. Vous pourriez travailler avec lui comme par le passé, vous ne croyez pas ?

— Non, je ne le crois pas. J'ai bien peur de ne rien connaître à l'administration militaire.

— De toute façon, vous n'avez pas à faire un choix tout de suite. Attendons de voir comment la situation va évoluer, d'accord ? Et maintenant, si vous voulez bien m'excuser. Je vous remercie de votre temps et de l'information sur cette pièce susceptible d'être une Arrazin. Je vous promets que je vais m'en occuper.

Les deux gardes firent un pas en avant et les Îliens se levèrent avec précipitation.

— Juste une dernière chose, demanda Athli.

— Oui ?

— Vous avez mentionné Theudas — Theudas Morosin ? Que va-t-il lui arriver ?

Javec sourit.

— Je dois une fois de plus vous remercier de me rappeler ce point. Je me suis déjà entretenu avec lui ; il va rejoindre le capitaine Loredan. Par chance il semble avoir acquis des informations fort utiles sur la région pendant qu'il était captif des hommes des plaines. Je suis sûr qu'il vous envoie ses meilleurs vœux.

Athli fronça les sourcils.

— Alors, il est déjà parti ?

— Il est parti ou il s'apprête à le faire.

— Je vois. C'est juste que j'ai un objet qui appartient à Bardas… au colonel Loredan. Il s'agit d'une épée — de grande qualité — et je me demandais si Theudas pourrait la lui apporter.

Javec hocha la tête.

— La Guelan. Une pièce magnifique, n'est-ce pas ? Et dans la mesure où c'est un cadeau de son frère, que dire de sa valeur sentimentale ? Ne vous inquiétez pas, nous nous en sommes déjà occupés. Mais je vous remercie d'y avoir pensé.

Il adressa un signe de tête aux gardes et, l'instant suivant, les quatre Îliens se retrouvèrent dans le couloir, marchant à une allure un peu trop rapide à leur goût pour suivre le rythme. En arrivant à la maison des Auzeil, ils étaient en sueur et à bout de souffle. La porte d'entrée était ouverte et encadrée par deux soldats.

— Excusez-moi…, commença Eseutz.

Mais une main se posa dans le creux de ses reins et la propulsa à l'intérieur. La porte se referma derrière elle. Il y avait deux autres gardes dans le hall d'entrée, et trois de plus dans la cour. L'un d'eux était un sous-officier, un homme grand et maigre qui devait avoir une petite cinquantaine d'années. Il se présenta comme le sergent Corlo et déclara que tout le monde s'entendrait à merveille s'ils ne lui causaient pas d'ennuis.

— Je crois que je n'aime pas beaucoup ce type, murmura Eseutz à Vetriz tandis qu'elles allaient à la chambre donnant sur l'arrière de la maison, au sud. D'ailleurs, je ne crois pas en aimer un seul.

Vetriz resta silencieuse. En fait, elle n'avait pas prononcé un mot depuis un bon moment.

— Je ne sais pas, poursuivit Eseutz. Je me demande comment cette histoire va finir. Et puis, qu'est-ce qu'ils vont faire de nos navires ? Et de nos autres biens ? Ils ne peuvent pas les confisquer *comme ça* ! Par tous les dieux ! Et comment allons-nous vivre ? Que sommes-nous censés faire ? Dans l'absolu, j'aurais préféré qu'ils pillent la ville — à condition qu'ils fichent le camp après et qu'ils nous laissent en paix. Se faire voler, c'est une chose, mais...

— Eseutz, la coupa Vetriz en s effondrant sur le lit. S'il te plaît. J'ai une atroce migraine et j'ai besoin de m'allonger un moment.

— Quoi ? Oh ! bien sûr. Je vais aller voir si je peux au moins les convaincre de me rapporter quelques affaires — à supposer qu'ils ne les aient pas toutes confisquées.

Elle est partie ?

Vetriz ferma les yeux et hocha la tête.

— Oui, que les dieux en soient bénis. Elle est gentille et au fond, je l'aime beaucoup ; mais à l'idée d'être cloîtrée ici avec elle pour une durée indéterminée, je suis glacée d'effroi.

Je peux comprendre cela.

Vetriz sourit.

— Le simple fait d'être enfermée avec quelqu'un doit déjà être pénible en soi, je suppose. Mais je crois que ce sera le moindre de nos problèmes. À votre avis, que va-t-il arriver ? Soyez franc.

J'aimerais bien le savoir.

— Oh ! soupira-t-elle. Quand cet horrible personnage a évoqué Gorgas Loredan, j'ai cru que j'allais mourir. Il faudra sans doute que j'en parle avec Ven, et je vais avoir droit à un sermon exaspérant. Quand je pense à certaines personnes qu'il a fréquentées...

Vous auriez peut-être dû l'informer de cette histoire. Mais je comprends que vous ne l'ayez pas fait.

— Oh ! je sais m'y prendre avec Ven. Alexius, que va-t-il se passer selon vous ? J'ai l'impression que nous sommes dans une situation terrible, et c'est entièrement notre faute. Nous n'aurions pas dû les provoquer comme ça.

Eh bien, ce qui est fait est fait. Une fois qu'ils en auront terminé avec leur guerre, je pense qu'ils s'en iront. Ce sera alors à vous de tirer le meilleur parti des circonstances. Ils

*garderont les navires et les équipages, bien sûr — jusqu'à
ce qu'ils aient formé leurs propres marins. À votre place,
je réfléchirais à un endroit où émigrer.*

— Oh! répéta Vetriz. Vous voulez dire, quitter Île
pour toujours? Jamais je ne pourrais… Oh! c'est horrible. Je suis certaine qu'ils ne peuvent pas nous faire ça.

*N'en soyez pas si sûre. Ils n'ont pas besoin de vous. Ils
utiliseront sans doute Île pour y établir une base navale;
il faudra donc des auberges, des commerces et tout ce qui
s'ensuit. Mais ils ont tendance à favoriser leur peuple et,
dans ce cas, ils peuvent très bien vous évacuer tous et
vous envoyer dans une autre partie de l'empire. Ils le font
parfois. C'est un excellent moyen de garder le contrôle.*

Vetriz resta silencieuse sur son lit pendant un moment.

— Alors, où pensez-vous que nous devrions aller?
Colleon, peut-être? Mais il fait très chaud là-bas et je ne
suis pas sûre de le supporter. Et comment allons-nous
gagner notre vie? Je suppose que ça dépendra de la
possibilité d'emporter quelque chose avec nous. Je crois
que nous pourrions tenir une boutique, surtout si Athli
vient avec nous. S'il y a quelqu'un qui soit capable de
résister à tout, c'est bien elle. Il me semble qu'à Colleon
Ven a des amis qui nous aideraient.

*C'est une piste. Mais l'empire ne tardera pas à annexer
aussi Colleon. Moi, à votre place, je chercherais beaucoup
plus loin.*

Vetriz secoua la tête.

— Alors là, vous commencez vraiment à me déprimer.
Mais je ne dis pas que vous avez tort. Je voudrais juste
savoir comment on a pu en arriver là si vite.

*C'est simple. C'est parce que Bardas Loredan leur a
permis de s'emparer d'Ap' Escatoy. Ils étaient bloqués
devant cette cité depuis dix ans et il n'y avait aucune raison
de penser qu'ils réussissent un jour à la prendre. On peut
supposer que, sans Bardas, ils n'y seraient jamais parvenus. Ap' Escatoy était inexpugnable, il était impossible de
la contourner et l'empire n'a pas de flotte. Aujourd'hui, la*

ville est tombée et l'empire possède des navires. En tant que sujet d'étude sur la manière dont un seul homme peut changer radicalement le cours du Principe, cet épisode est fascinant. Ah ! si j'étais encore vivant, j'aurais écrit un livre sur ce thème.

Personne n'ouvrit la bouche pendant un long moment.

— Merde ! s'exclama enfin Iseutz. Mais qu'est-ce qu'elle fiche ici ?

Gorgas fronça les sourcils.

— Ce n'est pas une manière de parler de sa mère, dit-il. Allons, c'est une occasion historique ; notre première vraie réunion de famille depuis... Depuis combien de temps, Niessa ? Ça doit bien faire plus de vingt ans. (Il réfléchit un instant et fit claquer sa langue.) Mais oui, nous le savons très bien. Iseutz, quel âge as-tu ? Vingt-trois ans ?

Une coupe était posée juste au milieu de la table — où Clefas l'avait placée pour pallier une fuite du toit. Leur père l'avait fabriquée à partir d'une plaque métallique découpée dans un casque — récupéré par leur grand-père sur les lieux de la dernière grande bataille du Mesoge, plus d'un siècle auparavant. Les gouttes d'eau tombaient à l'intérieur avec un tintement, comme celui d'un petit marteau qui rebondit sur une enclume.

— Vingt-trois ans, répéta Gorgas quand il comprit que personne d'autre ne participerait à la conversation. Cela en fait donc presque vingt-quatre que nous ne nous sommes pas tous retrouvés autour de cette table. Ah ! pas grand-chose n'a changé depuis, je suis heureux de le dire.

Clefas et Zanoras étaient parfaitement immobiles sur leurs chaises, comme les personnages en métal d'une horloge qu'on a oublié de remonter. Niessa boudait, les bras croisés, le menton en avant, tandis qu'elle fixait la pluie par la fenêtre. Iseutz tenait un morceau de tissu entre les dents et le déchirait en lanières avec sa main valide. Personne ne s'était donné la peine de débarrasser les coupes et les assiettes des trois derniers repas — mais Clefas avait au moins trouvé le temps d'écraser deux blattes. Gorgas était assis en bout de table ; pour l'occasion, il avait enfilé un pantalon et une chemise de brocart neuve en soie de Colleon. Il portait aussi l'anneau de son père — un bijou qui était dans la famille depuis des générations.

— Tu t'apercevras que ta chambre n'a pas beaucoup changé, elle non plus, dit-il à sa sœur. Il y a toujours ce vieux coffre à linge et ce vieux lit. Il faudra bien sûr qu'Iseutz et toi la partagiez, mais je ne pense pas que ça posera de problème. Nous devrions quand même songer à transformer l'ancienne réserve à pommes en chambre Ou nous allons finir par être un peu serrés.

— Où dors-tu ? demanda Niessa sans tourner la tête.

— Dans la chambre de père, bien sûr, répondit Gorgas.

— C'est bien ce que je pensais.

Iseutz avait enfin réduit son morceau de chiffon en bandelettes ; elle avait maintenant entrepris de transformer ces dernières en carrés.

— Continue, dit-elle. Dis-le et qu'on en finisse.

— Dire quoi ?

La jeune femme posa les mains sur la table.

— Tu ne vas pas tarder à nous annoncer quelque chose du genre : « Quel dommage que Bardas ne soit pas avec nous ! La famille serait de nouveau au complet. » Ce n'est pas vrai ?

Gorgas fronça un peu les sourcils.

— D'accord. D'accord. Ce serait agréable que Bardas soit ici, mais il ne l'est pas. Aujourd'hui, il a sa vie à lui et il s'en tire très bien. Il sait que cette maison sera toujours prête à l'accueillir, à tout moment et quelles que soient les circonstances.

— Oh ! pour l'amour des dieux ! s'exclama Iseutz en abattant sa main mutilée sur la table. Oncle Gorgas, pourquoi fallait-il que tu l'amènes ici ? En tout cas, il est hors de question que je partage une chambre avec elle. Je préférerais encore dormir dans la remise à chariots.

— Parfait, dit Niessa. On n'a qu'à faire comme ça.

— Niessa !

Par tous les dieux ! songea Niessa. *On croirait entendre père. Je trouve ça… angoissant.* (Gorgas lança des regards noirs à tout le monde, les bras croisés de manière inquiétante.) *Il va bientôt m'ordonner de me taire et de manger ma soupe.*

— Cessez un peu de vous comporter comme des enfants, par pitié ! Nous avons eu nos différends — les dieux le savent — et oui, avant que quelqu'un le fasse remarquer, oui, je reconnais que la plupart étaient ma faute ; je ne vais pas le nier. Mais c'est du passé et nous sommes dans le présent. Et soyons honnêtes, personne ici n'est complètement innocent. (Il s'interrompit, jeta un nouveau regard noir et poursuivit.) Je ne voulais pas en arriver là, mais je crois que c'est nécessaire. Commençons par toi, Niessa : tu es égocentrique, parfaitement amorale, il n'y a que toi qui t'intéresses ; le reste, les autres sont sans importance. Quand la situation à Scona est devenue trop dangereuse à ton goût, tu es partie en laissant pour morts tous ceux qui comptaient sur toi. Je suis le seul qui ait au moins essayé de faire quelque chose. J'ai réussi à en sauver quelques-uns et je les ai emmenés ici avec moi. Mais toi, tu t'en fichais. Tu as trahi une cité entière et pour ainsi dire condamné à mort des centaines de milliers de gens dans la seule intention de ne pas payer tes dettes.

» Et la manière dont tu as traité ta propre fille est inqualifiable. Quand je l'ai ramenée chez nous, à Scona, qu'est-ce que tu as fait ? Tu l'as jetée en prison, par tous les dieux ! Et ne commence pas à prendre cet air blasé et satisfait, Iseutz ! Tu es mal placée pour ce genre de numéro ! Tu as essayé de tuer ton oncle — non, tais-toi et laisse-moi finir ! Tu as essayé de tuer Bardas pour quelque chose dont il n'était pas responsable. Il ne faisait que son travail et comment aurait-il pu deviner que cet homme était ton oncle ? Il ne connaissait même pas ton existence. Je suis désolé pour tout ce que tu as enduré, mais je t'assure que tu vas devoir oublier cette histoire et commencer à te comporter comme un être humain normal et sain d'esprit — tant que tu sais encore ce que c'est.

Il se retourna soudain vers Clefas et Zanoras et leur lança un regard mauvais.

— Quant à vous deux, vous avez tout autant à vous reprocher — et peut-être même davantage. Vous aviez tout : vous aviez la ferme, par tous les dieux ! Vous aviez tout cet argent que Bardas vous envoyait — chaque sol qu'il pouvait grappiller au péril de sa vie. Et qu'est-ce que vous avez fait ? Vous avez tout dilapidé ! Vous avez tout jeté par les fenêtres ! Par tous les dieux ! quand je pense à ce que j'aurais donné pour être à votre place, pour être ici, à la maison, à faire ce que nous avons toujours été censés faire ; et au lieu de cela, je parcourais le monde en me battant, en trichant et en escroquant les autres pour gagner ma vie. Vous savez, je ne me mets pas facilement en colère, mais ça, ça me fout hors de moi !

Un profond silence s'abattit. Même les gouttes d'eau semblèrent interrompre leur chute dans la tasse en fer.

— Le seul d'entre nous qui peut affirmer sans mentir qu'il a toujours essayé de se comporter comme il fallait, qui a toujours fait passer les autres avant lui, c'est Bardas ! Et c'est lui qui ne peut pas rentrer à la maison à cause de ce que *nous* lui avons fait ! Je n'ai pas raison, Clefas ? Zanoras ? Il est venu à la ferme quand il cherchait un endroit calme et sûr, et quand il a vu ce que vous aviez fait, il a été tellement dégoûté qu'il n'a pas supporté de rester ici ; alors il est reparti et aujourd'hui, regardez ce qu'il est devenu : c'est presque un exilé. C'est vous deux qui en êtes responsables et j'ai beaucoup de mal à vous le pardonner, même si je le fais parce que nous sommes de la même famille et qu'on doit se soutenir quelles que soient nos fautes. Mais pour l'amour des dieux, vous ne pourriez pas faire un petit effort et cesser de vous *chamailler* comme des enfants gâtés ? Je ne demande quand même pas l'impossible, si ?

Un long silence s'installa. Puis Iseutz gloussa.

— Excuse-moi, dit-elle, mais c'est vraiment trop drôle. Nous avons tous fait des choses terribles, et toutes ces horreurs sont censées faire de nous une famille heureuse. Oncle Gorgas, tu es vraiment unique, je t'assure.

Gorgas se tourna vers elle et lui lança un long regard qui la fit frissonner.

— Et qu'est-ce que tu veux dire par là ?

— Oh ! allez. Écoute-toi une minute. Et par simple curiosité, as-tu oublié qu'oncle Bardas a assassiné ton fils et utilisé son corps pour en faire un…

— Assez ! (Gorgas inspira profondément pour retrouver son calme.) Si on n'arrête pas de se reprocher, de reprocher aux autres, tout ce qu'on a fait, alors autant abandonner tout de suite. Ce n'est pas ce que nous avons fait qui importe, c'est ce que nous allons faire — à condition que nous y mettions tous un peu de bonne volonté. Nous avons enfin tout ce dont nous avons besoin : nous sommes ensemble, nous avons la ferme et il n'y a pas de propriétaire ou d'étranger sur notre dos…

— Et le bureau des Provinces ? l'interrompit Niessa qui regardait toujours par la fenêtre. Je suppose qu'il va s'évanouir comme par enchantement.

— Je peux m'en occuper, répondit Gorgas. Il n'y a pas à s'inquiéter à ce sujet. Je t'assure, il n'y a pas à s'inquiéter de quoi que ce soit tant que nous formons une famille tous ensemble. Nous avons fait le plus dur, nous avons mangé notre pain noir ; il a fallu du temps, nous avons dû nous écarter bien loin de notre chemin juste pour pouvoir revenir ici, mais tout va bien maintenant. Nous sommes *chez nous*. Et si vous vouliez faire l'effort de comprendre que…

Clefas se leva et se dirigea vers la porte.

— Où vas-tu ? demanda Gorgas.

— M'occuper des cochons, répondit-il.

— Oh ! (Gorgas soupira comme s'il était soulagé.) Et pourquoi nous n'irions pas tous nous occuper des cochons ? Au lieu de rester assis autour de cette table à ruminer comme un troupeau de vaches, si nous faisions quelque chose d'utile et constructif pour changer ?

Le ton de sa voix laissait entendre qu'un refus était inenvisageable.

Dehors, il commençait à faire sombre. La pluie avait transformé le fond de la cour en marécage ; le canal d'écoulement était de nouveau bloqué par du cerfeuil sauvage et personne n'avait encore pris la peine de le dégager. Niessa portait toujours les sandales qu'elle avait aux pieds dans le désert et elle sentit la boue s'insinuer entre ses orteils.

— Tu crois qu'on va devoir supporter ça encore combien de temps ? murmura Iseutz à son oreille. Il pense vraiment que nous allons rester ici et nous comporter comme si rien n'était jamais arrivé jusqu'à notre mort ?

Niessa détourna la tête.

— Je me fiche de ce qu'il pense, dit-elle à voix haute. Et de ce que tu penses aussi, par la même occasion. Tout cela est ridicule, ça crève les yeux. Maintenant, va-t'en et laisse-moi tranquille.

Iseutz grimaça un sourire.

— Tu crois que tu seras capable de le dissuader de cette histoire, de le faire rentrer dans le rang comme si vous étiez encore à Scona. Eh bien, je ne pense pas que tu y arrives. Il est parti trop loin dans son délire. Mais bon ! voyons le bon côté des choses : d'après ce que j'ai compris, il a pour ainsi dire offert cet horrible pays aux Impériaux ; un jour ou l'autre, ils viendront s'occuper de lui et mettre fin à ses souffrances. À ce moment-là, chacun de nous pourra reprendre le cours de sa vie.

La porcherie sentait mauvais, car personne n'avait sorti le fumier depuis une semaine. L'eau entrait à flots par un trou du toit et donnait naissance à un ruisseau épais qui coulait sous la porte avant de se répandre dans la cour. La pluie ne semblait pas déranger Gorgas. Sa nouvelle chemise de soie devait maintenant être bonne à jeter, mais il ne l'avait pas remarqué — ou n'en avait cure.

Il ressemble à un petit enfant tout excité parce qu'on lui a demandé d'aider à quelque chose, songea Iseutz. *Quel dommage! Au fond, ce serait amusant qu'oncle Bardas soit ici, lui aussi. Ils pourraient se taper dessus avec oncle Gorgas jusqu'à ce que mort s'ensuive, enfoncés jusqu'aux genoux dans la merde de cochon.*

— Allez, Zanoras. Passe-moi ce râteau, dit Gorgas. Niessa, attrape la pelle. (Niessa ne bougea pas d'un pouce.) Clefas, où est la brouette? Oh! par pitié! Ne me dis pas que tu ne l'as pas encore réparée? Je croyais t'avoir dit de le faire la semaine dernière! Il n'y a donc que moi qui travaille un peu, ici?

— C'est une vraie réunion de famille, laissa tomber Bardas Loredan en restant là où il était. Je suppose que je devrais dire: «Tu n'as pas un peu grandi?» ou quelque chose de ce genre.

Theudas Morosin s'arrêta net à l'entrée de la tente.

— Je croyais que vous seriez content de me voir.

Bardas ferma les yeux et laissa sa tête basculer en arrière.

— Excuse-moi. Ce n'est pas ce que je voulais dire. Je regrette juste que tu sois venu ici.

Theudas se raidit.

— Oh?

— Si je te disais que je souhaitais ne plus jamais te revoir, tu penserais que je suis sans cœur. Ce que tu ne comprends sans doute pas, c'est que je l'espérais pour ton propre bien (Il ouvrit les yeux et se leva, mais n'approcha pas du jeune homme.) Je suis très content de te savoir en sécurité et en bonne santé. Je t'assure, c'est la vérité. Mais tu ne devrais pas être ici, tu ne devrais pas t'impliquer dans cette guerre. Tu aurais dû rester sur Île ; tu as un avenir là-bas.

Theudas fut sur le point de dire quelque chose, mais se ravisa.

Il a l'air différent, pensa-t-il. *Je m'attendais à ce qu'il ait changé, qu'il soit plus vieux, plus mince, je ne sais pas — mais ce n'est pas le cas. À la limite, il semble plus jeune.*

— C'est mon choix d'être ici. Je veux vous voir battre Temrai, lui rendre la monnaie de sa pièce pour ce qu'il a fait. Je sais que vous en êtes capable, et je veux être ici quand ça arrivera. Est-ce que ça vous paraît si terrible que ça ?

Bardas sourit.

— Oui, mais il ne faut pas que ça t'inquiète. Tu es ici maintenant, nous sommes de nouveau réunis. Alors autant que tu te rendes utile, je suppose.

Theudas sourit avec soulagement. C'était le ton de sa voix quand il avait dit : « autant que tu te rendes utile » — comme au bon vieux temps. Il aurait dû se douter qu'il n'y aurait pas de grandes effusions, pas d'étreintes, ni de larmes — et lui-même n'aurait pas souhaité que leurs retrouvailles se déroulent ainsi. Ce qu'il voulait, c'était reprendre les choses là où elles s'étaient interrompues ce jour où les soldats de Shastel avaient fait irruption dans leur maison et que tout avait changé.

— D'accord, dit-il. Que voulez-vous que je fasse ?

Bardas bâilla. Il avait l'air fatigué maintenant.

— Voyons un peu ce qu'Athli t'a appris sur la comptabilité. Si tu l'as écoutée, tu pourras m'être utile. Et personne n'a le talent d'Athli pour comprendre la paperasse. Comment va-t-elle, au fait ?

Il y avait quelque chose de curieux dans la manière dont il avait posé la question.

Il n'est pas encore au courant. Pourquoi ? Pourquoi ne le lui ont-ils pas dit ?

— Elle allait bien la dernière fois que je l'ai vue, dit Theudas avec prudence.

— Tant mieux. Et Alexius ? Comment se porte-t-il ? Est-ce que tu l'as rencontré récemment ?

Cette fois-ci, Theudas ne sut quoi répondre. Il n'avait aucune envie d'être celui qui lui annoncerait la nouvelle — pas s'il devait aussi lui apprendre ce qui s'était passé sur Île. Mais il faudrait bien qu'il le fasse un jour ou l'autre, et il ne voulait pas mentir…

— Alexius, répéta-t-il. Vous l'ignorez donc.

Bardas leva soudain les yeux.

— J'ignore quoi ? Il n'est pas malade ou quoi que ce soit ?

— Il est mort, lâcha Theudas.

Bardas resta aussi immobile qu'une statue de glace.

— Tous les deux, dit-il.

— Pardon ?

Bardas secoua la tête.

— Rien. Désolé, je viens d'apprendre hier qu'un autre de mes amis était mort. Un homme avec qui je travaillais à la forge des épreuves. Quand est-ce qu'Alexius nous a quittés ?

La bouche de Theudas était aussi sèche qu'un parchemin.

— Depuis un bon moment déjà. Je suis vraiment désolé. Je pensais que vous le saviez.

— Ce n'est rien. (*Après tout, en règle générale on commence par mourir. Mais il y a toujours des exceptions.*) Il était âgé. Ce sont des choses qui arrivent. C'est juste… Eh bien, c'est juste étrange. J'aurais cru que je le sentirais, si tu vois ce que je veux dire.

— Vous étiez très proches pendant un moment, n'est-ce pas ? demanda Theudas.

Tandis que les mots sortaient de sa bouche, il comprit

qu'il n'aurait pas pu faire une pire remarque, même s'il y avait réfléchi des heures durant.

— Oui, répondit Bardas. Mais je ne l'avais pas vu depuis des années. Si tu te rappelles la date de sa mort, ça m'intéresserait de la connaître. Bien, maintenant, il faut te trouver quelque chose à faire. Mais tu préfères peut-être te reposer un peu ? Tu as dû voyager toute la journée.

— Je suis prêt, dit Theudas. Vous avez parlé de me faire faire des comptes ou quelque chose dans ce genre ? Je suppose qu'on doit gérer des montagnes de papiers et autres quand on commande une armée.

Bardas sourit.

— Tu n'imagines pas à quel point. Enfin, c'est le cas avec cette armée-là en tout cas. C'est curieux, j'ai l'impression que je n'ai jamais vu le moindre formulaire quand j'étais dans celle de Maxen. Mais ces gens, ils ont besoin de fiches, de demandes de réquisition, de rapports et je ne sais quoi encore. Sinon, il ne se passe rien.

Theudas s'assit derrière le petit bureau pliant et branlant. Sa surface était couverte de feuilles et de tablettes de cire. Le jeune homme n'avait suivi aucun apprentissage officiel, ni fait de stages quand il vivait sur Île, mais il en savait assez sur le métier de clerc pour reconnaître du travail de cochon.

— Je peux commencer par équilibrer la lune et le soleil, si vous voulez. Vous avez des jetons ?

— Dans la boîte, répondit Bardas. C'est quoi, équilibrer la lune et le soleil ?

Theudas sourit.

— Excusez-moi, c'est comme ça qu'on appelle le système classique à deux entrées d'où je viens — enfin, sur Île, quoi. (Il continua de sourire, comme le ventail d'un bassinet, un masque d'acier.) Vous savez, les recettes et les dépenses. On dessine un petit soleil à gauche et une petite lune à droite.

— Ah oui ! Avec plaisir. Tu me serais d'une grande aide en faisant ça.

Theudas ouvrit la boîte. Elle était en cèdre, pâle avec une nuance de vert, et dégageait une odeur douce. À l'intérieur, il y avait un petit sac en velours fermé par une tresse de soie. Le jeune homme défit le nœud et secoua la poche pour en faire tomber une poignée de jetons. Il n'en avait jamais vu d'aussi beaux de toute sa vie : ils étaient en or jaune beurre de pureté impériale et des personnages allégoriques étaient profondément gravés sur le recto comme au verso. Bien sûr, ces effigies ne signifiaient rien pour lui, pas plus que les légendes qui les accompagnaient. Elles faisaient référence à la culture des Fils du Ciel : les illustrations étaient tirées de leur littérature et les inscriptions étaient dans leur langage.

— Ils appartenaient à un nommé Estar, dit Bardas. J'en ai hérité, en même temps que de cette armée. Tu peux les garder si tu veux. Je déteste la comptabilité.

— Merci, dit Theudas.

Dans la boîte, il y avait aussi un morceau de craie qu'il utilisa pour tracer les lignes de son tableau — lignes continues pour les dizaines, pointillées pour les unités de cinq intermédiaires.

— Vous êtes sûr ? demanda-t-il. Ces jetons semblent valoir beaucoup d'argent.

— Je n'y avais jamais fait attention, en fait. Au bout d'un certain temps en compagnie de ces gens, tu ne juges plus la valeur des choses comme avant, si tu vois ce que je veux dire.

Theudas ne voyait pas, mais il hocha quand même la tête.

— Si vous insistez. C'est un plaisir de travailler avec des jetons pareils.

Bardas sourit.

— Je crois que c'est l'idée. Écoute, nous sommes sur le point de nous mettre en route — nous avons été coincés ici beaucoup plus longtemps que je m'y attendais et nous sommes très en retard. Il faut que je sorte pour régler quelques détails. Ça ne te dérange pas de rester seul un moment ?

— Je ne pense pas, répondit Theudas en plaçant les jetons sur son tableau. J'ai de quoi me tenir occupé pendant un bon bout de temps.

Au cours de l'heure suivante, il se laissa plus ou moins absorber par son travail, bataillant avec les diviseurs, les quotients et les multiplicandes, cherchant les sommes mal placées et essayant de déchiffrer l'écriture de Bardas. Il savoura le contact des jetons — aussi doux que du tissu — sur le bout de ses doigts et le léger tintement produit tandis qu'il les rangeait dans le sac. Mais quand il se plongea plus loin dans les calculs, les images en relief des pièces s'enfoncèrent peu à peu dans son esprit, comme des éclats de métal jaillissant d'une meule pour s'incruster dans votre main. Il y avait une armée qui partait en guerre ; au premier plan, un Fils du Ciel montait un grand cheval élancé ; derrière lui se dressait une forêt de têtes et de corps — chacun représenté par quelques coups de burin succincts. Il y avait un trophée d'armes saisies à l'ennemi, érigé sur un champ de bataille pour célébrer la victoire ; des épées, des lances, des boucliers, des cuirasses, des bras et des jambes étaient empilés les uns sur les autres ; et au sommet, comme un phare en haut d'une falaise, se dressait l'étendard jaune vif de l'empire. Il y avait une cité soumise à un siège, avec de hautes tours et des bastions en arrière-plan ; sur le front du champ de bataille, des ingénieurs creusaient l'ouverture d'une sape, protégés des flèches et autres projectiles de l'ennemi par de grands boucliers en osier. Il y avait une armurerie où deux hommes tenaient un casque au bout d'un pieu tandis qu'un troisième les regardait. Incapable de comprendre les inscriptions, Theudas ne sut pas à quelle guerre, à quel siège et à quelle ville ces scènes faisaient référence, mais cela n'était pas très important ; cela pouvait être tous les sièges, guerres ou villes que vous vouliez — car tous se ressemblent quand vous n'êtes pas sur le champ de bataille. Il songea que c'était peut-être délibéré : l'empire était toujours en guerre et célébrait toujours une nouvelle victoire ; il était donc pratique de maintenir ces glorifications vagues et anonymes, que ce soit sur les jetons ou dans les chants de marche des soldats.

Il se rappela qu'il avait oublié quelque chose. Ses bagages étaient par terre, là où il les avait déposés. Ils se résumaient à un sac et à un long paquet enveloppé de tissu huilé. Bardas entra opportunément à ce moment-là.

— Je suis désolé, dit Theudas. Je viens de me rappeler que je vous ai rapporté quelque chose. Ça m'était sorti de la tête.

Bardas haussa les sourcils.

— Ah bon ? C'est gentil. Qu'est-ce que c'est ?

Theudas s'agenouilla, ramassa le paquet et le lui tendit. Peut-être que l'expression de Bardas changea légèrement tandis qu'il défaisait les nœuds de la ficelle, mais son visage demeura impassible quand il tira la Guelan du tissu.

— Je vois, se contenta-t-il de dire.

Puis il remit l'arme à sa place.

— Et comment tu t'en sors avec la comptabilité ? Tu as réussi à y comprendre quelque chose ?

— Vous êtes tout à fait libre de partir quand bon vous semblera, bien entendu, lui avait dit le clerc du service des étrangers. Vous êtes citoyen de Shastel, vous n'êtes donc pas concerné par les événements qui se déroulent ici.

Puis il avait continué son discours pour faire remarquer qu'il n'y avait aucun navire en partance pour Shastel, ni ce jour-là, ni dans un avenir prévisible. En d'autres termes, s'il entendait faire respecter son droit inaliénable de quitter Île, il lui faudrait rentrer dans son pays en traversant la mer à pied.

Il retourna donc chez Athli où il n'y avait personne. Ils

étaient déjà venus récupérer tous les dossiers et documents — sans parler des dix énormes coffres en fonte où elle conservait les dépôts de la banque. Ils avaient coupé les chaînes et fait sauter les verrous avec des burins et de gros marteaux ; le sol et les murs avaient gardé les stigmates de leurs efforts, comme des trous sur les gencives après l'extraction de dents. Néanmoins, ils n'avaient touché à rien d'autre : il s'agissait d'une annexion et non d'un pillage après la prise d'une ville. Leurs manières étaient beaucoup plus civilisées pour des raisons évidentes : après tout, quel est l'intérêt de voler vos propres biens ?

Ils n'avaient pas touché à la nourriture non plus, alors il se coupa une épaisse tranche de pain dans une miche fraîche et un gros morceau de fromage. Il emporta son repas près de la fenêtre, un endroit d'une fraîcheur agréable, mais exposé au soleil. Il apercevait juste la pointe des mâts des navires ancrés au Drutz. Bientôt, ils partiraient vers son pays natal pour porter la guerre sur les terres de Temrai et venger Périmadeia. Ou quelque chose de cet ordre.

Il ferma les yeux et, sans explication, il se retrouva quelque part sous la maison d'Athli, dans un tunnel — ce tunnel habituel qui empestait la coriandre et l'argile humide.

— Un moment ! Est-ce que c'est vraiment…, protesta-t-il.

Mais le sol de la galerie s'effondra sous ses pieds et il commença à tomber…

… avant d'atterrir dans un autre tunnel — le tunnel habituel — où des gens pelletaient les déblais pour les charger dans des wagonnets. Mêlés à la terre qu'on évacuait, il aperçut toutes sortes de bizarreries et d'objets vieux de plusieurs siècles. Certains lui étaient familiers, d'autres non. Parmi ces derniers, il y en avait aux formes très étranges : des parties d'armure destinées à des créatures qui n'étaient pas humaines, ou seulement à moitié — l'autre demeurant un mystère.

Encore toi !

Gannadius observa les alentours, mais ne vit personne. Il n'y avait que ces casques et ces morceaux de cuirasse…

Par ici ! Tout droit ! Enfin, si tu regardes dans ma direction.

Il aperçut une barbute, superbe bien que cabossée. Il s'agissait de ce type de casque qui couvre le visage entier à l'exception de fentes étroites à hauteur des yeux et de la bouche.

— C'est vous ? demanda Gannadius. Vous me rappelez quelqu'un avec qui je travaillais, mais je n'arrive…

Bien sûr que je te rappelle quelqu'un. C'est moi. Je suis ici, à l'intérieur de ce maudit chapeau en ferraille.

L'explication était évidente : des gens avaient creusé un tunnel à travers un cimetière, une fosse commune pour les vaincus d'une ancienne bataille. Ou alors, ils avaient rouvert une galerie percée lors d'un siège précédent, une galerie où un groupe d'assaut avait trouvé la mort pendant un éboulement.

— Une petite minute, dit Gannadius. Vous ne pouvez pas être Alexius. Vous ne vous exprimez pas du tout comme lui. Qui êtes-vous ?

Est-ce si important ?

— Ça l'est pour moi, répondit Gannadius en retournant le casque.

Il était vide.

Alexius n'a pas pu venir, alors il m'a envoyé à sa place. Je suis un ami de Bardas Loredan — si c'est d'une quelconque importance. Et vous êtes Gannadius, c'est cela ? Le sorcier ?

— Non, je… Oui, le sorcier.

Gannadius ne pouvait pas s'asseoir, il n'y avait pas assez de place. Il s'appuya alors contre la paroi incurvée et humide de la galerie.

— Tout cela a-t-il un sens ? Ou bien est-ce à cause de ce gros morceau de fromage que j'ai mangé ?

Vous me peinez.

— Je suis désolé, dit Gannadius en se sentant un peu embarrassé de présenter ses excuses à une hallucination. J'en déduis donc qu'il y a une raison à notre présence ici ?

Bien sûr. Bienvenue à la forge des épreuves.

Gannadius fronça les sourcils.

— La forge des quoi ?

On vient ici pour se faire frapper et enterrer — bien qu'il soit plus convenable de mourir en premier. Mais bon ! vous ne pouviez pas le savoir et nous pouvons faire quelques concessions. Et maintenant, voyons un peu. Si vous deviez choisir de comparer le Principe à une rivière ou à une roue, que choisiriez-vous ?

— Je ne sais pas trop, répondit Gannadius. Pour tout vous dire, je crois qu'aucune des deux ne convient très bien. Et puis, pourquoi me demandez-vous cela ?

Répondez à la question. La rivière ? La roue ? Laquelle des deux ?

— Oh !… (Gannadius haussa les épaules.) Soit ! Dans l'ensemble, je dirais que le Principe s'apparente davantage à une rivière qu'à une roue. Êtes-vous satisfait ?

Expliquez votre raisonnement.

Gannadius se renfrogna.

— Si je traitais mes étudiants comme vous le faites, j'aurais perdu mon emploi depuis belle lurette.

Expliquez votre raisonnement.

— Si j'obéis, je pourrai me réveiller ?

Expliquez votre raisonnement.

Gannadius soupira.

— D'accord. J'estime que le Principe coule comme une rivière sur un lit de circonstances et de contextes ; il suit son chemin parce qu'il se soumet aux impératifs du terrain. Je pense qu'il coule d'un point de départ vers un point d'arrivée et, s'il parvient à ce dernier, il s'arrêtera.

J'estime que le cours du Principe peut être infléchi, à condition de le détourner d'un ensemble de circonstances et de contextes vers un autre — et que seul le cours de l'avenir peut être modifié, il est impossible d'altérer le passé. Alors, est-ce que je m'en tire bien ?

Expliquez maintenant en vos propres termes pourquoi le Principe est comparable à une roue.

— Si vous insistez. Je pense que le Principe tourne en boucle autour des événements, comme une roue autour d'un axe. Mais à l'image de la roue, s'il tourne en contact avec le sol, il avance et entraîne son axe avec lui — ce qui explique pourquoi nous ne revivons pas éternellement le même jour. L'analogie pèche dans la mesure où les événements qui constituent l'axe — ou plutôt l'essieu — changent en permanence, mais la roue continue à tourner autour sans interruption — c'est la raison pour laquelle je préfère imaginer les événements comme le lit et les rives d'un cours d'eau. Je reconnais néanmoins que la métaphore de la roue est meilleure, car elle souligne le caractère répétitif du Principe — une caractéristique qui n'est pas assez mise en valeur avec l'analogie de la rivière. Elle n'en est pas tout à fait absente, bien sûr : il faut des centaines d'années pour créer une rivière, d'innombrables cycles de pluie et d'inondations qui vont éroder le terrain pour lui creuser un lit. En fait, les deux images sont trompeuses. Le Principe ne se répète pas, il pousse juste les mêmes types d'événements à se reproduire sans cesse. Bref, pour en revenir à la roue, elle ne fait que tourner et il est impossible de la dévier de son chemin ; mais en inclinant son axe, nous pouvons l'orienter dans une autre direction — enfin, en théorie. Dans la pratique, les inconscients assez idiots pour essayer se feront sans doute écraser — ou noyer, selon l'analogie que vous préférez. Voilà, est-ce que cela vous suffira ?

C'est convenable.

— Convenable ? répéta Gannadius. Merci du fond du cœur !

Mais convenable n'est pas suffisant. Vous êtes notre agent sur le terrain à un moment crucial de l'histoire. Convenable ne suffira pas à...

... Et le plafond de la galerie s'effondra, et la ville s'écroula à sa suite en entraînant l'univers derrière elle. Mais ce n'était pas assez pour combler le tunnel. Pendant un instant, Gannadius distingua chaque détail : les cités, les villes, les forteresses, les villages, les routes, les champs et les forêts — tous aspirés par le trou comme du lait coulant dans un entonnoir étroit et se fondant dans l'argile noire. L'air empestait l'ail et, tout autour de lui, Gannadius aperçut les Fils du Ciel qui savouraient le spectacle avec détachement et sans un bruit, comme s'ils assistaient à un ballet ou à une conférence. Gannadius vit des navires, des flottes entières vomissant d'innombrables hommes d'acier sur toutes les plages et tous les promontoires du monde, jusqu'à ce qu'ils recouvrent toute la Terre.

— Comme si la planète elle-même avait revêtu une armure, dit-il à voix haute. C'est joli.

En dessous de chaque cité, ville et village, il aperçut les tunnels, les galeries et les sapes. À l'intérieur, des hommes d'acier enterrèrent, martelèrent et écrasèrent des membres et des têtes d'acier sur des enclumes jusqu'à ce que le sous-sol de toutes les cités et villes soit miné et qu'elles s'effondrent dans les camouflets. Alors, une peau de métal recouvrit la surface où elles s'étaient jadis dressées. Dans les galeries, les hommes d'acier dépouillèrent les cadavres de leur métal ; ils tranchèrent les lanières de cuir avec des couteaux à lame fine et arrachèrent les cuirasses pour atteindre les corps. Les pièces d'armure partirent à la ferraille, au rebut, entassées en pyramides qui touchaient le plafond. La chair fut écrasée et pilée par les marteaux, aplatissant les fibres pour faciliter sa cuisson. Tous les morceaux de viande disparurent dans la bouche des Fils du Ciel ; tout le métal fut fondu, retransformé en blocs de fonte, martelé en billettes, martelé en plaques, martelé pour leur donner la forme de membres et martelé encore par les coups d'épées, de haches, de masses, de fléaux, d'étoiles du matin, de halle-bardes et de marteaux d'armes au bout de leur long manche. Ils étaient chaque fois mis à l'épreuve — mais était-il nécessaire qu'ils fassent leurs preuves ? — et mar-telés jusqu'au point critique, celui où la chrysalide se fend et s'ouvre d'un coup pour libérer le papillon de sa prison obscure.

— L'hypothèse est intéressante, murmura Gannadius.

Puis les images se fondirent les unes dans les autres. Toutes les villes ne firent plus qu'une, tous les pays devinrent un, tout l'acier fusionna en une seule armure et tous les gens ne formèrent plus qu'un seul homme. Ce dernier soulevait un marteau et le laissait retomber sans effort sur une enclume ; entre les deux instruments, le métal était comprimé et se répandait comme une rivière paresseuse ou une coulée de lave.

— Alexius ? demanda Gannadius.

Mais l'homme secoua la tête.

— Vous n'êtes pas tombé loin, dit-il. Mais pas de chance quand même. Je crains qu'Alexius soit mort — nous ne pouvions plus accepter qu'il bénéficie d'un régime de faveur. C'est aussi le cas d'Anax, l'ami de Bar-das Loredan, et de bien d'autres encore. Ils sont partis à la ferraille, la ferraille est partie à la fonderie pour être transformée en billettes et les billettes sont devenues moi. Vous me voyez sous les traits d'Alexius, car votre nature humaine a besoin d'un visage amical et rassurant.

— Ah ! dit Gannadius.

— Ce qui conduit à des conclusions erronées, bien entendu. Parce que je ne suis pas rassurant — et encore moins amical. Vous voyez, le Principe est un empire ; c'est la fusion et l'enclume ; c'est la rivière qui vous noie ou la roue qui vous écrase. L'image de la coulée de lave n'est pas mauvaise dans cette optique. Pour ma part, je préfère le voir comme une forge des épreuves : à chaque étape de la conception, chaque avancée est au prix de nouvelles destructions. Sinon, comment parviendrait-on à la phase suivante ?

— Je ne suis pas certain de vous suivre.

— C'est normal, dit le forgeron tandis que son marteau déformait le métal. C'est parce que vous ne voyez pas le début, le moment originel. Vous comprenez, chaque acte de destruction commence avec le premier point de rupture — l'instant où le métal fatigue et cède, la première fêlure, le premier endroit où les coups ont rendu l'acier trop fin. Une fois qu'il est atteint, ce qui est autour va suivre et tout l'ensemble va s'effondrer — c'est comme l'unique étai que vous allez abattre pour déclencher un camouflet et que la cité vienne s'engouffrer dans le trou. Gorgas Loredan était le premier point de rupture, l'endroit où les tensions sont devenues trop fortes ; mais ce n'était pas le seul. Certains sont vieux de plusieurs siècles, comme le moment où les Fils du Ciel ont commencé leur expansion. D'autres sont très récents, telle la main basse des Impériaux sur la flotte îlienne — le point de rupture qui conduira à la destruction de toutes les cités maritimes. Il y en a eu un autre quand Alexius eut la bêtise d'accepter de lancer une malédiction contre Bardas — ce qui provoqua toute une nouvelle fissure majeure. Vous pourriez dire que ce fut comme fendre un tronc : une cale ouvre l'entaille laissée par la hache et la suivante l'agrandit. C'est l'élément progressif du Principe. (L'homme éclata de rire.) Et il est loin d'être rassurant. Un autre des points de rupture majeurs fut le moment où vous avez accepté de transporter ce canard de Périmadeia sur Île. Ce fut un désastre tel que le monde risque de ne pas y survivre. Mais vous n'avez pas à vous sentir coupable, vous ne pouviez pas savoir. Il est même probable que vous vouliez juste rendre service.

— C'est vrai, dit Gannadius. C'était mon but.

L'homme hocha la tête.

— C'est amusant, dit-il. À condition d'apprécier le

grotesque. La destruction et la désolation se sont abattues sur l'Ouest cousues dans le jabot d'un canard. Bien, tout cela devrait vous avoir donné matière à réflexion. Merci d'avoir assisté au spectacle.

Les yeux de Gannadius s'ouvrirent, l'assiette glissa de ses genoux et le quignon de pain roula sous la chaise.

Malédiction ! pensa-t-il. *Mais je ne suis pas certain d'être convaincu. Cette théorie me semble plutôt spécieuse et j'aimerais bien avoir quelques preuves tangibles.*

Quelqu'un tambourina à la porte. Gannadius se leva, brossa les miettes de ses vêtements et ouvrit. Deux soldats accompagnés d'un clerc se tenaient dans l'embrasure.

— Docteur Gannadius ?

— C'est moi.

— Le sous-préfet vous présente ses respects. Il a pensé que vous seriez intéressé d'apprendre qu'un navire de Shastel vient d'arriver à l'improviste. Il a été détourné ici par des vents contraires. Le sous-préfet a demandé au capitaine de faire relâche jusqu'à demain matin, car il a l'intention de lui confier quelques messages à transporter. Il a aussi pensé que vous aimeriez peut-être embarquer.

— C'est fort aimable de sa part, dit Gannadius. Ce sera avec plaisir. Quel est le nom du bateau ?

— *Pauvreté et Patience* ; il est commandé par un certain Hido Elan et ancré au Drutz. Le capitaine a accepté de vous ramener chez vous à titre gracieux, en gage de bonne volonté.

— Un gage de bonne volonté, répéta Gannadius. Eh bien, c'est curieux comme tout le monde est aimable avec moi aujourd'hui.

Chapitre 16

Le colonel Ispel commandait le corps expéditionnaire du bureau des Provinces contre Périmadeia. Il débarqua ses troupes sans rencontrer de résistance et envoya ses éclaireurs en reconnaissance. À leur retour, ces derniers rapportèrent qu'ils n'avaient pas trouvé la moindre trace d'éléments ennemis. Ispel décida d'établir le camp à l'endroit d'où Temrai avait levé le sien peu de temps auparavant. Puis il étala ses cartes sur le sol de sa tente et fit ses devoirs.

Leurs adversaires avaient abandonné leur ancienne position pour se retirer à l'intérieur des terres. Par conséquent, les objectifs d'une attaque par voie de mer étaient devenus obsolètes avant même que les Impériaux embarquent. Cependant, Ispel était en position de force : il disposait d'un peu plus de cinquante mille hommes, dont vingt mille fantassins lourds, seize mille légers, quatre mille cavaliers et environ dix mille archers, servants de machines de guerre, pionniers et francs-tireurs. Il ordonna à deux mille de ces derniers — les moins utiles — de rester sur place pour empêcher les équipages des navires de s'enfuir — après tout, c'étaient des Îliens : ils ne présentaient pas de danger, mais ils n'étaient pas vraiment dignes de confiance. Puis le colonel s'engagea sur les traces de Temrai. En plus de ses soldats, il disposait d'une colonne de transport — imposante, mais assez manœuvrable — avec suffisamment de ravitaillement pour que ses troupes traversent les plaines de part en part et reviennent en territoire impérial. Ispel savait une chose à propos de ce pays : il était hors de question de compter dessus pour subsister. Bien entendu, une telle logistique allait ralentir la progression des troupes, mais il résista à la tentation d'envoyer la cavalerie trop en avant. Les clans disposaient de cavaliers légers et d'archers à cheval très compétents et, d'après ce qu'il avait lu à leur sujet, ils ne rateraient pas l'occasion de harceler une colonne lente sans unités montées pour la protéger ; ils la ralentiraient au point qu'elle devrait s'arrêter. Et puis, Ispel n'était pas pressé ; les rapports des renseignements de l'armée du capitaine Loredan laissaient entendre que Temrai s'était enterré au sommet d'une colline pour y attendre la fin. Si c'était exact, il faudrait faire une erreur des plus stupides pour perdre cette guerre — et Ispel était plus susceptible d'en commettre une s'il se précipitait aveuglément dans un territoire aride dont il ne connaissait pas grand-chose.

Les plaines se révélèrent très différentes des autres pays où il avait servi. Il s'était battu dans des marais, des déserts, des montagnes, en enfer et au paradis, sous un soleil de plomb et dans des tempêtes de neige, mais jamais il n'avait traversé un paysage morne au point d'en être douloureux. Si on avait baptisé cet endroit « les plaines », ce n'était pas par hasard ; une fois qu'Ispel eut quitté la petite frange de hauteurs surplombant Périmadeia, il se retrouva cerné par des étendues plates et couvertes à perte de vue d'un chiendent grossier et bleu-vert. Un paysage ennuyeux pouvait cependant présenter des avantages : sur un terrain si dégagé, une embuscade était impensable. Si la colonne restait sur la piste, elle avancerait à une allure très satisfaisante. Si elle la quittait, il n'en irait pas de même : l'herbe omniprésente avait tendance à pousser en petites touffes grosses comme une tête ; déplacer des troupes sur ce terrain, c'était courir au désastre. Mais en dehors du coût d'entretien élevé d'une armée en campagne — vingt mille sols d'or par semaine —, rien ne justifiait une marche forcée ou l'organisation d'unités volantes. Ispel craignait juste que le capitaine Loredan règle cette affaire avant son arrivée, ne laissant à ses hommes et à lui-même que la perspective d'un long et fastidieux voyage de retour.

Il continua cependant à respecter la procédure en vigueur — mieux valait se montrer prudent. Chaque matin, il envoyait des éclaireurs dans toutes les directions, sauf une ; et chaque soir, ils revenaient sans rien à signaler. La nuit, il postait des sentinelles autour du camp et des détachements en terrain dégagé. Ainsi, il aurait amplement le temps de réagir si l'ennemi surgissait de nulle part pour lancer une attaque nocturne.

La seule direction dans laquelle Ispel n'avait pas envoyé d'éclaireurs, c'était celle d'où il arrivait, bien entendu. Il ignorait donc qu'un groupe d'attaque ennemi le suivait depuis son débarquement, chevauchant de nuit, se reposant le jour et portant des armures et des armes couvertes de sacs afin de les empêcher de briller au soleil. Il découvrit son existence quand une soudaine agitation éclata à l'heure où l'armée impériale en campagne était particulièrement vulnérable : celle du dîner.

C'était le moment idéal pour attaquer bien sûr : il faisait sombre ; les hommes avaient enlevé leur armure et s'alignaient devant les cuisines ; les détachements affectés à la surveillance du camp n'étaient pas encore en place. Quand la charge ennemie balaya les sentinelles, il était déjà trop tard pour donner l'alerte. Des cavaliers armés apparurent soudain dans la lumière des feux, galopant le long des files d'attente des Impériaux, tranchant mains et visages avec leur cimeterre, transperçant d'un coup de lance tous ceux qui s'éloignaient en courant. Les soldats qui avaient déjà été servis lâchèrent gamelle et gobelet pour essayer d'atteindre les armes disposées en faisceaux, mais les cavaliers continuèrent à arriver de toutes parts. Un détachement abattait les abris de toile, un autre dispersait les chevaux, un troisième rassemblait les hommes faisant la queue comme un troupeau de poneys à l'automne avant de les rabattre vers un quatrième qui se précipitait à leur rencontre. Ispel sortit de sa tente d'un pas maladroit avec une serviette encore coincée dans son col, la garde de son épée attachée au fourreau avec une lanière pour l'empêcher de glisser. Quand il réussit enfin à défaire les nœuds. des cavaliers avaient atteint sa rangée de tentes ; ils tranchèrent les cordes et fouillèrent les amas de toile à terre avec leurs longues lances à lame étroite. Ispel regarda autour de lui et vit l'ouverture dans l'alignement des abris de toile : il avait une chance d'atteindre le camp de l'infanterie légère où les archers étaient stationnés. Tout comme les francs-tireurs, ces soldats ne portaient pas d'armure au combat et ils étaient sans doute les plus aptes à gérer une catastrophe imprévue comme celle-ci. Ispel bondit en avant et arriva dans l'allée principale de leur camp pour s'apercevoir qu'il n'y avait personne — à l'exception des cavaliers des plaines. Archers, francs-tireurs et auxiliaires mobiles avaient profité de leur mobilité et de leurs réactions rapides pour se mettre hors de danger ; ils s'étaient éloignés du camp et des lames acérées des cimeterres, et il ne fallait pas espérer les voir revenir avant que tout danger soit écarté.

Trois cavaliers aperçurent Ispel au même moment et l'identifièrent formellement — une preuve de la qualité de leurs services de renseignement. Deux ennemis tirèrent sur les rênes de leurs montures qui effectuèrent presque un demi-tour ; le troisième encocha une flèche sans se presser ; il visa, décocha et remporta le prix le plus convoité de la soirée. La petite pointe à trois faces se ficha entre les côtes d'Ispel, perça un poumon et l'aurait traversé si elle n'avait pas buté contre la colonne vertébrale. Quand ils virent qu'il avait été touché, les deux cavaliers s'éloignèrent en le laissant à terre. Il ne se relèverait pas et il y avait assez de cibles pour tout le monde.

Ispel mourut dans une espèce de rêve, lentement, tandis que ses poumons se remplissaient de sang. C'était horripilant de rester là sans pouvoir bouger, pas même la tête ; d'agoniser sans savoir ce qui se passait autour de lui, sans connaître les dégâts infligés à son armée. Quand ses yeux se fermèrent, il essaya de suivre le déroulement de la bataille aux sons. Il entendit de nombreux cris et hurlements, mais fut incapable de dire s'il s'agissait de ses officiers lançant des ordres de ralliement ou des râles inarticulés de soldats apeurés et mourants. Au moment où il crut enfin identifier une voix cohérente qui donnait des instructions, un homme des plaines sauta de cheval et lui trancha la tête. Il dut s'y reprendre à cinq fois pour sectionner l'os, et Ispel sentit chaque coup.

En fait, il se trompait : la voix qu'il avait entendue lancer des ordres était celle du commandant du groupe d'attaque, un cousin éloigné de Temrai du nom de Sildocai. Celui-ci essayait d'ordonner le repli avant que sa chance tourne. Personne ne sembla lui prêter la moindre attention et cela n'eut guère de conséquences. Dès que les Impériaux faisaient mine de se regrouper ou de former une unité cohérente, une bande de cavaliers fondait sur eux et frappait d'estoc ou de taille au plus dense du rassemblement jusqu'à ce que le groupe se dissolve. Plus tard, les assaillants affirmèrent que cette attaque avait été une véritable répétition de celle de Périmadeia. Les quelques Impériaux qui essayèrent de se battre furent tués dès les premières minutes de la bataille. La suite fut comme se frayer un chemin à travers les ronces : un travail pénible qui vous sciait les épaules, les biceps et le dos. Mais les hommes des plaines continuèrent leur tâche et nettoyèrent une zone assez importante. Au fur et à mesure, ils gagnaient en efficacité, trouvant les coups et les angles les plus efficaces : les frappes aveugles et fréné-

tiques sur les bras et les jambes étaient épuisantes, il suffisait d'un seul coup asséné avec précision à la gorge ou à
la tête pour abattre un homme — et inutile de frapper
plus fort que nécessaire, cela ne servait qu'à se fatiguer
pour rien. Une fois que vous adoptez le bon rythme, la
tâche devient moins difficile.

En fin de compte, l'attaque fut interrompue à cause
d'un malentendu idiot. Les chevaux de la cavalerie impériale, chassés au début de l'engagement, s'enfuirent dans
la plaine couverte de chiendent et y restèrent un
moment ; mais le chiendent — amer et peu raffiné —
n'était pas leur nourriture de prédilection et les animaux
commencèrent à avoir faim. Ayant l'habitude de se
déplacer en bande, ils se regroupèrent et reprirent le chemin du camp. Tandis qu'ils approchaient, ils furent per-
cutés au galop par la monture d'un homme des plaines
qui avait été désarçonné. Le choc provoqua la panique
dans leurs rangs et ils se précipitèrent à fond de train vers
la lumière. Deux hommes des plaines se tenaient à la
périphérie du camp et entendirent la galopade ; ils crurent
qu'il s'agissait de la cavalerie ennemie et donnèrent
l'alerte avant de s'éloigner. En quelques minutes,
l'attaque fut terminée — les Impériaux ne s'en rendirent
compte qu'un bon moment après le départ des assaillants.

Ce fut une des défaites les plus importantes jamais
infligées à l'armée impériale. Il y eut près de quatre mille
morts pendant l'attaque — dont deux mille officiers et
sergents —, et plus de vingt mille blessés dont la plupart
— touchés à la tête et aux épaules — perdaient trop de
sang. Il fallut un long moment avant que les sous-officiers
trouvent un supérieur en état de prendre le commandement des survivants : au début de l'assaut, la plupart des
officiers dînaient dans des mess séparés à l'intérieur de
grandes tentes que les hommes des plaines n'avaient eu
aucun mal à identifier. La majorité des chevaux tirant les
chariots de ravitaillement avait été tuée également, et ce
fut la première cause de mortalité.

Confrontés au choix de transporter le matériel ou leurs camarades blessés et incapables de marcher, les soldats décidèrent d'abandonner la plus grande partie des provisions sur place. Ils estimèrent qu'ils n'étaient pas loin des navires et qu'il faudrait se débrouiller jusqu'à ce qu'ils les rejoignent. Beaucoup d'officiers et de sergents étaient morts et personne ne remarqua que c'était une mauvaise idée. Le lendemain, les hommes des plaines attaquèrent de nouveau la colonne qui rebroussait péniblement chemin. Ils rencontrèrent à peine plus de résistance que la veille, mais néanmoins assez pour les dissuader d'engager le combat au corps à corps. Ils se contentèrent de rester à moyenne distance et de décocher des flèches sans descendre de cheval — ce n'était pas la méthode la plus efficace à court terme, mais son rapport coût-efficacité était des plus intéressants en matière de pertes. Les rescapés de la cavalerie impériale essayèrent de les repousser, mais ils ne survécurent pas assez longtemps pour y parvenir. Il ne restait que quelques centaines de chevaux parmi quatre mille hommes, et ce sont des cibles de grande taille. Les fantassins légers et les archers — dont le travail consistait à éliminer ce genre d'importuns dans de telles circonstances — commirent une grave erreur de jugement ; ils estimèrent que quitter le camp et s'enfoncer dans l'obscurité était une solution plus sûre que rester sur place. Ce furent les mottes couvertes de chiendent qui causèrent leur perte. Ils trébuchèrent dessus, tombèrent et se foulèrent les chevilles ou les genoux ; quand Sildocai les trouva et les encercla d'un cordon d'archers, beaucoup étaient déjà étendus à terre, incapables ou refusant de faire un pas de plus. La plupart moururent allongés sur place, le reste fut taillé en pièce le lendemain.

Cinquante mille hommes avaient débarqué des navires îliens, mais seuls quinze mille repartirent sous le regard des soldats de Sildocai venus sur la côte assister à leur départ. Au moins la moitié des trente-cinq mille autres erraient encore dans les plaines et, comme Ispel l'avait si bien remarqué, il était très difficile de trouver à manger dans ces régions — à moins d'avoir la chance d'être une chèvre. Sildocai retourna au camp de Temrai et la flotte rentra sur Île.

Sildocai attribua la victoire à un souvenir rapporté de la prise de Périmadeia. Il s'agissait d'un petit livre intitulé *De l'utilisation de la cavalerie pendant une campagne prolongée en terrain découvert* et écrit par un certain Suidas Bessemin — un des rares historiens militaires de la Cité qui avaient étudié en détail les campagnes du commandant des illustres cavaliers périmadeiens, Bardas Maxen.

Le préfet d'Ap' Escatoy apprit la nouvelle de la bouche du courrier le plus rapide et le plus expérimenté du corps des messagers impériaux — qui avait quitté Île vingt minutes après l'arrivée du premier navire de rescapés. Le préfet réagit avec le plus grand calme : il s'assura en personne qu'on fournissait à l'estafette le meilleur cheval des étables de la cavalerie pour qu'elle gagne le bureau des Provinces de Rhoezen ; puis il commanda un thé au jasmin avec des gâteaux au miel et fit appeler ses conseillers. Enfin, il s'assit pour affronter une longue journée et une nuit de préparatifs sages et réalistes.

Bardas Loredan apprit la nouvelle du courrier militaire envoyé par le sous-préfet d'Île trois heures après que l'information fut parvenue là-bas. L'homme dut lui répéter trois fois le message. Bardas renvoya alors tout le monde de sa tente et passa la nuit assis dans l'obscurité. Quand il se décida à sortir, il ne semblait pas inquiet outre mesure. Il ordonna d'accélérer le rythme de marche et de poster quelques sentinelles et quelques postes de garde supplémentaires.

Gorgas Loredan apprit la nouvelle par son agent au bureau du fondé de pouvoir shastellien. L'homme s'assura que le courrier officiel ferait un détour vers le sud avec les dépêches commerciales. Une fois au courant,

Gorgas s'empara d'une grande hache dont il avait dû changer le manche lui-même et passa la matinée dans le bûcher à fendre du bois. Puis il envoya à son tour trois courriers, le premier — présentant ses lugubres condoléances et une offre de soutien — partit pour Île ; le deuxième suivit le même chemin, mais accompagné d'une cinquantaine d'hommes à la mine patibulaire et identifiés par leur visa comme des « négociateurs commerciaux » ; le troisième messager — le meilleur qui lui restait — prit la route du camp de Temrai, à l'autre extrémité des plaines.

Temrai apprit la nouvelle de Sildocai lorsque le groupe d'attaque regagna la forteresse en un temps record — plus vite encore que les chariots du service impérial des dépêches.

— Combien ? demanda-t-il.

Il secoua la tête quand on lui répéta les chiffres. Puis il retourna surveiller le renforcement des portes intérieures et resta d'une humeur massacrante toute la journée.

Le gouverneur de la province apprit la nouvelle le matin du quatorzième anniversaire de sa fille aînée. Il annula aussitôt les festivités prévues — ainsi qu'il convenait de faire dans de telles circonstances — et écrivit une longue lettre au préfet d'Ap' Escatoy. Il l'assura de sa profonde compassion, de son soutien, de sa confiance inébranlable et de son écœurement total face à cette défaite. Il s'engagea à lui fournir une nouvelle armée de cent cinquante mille fantassins, soixante mille cavaliers et un véritable support d'artillerie — ces troupes seraient envoyées dans les deux mois. Il en profita aussi pour s'enquérir poliment d'une peinture sur soie de Marjent, promise un mois plus tôt par le préfet et toujours pas reçue. Il écrivit ensuite une autre lettre au bureau de l'Administration centrale — dans la province de Kozin, à huit semaines de cheval de là — pour demander si le préfet devait être jugé, juste remplacé ou maintenu dans ses fonctions. Et comme le gouverneur était aussi un homme de cœur, il changea la date d'anniversaire de sa fille en priant l'astronome général de la province d'insérer dans le calendrier un mois intercalaire spécial et non récurrent — nommé «Défaite et Nouvelle Détermination» et commençant à minuit le jour de l'annonce de la défaite. Dans l'ensemble, on trouva le geste élégant et délicat; on parla même de conserver ce nouveau mois indéfiniment.

Gannadius apprit la nouvelle au dîner, la veille de l'arrivée des navires des rescapés sur Île. Un survivant de l'infanterie légère impériale avait remonté la côte seul avant de se perdre et de s'égarer vers le nord. Il rencontra alors un groupe de messagers commerciaux de Shastel qui rapportaient d'importantes informations sur l'évolution probable du prix du cuivre de Bustrofidon sur le marché au comptant. Étant donné l'extrême importance de leurs renseignements, ils avaient pris le risque de couper à travers une zone de conflit. En apercevant le soldat impérial se précipiter vers eux sur la route, leur première réaction fut d'hésiter entre lui tirer dessus et s'enfuir. Quand ils comprirent ce qui s'était passé, ils pressèrent encore davantage l'allure — ils durent abandonner le rescapé derrière eux, car ils n'avaient pas de chevaux pour l'emmener — et réussirent ainsi à informer la citadelle avant la fin des échanges de la journée. Un acte héroïque qui rapporta des dividendes à la branche commerciale de l'ordre. La nouvelle ne parut pas surprendre Gannadius outre mesure et, lorsqu'il partit se coucher, ses collègues assis à la Grande Table murmurèrent: le vieil homme avait-il déjà appris la défaite de l'empire par un autre biais — mais comment cela était-il possible? Ce mystère entraîna un accroissement notable du respect et de l'animosité envers cet érudit périmadeien et sorcier probable — qui continua à vaquer à ses tâches quotidiennes comme si de rien n'était.

Quand la nouvelle parvint à la province de Voesin —

une partie de l'empire déjà agitée et peu fiable —, elle déclencha une révolte mineure. Le jour du marché, un homme surgit de nulle part sur la grand-place de Rezlain et annonça qu'il était le messie choisi et envoyé par Dieu pour libérer son peuple de l'esclavage. Il traînait derrière lui un jeune homme craintif et visiblement demeuré qui se révéla être le dernier descendant de l'ancienne maison royale de Voesin. Environ six mille personnes se joignirent aux rebelles avant l'arrivée de la cavalerie ; bien qu'il y ait parmi eux un tiers de femmes, d'enfants et de vieillards, ils parvinrent à résister six jours. Il fallut faire venir une compagnie de trébuchets d'Ap' Betnagur pour ensevelir leur camp sous une montagne de projectiles de trente-cinq kilos.

Les assignés à résidence chez la famille Auzeil furent sans doute les derniers Îliens à apprendre la nouvelle. Elle leur parvint aux premières heures du jour sous la forme d'un banc emprunté à la taverne *Foi et Intégrité*, quatre maisons plus loin. Le siège fracassa un panneau de la porte d'entrée. Les soldats de faction jaillirent de leur bivouac et se précipitèrent à travers la cour pour s'enquérir de la situation. Quand ils arrivèrent, une dizaine d'hommes en armes avait déjà fait irruption dans le hall. La suite ne fut pas un combat au sens strict du terme ; un Impérial réussit à gravir la moitié de l'escalier principal lorsqu'une flèche se planta entre ses épaules et le rappela en bas. Cette tentative de fuite fut la seule action qui échappa un instant au contrôle et à l'efficacité sans faille des assaillants.

Ils découvrirent Venart caché sous son lit.

— Je vous avais dit qu'il fallait commencer par là, commenta Vetriz tandis qu'ils le tiraient pour le faire sortir.

Elle n'avait guère fait mieux en s'accroupissant derrière les rideaux.

Les inconnus annoncèrent alors à Venart qu'il était le nouveau chef de l'armée de résistance îlienne — qui était prête à reprendre la ville avant de rejeter l'ennemi à la mer.

— Par tous les dieux ! Mais qui êtes-vous ? demanda Venart. (Il essaya en vain de libérer son col de la poigne de l'homme qui lui avait parlé.) Et qu'est-ce que vous croyez être en train de faire ?

L'inconnu sourit.

— Nous sommes vos alliés. Gorgas Loredan nous a envoyés à votre secours. Secouez-vous ! La glorieuse révolution ne peut pas attendre pendant que vous enfilez vos chaussettes.

— Gorgas Loredan ? réussit à articuler Venart avant que les inconnus l'entraînent dehors.

Dans l'intervalle, un autre libérateur avait surpris Eseutz Mesatges essayant de s'enfuir en glissant le long d'une gouttière et l'avait aussi ramenée dans la cour.

— Vous pouvez lui demander, à elle, dit le chef du commando. Elle faisait partie de ceux qui lui ont parlé lors de la réunion.

— Eseutz ? Venart était abasourdi. Quelle réunion ?

Eseutz se tortilla pour s'habiller. Quand elle avait entendu l'enfoncement de la porte d'entrée, elle avait attrapé les premiers vêtements qui lui tombaient sous la main ; par malheur, il s'agissait de la tenue de princesse guerrière qui nécessitait presque l'intervention d'une servante bien en muscles pour l'enfiler.

— Je ne sais pas de quoi il parle, dit-elle.

— Tu mens ! s'exclama Venart. Par tous les dieux ! arrête de faire l'idiote et dis-moi ce qui s'est passé !

— D'accord, avoua-t-elle avec colère. (Elle essaya d'atteindre la lanière rebelle d'une épaulette qui lui pendait dans le dos.) C'est vrai, j'ai parlé avec Gorgas Loredan. Il a rencontré plein de gens pour leur dire qu'il fallait s'unir pour soutirer davantage d'argent au bureau des Provinces en leur louant nos navires.

— C'était son idée ?

— Je suppose, répondit Eseutz. En tout cas, il l'a suggérée à tous les propriétaires de bateaux qui voulaient bien l'écouter. Seuls les dieux savent pourquoi.

Venart secoua la tête. Non, toute cette histoire lui échappait, mais il avait la sensation désagréable qu'il y avait une certaine logique derrière, une logique trop sournoise pour qu'il la comprenne.

— Ainsi, c'est sa faute, dit-il. Tout ce qui est arrivé, l'occupation et le reste. C'est arrivé parce qu'il a manigancé tout ça.

— Ne faites pas un complexe d'infériorité, l'interrompit le chef du commando. C'est surtout la faute de votre peuple. Parce que vous êtes avares et très, très stupides. Mais c'est exact, Gorgas a mis cette idée dans vos pathétiques petites cervelles ; et maintenant que l'armée impériale a été balayée, il va vous aider à vous en sortir.

Eseutz attrapa l'homme par le bras.

— Qu'est-ce que vous voulez dire par : « l'armée impériale a été balayée » ?

— Vous ne savez pas ? (Le chef éclata de rire.) Vous devez remercier le roi Temrai pour votre libération. Je n'arrive pas à le croire ! Vous n'êtes pas au courant ? Depuis deux jours, il y a des émeutes sans interruption dans les rues de la ville et le sous-préfet ne peut rien y faire — pas avec la moitié de sa garnison blessée dans les combats et l'autre qui garde les navires vingt-quatre heures sur vingt-quatre pour les empêcher de quitter le port. (Il envoya un solide coup de coude dans les côtes de Venart et sourit.) Maintenant, vous feriez mieux de vous presser un peu, ô grand chef ! Sinon, vous allez arriver en retard à votre propre révolution.

— Qu'est-ce que vous voulez dire ? répéta Eseutz. Leur armée, balayée ? C'est impossible !

— Balayée, je vous dis ! Quarante mille morts ! Ils ont été attaqués dans les plaines et taillés en pièces. Je dois l'avouer : je ne croyais pas que le peuple des plaines en soit capable. S'emparer de Périmadeia, c'était pas mal, soit — mais ma grand-mère et son chat auraient pu le faire. Par contre, écraser une armée impériale… Ça, c'est un exploit. (Il leva les yeux : ses hommes avaient trouvé Athli et la ramenaient.) Ce qui nous fait quatre ! Bon ! ça ira comme ça. On va aller aux entrepôts de Faussa. Il y a là-bas pour dix mille sols de hallebardes et de piques que le vieux Faussa a oublié de déclarer au sous-préfet lors des confiscations. Une fois qu'on les aura distribuées dans les rues, le spectacle pourra commencer.

Pour Venart Auzeil, la situation avait quelque chose de familier et d'inquiétant. Il se trouvait à Périmadeia la nuit de sa chute et la vue d'hommes en armes courant dans les rues lui rappelait des souvenirs très précis.

— Mais aujourd'hui, ils sont de *notre* côté, se dit-il.

Et c'était la vérité : il suffisait de les regarder avec un peu d'attention pour remarquer qu'ils n'avaient jamais tenu une arme de leur vie. Mais une bardiche ou une hache d'armes ne se manie pas comme une harpe ou un tour de joaillier : nul besoin d'être un expert pour s'en servir, et si l'ennemi ne se rassemble pas pour vous affronter, c'est bien suffisant.

En dehors de quelques patrouilles malchanceuses et des sentinelles postées à l'extérieur des bâtiments importants, il n'y avait pas le moindre soldat en vue. Selon le chef du commando, ils étaient soit barricadés dans la maison des entrepreneurs-marchands, soit entassés dans les navires ancrés au Drutz. Cette information inquiéta Venart.

— Nous ne pouvons pas les laisser là sans rien faire, dit-il. Comment va-t-on les déloger ?

Le chef du commando sourit et attrapa une lanterne accrochée à l'extérieur d'une taverne.

— Sans problème, répondit-il. Regardez et prenez des notes.

Une foule importante et bruyante entourait la maison des entrepreneurs-marchands, mais elle restait à une distance prudente du bâtiment depuis que les archers impériaux avaient fait la démonstration de la portée effective de leurs arbalètes.

— Nous avons de la chance, remarqua le chef du commando. Ils ont envoyé tous les archers avec l'armée de campagne et ils ne sont pas revenus des plaines. Il ne leur reste que des arbalétriers qui ne peuvent tirer qu'une fois toutes les trois minutes.

Venart était impressionné par la taille de la foule. Il n'aurait jamais pensé que ses compatriotes seraient aussi prompts et décidés à risquer leur vie pour leur liberté. D'un autre côté, il fallait reconnaître qu'ils n'avaient pas grand-chose à perdre.

— Ils sont bien à l'intérieur, confirma quelqu'un au chef. (Il s'agissait sans doute d'un autre homme de Gorgas, car Venart ne l'avait jamais vu auparavant, et il avait une mine trop féroce pour être îlien.) Vous avez trouvé de l'huile ?

Le chef secoua la tête.

— Pas besoin. Bon ! prépare un cordon. Je veux des hallebardes et des haches d'armes dans les deux premiers rangs, des haches et des marteaux derrière. Garde-les bien en retrait, parce que ça va sacrément chauffer.

Il avait raison. L'huile, la poix ou le soufre auraient été superflus. Dès que les premières torches atterrirent sur le chaume du toit, la maison des entrepreneurs-marchands s'embrasa comme du petit bois sec, projetant un cercle de lumière aussi brillant que la lune jusqu'aux bâtiments de l'autre côté de la place. Les Îliens furent bouleversés de voir cet édifice partir en fumée : depuis cent ans, toute la population surveillait le chaume de près afin qu'il ne prenne pas feu et l'incendier délibérément n'aurait jamais effleuré l'esprit de quiconque.

Pendant un temps qui sembla une éternité, rien ne se passa. Venart en vint à se demander si les Impériaux étaient à l'intérieur, au garde-à-vous à leur poste tandis qu'ils brûlaient vifs. D'après ce qu'il avait vu d'eux, cela ne l'aurait pas surpris outre mesure. Puis la porte principale et les portes latérales parurent exploser. Un flot de soldats jaillit à l'extérieur, leurs armes et armures réfléchissant les rayons du soleil. On aurait dit une coulée blanche de métal en fusion sortant du creuset pour se déverser dans les moules. Venart ne vit aucun moyen de l'arrêter : ses compatriotes armés de quelques pointes montées sur de longs manches ne seraient jamais capables d'un tel exploit. Il voulut détourner les yeux et sentit sa peau se hérisser à l'idée des lames tranchantes qui allaient s'abattre sur des corps sans armure. Mais tout se passa si vite qu'il n'eut pas le temps de regarder ailleurs. D'abord, l'impétueuse vague de lumière s'écrasa contre une barrière de piques qu'elle renversa sans difficulté ; mais la masse des corps de ses adversaires absorba son élan comme le rembourrage matelassé des armures absorbe le choc des coups. La charge ralentit avant de s'arrêter, refroidissant, se solidifiant en individus distincts. À cet instant, Venart comprit que l'issue était inévitable. Rassemblés les uns contre les autres, sans espace pour manier leurs armes, les soldats furent écrasés comme un œuf dans un poing serré — la mince coquille de leur armure ne put résister à la douce pression qui s'exerçait tout autour, elle était incapable de passer cette épreuve. Les Impériaux furent jetés à terre et leurs casques arrachés ; ils furent ensuite massacrés à coups de marteau, de hache, de pelle, de bêche, de pioche et de binette, jusqu'à ce que les plaques de métal brillant soient réduites à un tas de ferraille jonchant le sol et piétiné par la marée humaine. Quand tout fut terminé, un grand silence s'abattit.

Alors, c'est fini, songea Venart.

La foule reflua du cercle de lumière et descendit la colline en direction du Drutz. Venart se demanda comment cette étrange entité, cette enclume douce et flexible, avait pu se soumettre si facilement quand les premiers soldats impériaux étaient apparus dans les rues, le jour où on avait placardé le décret d'annexion d'Île. Le bout de papier était encore accroché — enfin, quelques lambeaux qui brûlaient à toute allure pour se transformer en cendre —, mais tout le reste semblait différent et Venart ne parvint pas à identifier les causes de ce changement. Puis il regarda de côté en direction du chef du commando, l'émissaire choisi avec soin par Gorgas Loredan. Grâce à des signes adressés à ses hommes postés à la périphérie de la foule, il dirigeait sans effort la marée humaine.

La touche des Loredan, se dit Venart. *Bien sûr ! Voilà la cause du changement.*

Le lieutenant Menas Onasin était à la tête de l'armée parce que tous les autres officiers étaient morts. Il regarda la mer par-dessus son épaule.

Et voilà, songea-t-il. *Nous pouvons mourir debout ou bien noyés. On n'a que l'embarras du choix, c'est certain.*

Ils lançaient des pierres — de grosses pierres tranchantes, des pavés, des bras et des têtes arrachés aux statues alignées sur la promenade du Drutz. L'homme qui était à ses côtés avait été tué par un crâne en marbre — une curieuse façon de mourir, avec des connotations burlesques fort désagréables. Comme il ne disposait pas d'archers pour riposter, Onasin n'avait d'autre choix que de rester là et de subir ce déluge meurtrier. Il avait essayé à cinq reprises de charger la foule et, chaque fois, il était parti à la tête d'une compagnie pour revenir à la tête d'un peloton. Comment combattre la mer ou une tempête de sable ?

Sa principale erreur avait d'abord été de quitter la sécurité des navires. À ce moment, cette décision avait paru sensée : les bateaux sont comme les toits de chaume, inflammables. Il n'avait pas réalisé qu'il lui faudrait combattre sur deux fronts — la foule sur les quais et les équipages mutins sur le pont des vaisseaux — et coincé entre le feu au-dessus de sa tête et la mer à ses pieds.

Affronte-les sur la terre ferme, avait-il songé. *On aura au moins la possibilité de se tenir debout et de se servir de nos armes.*

Quelqu'un s'était emparé d'un des trébuchets légers que les Impériaux avaient montés sur le gaillard avant des navires et tirait au hasard. Le premier projectile tomba trop court, à quelques mètres du premier rang d'émeutiers ; les deuxième, troisième et quatrième s'abattirent dans l'eau. Si le servant de la machine de guerre procédait avec un minimum de méthode, le cinquième s'écraserait au beau milieu des soldats d'Onasin et ce dernier ne pouvait rien y faire. Cette situation lui rappela des souvenirs : ce n'était pas la première fois qu'il se tenait immobile tandis que des amateurs toujours plus précis lui lançaient des pierres sur la tête ; il était périmadeien, un rescapé de la prise de la Cité ; les bombardements de Temrai lui avaient appris qu'en de telles circonstances, il valait mieux se rouler en boule et ne plus bouger.

Pour le cinquième tir, ils utilisèrent un torse — tout ce qu'il restait du chef-d'œuvre de Renvaut Razo *Le Triomphe de l'esprit humain* ; la sculpture s'était dressée dans la cour de la Bourse du Cuivre depuis qu'Onasin l'avait vue pour la première fois — il était encore un garçon de neuf ans que son père avait emmené ici pour lui faire un cadeau spécial. Il se souvenait très bien de la statue : énorme et dramatique, avec une tête beaucoup trop petite par rapport à son corps colossal aux seins comme deux montagnes ; il en avait fait la remarque à son père et celui-ci lui avait intimé l'ordre de se taire ; il avait gardé le secret depuis. Aujourd'hui, des morceaux du *Triomphe de l'esprit humain* étaient éparpillés tout autour de lui. Il n'y avait pas seulement le torse — qui avait écrasé sept soldats en armure comme des scarabées —, mais aussi les bras, les mains et des éclats de drapé — sans parler de la tête trop petite qui avait aplati un homme et arraché la jambe d'un autre. Onasin se souvint des deux femmes à la mine sérieuse qui avaient observé la statue pendant une éternité. Il avait discrètement écouté leurs explications : d'après elles, c'étaient la fluidité et la puissance des mouvements qui rendaient cette œuvre si spéciale. Il avait attendu vingt ans pour comprendre ce qu'elles avaient voulu dire par là. Elles avaient raison : propulsée par un trébuchet, l'énergie du legs de Razo à la postérité partait comme une flèche et délivrait des coups à ébranler les montagnes.

L'ennemi chargea de nouvelles machines de guerre. Les soldats de l'empire étaient réputés dans le monde entier pour ne jamais se rendre — sous aucun prétexte ; c'était fort dommage, car après la chute de quelques nouveaux projectiles, les hommes commenceraient à paniquer et des brèches s'ouvriraient alors dans leurs rangs. À ce stade des événements, la vague humaine qui leur faisait face déferlerait sur eux et les pousserait du quai dans la mer — et l'armure d'Onasin était beaucoup trop lourde pour qu'il envisage de nager. Une reddition serait une excellente option maintenant, mais il avait déjà essayé deux fois et ses adversaires n'avaient pas voulu le croire.

Une nouvelle charge briserait aussi leur formation, mais tout bien considéré, Onasin préférait mourir l'épée à la main plutôt que noyé ou écrasé. Il lança donc les ordres adéquats et les trois premiers rangs s'alignèrent. Les marches d'un escalier — celui qui menait au bureau des douanes — s'abattirent alors sur le crâne des soldats de devant. Onasin leva un bras et fit un pas en avant, juste sur la trajectoire d'une brique. Le projectile rebondit sur son gorgerin, mais enfonça suffisamment le métal pour l'empêcher de tourner la tête.

Malédiction ! pensa-t-il.

Et il baissa le bras pour donner le signal d'avancer.

Ensuite, il ne chercha même pas à imaginer qu'il contrôlait encore la situation. L'élan des soldats derrière lui le propulsa en avant comme un morceau de bois sur une vague, et il se contenta de courir afin de ne pas tomber et être piétiné. Tandis qu'il était poussé par ses camarades, il vit la pointe de la hallebarde juste devant lui ; bien sûr, il fut incapable de ralentir et encore moins de s'écarter. Le soldat derrière lui le lança sur l'extrémité effilée de la lame comme un cuisinier enfilant des morceaux de viande sur une broche. Onasin se sentit catapulté en avant tandis que la pointe pénétrait enfin le ventre de sa cuirasse ; puis il fut arrêté net quand la partie transversale de la lame stoppa son élan. La pression dans son dos était tout aussi importante et il se retrouva écrasé entre l'homme qui le suivait et l'extrémité de la hallebarde ; en conséquence, la pointe ne fit que s'enfoncer plus profond dans son ventre comprimé.

Il resta donc coincé, car la force de la foule rivalisait sans difficulté avec celle de la charge des soldats. Onasin s'aperçut qu'il avait les yeux fixés sur le visage de l'homme à la hallebarde. Les traits de ce dernier étaient marqués par la panique et une expression qui dénotait sans le moindre doute une gêne intense — ce qui était somme toute assez normal : que peut-on dire à un parfait étranger qui vient de s'empaler sur l'arme que vous teniez par hasard entre les mains ? S'il avait encore eu un peu de contrôle sur les muscles de son visage, Onasin aurait été tenté de sourire, et peut-être même de faire un clin d'œil.

Ce furent les trébuchets qui le sauvèrent. Dix d'entre eux étaient maintenant en batterie et tiraient à l'unisson. Une salve écrasa soudain les hommes qui le suivaient. La pression exercée par ses soldats cessa et il se sentit poussé en arrière ; puis son pied buta contre quelque chose et il trébucha. Il s'affala sur le dos en arrachant par la même occasion la hallebarde des mains de son adversaire. Maintenant, c'était ce dernier qui était poussé en avant ; Onasin sentit la semelle d'une botte contre sa mâchoire tandis que l'homme avançait en essayant de garder l'équilibre. Puis une douleur aiguë lui déchira l'épaule alors qu'un autre rebelle la piétinait. Il finit par perdre le compte et s'endormit.

Quand il se réveilla, il s'aperçut qu'il regardait droit dans les yeux d'un homme, mais ce dernier était bel et bien mort. D'ailleurs, il n'y avait que des cadavres autour de lui. Il était dans une fosse commune. Il ouvrit la bouche pour crier, mais seul un petit vagissement en sortit. Il essaya alors d'agiter ses bras et ses jambes qui se révélèrent à peine plus coopératives que sa gorge et ses poumons. Ses efforts furent néanmoins récompensés : il entendit quelqu'un crier.

— Attendez ! On en a encore un de vivant ici !

Il ne sut pas trop comment on le sortit de la fosse profonde aux parois abruptes. Il songea que quelqu'un avait sans doute sauté à l'intérieur, sur les véritables cadavres. Ce devait être une tâche fort désagréable — en tout cas, il n'aurait pas aimé l'accomplir. Il essaya de remercier son sauveteur tandis qu'on le hissait, le visage tourné vers le sol. Mais si quelqu'un l'entendit, il ne le fit pas savoir.

— Regardez-moi un peu ça ! dit un homme qu'il ne pouvait pas voir. (On le retourna sur le dos.) Il ne va jamais s'en tirer avec un trou pareil dans la bedaine.

— Méfie-toi, dit une autre voix. J'ai connu un type qui s'était fait encorner par un putain d'énorme taureau. Quand on l'a dégagé, tu pouvais voir à travers son ventre, le pauvre gars. Mais il a quand même survécu.

— D'accord, dit le premier. Mets-le avec les autres. Si on trouve un médecin qui n'a rien de mieux à faire…

— Tu peux toujours rêver.

Mais en fin de compte, un médecin au visage triste vint nettoyer et panser les blessures d'Onasin. Il était impossible de deviner les raisons de son accablement ; peut-être étaient-ce les horreurs dont il avait été témoin, ou bien la faible probabilité d'être un jour rémunéré pour ses services. À ce moment-là, la bataille était terminée : les ennemis avaient été tués ou capturés et les incendies éteints. Les Îliens déambulaient avec lassitude dans les rues, dégageant les débris, réparant les dégâts et trébuchant sur les cadavres qui avaient échappé à l'attention des brigades de fossoyeurs. Après avoir rempli deux fosses profondes, ils avaient décidé de faire au plus simple et chargé les corps à bord de deux énormes céréaliers pour les jeter au large.

Onasin se retrouva sur un navire identique réquisitionné pour faire office de geôle. La situation aurait été bien pire s'il s'était agi d'un camp de prisonniers de guerre impérial. Il surprit quelques conversations entre les gardes : les Îliens justifiaient leur comportement charitable en affirmant que leurs captifs étaient des otages potentiels de valeur, mais Onasin savait que ce n'était qu'une excuse. Après tout, c'était la première guerre des Îliens : ils débutaient tout juste dans le métier.

— C'est une tragédie, soupira le préfet d'Ap' Escatoy. Un terrible et malheureux gaspillage — et en vain, par-dessus le marché.

L'administrateur en chef hocha la tête avec un air attristé.

— C'est à vous fendre le cœur, dit-il en essuyant le miel maculant le bout de ses doigts avec un chiffon humide. Et comme vous l'avez fait remarquer, cela ne leur a rien apporté. Au mieux, ils n'ont fait qu'aggraver leur situation.

— Il n'y a pas le moindre doute sur ce point, dit le préfet. Et en accomplissant un tel acte, je crains qu'ils aient perdu le bénéfice de la compassion que j'éprouvais à leur égard. Je sais que la rancune est un sentiment détestable, mais dans des circonstances semblables, je crois que je vais me laisser aller à ce luxe. Ils paieront pour ce qu'ils ont fait.

— Vous parlez au sens figuré, bien entendu.

Un sourire sinistre se dessina sur les lèvres du préfet.

— Ce sera malheureusement le cas. J'aimerais qu'il y

ait une autre solution, mais il n'y en a pas. (Il secoua la tête.) Non, nous ne pouvons pas ignorer cette situation. Il nous faut la régler. À cause de cette maudite bataille, j'ai perdu la subvention de réaménagement — et par la même occasion, la chance de reconstruire Périmadeia. C'est fini ! Et personne n'en a retiré le moindre bénéfice. Mais en y réfléchissant un peu, ce n'est pas aussi tragique que cela : la tragédie implique une certaine noblesse dont cette pagaille est exempte. Ce n'est que du pur gaspillage, rien d'autre. (Il attrapa un coin de la nappe et la frotta entre ses paumes, comme s'il essuyait les désagréments de la vie qui lui collaient aux mains.) Enfin, ce qui est fait est fait. Maintenant, c'est à nous de tirer le meilleur parti de la situation à laquelle nous sommes confrontés. Soyons pragmatiques, pratiques et positifs.

Un petit sourire se dessina sur ses lèvres. Ces derniers mots étaient sans doute une maxime ou une référence quelconque. Le préfet avait la manie d'émailler ses discours de citations pleines d'à-propos, mais assez obtuses. Les gens prudents gardaient à l'esprit que ses paroles n'étaient pas nécessairement de lui. Mais l'administrateur fut incapable de se rappeler d'où ces mots étaient tirés. Il hocha donc la tête et grimaça un sourire, comme s'il appréciait le raffinement de son supérieur.

— Et nous devrions commencer par la guerre, poursuivit le préfet. Nous devons avant tout nous assurer que nous ne subirons plus la moindre défaite. Expédiez une dépêche au capitaine Loredan pour lui ordonner de rester sur place et de ne rien faire. Qu'il se contente d'empêcher Temrai de glisser entre ses lignes et de s'enfuir. Je veux que le véritable coup de grâce soit porté par la nouvelle armée, celle que le bureau des Provinces nous envoie. Il ne suffit pas de battre les hommes des plaines, il faut les noyer sous le nombre et les écraser si nous voulons relativiser cette défaite.

— Je suis d'accord, dit l'administrateur. Et à propos

d'Île ? La situation va être délicate, ne croyez-vous pas ? Il va nous falloir trouver des navires quelque part.

Le préfet haussa les épaules.

— De toute façon, nous aurons besoin de ces navires pour mener la guerre. Mais dans l'absolu, cette affaire îlienne pourrait nous coûter plus cher que Temrai et la perte de toute une armée.

Il tourna la tête et resta immobile sur sa chaise pendant une seconde ou deux, observant une crécerelle posée sur un citronnier dans la cour en contrebas. Le rapace tenait un petit oiseau encore vivant dans une de ses serres et essayait tant bien que mal de le tuer sans lâcher la branche sur laquelle il était perché.

— En un sens, un revers aussi sérieux que celui infligé par Temrai peut avoir des aspects positifs. Et parfois, il peut même être... Eh bien, presque souhaitable. N'oublions pas qu'il n'y a aucune gloire à triompher d'un adversaire faible et insignifiant. Une défaite majeure — à condition qu'elle soit suivie sans tarder d'une victoire totale — permet de conférer à l'ennemi une certaine stature. Et bien sûr, cela aide à maintenir le niveau des troupes ; il n'y a rien de tel qu'une bonne gifle de temps en temps pour vous remettre les pieds sur terre. Mais cette histoire avec les Îliens... Comme je l'ai dit, nous n'avons rien à y gagner. Il y a une énorme différence entre une défaite sur la route qui mène à une victoire inéluctable et se faire chasser comme des malpropres d'un endroit supposé conquis et faisant partie de notre... collection, si je peux me permettre ce terme. Et pour couronner le tout, *personne* n'ignore que les Îliens ne sont ni des adversaires habiles ni de grands guerriers — et encore moins de bons sauvages dont nous sommes en droit d'admirer les qualités primitives, etc. Ce ne sont que des mirmidons gras, bouffis de suffisance et plus ou moins odieux qui vivent en achetant bon marché pour revendre très cher.

Le préfet commençait à s'énerver. Rien ne le laissait

deviner sur son visage ou dans sa voix, mais il avait retiré l'anneau de son auriculaire et le faisait tourner comme s'il enfonçait une vis. Quand il en arrivait là, le sage qui connaissait cette manie trouvait une excuse et quittait la pièce pendant un moment.

— Enfin ! Inutile de nous énerver sur ce point. Cela ne nous mènera nulle part et risque même de nous faire commettre de nouvelles erreurs. Je pense donc que nous devrions les oublier un moment, au moins jusqu'à la fin de la guerre.

L'administrateur hocha la tête.

— Je partage votre avis. En fait, il se trouve que je me suis penché sur ce problème. Je pense qu'il serait bon de leur laisser le temps de réfléchir à leurs actes, puis de leur adresser un message leur proposant de racheter leur vie. (À ces mots, le préfet haussa un sourcil.) Bien sûr, il faudra qu'ils nous envoient la tête des meneurs avant tout, en gage de bonne volonté. J'ai toujours pensé qu'il était préférable de laisser les rebelles exécuter leurs chefs plutôt que de s'en charger ; vous ne pouvez pas transformer en martyr l'homme que vous avez vous-même décapité.

— C'est une théorie intéressante, concéda le préfet.

— Ensuite, reprit l'administrateur, nous imposons nos volontés : nous acceptons leur misérable reddition à condition qu'ils mettent leur flotte à notre disposition — équipages compris. Après tout, c'était le but de l'opération et, en fin de compte, c'est sur ce point que nos supérieurs du bureau des Provinces nous jugeront. Nous avons besoin des Îliens pour manœuvrer les navires ; si nous les massacrons jusqu'au dernier, nous aurons les bateaux, mais personne pour les gouverner. En suivant mon plan, nous disposerons de marins conscients que leurs compatriotes et les membres de leur famille sont retenus en otages et que leurs vies dépendent de leur bonne conduite et d'un travail satisfaisant…

— Ainsi, l'interrompit le préfet en se caressant le menton, nous réussissons quand même à tirer quelque chose de positif de cette pagaille. Je vous remercie. Je pense en toute honnêteté que vous m'avez redonné confiance dans les mérites d'envisager une situation avec détachement.

— Je vous en prie, dit l'administrateur. Un de mes grands bonheurs consiste à transformer un désastre en aubaine. (Il sourit.) Et par bonheur, c'est un plaisir que j'ai rarement l'occasion de savourer.

Le préfet pencha la tête en arrière et fixa le plafond.

— « Mon Dieu, plonge mes ennemis dans le désarroi ; et si tu dois y plonger mes amis, accorde-moi la grâce d'être leur sauveur. » Vous savez, plus je me fais vieux, plus j'en viens à apprécier Deltin. Mais il est vain de le faire lire aux jeunes, et chacun doit avoir un but.

L'administrateur hocha la tête.

— Ainsi donc, l'affaire est réglée. Cette matinée se révèle fort productive. Et maintenant, si nous trouvions un moyen de reconstruire Périmadeia malgré la perte de la subvention du bureau des Provinces, nous aurions bien mérité notre repas…

Le préfet ouvrit les yeux et le regarda.

— Ne me dites pas que vous avez une idée ?

— À peine quelques pistes qui se dessinent peu à peu dans ma tête, répondit l'administrateur. Et non, je ne vais pas vous les présenter pour le moment. Après tout, cela ne servirait à rien d'en parler tant que je ne suis pas certain qu'elles sont exploitables — je ne ferais que nuire à ma réputation d'esprit ingénieux et imaginatif.

— Je vous comprends, admit le préfet avec un sourire ironique. Mais vous avez une idée derrière la tête — ou tout au moins une idée d'idée.

L'administrateur fit un petit geste de la main.

— J'en ai toujours une. Mais j'essaie de me comporter en médecin prudent : je prends soin de faire disparaître mes erreurs avant que quelqu'un les voie.

Le messager se mit en route l'après-midi même avec l'ordre de rejoindre le capitaine Loredan dans les plus brefs délais. On lui expliqua qu'il était impératif de le contacter avant que le capitaine réagisse à la nouvelle du désastre. C'était de la plus haute importance pour la sécurité de l'empire tout entier.

Ce que son supérieur entendait par là, c'était : « Dépêchez-vous, ne vous attardez pas en route, ne vous arrêtez pas pour passer une journée avec un vieil ami rencontré par hasard, ne traînez pas dans les magasins, ne faites pas de tourisme ni de détours pour livrer une lettre personnelle ou un échantillon commercial. » Mais le responsable des dépêches était un homme éloquent aux tournures de phrase énergiques et le messager était jeune et assez consciencieux. En conséquence, ce dernier se mit en route dans un nuage de poussière, une carte fourrée dans sa botte et trois jours de rations dans un sac qui ballottait contre son dos.

Il semble qu'il y ait une immuable loi de la nature : plus vous vous dépêchez, plus les circonstances s'acharnent à vous ralentir par tous les moyens. Le jeune homme arriva au gué de la rivière de l'Aigle en un temps fort honorable, mais le cours d'eau était en crue — c'était la première fois depuis trente ans pendant la saison sèche ; par conséquent, le messager dut retourner sur ses pas et se diriger en amont vers le pont de Boisnoir. Mais il n'y avait plus de pont : un imbécile avait récupéré des pierres sur le pilier le plus proche de la berge et, un beau matin, tout l'ouvrage s'était tranquillement effondré avant de former un barrage. Avant d'être emporté, celui-ci avait retenu assez d'eau pour en saturer les dunes de la rive voisine et les transformer en bourbier. Le gué de Boisnoir était donc impraticable lui aussi — comme le messager le comprit à ses dépens lorsque son cheval s'enfonça jusqu'aux cuisses dans le sol traître. Il passa la plus grande partie de la matinée à essayer de dégager sa maudite monture avant de l'abandonner là et de se diriger à pied vers le sud en direction du poste frontalier le plus proche.

À ce stade des événements, il était presque fou de rage et de frustration. Ce fut donc avec un soulagement considérable qu'il aperçut une petite caravane de marchands de Colleon, Belhout et Tornoys prenant un raccourci vers Ap' Escatoy. Il lui fallut encore deux heures de palabres — pendant lesquelles il crut s'étouffer de colère — pour persuader les commerçants de lui céder une monture en échange d'un assignat émis par le bureau des Provinces — d'autant plus qu'il était conscient de payer l'animal au double de sa valeur. Par malheur, le seul cheval décent appartenait à un ressortissant de Belhout qui eut beaucoup de mal à comprendre le concept de papier-monnaie — son peuple refusait avec obstination de lire et d'écrire pour des raisons d'ordre moral. Au bout du compte, le messager utilisa l'assignat pour acheter de l'or à un bijoutier de Colleon, or qui servit ensuite à payer le marchand de Belhout. Mais le Colleonien ne vendait son métal précieux qu'à l'once, ce qui signifiait que le jeune homme devait en acquérir quatre fois plus que nécessaire... Quand il se remit enfin en route, il avait un jour et une demi-nuit de retard sur son horaire – et il était toujours du mauvais côté de la rivière.

Mais il avait encore sa carte. Il s'assit donc sous un épineux tordu par le vent, prit un petit morceau de ficelle pour mesurer les distances et chercha un itinéraire de rechange. Il ne tarda pas à en trouver un : il pouvait continuer à suivre la rive ouest de l'Aigle jusqu'à ce qu'elle devienne la rive nord ; il s'épargnait ainsi la peine de traverser la rivière. Ce chemin était aussi plus direct et lui permettrait de rattraper la majeure partie de son retard s'il gardait un rythme soutenu. Le problème, c'était que ce trajet le menait à moins d'une heure à cheval du camp fortifié de Temrai.

Le jeune homme réfléchit aux risques. D'après son supérieur, il n'y aurait aucune différence entre arriver en retard et ne pas arriver du tout. Il était seul et savait mener un cheval à vive allure ; sa selle était de fabrication belhoutienne et il pouvait lui-même se faire passer pour un cavalier de Belhout en se débarrassant de sa cotte de mailles, de son casque et en s'enveloppant la tête dans son manteau. Au pis aller, il risquait d'être arrêté et le message ne parviendrait jamais à son destinataire — et les conséquences seraient tout aussi néfastes qu'un retard. Il réfléchit au problème à l'envers : s'il n'empruntait pas ce chemin, il n'arriverait sans doute jamais dans le délai imparti ; s'il prenait le risque, il avait une chance raisonnable de joindre le capitaine Loredan à temps. Vu sous cet angle, il n'avait pas vraiment le choix.

Le jeune homme était un messager, pas un diplomate, un historien ou un érudit intéressé par les mœurs étranges des peuplades lointaines ; il ignorait donc que certaines tribus du peuple des plaines avaient un vieux différend avec les habitants de Belhout — une sombre histoire de vendetta à moitié oubliée à propos de la possession d'un puits.

Un groupe d'éclaireurs le rattrapa après une longue poursuite enivrante qui dura plus d'une heure et ramena sa tête pour la planter en haut d'une pique sur le remblai qu'ils érigeaient près de la forteresse — jusqu'à ce que Temrai l'aperçoive et exige qu'on l'enlève. La lettre ne fut découverte que plus tard, quand les hommes se partagèrent les biens du messager. Son nouveau propriétaire l'emporta chez lui et la donna à sa femme en lui disant de se servir du parchemin pour raccommoder un trou dans son pantalon de pluie. Son épouse était analphabète, elle aussi, mais elle savait que le lion à trois têtes était le sceau du bureau des Provinces. Elle harcela son mari jusqu'à ce qu'il donne la lettre à son chef d'équipe qui la montra au chef de section qui l'emporta aussitôt à Temrai. Quand Temrai la lut, une brusque colère s'empara de lui, puis il sombra dans le silence.

— C'est merveilleux ! s'écria-t-il lorsqu'on lui

demanda ce que contenait la missive. Ils ordonnent à Loredan de nous laisser tranquilles et il faut que nous interceptions la lettre avant qu'il la reçoive. Encore un exploit de cet ordre et nous sommes perdus.

— Et si nous nous chargions de la lui faire parvenir ? proposa quelqu'un. On pourrait refermer le sceau avec une lame chauffée. Peut-être que personne ne remarquerait qu'on l'a déjà ouverte.

Temrai éclata de rire.

— Les hommes du bureau des Provinces ne sont pas aussi idiots que tu le crois. Les courriers impériaux doivent connaître cinq niveaux de codes de sécurité — un par classe de lettre. S'ils sont incapables de donner le bon en arrivant à destination, ils sont étranglés sur place et on part du principe qu'ils ont apporté un faux. Les sceaux impériaux sont recouverts de laque quand la cire a refroidi ; si tu essaies de les trafiquer avec une lame chauffée, la laque brûle et le sceau n'est plus identifiable. J'ai aussi entendu dire que pour les messages très importants, ils utilisent une encre qui change de couleur une fois exposée à la lumière ; ainsi, même si tu parviens à mettre la main sur un sceau de rechange, le destinataire saura aussitôt si la lettre a déjà été ouverte. Non, nous avons fait assez de dégâts pour aujourd'hui, inutile d'aggraver un peu plus la situation ; ne donnons pas à Loredan l'occasion de penser que nous mijotons quelque chose. (Il roula le parchemin et le glissa dans un cylindre de cuivre qui lui échappa des mains et tomba par terre.) Si j'étais superstitieux, je renoncerais sans doute maintenant. Quelqu'un a un avis à faire connaître ?

— Nous pourrions abandonner l'idée de nous battre, dit Sildocai, le héros de la dernière victoire. Si la construction de cette forteresse les amène à penser que nous allons rester sur place, elle aura rempli son rôle. Pendant ce temps, nous pouvons rassembler nos affaires et nous esquiver à la faveur de la nuit ; nous irons vers le nord et nous essaierons de franchir les montagnes avant qu'ils nous rattrapent. Ensuite, il faudrait qu'ils soient fous pour continuer à nous suivre. N'écarte pas cette idée, Temrai. Je sais que de l'autre côté de cette chaîne, la région est horrible, froide, humide et désolée — c'est pourquoi personne n'y vit et que ça ne vaut pas le coup de l'envahir. Mais si nous allons là-bas, nous pourrons au moins survivre tandis que, si nous restons ici, nous allons sans doute tous mourir. En matière de choix, je dirais qu'il s'impose.

— C'est ce que nous avions l'intention de faire quand nous avons quitté les plaines de Périmadeia, remarqua quelqu'un d'autre. Nous étions alors tous d'accord. Pas grand-chose n'a changé depuis.

Temrai secoua la tête.

— Je ne partage pas cet avis, dit-il. Aujourd'hui, il y a Loredan et son armée juste de l'autre côté de la rivière du Cygne. Si nous essayons de nous enfuir, il nous rattrapera. Nous devrons alors combattre à terrain découvert et nous ne pourrons pas utiliser les trébuchets.

— Mais nous sommes beaucoup plus nombreux qu'eux, remarqua Sildocai. Regardons les choses en face : nous venons de démontrer que nos cavaliers sont capables de tailler leur infanterie lourde en pièces. Et tu pars du principe qu'ils nous rattraperont, ce qui n'est pas certain du tout.

— Ils le feront, tu peux en être sûr.

— Ce que tu dis n'a aucun sens, protesta un autre. Nous venons de remporter une grande victoire, d'accord ? Et je ne dis pas ça pour toi, Sildocai, mais nous savons tous qu'elle n'a fait qu'aggraver notre situation de manière catastrophique. Imaginons que nous restions ici et que nous réussissions par miracle à repousser l'attaque de Loredan ; eh bien, qu'à cela ne tienne : ils enverront juste *d'autres* troupes — comme cette putain de monstrueuse armée que Loredan est censé recevoir. Il ne sert à rien de nous battre : pour chaque ennemi que nous abattrons, trois le remplaceront. Qu'est-ce que tu suggères ? Que nous tuions tous les hommes adultes de l'empire ? Et même si nous le pouvions, ils sont si nombreux que nos enfants seraient devenus des vieillards avant d'avoir achevé cette tâche. Nous ne pouvons pas gagner, et quand on ne peut pas gagner, il ne reste plus que la capitulation ou la fuite. Tentons au moins notre chance avec la seconde, Temrai. Tant que nous en avons encore la possibilité. Nous n'avons rien à perdre.

Temrai secoua la tête sans arrêter de réfléchir.

— Non, dit-il. Nous restons sur place. Si nous nous enfuyons de l'autre côté des montagnes, il nous poursuivra. Il sera toujours derrière nous. Alors, nous allons l'affronter ici et nous remporterons la victoire. Ensuite, nous déciderons quoi faire. (Il fronça les sourcils comme s'il essayait d'entendre quelque chose.) Les Impériaux savent qu'ils risquent une défaite ici ; c'est la raison pour laquelle ils ont tenté d'arrêter Loredan. Nous allons donc faire ce qu'ils ne veulent pas que nous fassions. C'est la première règle de la guerre.

Sildocai leva les yeux, surpris.

— Tu as changé de discours, je me trompe ? Il y a un instant, tu disais que c'était une catastrophe d'avoir intercepté cette lettre.

Temrai sourit.

— J'ai eu quelques minutes pour y réfléchir. Je pense maintenant que c'est une occasion à saisir. C'était une catastrophe parce que je n'avais pas eu le temps d'examiner la situation sous tous les angles. Non, dans cette dépêche, le bureau des Provinces spécifie noir sur blanc que leurs troupes ne doivent engager le combat sous aucun prétexte, car l'empire ne peut plus se permettre la moindre défaite. Tu l'as dit toi-même il y a quelques minutes, nous sommes beaucoup plus nombreux qu'eux et Loredan attaquera une position fortifiée avec des effectifs inférieurs en nombre. Nous pouvons remporter cette bataille.

— Nous avons donc décidé qu'il va nous attaquer ?

demanda quelqu'un. Pour ma part, je ne pense pas qu'il le fera, et pour les motifs que tu viens d'énoncer.

— Bien sûr qu'il va nous attaquer, répliqua Temrai. Sinon, ils n'auraient pas envoyé un message pour le lui interdire. Non, il va venir et c'est tant mieux. Nous le battrons et ensuite, nous partirons.

— Tu as tort…, commença Sildocai.

Temrai leva la main.

— Faites-moi confiance, dit-il. C'est tout ce que vous avez à faire. Je sais que je peux le battre, je l'ai déjà fait, alors que je n'avais pratiquement aucune chance de réussir. Je peux le refaire. Ne me demandez pas comment je le sais, je le sais, un point c'est tout.

À partir de là, il n'y avait guère d'intérêt à poursuivre la discussion.

Chapitre 17

— Ils ont fait un drôle de boulot, et aucune erreur, dit l'ingénieur en se grattant la tête. On peut voir où ils ont creusé un canal pour que la rivière encercle le plateau. En fait, ils ont transformé la position en île. En supposant qu'on arrive à franchir le cours d'eau, il y a une palissade au pied de l'autre rive. Bon, on peut la détruire avec nos machines de guerre — à condition qu'ils aient la gentillesse de nous laisser faire, car ils en ont plus que nous, et de meilleure qualité. Ensuite, il y a la pente à grimper. Il n'y a qu'un seul chemin, et ça ne va pas être une partie de plaisir avec toutes ces positions fortifiées et ces pièges. Bon ! imaginons qu'on réussisse et qu'on arrive sur le plateau. Il est protégé par deux autres palissades qui sont hors de portée de nos engins — impossible donc de les abattre au préalable avec quelques volées de pierres. Ensuite — à supposer qu'on parvienne jusque-là —, ce sera une bataille rangée au sommet où nous serons au mieux à deux contre trois, selon les pertes que nous aurons subies pour arriver jusqu'à eux. J'ai réfléchi au problème et, si vous voulez mon avis, laissez tomber.

Un vent violent et frais soufflait sur la colline où ils se trouvaient. À cette distance, la forteresse était magnifique avec les reflets du soleil sur l'eau.

— On peut y arriver, dit Bardas. Je sais qu'on peut y arriver parce qu'il l'a déjà fait.

L'ingénieur fronça les sourcils.

— Excusez-moi, mais je ne vous suis pas.

Bardas pointa son doigt.

— Vous voyez ça ? demanda-t-il. Il a construit une réplique de Périmadeia aussi fidèle que possible, compte tenu de la situation. En fait, il a reconstruit la Cité ici, dans les plaines. Quel que soit le sens de cette décision, c'est avant tout un aveu de défaite comme vous n'en verrez pas souvent.

— Si vous le dites, grommela l'ingénieur sur un ton dubitatif. Je n'ai jamais vu Périmadeia. Tout ce que je peux vous dire, c'est que ces enfoirés ont utilisé au mieux la position et les ressources disponibles. (Il fit une courte pause.) Et puis, je croyais que la Cité était tombée uniquement parce qu'une espèce d'enfant de salaud leur avait ouvert les portes ?

Bardas secoua la tête.

— Elle aurait dû tomber bien avant, mais j'ai triché. (Il s'assit sur un rocher, cueillit un brin d'herbe et le mâcha.) Nous allons commencer par un bombardement tout autour de l'endroit où ils ont installé le pont tournant. Nous ferons ensuite avancer les tours de siège et les… Comment vous appelez ça, déjà ? Ces tronçons couverts de cuir tendu sur des arceaux, comme le haut d'un chariot ?

— Je vois de quoi vous parlez, dit l'ingénieur.

— Enfin bref, ces engins-là. Il y a un angle mort, vous me suivez ? Si nous concentrons nos tirs et détruisons les trébuchets qui protègent ce point, nous pourrons faire avancer les nôtres et éliminer les défenses du chemin…

— Mais il installera d'autres machines de guerre, remarqua l'ingénieur. Il lui suffira de les démonter, de les transporter à l'endroit voulu et de les remonter. Ce sont des nomades, ils doivent maîtriser ce genre d'exercice.

— Il faudra vous assurer de ne pas leur laisser la moindre chance de le faire. Et ça ne devrait guère poser de problème. Il n'y a pas assez de place pour disposer suffisamment d'engins aux endroits nécessaires. Il a commis une erreur en choisissant une position circulaire. Il peut placer autant de trébuchets qu'il veut sur les deux cent quarante autres degrés, mais ils ne nous poseront pas la moindre difficulté, car les angles de tir sont mauvais.

L'ingénieur réfléchit une minute ou deux.

— Vous avez peut-être bien raison. Si on peut approcher assez près de la rivière, nous serons trop près pour être touchés par les trébuchets disposés sur le plateau. Oui, je comprends votre plan. (Il grimaça un sourire.) Ça m'étonne qu'il n'ait pas pensé à ça.

— Pas moi. (Bardas se leva.) Il a reconstruit Périmadeia, mais à une échelle trop réduite. Tout est trop tassé et les angles de tir ne sont pas bons. Il a oublié les bastions que j'avais fait construire avec les pierres de l'ancienne muraille. Leur but était de nous permettre de tirer en enfilade sur les ennemis qui avançaient et d'empêcher la manœuvre que nous allons faire. (Il grimpa à cheval.) Vous voyez, c'est ce qui arrive quand on vit un peu trop dans le passé. Vous vous créez des problèmes inutiles.

L'ingénieur se hissa tant bien que mal sur sa selle et y resta assis un moment pour retrouver son souffle.

— J'espère que vous avez raison, dit-il. Et qu'est-ce qui va se passer si vous arrivez à atteindre le plateau ? Ils seront toujours plus nombreux que nous.

— Et alors ? (Bardas se leva sur ses étriers pour regarder une dernière fois la forteresse.) Je remportais des batailles contre des hommes des plaines supérieurs en nombre alors que vous jouiez encore avec des soldats en terre cuite. Vous vous posez trop de questions, c'est ça, votre problème. Dans combien de temps pouvez-vous avoir mes tours de siège et mes...

— Vos tortues ?

— C'est ça. Des tortues. Combien de temps ?

L'ingénieur se caressa la barbe.

— Trois jours, répondit-il. Et quand je dis trois jours, c'est trois jours, alors ne commencez pas à me dire qu'il faut que tout soit prêt dans deux.

— Trois jours, ce sera parfait. Mais assurez-vous de faire du bon travail.

Il se rassit et détourna les yeux, mais dans sa tête, il voyait encore la forme générale de la forteresse ; les douves encerclant la position, les trois niveaux… Il savait que ce n'était qu'une copie, mais en apercevant la silhouette de la Cité pour la première fois, il avait frissonné et eu l'impression de rentrer chez lui après une longue campagne épuisante. C'était d'ailleurs étrange : pendant toutes les années où il avait résidé à Périmadeia, il n'avait jamais considéré cette ville comme la sienne. Il ne faisait qu'y habiter.

— J'avais un ami qui était philosophe, ou scientifique, ou sorcier… (Il savait que cela n'intéressait pas l'ingénieur, mais il continua quand même.) Je ne suis pas sûr que lui-même ait su ce qu'il était vraiment. Mais il pensait qu'il y a des moments cruciaux dans l'histoire, des moments où la situation peut évoluer dans un sens comme dans l'autre et entraîner des conséquences très différentes. En identifiant l'un d'eux, il estimait possible de le contrôler. (Il dégagea ses pieds des étriers et les laissa se balancer.) Pour tout vous dire, j'ai toujours pensé que cette histoire était un mélange de mysticisme un peu idiot et d'évidences. D'ailleurs, mon opinion n'a pas changé sur ce point. Mais imaginons un peu qu'il y ait une pointe de vérité. Qu'est-ce que vous êtes censé faire quand vous avez l'impression de vous retrouver toujours face au *même* moment crucial ? Si mon ami était encore en vie, j'aurais aimé voir comment il se serait tiré de ce problème.

L'ingénieur haussa les épaules.

— Si vous voulez mon avis sur une question de mécanique, je dirais que vous parlez d'un arbre à cames.

Bardas ouvrit les yeux un peu plus grands.

— Expliquez-moi ça.

— En vérité, c'est très simple. (L'ingénieur fit un nœud avec les rênes et les accrocha sur le pommeau de sa selle — ce qui lui laissait les deux mains libres pour illustrer ses propos.) Une came est un élément mécanique tout à fait basique et fondamental. Il transforme un mouvement circulaire (il dessina un cercle dans les airs) en mouvement linéaire. (Il dessina un trait.) Il est clair que c'est très important, vous êtes d'accord ? Parce que toutes les sources d'énergie — les forces principales comme les roues à aubes ou les pédaliers par exemple — sont répétitives et décrivent donc un mouvement circulaire — un cercle qui tourne et qui tourne sans fin. Votre came — rien de plus qu'un lien attaché à un point du cercle — va le transformer en poussée linéaire. Ajoutez un simple rochet et pas besoin d'être un génie pour maîtriser l'énergie de la roue qui tourne sans fin autour du même axe ; vous obtenez ainsi un mouvement linéaire progressif, comme une poussée graduelle. La pièce qui fait tout le travail, qui fait la transition, c'est le lien entre la roue et la pièce à travailler, bien sûr. Si j'étais à la place de votre copain, le philosophe, c'est à un arbre à cames que je comparerais ça.

Bardas fronça les sourcils.

— L'arbre à cames du destin. Ma foi, c'est une idée. Mais pour compléter votre analogie, il faudrait que vous trouviez un moyen pour qu'il change de direction sans interrompre les rotations. C'est possible ? D'un point de vue mécanique, je veux dire.

L'ingénieur sourit.

— Évidemment que c'est possible ! Il suffit de lui balancer des grands coups de marteau !

— Qu'est-ce que tu entends par : « ça ne vaut rien » ? demanda Temrai en grimaçant tandis que Tilden serrait une lanière. Mes experts m'ont affirmé que c'était sans doute la meilleure armure sur le marché.

— Tes experts ? soupira Tilden. Tu parles de ce menteur doublé d'un escroc qui te l'a vendue ? Tiens-toi tranquille, tu veux bien ! Soit cette lanière a raccourci, soit tu as pris du poids.

Temrai se renfrogna.

— Et ça recommence. Tu ne peux pas t'empêcher de critiquer tout ce que je fais et tout ce que je dis. Si cette armure ne valait rien, alors pourquoi la garantirait-il à vie et sans conditions ?

— Oh ! arrête ! dit Tilden en souriant. C'est une garantie qui ne dure que tant que tu es vivant. Si ta ferraille tombe en morceaux cinq minutes après le début de la première bataille et que tu te fasses tuer…

— Aïe !

— Désolée ! Mais c'est ta faute. Je t'ai dit de te tenir tranquille.

Ils avaient commencé par les grèves qui couvraient la jambe du mollet jusqu'au genou. Elles faisaient penser Temrai à deux morceaux de gouttière reliés par une charnière.

— Il doit bien exister un moyen d'empêcher ces trucs de glisser et de me pincer le pied. Tu as vu cet hématome ? Au bout d'une heure, c'est si douloureux que je peux à peine marcher.

— Mais tu ne marches pas quand tu te bats. Tu restes assis sur ton cheval, alors quelle importance ?

— Oui, mais je dois marcher de la tente au cheval, et ensuite, du cheval à la tente…

Après les grèves, il enfila les genouillères et les cuissards — pour protéger la partie supérieure des jambes. Les pièces étaient retenues par des sangles accrochées à sa ceinture et maintenues en place par d'autres lanières autour des genoux et des cuisses. Puis ce fut le tour de la cotte de mailles.

— Je ne peux pas soulever ce truc, dit Tilden.

— Bien sûr que si. Cesse donc de jouer les mauviettes.

Tilden grogna en essayant de hisser la cotte au-dessus

de son mari afin qu'il glisse un bras dans l'emmanchure. Temrai y parvint juste avant qu'elle lâche. Il poussa sa tête à travers l'échancrure et jura quand ses cheveux s'emmêlèrent dans les anneaux d'acier.

— Ne me traite pas de mauviette, dit Tilden. Ou tu te débrouilleras pour enfiler ta maudite armure tout seul.

— Je suis désolé, dit Temrai sur un ton peu convaincant. Bon ! quel est le prochain ? La cuirasse, il me semble.

La partie dorsale et pectorale se fermait aux épaules grâce à deux lanières de chaque côté du cou — comme les sangles du sac d'un soldat — et deux autres à hauteur des hanches.

— Lève un peu plus ton bras, grommela Tilden en tirant sur la boucle gauche. Je n'ai pas assez de place... Voilà ! C'est bien serré ?

— C'est trop serré. Desserre d'un cran avant que j'étouffe.

— Tu aurais pu me le dire plus tôt au lieu de me laisser me casser le poignet en tirant sur ces saletés !

Vinrent ensuite les protections des bras : les canons d'avant-bras du poignet au coude inclus, les brassards du coude à la naissance de l'épaule et les cubitières pour protéger l'articulation. Encore davantage de sangles et de boucles !

— Et qu'est-ce qui se passe si tu as envie de faire pipi ? demanda Tilden sur un ton innocent. Tu ordonnes à la colonne de s'arrêter et tu fais venir deux armuriers ?

Temrai la regarda en fronçant les sourcils.

— Non.

— Oh ! Alors, qu'est-ce qui l'empêche de rouiller à l'intérieur des jambes ? Fais attention, l'articulation du genou pourrait se gripper et tu serais en mauvaise posture.

— Je te remercie de l'avertissement, dit-il.

— Ça doit vraiment être sordide quand tu as besoin de...

— Ça *suffit*. Et oui, c'est sordide ! Maintenant, défais les sangles des épaules.

— Mais je viens de les serrer.

— Eh bien, défais-les. Tu vois ces anneaux en haut des épaulières ? Passe les lanières à travers de manière qu'elles retombent sur les brassards…

— Les quoi ?

— Ces machins… (Temrai essaya de bouger son bras pour lui indiquer la pièce, mais sa liberté de mouvement était très limitée et Tilden éclata de rire.) Pour qu'elles pendent sur mes biceps, dit-il sur un ton grave. C'est ça ! Tu as compris.

— Et maintenant, je peux serrer ces sangles ?

— Oui.

— Tu en es sûr ? Je n'ai pas envie de les redéfaire ensuite.

— Oui, j'en suis sûr. Maintenant, enfile le gorgerin… Il y a une petite prise sur le côté, regarde…

— Tu veux parler de ce collier ?

— C'est ça, répondit Temrai avec patience. Le gorgerin.

Tilden haussa un sourcil.

— Je ne vois pas pourquoi tu n'appelles pas ça un « collier ».

— Parce que c'est un *gorgerin*. Tu as trouvé la petite prise ? C'est ça. Bon ! il n'y a plus qu'à s'occuper des gantelets et du casque. Après, ce sera fini.

— Tu veux parler des gants et du chapeau ?

— Oui. Les gants en premier, s'il te plaît. Le chapeau ensuite. (Il tendit la main.) Il faut que tu l'enfiles en tirant sur le revers. Non ! Pas sur le revers en métal. Il y a une doublure en cuir. Tu la vois ?

— Tu dois mourir de chaud avec tout ça sur le dos.

— Oui. Maintenant, tiens-le bien pendant que j'essaie de glisser mes doigts où il faut. Pour l'amour des dieux ! Je t'ai demandé de bien le tenir !

— Je fais ce que je peux. Recommence.

— C'est mieux. Non, ça ne va pas. Cette maudite camelote n'est pas droite, elle glisse autour de mon poignet. Tire sur le *revers*… !

— Je tire ! C'est coincé !

— Quoi ? Oh ! d'accord. Je vais plier un peu le pouce pour voir si ça fait une différence. Essaie maintenant.

En fin de compte, ils réussirent à persuader le gantelet de se mettre en place.

— Ça me pince le poignet, là, entre le revers et le canon d'avant-bras, gémit Temrai. J'en serai réduit à ne combattre que des gauchers.

Tilden attrapa le casque — une salade d'une seule pièce qui recouvrit le visage de son époux comme un moule à gâteau en acier avec une fente à hauteur des yeux. Elle le posa sur la tête de son mari et fit un pas en arrière.

— Temrai ? demanda-t-elle.

— Quoi ?

Sa voix paraissait venir de très loin et était un peu comique, mais il n'en demeurait pas moins que Temrai n'était plus là. La carapace de métal l'avait enfin recouvert comme des sables mouvants.

— Rien, dit Tilden. Tu vas arriver à te lever, au moins ?

— Je pense que oui. (Ses mots étaient déformés par la plaque d'acier.) À condition que je le fasse très doucement.

Il se leva et Tilden observa les articulations, les lamelles superposées onduler comme les muscles d'un dragon couvert d'écailles. Il n'y avait plus rien d'humain dans ce qu'elle voyait, sinon une silhouette vaguement familière.

— Tu as oublié de mettre les chaussures, dit-elle.

— Les *solerets*.

— Pardon ?

— Les solerets. On appelle ça des « solerets ».

— Si tu veux. Tu les enfiles ou non ?

— Je n'en ai pas la force, dit l'écho de la voix de Temrai. En revanche, je vais avoir besoin de mon épée. Elle est par là, à côté de la table de toilette.

Tilden la lui apporta.

— Elle s'accroche aussi avec des sangles ? demanda-t-elle.

Le casque acquiesça, remontant en faisant glisser les lamelles du gorgerin avant de s'abaisser avec lourdeur.

— Par-dessus l'épaule et autour. (Le canon d'avant-bras, l'articulation et le brassard gauches se soulevèrent.) Dépêche-toi ! Je ne vais pas rester comme ça jusqu'à la fin des temps.

— Tu pourras la sortir du fourreau ? demanda Tilden sur un ton dubitatif tandis qu'elle serrait les dernières lanières.

— Ça m'étonnerait, mais qui s'en soucie ? De toute façon, elle n'est là que pour faire joli. Avec ces maudits gantelets sur les mains, il faudrait que quelqu'un me plie les doigts sur la garde pour que je puisse la tenir.

— Tu as l'air très drôle comme ça, dit Tilden. (Elle n'en pensait pas un mot — bien au contraire —, mais elle avait dans l'idée que son mari n'apprécierait guère de connaître le fond de sa pensée.) Quoi que tu fasses, essaie de ne pas tomber.

— Je ferai de mon mieux.

Quand il eut enfin parcouru la distance qui séparait sa tente de la barbacane, Temrai se sentit plus à l'aise. Il eut l'impression que l'armure poussait sur lui comme une greffe tentée sur un arbre. Elle était désormais plus encombrante que lourde — jusqu'à ce qu'il fasse un mouvement malavisé qui le déséquilibra. Il dut faire un effort pour replacer le poids de son corps sur la plante de ses pieds. Il se demanda s'il avait éprouvé la même sensation quand, enfant, il avait fait son premier pas.

Ils l'attendaient tous : Sildocai, Azocai, qui était son second, ainsi que la plus grande partie de l'état-major.

— C'est très seyant, dit quelqu'un. Tu arrives à respirer, là-dedans ?

— Oui, répondit Temrai. Mais je vous entends à peine. Retirez-moi ce casque ! (Son visage apparut à la lumière et il inspira un grand coup, comme s'il était resté longtemps sous l'eau ou dans la puanteur des mines.) Ah ! ça va mieux ! Alors, qu'est-ce qui se passe ?

Sildocai — qui le regardait jusque-là comme s'il le voyait pour la première fois — pointa le doigt en direction de minuscules silhouettes qui s'agitaient en contrebas.

— Sa caravane de matériel de siège est là. Encore largement hors de portée. Mais nous leur ferons savoir s'ils approchent trop. Il a disposé sa cavalerie juste en face, au cas où nous tenterions une sortie pour nous enfuir. Je déconseille donc cette solution. Ils vont sans doute passer le reste de la journée à monter leur camp et se mettre à leur aise.

Temrai essaya de distinguer ce que Sildocai lui montrait, mais il ne vit que des points et des taches floues.

— Qu'il fasse comme chez lui, dit-il. Et pour l'attaque de nuit, comme nous nous y sommes entraînés ?

— On peut essayer, dit Sildocai sans enthousiasme. Mais je préférerais attendre un jour ou deux qu'ils aient terminé de déployer leurs machines de guerre. J'aimerais pouvoir trancher quelques cordes et faire un peu de dégât avant qu'ils commencent à nous bombarder.

Temrai hocha la tête. Le gorgerin grinça avec mauvaise grâce.

— Tu as raison. Est-ce qu'ils ont fait quelque chose près de la rivière ?

— Pour l'instant, rien ne le laisse penser, répondit un homme dont Temrai ne se rappelait pas le nom. Loredan n'a sans doute pas envie de se retrouver nez à nez avec des brûlots.

Sildocai grimaça un sourire.

— C'est raisonnable de sa part. Bon ! on ferait quand

même bien de les tenir en réserve, au cas où il déciderait de construire un pont. Il vaut mieux garder quelques atouts dans notre manche.

— Il n'a pas l'intention de construire un pont, dit Temrai. Il va se servir de bateaux, après avoir détruit nos trébuchets. Et à ce moment-là, nous utiliserons les brûlots. Il s'y attendra aussi, évidemment, mais il ne pourra pas y faire grand-chose.

Sildocai le regarda.

— Tu sembles bien sûr de toi, dit-il.

— J'en suis certain, répondit Temrai. Nous avons déjà vécu tout ça, si tu te souviens.

— Ah bon ?

Temrai hocha la tête.

— Oh oui ! C'était une autre guerre, mais la situation était la même. À moins qu'il soit meilleur que moi dans mon rôle, je sais exactement ce qu'il va faire. Et lui sait ce que je vais faire, bien entendu.

— Bon ! Et aurais-tu l'obligeance de nous faire part de ces futures manœuvres ou bien est-ce un secret entre vous ?

— Pour la dernière fois, protesta Venart avec lassitude. Je ne représente pas le gouvernement. Nous n'avons pas de gouvernement. Nous n'avons jamais eu de gouvernement de toute notre histoire et nous n'avons aucun besoin d'un gouvernement aujourd'hui. Est-ce que vous pouvez comprendre ça ?

L'homme le fixa pendant un moment.

— Soit, dit-il. Tu ne représentes pas *officiellement* le gouvernement ; mais tu étais à la tête de la révolution et tu as balancé les méchants à la mer, alors, que tu le veuilles ou non, c'est toi le chef. Et ce que je veux savoir, c'est quand je vais être indemnisé.

Venart était prêt à fondre en larmes.

— Et comment diable le saurais-je ? Et qui a lancé

cette rumeur d'indemnisation, au fait ? Ce n'est certainement pas moi !

— Tu affirmes donc qu'il n'y aura pas d'indemnisation ? demanda un autre visage dans la foule. C'est juste ?

— Oui.

— Eh bien, tu penses peut-être que c'est juste, mais
ce n'est pas ton entrepôt qui a brûlé. Tu veux m'accompagner voir mes créanciers pour leur expliquer que c'est
juste ?

— Non, je ne voulais pas dire « juste » dans ce sens-
là...

— Alors, tu ferais peut-être bien de parler plus clairement, grogna le visage en le regardant avec un air mauvais. Et tu pourrais commencer par nous dire pourquoi
tu as soudain décidé qu'il n'y aurait pas d'indemnisation.

— Je n'ai rien décidé du tout, gémit Venart. Ce n'est
pas de mon ressort de...

— Alors, tu n'as encore rien décidé. Et tu as une idée
du moment où tu vas décider quelque chose ?

Venart inspira un grand coup.

— Non, répondit-il. Et maintenant, pour l'amour des
dieux, laissez-moi passer !

Sa supplique n'améliora guère l'humeur de la foule.

— Alors, tu vas juste nous planter là en nous laissant
dans l'expectative, c'est ça ? cria quelqu'un.

— Je vais rentrer chez moi et pisser un coup, répliqua Venart. J'en rêve depuis plus d'une demi-heure,
mais vous ne voulez pas me laisser passer. Maintenant,
écartez-vous ou préparez-vous à subir la colère de ma
vessie. Le choix vous appartient.

Lorsqu'il parvint enfin à fermer la porte de sa maison
derrière lui, il se précipita en clopinant jusqu'aux cabi-
nets du jardin comme s'il avait une meute de loups à
ses trousses. Quand il en ressortit, il se sentait beaucoup
mieux.

*Il est difficile de croire qu'un geste si simple puisse
avoir un tel impact sur votre bien-être*, songea-t-il.

Mais sa satisfaction fut de courte durée. Vetriz se jeta sur lui tandis qu'il retraversait la cour pour rentrer.

— Ven, mais où diable étais-tu passé ? Ranvaud Doce est ici. Il t'attend depuis presque une heure.

Venart s'arrêta et la regarda.

— Qui ça ?

— Ranvaud Doce. Espèce d'imbécile, c'est le nouveau président de l'Association des propriétaires de bateaux.

— Oh ! Et qu'est-ce qu'il me veut ?

Vetriz ne prit même pas la peine de répondre.

— Et tu ferais bien de l'expédier au plus vite parce que Ehan Stampiz va arriver à midi, et si ces deux-là se croisent, je n'ai pas envie de me trouver dans les environs. Et quand allons-nous écrire ton allocution ?

Venart lui lança un regard noir.

— Je n'ai aucune intention de faire une allocution !

— Je n'ai pas le temps de discuter avec toi, dit Vetriz. Doce t'attend dans le bureau de la comptabilité. Oh ! mais ne reste donc pas planté là avec cet air pathétique !

Il s'avéra en fait que Ranvaud Doce n'était pas Ranvaud Doce, mais Ranvaut Votz — Vetriz n'avait jamais été très attentive aux noms. Et bien sûr, Venart connaissait cet homme depuis des années.

— Par tous les dieux ! s'exclama Votz. Tu m'as l'air épuisé. Assieds-toi donc avant de tomber et prends un verre.

— Sers-moi une eau-de-vie, dit Venart. C'est la carafe blanche, à côté, là.

— Dis-moi d'arrêter.

— Tu peux toujours rêver.

L'alcool le détendit un peu, mais par une journée si chargée, c'était le genre de confort qui se révélerait sans doute contre-productif avant midi. Il attendit que la sensation de brûlure se dissipe et reprit la parole.

— Je ferais bien de m'arrêter là, dit-il avec regret. Sinon, je vais m'endormir sur-le-champ. Alors, qu'est-ce que je peux faire pour toi ?

Votz haussa les sourcils.

— Bravo, Venart! Tu as dit ça comme si tu ignorais vraiment le but de ma visite!

— Pardon?

— N'abuse pas. Faire l'innocent, c'est très bien pour mener des négociations commerciales, mais ce n'est pas une attitude qui convient à un chef d'État

— Oh! par tous les… (Venart abattit sa coupe sur la table un peu trop fort: la corne polie avec soin craqua sous la pression de son pouce.) Tu ne vas pas t'y mettre, toi aussi! Allons, Ran, tu sais très bien que je ne suis pas le chef de quoi que ce soit. Par tous les dieux! Je ne suis même pas le chef de cette maison. Tu as vu comment Triz me traite…

— Cela ne prouve rien, l'interrompit Votz. (Il cessa à dessein de sourire.) Je sais qu'en réalité tu n'as pas grand-chose à voir avec ce qui est arrivé. Tu n'étais même pas là pendant la première moitié des événements — ce n'est pas que je te le reproche, je fais une simple constatation. Mais pour une raison inconnue, les gens pensent que tu étais le chef de la rébellion, et ils croient maintenant que tu diriges une espèce de gouvernement de crise. Et moi je dis: pourquoi pas? Car enfin, on ne peut pas dire que tu sois un homme dangereux; tu ne vas pas t'amuser à faire des choses stupides ou essayer d'imposer ton influence. Tu es exactement le genre de chef dont ce pays a besoin.

— Merci beaucoup.

— Je t'en prie. Mais il nous faut un minimum de gouvernement, Ven. Juste un soupçon. Sinon, comment l'Association des propriétaires de bateaux va-t-elle arriver à ses fins?

Venart fronça les sourcils.

— Oh! je vois. Toi et ta bande de crétins de l'arrière-salle du *Fortune et Faveur*, vous avez l'intention de prendre la destinée du pays en main. Et moi, je servirai de bouc émissaire. Non, merci! Est-ce que ce n'est pas cette maudite association — dont tu fais partie — qui est à l'origine de toute cette histoire ? Ce n'est pas vous qui avez voulu arnaquer les Impériaux pour leur soutirer davantage d'argent ?

Votz leva la main.

— C'est de l'histoire ancienne, répondit-il. Et tu en faisais aussi partie, tu te souviens ? Tu as la même part de responsabilité que les autres. (Il enchaîna avant que Venart puisse protester.) Mais ce n'est pas en nous disputant qu'on va relancer le trafic maritime et remplir les entrepôts de blé. Tu sais qu'il n'y a presque plus rien à manger sur cette maudite île ? Ces enfoirés ont tout emporté avec eux.

Venart resta silencieux. Il n'avait pas envisagé ce problème.

— Et donc, poursuivit Votz, nous avons besoin d'agir vite avant que la situation devienne catastrophique pour nous. La difficulté, c'est d'identifier ce « nous » dans le contexte actuel. Une chose est sûre : nous ne pouvons plus naviguer sur la grande bleue chacun de notre côté dans la joie et la bonne humeur — pas si nous voulons garder une petite chance de rentrer vivants. Si nous posons un pied dans un port où le bureau des Provinces dispose d'un simple attaché commercial, nous aurons tout loisir d'examiner les murs d'une cellule. Alors, si nous voulons aller quelque part, nous devons y aller en force, en convoi. Mais nous ne pouvons pas prendre la mer tous en même temps. Certains d'entre nous doivent rester ici pour s'assurer qu'il y aura encore quelque chose debout quand les autres reviendront. Il faut nous organiser. Et c'est justement le genre de choses dont l'Association des propriétaires de bateaux peut s'occuper.

Venart hocha la tête.

— Soit ! Je suis d'accord. Alors, va-t'en et forme donc un gouvernement. Qui t'en empêchera si c'est dans l'intérêt de tous ? Pas moi, je te le garantis.

— Tu ne le sais vraiment pas, hein ? Mais la guilde,

bien sûr. Écoute, si tu cherches une véritable menace contre notre mode de vie, va donc faire un tour au Drutz et ouvre un peu les yeux.

Venart eut l'air déconcerté.

— La guilde ? Mais qui est-ce ? demanda-t-il.

— Oh ! par tous les dieux ! (Votz secoua la tête.) En tant que chef de l'État, je dois dire que tu es *surqualifié*. La guilde des marchands-marins, mon ami ! Un sale ramassis de tireurs de corde et de rats de cabine, des ingrats qui ont déjà affirmé leur intention de voler nos navires. « Une réquisition dans l'intérêt public », ils appellent ça. Et moi je dis que c'est du vol pur et simple, rien de plus. Et ils nous feront payer des taxes pour ce privilège. Voilà *pourquoi* nous avons besoin d'un chef d'État, mon ami. Quelqu'un qui ne représente pas les propriétaires de bateaux et qui dise à ces escrocs de cesser leurs conneries. Et qui est mieux placé pour ce rôle qu'un chef déchaînant l'enthousiasme, le héros de la guerre, l'artisan de la victoire… ?

— Oh ! Cesse de dire n'importe quoi, Ran !

— Oui, mais eux ne connaissent pas la vérité. (Votz haussa les épaules.) Les gens de la rue pensent que toute cette histoire est vraie et, après tout, c'est ce qui importe. Tu as envie qu'on te confisque ton navire et qu'on te vole ton argent en te collant la pointe d'une lance sous la gorge ? Autant demander aux Impériaux de revenir et faire avec.

— D'accord. (Venart soupira.) J'ai compris ton point de vue. (Il se laissa lourdement aller contre le dossier de sa chaise, l'air éreinté.) Et par curiosité, est-ce que toi et tes petits camarades de l'Association vous avez une idée constructive et pratique sur la manière de se procurer de la nourriture ? Ou est-ce que vous n'avez pas encore réglé les détails ?

Votz fit claquer sa langue.

— Inutile de donner dans le sarcasme ! Et il se trouve que oui, nous en avons une.

— Bien. Si je suis le nouveau prince royal, ce serait la moindre des choses de m'initier à ce grand secret.

— C'est simple, dit Votz. Ça coule de source. Si Gorgas Loredan s'est donné tout ce mal pour nous aider à flanquer les Impériaux dehors…

— Tu sais *pourquoi* il a fait ça ?

— … Alors, il ne se fera pas trop prier pour nous vendre quelques cargaisons de grain et de porc salé, surtout à un prix intéressant. Et Tornoys est dans la bonne direction, à l'opposé de l'empire. Il nous faudra naviguer assez près des côtes de Shastel, bien entendu, mais en convoi, je ne pense pas que cela pose un problème.

— Je suppose que tu as raison, admit Venart. Mais ce Gorgas me flanque la chair de poule. Je ne sais pas trop pourquoi, mais c'est un fait.

— Eh bien, c'est ton problème. Et tant que nous serons là-bas, j'ai l'intention de lui proposer de recruter quelques-uns de ses excellents archers. Une autre chose dont nous allons avoir besoin, c'est une milice ; et comme nous ne connaissons rien de rien au métier des armes, c'est une bonne idée d'engager des professeurs.

Venart ferma les yeux.

— Attends un peu. Qui as-tu l'intention de recruter pour ta petite armée ?

— Eh bien, nous, bien sûr, répondit Votz sur un ton patient. Et ce n'est pas une armée, c'est une milice. Ce n'est pas la même chose.

— D'accord, ce n'est pas la même chose. Mais qu'est-ce que tu entends par « nous » ? Les Îliens, les propriétaires de bateaux, qui ?

— Je ne vais certes pas mettre des armes dans les mains des membres de la guilde, si c'est ce que tu veux savoir, répondit Votz comme s'il expliquait à un petit enfant que le feu était chaud. Par « nous », j'entends les hommes adultes et responsables d'Île. Nous n'avons aucun besoin de ces fainéants de la guilde. D'ailleurs, où étaient-ils quand les combats faisaient rage ? Ils étaient enfermés dans une cellule. Une vraie bande de bons à rien ! Heureusement que *nous* sommes arrivés pour les délivrer.

— Merveilleux, marmonna Venart. D'abord, tu veux un gouvernement, puis une armée, et maintenant tu as l'intention de déclencher une guerre civile. Cet État auquel tu tiens tant se développe plus vite que du cresson de fontaine. (Il enchaîna aussitôt.) D'accord ! Épargne-moi tes raisonnements. C'est vrai que nous devons être capables de nous défendre ; ça tombe sous le coup du bon sens si le bureau des Provinces peut nous attaquer à tout moment. (Il fronça les sourcils.) Mais pour être honnête, je dois t'avouer que je vois mal comment nous pourrions résister si les Impériaux décident de revenir. La dernière fois, nous avons eu de la chance et ils ont fait preuve d'une suffisance effarante. Mais les affronter quand ils se seront repris en main, ce serait aller au-devant de graves ennuis.

— Tu crois ? Que suggères-tu, alors ?

Venart se leva et se tourna pour regarder par la fenêtre.

— De partir. Embarquons tout ce que nous pouvons sur nos navires, hissons les voiles et mettons autant de distance que possible entre eux et nous.

Votz lui lança un regard furieux.

— Tu plaisantes !

Venart secoua la tête.

— En fait, je trouve que c'est une excellente idée. Nous ne sommes pas des fermiers ni des artisans, nous sommes des commerçants. La majorité d'entre nous passe autant de temps sur un navire qu'à la maison. S'il existe une nation capable de… Eh bien, de lever l'ancre et mettre les voiles, c'est bien la nôtre. Et si le pire devait arriver, nous n'aurions qu'à reprendre la mer et conti-nuer notre voyage comme des nomades.

Un sourire déplaisant tordit les lèvres de Votz.

— Comme la bande du roi Temrai, tu veux dire. Oh

oui ! C'est garanti sans danger, aucun souci à avoir de ce côté.

— Temrai vit sur terre. Ce sont les navires qui font la différence.

— Jusqu'à ce que les Impériaux se mettent à construire les leurs. (Votz se leva à son tour.) La fuite ne résoudra aucun problème. Nous devons faire face et nous battre. Et s'il doit y avoir une bataille, comment imaginer un meilleur terrain qu'Île ? C'est une magnifique forteresse naturelle, encore plus redoutable que l'était Périmadeia. Nous disposons d'une flotte, et pas nos ennemis. (Il saisit Venart à l'épaule et le fit pivoter vers lui.) Nous pouvons gagner !

— Je ne crois pas. Et puisque tu viens de me nommer à la tête de l'État…

— Le problème avec les têtes, c'est qu'elles peuvent tomber !

Venart parut un instant interloqué, puis il fut secoué par un petit rire.

— Allons, Ran ! Ne sois pas si mélodramatique. Un gouvernement, une armée, une guerre civile *et* un coup d'État ! Et nous ne sommes que deux ! (Il se dégagea et sourit.) Imagine un peu la partie de rigolade si nous étions trois à jouer.

Le vent était vif et frais — cet qui était une vraie bénédiction. Dans les plaines, Bardas se souvenait trop bien comment la chaleur de la mi-journée pouvait terrasser un homme avant même qu'il s'en rende compte. Par chance, l'armée des Fils du Ciel avait recruté ses soldats dans différents endroits dont beaucoup étaient très éloignés et plus chauds que celui-ci. Quand Bardas serait sur le point de s'effondrer dans une mare de sueur, une bonne partie de ses hommes seraient encore enveloppés dans leur manteau et souffleraient dans leurs mains pour se réchauffer.

Le soleil avait déjà soulevé un fin brouillard de chaleur

au-dessus du cours d'eau, estompant les formes acérées de la forteresse jusqu'à la rendre floue comme l'arrière-plan d'un tableau. Les rayons se réfléchissaient sur la rivière et semblaient l'enflammer ; une tache rouge restait imprimée sur les rétines de Bardas quand il fermait les yeux.

— C'est terminé ? demanda-t-il. (L'ingénieur hocha la tête.) Parfait.

Il se posta derrière le bras armé d'un trébuchet et regarda la citadelle au loin. Tout était très calme et silencieux, comme si le monde attendait qu'il fasse un discours.

— J'ai le plaisir de vous annoncer l'ouverture des hostilités ! C'est quand vous voulez !

L'ingénieur acquiesça, une fois en direction de son supérieur, une autre en direction du préposé au tir. Ce dernier donna un coup sec sur la corde et le bras se dressa soudain comme un homme réveillé en sursaut au milieu d'un rêve. Le long madrier de coupe carrée se plia sous l'effet de l'inertie, se redressa et s'arrêta net en atteignant le point d'équilibre ; en dessous, la poche du contrepoids se balança avec violence. Avec un claquement de fronde, le filet de corde imprima au projectile sphérique un ultime et décisif mouvement d'accélération et retomba.

— C'est parti, grommela l'ingénieur.

La pierre s'éleva dans les airs à une vitesse stupéfiante ; elle rapetissa jusqu'à devenir un point noir, ralentit avant de s'immobiliser un instant et amorça sa descente.

— Voyons un peu comment ils vont réagir à ça, dit le chef d'équipe du trébuchet en souriant. S'ils ne sont pas trop idiots, ils demanderont la permission de déplacer leur forteresse cent mètres plus loin.

Le projectile s'écrasa dans la rivière avec le bruit d'une claque administrée à un enfant. L'éblouissante surface de lumière blanche fut transpercée comme une plaque d'armure par une flèche.

— Je vous avais dit que ça tomberait trop court, soupira le chef d'équipe. Bon ! on augmente la hausse de cinq et on essaie encore une fois.

L'amélioration des contrepoids était une idée de Bardas — après tout, Temrai avait fait de même en construisant des trébuchets dont la portée était supérieure à celle des machines périmadeiennes. Aujourd'hui, il avait un avantage de cinquante mètres sur son ennemi — son homologue, lui-même dans une précédente révolution du Principe. Il pouvait les frapper sans crainte d'une riposte. Plus le madrier était long, plus les tensions qui s'y exerçaient étaient fortes — une loi de la mécanique.

— Machine numéro deux, augmentez la hausse de cinq, cria le chef d'équipe. À mon commandement !

Un servant tourna un volant. Un rochet grinça et cliqueta.

— Paré !

— Tirez !

Le bras du trébuchet plia, se redressa et lança son projectile.

— Malédiction ! dit le chef d'équipe quand la pierre s'écrasa sur la paroi rocheuse dans un nuage de poussière. Maintenant, c'est la correction du vent qui n'est pas bonne. Machine numéro trois, augmentez la hausse de quatre, et deux à gauche. À mon commandement !

À une telle distance, c'était avant tout une affaire d'habileté, l'application scientifique d'une force sur un point précis d'une plaque d'argile vierge. Il faut commencer en douceur pour fabriquer un bol. D'abord, le pourtour avant de travailler en allant petit à petit vers l'intérieur où le plat doit être le plus profond ; c'est ainsi qu'on instille de la force dans un objet.

— Parfait ! dit le chef d'équipe. Bon ! gardons à peu près ces mesures. Ça nous fait...

Il tira son poignard et le plaça contre l'écrou principal. Comme sur tout bon couteau d'ingénieur, une règle calibrée avec précision était gravée sur la lame.

— Voyons un peu, une élévation de douze à partir de zéro, et six sur la gauche. Chacun de vous enlève trois, prenez vos marques et ajustez les mesures à partir de zéro.

Quand tous les trébuchets eurent tiré trois fois et que leurs servants eurent apporté les modifications nécessaires à leurs machines respectives pour compenser les légères variations verticales et horizontales, le bombardement prit son rythme de croisière. Bardas reconnut cette phase : c'était le moment où le marteau rebondissait contre le métal ; où il montait et retombait entraîné par son propre poids — comme le poids et le contrepoids d'un trébuchet ; où l'artisan déplaçait la pièce à travailler de la main gauche pour l'offrir aux frappes du marteau. Un seul coup ne produit pas la tension voulue, pour conférer de la force au matériau, il faut un pilonnage maîtrisé et continu.

— Quel dommage qu'il y ait autant de poussière, se lamenta l'ingénieur en chef. Je n'y vois rien. Si ça se trouve, on est en train de balancer toutes nos pierres au même endroit.

— C'est une bonne remarque, dit Bardas. Mais continuons encore un peu. Je veux qu'ils sentent la pression monter.

C'est donc à ça que ça ressemble, songea Temrai en attendant la chute du prochain projectile. *Eh bien, je le sais maintenant.*

La pierre s'abattit et, une fraction de seconde plus tard, la terre trembla sous la force de l'impact. En raison du nuage de poussière, Temrai ne vit pas où elle avait atterri, ni si elle avait causé des dégâts — c'était déjà assez pénible d'être dans l'obscurité. Il entendit néanmoins des cris dénotant la nécessité d'une intervention rapide — un homme lançait des ordres tandis qu'un autre exigeait le contraire. Il y avait dans leur voix un ton d'extrême urgence qui était loin d'être rassurant.

J'aurais dû prévoir ce type d'offensive, pensa Temrai. *Mais je ne l'ai pas fait. C'est ma faute, en fin de compte.*

Il compta à rebours à partir de douze et le projectile suivant s'abattit. Il sentit où ce dernier était tombé — dans l'obscurité, vos autres sens s'adaptent vite. Il s'agissait sans doute d'un tir trop long et, à proprement parler, raté. Mais Temrai sut que la pierre avait écrasé un des entrepôts.

Je préférerais que ce soit celui des biscuits plutôt que celui des flèches. On peut toujours manger des biscuits en miettes quand il ne reste plus que ça.

Il commença de nouveau son décompte.

— Temrai ?

Malédiction ! Je ne sais plus où j'en suis.

— Par ici, cria-t-il. Qui est là ?

— C'est moi ! Sildocai. Où es-tu ? Je n'y vois rien.

— Guide-toi au son de ma voix et baisse la tête. La prochaine va tomber d'un instant à l'autre.

Un autre tir trop long. Et aucun mérite non plus à deviner où la pierre s'était abattue : elle avait arrosé tout le chemin de ronde de fragments de roche.

— Leurs machines doivent se dérégler petit à petit, observa-t-il. Ils ne voient pas où leurs projectiles tombent, alors ils ne remarquent pas qu'ils tirent trop haut.

Sildocai se matérialisa devant lui comme s'il naissait de la poussière.

— Je suis descendu là-bas, dit-il. Comme ils ont commencé à tirer trop haut, j'ai pensé que ce serait l'endroit le plus sûr. Ils ont détruit quatre trébuchets et six scorpions ; deux machines de chaque type sont hors d'usage, mais réparables. Le plus grave, c'est qu'ils ont fait un putain de trou dans le chemin. Il va falloir le combler d'une manière ou d'une autre sinon nous serons complètement coupés des défenses d'en bas.

Temrai ferma les yeux.

— Eh bien, les pierres et les débris ne vont pas manquer. Il faudra poser des poutres pour les maintenir en place. Fixe-les avec des chevilles comme si tu construisais une terrasse.

— D'accord, dit Sildocai en toussant. Et quand nous en aurons terminé avec ça, que dirais-tu de hisser quelques machines de guerre ici pour les mettre à l'abri ? Elles ne servent à rien en bas, elles attendent juste d'être réduites en miettes.

Temrai secoua la tête.

— Non, c'est hors de question. Ils se contenteront de rapprocher les leurs. Nous devons neutraliser leurs trébuchets pendant un moment. Si les nôtres ne peuvent pas les atteindre, il va falloir se déplacer et faire le travail à la main.

Sildocai fronça les sourcils.

— Je préférerais éviter ça. Même avec la cavalerie légère. Le terrain est un peu trop plat pour charger droit sur l'ennemi.

— Nous n'avons pas le choix, répondit Temrai comme un prêtre à un enterrement.

En général, on commence par mourir…

Une autre pierre s'écrasa et projeta une gerbe de terre qui retomba en petits morceaux sur leurs têtes.

— La portée de leurs machines est supérieure à celle des nôtres. Si on reste là à ne rien faire, ils vont tout aplatir.

— Comme tu veux, dit Sildocai sur un ton dubitatif. Mais attendons au moins que la nuit commence à tomber et qu'ils arrêtent de tirer.

— Qu'est-ce qui te fait penser qu'ils vont arrêter quand il fera sombre ? Pour ma part, je ne le ferais pas. S'ils corrigent leurs réglages, ils n'ont pas besoin de voir pour nous écraser. Ils font déjà un travail très honorable comme ça, et cette poussière vaut largement une nuit sans lune.

— Oui, mais la poussière, il n'y en a qu'ici. Je ne tiens pas à charger leurs archers en plein jour, merci bien. Tu as peut-être oublié, mais le soleil brille à l'extérieur de cette saleté de nuage.

Temrai réfléchit un moment.

— C'est vrai. Je ne suis pas enthousiaste à l'idée de supporter ça encore trois heures, mais tu as raison. Nous ne tenons pas à leur faciliter la tâche en faisant des erreurs stupides. Prépare un groupe d'attaque, et trouve quelqu'un pour réparer le chemin. Personne ne bouge tant qu'il n'est pas remis en état.

Sildocai s'éloigna à toute vitesse, essayant de garder la tête sous le niveau du remblai de terre dans lequel les poteaux de la palissade étaient plantés. La manœuvre impliquait de se déplacer comme un crabe ou comme un mineur dans un tunnel bas de plafond. Un autre projectile s'écrasa, mais trop loin pour l'inquiéter.

Les tirs sont devenus très irréguliers, remarqua Temrai. *Pourtant, je ne crois pas que ça les dérange. Ils veulent juste nous saper le moral. Les dégâts sont sans doute insignifiants, mais cette poussière commence sérieusement à m'énerver.*

— On ne se disperse pas, dit Sildocai avec une expression sévère et paternaliste sur le visage. La seule chose qui nous intéresse, ce sont les trébuchets. Tranchez les cordes des contrepoids et quand le bras tombera, coupez celles des poches à projectile. N'en faites pas plus. Cette fois-ci, il est plus important de revenir en un seul morceau que de tuer ces faces de citron, alors on ne s'éloigne pas, on ne se lance pas dans des poursuites sans fin et surtout, pas de pillage. C'est compris ?

Personne ne répondit. À en juger à la mine de l'assistance, les sinistres avertissements de Sildocai étaient superflus. Il y avait de fortes chances que ces hommes se soient portés volontaires dans le seul dessein d'échapper au nuage de poussière pendant une heure.

Le clair de lune était typique des plaines : assez lumineux pour projeter des ombres. Cela convenait à merveille. De l'endroit où il se tenait, Sildocai distingua les feux de camp sur l'autre rive — leur objectif. La nuit, les hommes assis autour d'un feu n'ont pas une bonne vision, mais les siens auraient eu le temps de s'adapter à l'obscurité ; ils seraient capables de voir l'ennemi alors que l'ennemi ne pourrait pas les voir. Il donna le signal et l'équipe chargée des treuils se mit au travail afin de faire pivoter le pont tournant.

Sildocai prit la tête du détachement. C'était une tradition dans sa famille — qui avait fourni plus de commandants qu'à son tour. En fait, elle en avait tant produit qu'il était remarquable qu'elle ait subsisté si longtemps. Son propre père avait été tué en combattant ce même Bardas Loredan peu après la mort de Maxen ; son grand-père était tombé lors d'un affrontement contre les Périmadeiens, lui aussi ; et son arrière-grand-père était mort sur un champ de bataille — mais personne ne se souvenait contre qui. Quatre générations de chefs courageux avaient toujours combattu à la tête de leurs soldats. Certaines personnes ne retiennent jamais leurs leçons.

Atteindre l'objectif ne posait pas de problème, il suffisait de se diriger vers le premier rassemblement de feux de camp jusqu'à ce qu'on distingue les trébuchets contre le ciel gris-bleu. Il y avait juste assez de vent pour emporter le bruit des sabots sur l'herbe sèche. En fin de compte, les conditions étaient idéales pour une attaque de nuit. Sildocai fut presque tenté d'ignorer ses excellentes mises en garde et d'engager le combat — mais il fallait l'éviter à tout prix. Ils auraient bien assez de temps pour cela plus tard ; et puis ses hommes étaient fatigués après une journée difficile passée accroupis dans la poussière ou hissant des seaux de terre pour combler le trou du chemin qui menait au plateau.

La phase d'approche se déroula mieux qu'il s'y était attendu : ils n'étaient qu'à cinquante mètres du feu le plus proche quand quelqu'un les aperçut et donna l'alerte. Sildocai tira son cimeterre et cria :

— Maintenant !

Puis il éperonna sa monture pour l'amener au petit galop.

L'opération commença sous de bons augures. Comme il fallait s'y attendre, l'ennemi s'enfuit devant ces cavaliers jaillis de nulle part et se précipita vers les armes empilées loin des trébuchets. Personne ne fit mine d'arrêter les assaillants avant qu'ils aient causé des dégâts non négligeables aux machines de guerre. Le moment aurait été parfait pour se replier.

Sildocai fut le premier à trancher une corde, mais il lui fallut s'y reprendre à trois fois. C'en était presque comique. Il avait imaginé qu'un seul coup suffirait, sa lame coupant sans grandes difficultés les fibres tendues. Mais il frappa sous un mauvais angle, se tordit le poignet et faillit laisser échapper son arme. Il s'en serait mieux tiré avec une serpette ou un crochet de haricot, un outil avec une lame plus lourde et plus rigide. Pour lui, l'aventure faillit se terminer là : dans sa féroce détermination à trancher la corde, il oublia qu'une fois le travail achevé le long bras massif du trébuchet se mettrait à basculer — le madrier passa à moins de cinq centimètres de son épaule et lui causa la frayeur de sa vie. Il fit faire demi-tour à son cheval et s'aperçut qu'il avait du mal à atteindre la poche à projectile à l'autre bout du madrier. Il descendit de selle, s'agenouilla et la déchira avec la partie la plus épaisse de sa lame. Puis il bondit de nouveau en arrière, mais sa monture était effrayée et elle refusa de se tenir tranquille. Il perdit donc un certain temps à danser près de l'animal affolé, un pied dans l'étrier et l'autre traînant par terre, une main accrochée au pommeau de la selle et l'autre essayant de ne pas lâcher le cimeterre.

Mais il était adulte et savait se débrouiller ; ainsi donc, il s'en tira un peu moins mal avec les deux trébuchets suivants. D'ailleurs, il commençait à se sentir assez en confiance pour envisager d'incendier les machines quand l'ennemi se décida à apparaître. Ce fut à ce moment qu'il aurait dû se replier et regagner le camp. Leurs adversaires n'avaient pas la moindre envie d'être là, cela se voyait à la manière dont ils avançaient — en crabe, la hallebarde ou le glaive bien en avant, une expression de pure terreur sur le visage. Ils étaient poussés par deux officiers étouffant de rage comme des cultivateurs dont les vergers sont pillés par les enfants du village — néanmoins, ils n'étaient pas assez furieux pour prendre la tête de leurs hommes. La mission était à moitié remplie, Sildocai ordonna au premier et au second détachement de le suivre avant d'éperonner sa monture pour qu'elle adopte son trot favori — assez rapide pour se déplacer vite et assez lent pour contrôler la situation. L'ennemi ne formait pas une ligne, il avançait d'un pas hésitant en un petit peloton compact. Les hommes à la périphérie essayaient de se frayer un chemin au centre du groupe. D'un geste, Sildocai indiqua au second détachement de les contourner à bonne distance par la gauche et fit de même par la droite avec la première unité. Son plan était de les charger sur les flancs afin de les obliger à se replier en désordre vers leur bivouac — gênant ainsi l'arrivée de nouveaux renforts mieux organisés. Les feux de camp émettaient juste assez de lumière pour mener le projet à bien, la manœuvre ne devait pas présenter le moindre problème. Elle réussit d'ailleurs très bien…

… Mais tandis qu'il se penchait sur l'encolure de son cheval et portait un coup de taille sur la clavicule d'un fantassin léger, la sangle de sa selle se rompit. Incapable de se retenir, Sildocai glissa dans la direction où il avait frappé et atterrit l'épaule sur le visage du cadavre de sa victime, la selle encore serrée entre ses cuisses.

Si cette mésaventure était arrivée à quelqu'un d'autre, il serait sans doute allé lui porter secours en mouillant son pantalon de rire — mais l'humour est très relatif. Quand il leva les yeux, la première chose qu'il vit fut l'homme penché au-dessus de lui. Il portait en tout et pour tout une chemise et un chapel de fer, et il s'apprêtait à enfoncer sa hallebarde dans la poitrine de Sildocai.

Ce dernier ne pouvait pas faire grand-chose, car cette maudite selle lui bloquait les jambes. Il réussit à lancer son bras gauche sur la trajectoire de l'arme. Son avant-bras était protégé par un canon en cuir bouilli ; le tranchant de la lame glissa dessus comme une luge sur la neige avant de partir légèrement vers le haut ; elle le frappa au sommet de la pommette et lui trancha la partie supérieure de l'oreille. La main gauche de Sildocai était maintenant en bonne position pour agripper le manche de la hallebarde, mais sous l'effet du choc et du reste, il rata en partie son coup ; il réussit à saisir la hampe et à tirer dessus, mais pas avant que la lame lui ait sectionné le triangle de chair à la base du pouce.

La manœuvre fut un franc succès. Il arracha la hallebarde des mains de son adversaire, mais avec l'élan, la lame lui laboura de nouveau le visage. Elle y laissa une autre plaie à peu près parallèle à la première, du coin de l'œil à la naissance des cheveux. Incapable de tenir l'arme plus longtemps, il la lâcha. Son ennemi le dévisagea, puis lui administra un grand coup de pied au visage. Son geste n'arrangea personne, car il était pieds nus : au moment où les cartilages de son nez se brisaient, Sildocai crut entendre l'orteil de son adversaire se casser.

Il dégagea son bras droit et en profita pour saisir la cheville du soldat afin de le faire tomber. Mais il rata aussi ce coup-là et se retrouva agrippé à une jambe chancelante, aveuglé par le sang qui lui coulait dans les yeux. Il jugea inutile de s'accrocher plus longtemps et lâcha prise. À cet instant, l'homme écarta soudain les bras en croix et s'effondra sur lui.

Il avait reçu un coup violent, mais pas assez pour le tuer. À première vue, le cimeterre l'avait frappé en diagonale à la base de la nuque, juste sous le rebord du chapel de fer. Maintenant, cet enfoiré était couché sur lui, et ils se retrouvaient presque bouche contre bouche comme deux amants ; le soldat avait les yeux grands ouverts et laissait échapper des gargouillis idiots. Il essayait de dire quelque chose, mais Sildocai n'était pas intéressé.

— Vire de là ! cria-t-il sur un ton strident.

Il tortilla son bras gauche jusqu'à ce qu'il réussisse à le dégager. Ses doigts étaient rigides et contractés.

Un handicap permanent, remarqua-t-il. *Je m'en inquiéterai plus tard.*

Il arrivait encore à les contrôler assez pour saisir l'homme à l'épaule et le pousser. L'autre n'avait pas l'intention de bouger, mais au bout du compte, il n'eut pas beaucoup le choix. Il roula sur le dos, immobile à l'exception de ses yeux affolés, et continua à gargouiller. Au prix d'un gros effort, Sildocai réussit à se mettre à genoux, mais cela n'améliora guère la situation. Un homme qui passait en courant le percuta dans le dos et l'envoya face contre terre avant de s'affaler à côté de lui.

Malédiction ! songea Sildocai. *C'est sans espoir !*

L'homme se releva. Il y avait une épée à l'endroit de sa chute, mais il l'abandonna à terre et s'éloigna à toutes jambes. Sur le moment, Sildocai se crut béni des dieux.

En fait, il s'agissait plutôt d'une malédiction : si l'homme s'était enfui sans ramasser son arme, il y avait une raison. Sildocai la découvrit avec horreur en levant les yeux : il eut à peine le temps de voir les sabots du cheval au-dessus de sa tête. Il s'aplatit au sol, mais en vain. Une douleur atroce lui laboura le dos et il sentit quelque chose se briser quand l'animal le piétina. Il essaya de crier, mais sa bouche était pleine de terre et il n'avait plus d'air dans les poumons. Il lui fallut un effort surhumain pour les remplir.

Côtes cassées, diagnostiqua-t-il dans une partie de son cerveau qui n'était pas concernée par le problème. *Ça ne s'arrange pas.*

Il était à deux doigts de renoncer et de rester sur

place, mais il se rappelait encore qu'il était responsable de cette attaque et qu'une fois le travail fini ils se replieraient pour rentrer au camp. Sildocai n'avait pas envie d'être abandonné là, alors il était primordial de se lever, de retrouver son cheval — *ou n'importe quel autre de ces maudits animaux !* — et de regagner la forteresse.

L'homme allongé près de lui faisait toujours ses gargouillis ridicules, comme un bébé pleurnichard. Sildocai roula sur son épaule droite, détendit soudain les jambes et se rétablit d'un saut de carpe. Il tituba, faillit tomber de nouveau et retrouva son équilibre au dernier moment. La manœuvre fut atrocement douloureuse.

Je ne devrais pas en être réduit à faire ça. Un homme de ma condition...

Le simple fait de respirer était devenu une épreuve. Il fit un pas en avant, mais quelqu'un lui avait apparemment volé ses rotules pendant qu'il était à terre. Il parvint à rester debout, mais il était à peu près incapable d'en faire davantage.

— On se calme, mon gars. Tout va bien.

Quel que soit celui qui avait parlé, Sildocai ne l'avait ni vu ni entendu venir. Il était là, tout simplement, agrippé à son bras gauche.

— Tout va bien, répéta-t-il. Partons d'ici avant que tu tombes. (Il avait un accent chantant insupportable, l'accent périmadeien qui avait toujours mis les nerfs de Sildocai à vif.) Par ici.

Cet enfoiré essayait de l'emmener vers le camp ennemi ; ce n'était pas la bonne direction, alors pourquoi faisait-il cela ? Puis il comprit : c'était un ennemi qui l'avait pris pour un des siens — comme le soldat gargouillant à terre qui avait attendu une aide de sa part. Eh bien, c'était parfait — sinon que Sildocai n'avait aucune intention d'aller par là. Par chance, il avait affaire à un idiot ; son bienfaiteur avait un couteau accroché à la ceinture, juste à portée de main. Sildocai s'en empara et frappa l'homme entre les omoplates. Pour une fois, tout se déroula comme prévu, mais il rata le point qu'il visait. Sous l'effet du choc et de la douleur, les poumons du soldat se vidèrent, mais il resta debout.

— Par tous les dieux ! souffla le pauvre malheureux en attrapant le bras de Sildocai pour ne pas tomber.

Il n'avait pas réalisé qui l'avait poignardé. Il devait penser qu'il avait été frappé par une flèche ou quelque chose de cet ordre. Sildocai reçut tant bien que mal le poids du soldat contre son épaule, mais l'homme était si lourd qu'il faillit tomber à genoux. Puis il dégagea le couteau et frappa de nouveau, juste sous l'oreille.

Cette fois-ci, l'Impérial s'effondra, mais il resta accroché à l'épaule de Sildocai et il l'entraîna dans sa chute. Ce corps-là fut moins difficile à bouger : l'homme était mort et cela facilitait la manœuvre ; mais Sildocai n'aurait sans doute pas assez de force pour se relever. Eh bien tant pis, il avait fait de son mieux. Et comme son père disait : « Si tu as fait de ton mieux, personne ne pourra rien te reprocher. »

Il lui était de plus en plus difficile de respirer. Il avait l'impression qu'un gros étau de charpentier s'était refermé sur lui et comprimait son dos et sa poitrine tandis que l'artisan attendait que la colle sèche. Mais certaines personnes ne retiennent jamais leurs leçons — quatre générations de commandants. Il ramena les coudes vers les genoux, poussa sur ses jambes et essaya de redresser son dos — en pure perte.

Bravo ! pensa-t-il avec amertume. (Il concentra sa colère contre sa dernière victime.) *Je m'en serais tiré sans problème si tu n'étais pas intervenu.*

Il raidit ses bras et ses jambes — sans doute l'effort le plus éreintant de sa vie — et réussit à se relever. Cela en valait la peine.

Passons à la phase suivante. Je n'ai plus qu'à trouver un cheval et à monter dessus.

Il remarqua avec désarroi que le champ de bataille était devenu bien calme. Il ignorait depuis combien de temps il avait glissé de sa monture ; il semblait qu'une éternité s'était écoulée depuis, mais ce n'était qu'une impression. Il était possible — et même probable — que ses hommes aient suivi ses ordres : ils s'étaient repliés dès la mission remplie. Si c'était le cas, ce n'était pas la peine qu'il s'inflige le martyre pour se relever.

Il fit trois pas en avant — une technique de chute contrôlée où il s'inclinait vers le sol et plantait une jambe devant lui au dernier moment. Sa main gauche était aussi endolorie que son dos — mais la douleur était différente, plus lancinante que vive. Respirer devenait trop pénible pour en valoir la peine.

Ce fut alors qu'il aperçut le cheval. Quelles créatures étonnantes ! Au beau milieu d'un champ de bataille hanté par la mort et la souffrance, une monture sans cavalier était quand même capable de s'arrêter pour brouter. Sildocai la regarda pendant une dizaine de secondes — une éternité dans de telles circonstances. Il essaya de se souvenir des règles de base pour approcher l'animal, l'enfourcher et le diriger dans la direction souhaitée. Il sut que ce projet n'avait rien d'impossible.

« *On peut le faire* », *comme dirait Temrai.*

Mais à cet instant, Sildocai eut du mal à envisager comment.

En fin de compte, il réussit grâce à ses efforts et à sa minutie. Par chance, le cheval eut l'amabilité de se tenir tranquille jusqu'à ce qu'il arrive à son côté. Ensuite, Sildocai put enfin s'appuyer. Monter en selle allait être la partie la plus difficile. Il se baissa et souleva son pied pour le glisser dans l'étrier avec sa main gauche — presque inutile maintenant : elle n'avait plus la force de s'accrocher et était donc incapable de l'aider à se hisser sur l'animal. La meilleure solution était de profiter de l'appui de sa jambe au sol en espérant que l'élan et son propre poids feraient le reste. Le plan se déroula presque comme prévu, mais tandis qu'il était debout avec un pied dans l'étrier, le cheval décida de bouger. Il fallut à Sildocai un long moment pour trouver la force de passer la jambe par-dessus le dos de l'animal. Quand il réussit à l'enfourcher, il réalisa qu'il était épuisé : il s'effondra en avant, le nez dans la crinière, et essaya de respirer encore une fois. Sa monture continua à avancer et, en bon cheval, se dirigea vers l'endroit où elle pensait trouver son enclos. Comme son cavalier était invisible dans l'obscurité, personne ne lui prêta attention — les soldats ennemis avaient plus important à faire que de regrouper les chevaux errants. L'animal poursuivit son chemin jusqu'à ce qu'une rivière lui barre le passage. Il s'arrêta pour boire et chercha ici et là un peu d'herbe jusqu'au lever du soleil. À ce moment, un garde posté de l'autre côté de la rivière le repéra et le signala. On fit pivoter le pont tournant et quelques hommes partirent récupérer l'animal. Le cheval n'y vit aucun inconvénient et on le ramena au camp avant de le décharger de son fardeau.

— C'est Sildocai, dit quelqu'un.

— Il est toujours vivant ?

Sildocai entendit ces derniers mots.

Bonne question, songea-t-il.

— Je crois. Descendons-le.

En fin de compte, Sildocai décida qu'il était encore en vie, car on ne souffre plus quand on est mort. Il finit par échapper à la douleur en sombrant dans l'inconscience. Lorsqu'il se réveilla, un certain Temrai arriva, se pencha sur lui et lui annonça que l'attaque de nuit avait été un succès.

Quelle attaque de nuit ? eut-il envie de demander.

Mais il n'en eut pas la force. Il se rendormit quelques heures avant d'être réveillé par les tirs de trébuchets s'écrasant tout autour de lui. L'attaque de nuit avait été un succès : il avait fallu cinq heures à l'ennemi pour réparer les dégâts.

Chapitre 18

— On pourrait faire ça le reste de notre vie, dit l'ingénieur, et ça ne nous avancerait pas davantage. Je suis d'avis qu'il faut arrêter de faire les imbéciles et passer à autre chose. Sinon, nous ne ferons que perdre notre temps.

C'était le troisième jour de bombardement. La veille n'avait pas été différente de l'avant-veille. Pendant que le soleil brillait, les trébuchets avaient bombardé la palissade inférieure, les emplacements de machines de guerre et le chemin. Pendant la nuit, les hommes de Temrai avaient reconstruit la palissade inférieure, remplacé les pièces cassées et fendues des machines de guerre et comblé les trous du chemin ; aux premières heures de l'aube, sa cavalerie légère avait fait une sortie et tranché les cordes des trébuchets. La nuit suivante, les hommes des plaines avaient récidivé sous le commandement d'un autre chef, mais ils s'étaient heurtés à une résistance plus farouche. D'un autre côté, ils avaient eux aussi retenu leur leçon et, dans l'ensemble, le résultat de l'attaque avait été identique. La troisième nuit, Bardas avait affecté la garde des trébuchets à deux compagnies de hallebardiers. Il avait aussi donné l'ordre d'ériger une palissade, mais s'était entendu répondre que tous les arbres à proximité avaient déjà été abattus pour bâtir la forteresse. Il devrait donc se contenter d'une tranchée et d'un remblai — ce qui, bien sûr, prendrait du temps…

— Non, répondit-il à l'ingénieur. Nous allons continuer. Tôt ou tard, les dégâts seront si importants qu'ils ne pourront plus rien y faire. Il arrive un moment où on ne peut plus restaurer ce qui a déjà été réparé cent fois — croyez-moi, je parle d'expérience. On peut perdre cette guerre très facilement, sur une simple erreur de jugement. Je préfère gaspiller du temps plutôt que des vies, si cela ne vous dérange pas.

L'ingénieur haussa les épaules.

— C'est vous le chef, lâcha-t-il. Et je vais vous dire une chose, je ne voudrais pas votre place pour tout l'or du monde.

Cette nuit-là, il n'y eut pas d'attaque de cavalerie. Quand les servants des machines de guerre vinrent prendre leur poste, les hallebardiers — qui venaient de passer neuf heures sur le qui-vive — se retirèrent avec le sentiment d'avoir remporté une victoire morale. Ce fut pendant cette relève, une demi-heure après le lever du soleil, que Temrai envoya ses archers à cheval — sans doute les unités les plus efficaces de toute son armée. Les sentinelles de Bardas furent abattues avant d'avoir une chance de les repérer et de donner l'alerte. Puis les trois détachements de cavalerie s'alignèrent et commencèrent à décocher des flèches à deux cents mètres de distance — une portée que les archers de Bardas étaient incapables d'atteindre. Les arbalétriers restaient en lice, mais ils ne tiraient qu'un carreau toutes les trois minutes et le deuxième détachement ennemi concentrait ses traits sur eux. Bardas ordonna d'apporter les pavois — de grands boucliers en cuir de bœuf conçus pour protéger les arbalétriers pendant les opérations de siège —, mais un problème survint. Le maître de caravane avait disposé les chariots de matériel au milieu des autres, les rendant ainsi peu accessibles — après tout, personne ne lui avait signalé qu'on serait susceptible d'en avoir besoin, et il fallait bien les garer quelque part. Pour y avoir accès, il devait déplacer ceux qui les bloquaient — ce qui impliquait de faire traverser le camp à un tiers des véhicules… En moins d'un quart d'heure, les allées furent paralysées par les chariots, empêchant ainsi la circulation de ceux qui alimentaient les trébuchets en projectiles. Mais ce dernier point était sans grande importance : les servants avaient été pris pour cibles par le premier et le troisième détachement ennemis et ceux qui avaient réussi à se mettre à couvert n'avaient aucune envie de reprendre le bombardement tant que la pluie de flèches n'avait pas cessé.

— Non, répéta Bardas quand on le pressa de faire quelque chose. C'est une règle essentielle : on ne charge jamais des archers à cheval avec de la cavalerie lourde. Je l'ai appris à mes dépens. Et si vous croyez que je vais envoyer des fantassins au milieu de *ça*…

Il était inutile de demander à quoi il faisait référence : les volées de flèches montaient, planaient et s'abattaient comme des geysers d'eau bouillante. La seule pensée de se trouver sous une telle averse suffisait à vous assécher la bouche.

— Donc, poursuivit Bardas, on ne bouge pas. Vous savez combien de flèches transporte un archer des plaines ? Cinquante ! Vingt-cinq dans le dos et vingt-cinq sur sa selle. Quand ils seront à court de munitions, ils se replieront et nous pourrons reprendre notre travail.

Il avait raison, bien entendu. Un petit moment plus tard, les cavaliers décrochèrent en leur laissant presque cent mille flèches que le roi Temrai n'avait aucun moyen de remplacer rapidement. Il y en avait partout : enfoncées dans le sol, dans le bois des trébuchets et des chariots ; suspendues par les barbillons sur les parois des tentes et les bâches des véhicules ; écrasées sous les cadavres, plantées dans les poitrines et les membres des morts comme des vivants. Elles recouvraient le sol comme un tapis de fleurs tout juste écloses, les véhicules et les tentes comme des lichens ou des mousses. Leurs empennages ressemblaient à des touffes de linaigrettes par un mois de mars humide. Sous les pieds des servants qui sortaient de leurs abris, le craquement des fûts évoquait les crépitements d'un feu de brindilles et d'herbe sèche. Elles avaient pénétré partout, tels des moustiques ou des fourmis ; et comme des abeilles étourdies par l'enfumoir de l'apiculteur, elles gisaient épuisées, désormais incapables de voler et de piquer.

— Nettoyez-moi cette pagaille ! cria un officier. Et faites tirer ces engins ! On n'a pas toute la journée ! Où est l'ingénieur en chef ? On va avoir besoin de douze nouveaux servants pour la batterie numéro six. Les listes des pertes… Qui a ces maudites listes ? Est-ce qu'il faut que je fasse tout moi-même ?

La moitié des servants étaient hors de combat — plus de blessés que de tués, mais pas de beaucoup. Les premiers étaient allongés ou assis autour des chariots de projectiles, des flèches encore plantées dans le corps. Les chirurgiens furent appelés en hâte et entreprirent de couper les fûts et de dégager sans douceur les barbillons. Ils jetaient les pointes en piles sous les tables et n'avaient pas le temps d'évaluer le nombre de patients restants. Parfois, un homme mourait, sans bruit ou dans de grands cris tandis que des chariots à bras chargés de cadavres passaient à intervalles réguliers.

On vint voir Bardas pour lui demander ce qu'il convenait maintenant de faire.

— Continuez, répondit-il. Continuez à pilonner le chemin et la palissade. Nous pouvons affecter les hallebardiers aux trébuchets, tant qu'il y a un servant dans chaque équipe pour les guider.

Des hommes parcoururent le champ de bataille avec de gros paniers en osier et ramassèrent les flèches. Elles étaient de qualité raisonnable et se révéleraient utiles le moment venu — peut-être pas dans cette guerre, mais dans une autre où l'empire jugerait bon de déployer des archers en masse. Quand les paniers furent remplis, on rangea les projectiles dans des tonneaux vides qu'on chargea ensuite sur les chariots de ravitaillement. Celles qui étaient brisées furent triées en deux tas : les pointes pour la refonte et les fûts pour les feux de camp ou les charpentiers — les fûts font d'excellentes chevilles pour les objets de petite taille comme les pavois, les écrans, le sol des tours de siège et les barreaux des échelles d'assaut. Un peloton de piquiers désœuvrés s'assit en tailleur, en cercle ; les soldats entreprirent de couper les empennages pour en remplir de grands pots en terre — prêts à servir de rembourrage pour les gambisons.

— Ce n'était qu'un geste de provocation, expliqua Bardas. Rien de plus. Et dans ce cas, le mieux à faire est de les ignorer — comme votre mère quand vous étiez enfants et ne vouliez pas manger votre soupe.

Mais il réfléchissait sans cesse à une autre protection, une protection qui passerait l'épreuve des flèches. Pour satisfaire aux critères de qualité, une armure doit détourner un trait doté d'une tête en aiguille et tiré à soixante-quinze mètres par un arc de quatre-vingt-quinze livres, ou à trente mètres par un arc de soixante-dix livres. La grande majorité ne passe pas le test et va à la ferraille en compagnie des pointes de flèche usagées.

Les trébuchets avaient repris leur bombardement et les bras frappaient les barres transversales comme des marteaux sur une enclume. L'impact des projectiles semait des nuages de poussière sur les flancs de la colline.

— En règle générale, dit quelqu'un, on se sert de leurs projectiles pour réparer le chemin. Ces gros rochers sont d'une taille qui convient très bien, mais il n'est pas facile de les déplacer. Et quelques grues supplémentaires ne seraient pas superflues. Ils ont détruit la plus grande partie de celles que j'ai réussi à emprunter aux postes de tir du plateau.

Temrai essaya de se concentrer, mais ce n'était pas facile. Il avait l'impression d'entendre les impacts depuis des années et il avait dépassé le stade où il pouvait les ignorer. Un peu plus tôt dans la journée, on était venu lui annoncer la mort de Tilden. Un projectile tiré trop loin s'était écrasé contre un affleurement et avait explosé ; les éclats avaient mitraillé les tentes en retrait de l'autre côté, et l'un d'eux avait touché sa femme. Il écouta la nouvelle, mais ne ressentit rien ; il était impossible de se concentrer sur quelque chose d'important au milieu de ce pilonnage ininterrompu qui résonnait dans ses oreilles et montait du sol par la plante de ses pieds. Il savait qu'il s'agissait d'une ruse ; ils voulaient le faire sortir de sa forteresse pour livrer une bataille rangée sur terrain plat. Il ne tomberait pas dans le piège. Il avait déjà vécu ce genre de situation.

— Et la palissade ? demanda-t-il. Est-ce qu'on arrive à fournir le bois nécessaire aux réparations ?

— On a du mal à faire face, lui répondit-on. Nous donnons priorité à la consolidation du chemin — comme tu l'as demandé — et ça exige beaucoup de matériau. Nous avons commencé à récupérer des pieux sur la palissade de l'autre côté du plateau ; après tout, ils ne nous sont pas d'une grande utilité là-haut. Jusqu'ici, nous avons réussi à combler les trous avec des débris, mais on ne pourra pas continuer éternellement. S'ils poursuivent le bombardement à ce rythme, il restera des points faibles — et ça risque de nous coûter cher.

Temrai se renfrogna ; il essaya de se concentrer sur le sujet, mais c'était comme s'agripper à une corde : plus vous vous accrochez, plus elle vous brûle les mains.

— Quelques points faibles décelables ne me dérangent pas, dit-il. Un point faible dans les défenses, c'est une tentation pour l'ennemi et il est parfois bon de lui laisser une ouverture — à condition d'être prêt et de le recevoir. Il arrive que la meilleure chance de remporter une bataille survienne au moment où tout semble perdu.

Cette remarque ne lui attira pas de regards amicaux.

C'est pourtant vrai, eut-il envie de leur dire. *Étudiez donc les guerres passées et vous verrez que j'ai raison.*

Mais personne ne semblait d'humeur à assister à un séminaire d'histoire militaire et Temrai ignora les grimaces et les froncements de sourcils.

— Enfin bref, ajouta-t-il. Continuez à dépouiller la palissade arrière pour le moment. Ce bombardement ne durera plus très longtemps. Vous pouvez me faire confiance.

Et pourquoi mettraient-ils sa parole en doute ? Par le passé, ces hommes l'avaient suivi jusqu'au pied des murailles de Périmadeia. Et à cette époque, il n'était encore qu'un enfant ; rien ne laissait supposer qu'il savait ce qu'il faisait, sinon un certain enthousiasme communicatif. Aujourd'hui, il était le roi Temrai, le Ravageur de Cités, et la confiance que lui portait son peuple devait être d'autant plus forte.

Mais cela ne fonctionnait pas ainsi.

Ils étaient cependant ses sujets et suivraient ses ordres. Ceux qui auraient refusé étaient morts maintenant, tués pendant la guerre civile.

Ils réglèrent quelques points d'approvisionnement et d'administration mineurs puis il mit fin à la réunion et sortit de la tente pour entrer dans un nuage de poussière. La mort de son épouse glissait juste sous la surface de son esprit — comme un poisson à la recherche de nourriture —, mais il ne semblait éprouver aucun sentiment de tristesse ou de culpabilité. Tilden avait été le genre de femme qu'il aurait pu aimer à la folie dans un autre lieu et dans un autre temps. Mais maintenant qu'il contemplait le monde à travers la visière du casque du roi Temrai, il réalisa qu'il était presque impossible de laisser la lame de douleur l'atteindre. Il n'y avait pas de faille ni de joint, aucun point faible qui aurait pu offrir une ouverture.

Tandis qu'il traversait le plateau pour gagner le che-

min, il croisa le chariot des morts qui avançait avec lourdeur. En le regardant passer, il reconnut un visage qui
pointait entre les jambes broyées d'un autre homme.
Pour le moment, ils entassaient les cadavres dans les
fosses à grain à moitié creusées ; les réserves qui devaient
y être entreposées avaient été pulvérisées par un tir trop
long et il aurait été dommage que les efforts d'excavation
n'aient servi à rien. Il était allé voir ; il avait contemplé
un moment la pile informe de bras, de jambes, de têtes,
de pieds, de corps et de mains mélangés, comme les marchandises d'un magasin en désordre. Et Temrai ne ressentit rien de particulier. Pour lui, ce n'était rien d'autre
qu'un empilement de pièces humaines.

Un homme passa devant lui en courant vers le bas de
la colline, puis deux et d'autres encore — des silhouettes
qui surgissaient du nuage de poussière avant de s'y
fondre. Temrai attrapa l'un d'eux par le bras et lui
demanda la raison de cette agitation.

— Ils attaquent ! dit l'homme en haletant. Seuls les
dieux savent d'où ils sortent. Ils ont une espèce de pont
portable qu'ils ont jeté en travers de la rivière.

Temrai le lâcha.

— Je vois, dit-il. Qui commande, en bas ?

L'homme haussa les épaules.

— Personne, pour autant que je sache. Il y a le chef
d'équipe des ouvriers chargés des réparations de la palissade, je crois.

— Trouve-le, dit Temrai. Dis-lui que j'arrive dès que
possible.

L'homme hocha la tête et disparut dans la poussière,
comme une personne avalée par les sables mouvants.
Temrai réfléchit une minute ou deux avant de se diriger
vers sa tente sur la colline. Il n'y avait personne pour
l'aider à enfiler son armure, mais il avait l'habitude maintenant ; la tâche devenait chaque fois un peu plus facile,
comme si le métal avait épousé les contours de son
corps. Il se sentit mieux une fois à l'intérieur — ces der-

niers jours, il l'avait portée si souvent que ses bras et ses jambes lui paraissaient étrangement légers et faibles lorsqu'il l'enlevait.

Il ajustait le rembourrage du casque quand on vint l'avertir que les hallebardiers ennemis avaient percé une brèche dans la palissade. Il accusa réception de l'information d'un petit hochement de tête.

— Qui avons-nous en bas?

— Surtout des équipes d'ouvriers, répondit quelqu'un. Ils se battent avec des marteaux et des pioches. Il y a aussi quelques francs-tireurs et des groupes de sentinelles. Et Heuscai est en chemin avec la colonne volante.

— Rattrape-le et dis-lui de m'attendre.

Quand Temrai rejoignit Heuscai, ce dernier avait l'air impatient et déconcerté, presque en colère.

— Il faut nous dépêcher, annonça-t-il. Les ouvriers ne vont pas les retenir longtemps.

— Ne t'inquiète pas, dit Temrai. Je sais ce que je fais.

Il conduisit la colonne en bas, mais le trajet fut long, car les trébuchets ennemis tiraient maintenant plus haut pour bombarder au-delà de la palissade inférieure; en conséquence, le sommet du chemin était pilonné sans interruption et le bas était dans un état lamentable.

— Prenez votre temps, cria Temrai par-dessus son épaule tout en avançant avec précaution.

Par manque de chance, il prononça ces paroles au mauvais moment: il n'avait pas terminé sa phrase qu'un projectile atterrit en plein milieu de la colonne. Les hommes étaient trop serrés les uns contre les autres pour essayer de l'éviter et trois furent broyés dans un craquement sourd — comme si on venait d'écraser une grosse araignée. Le nuage de poussière était plus dense que jamais, mais il y avait au moins le bruit des combats en contrebas pour les guider. Temrai s'aperçut qu'il était très difficile de descendre une pente revêtu d'une armure lourde; les plaques formant le dos des grèves s'enfonçaient dans ses chevilles et pinçaient sa chair entre leur bord et la partie supérieure des poulaines.

Dès qu'il fut assez proche de l'extrémité du chemin pour distinguer la bataille, Temrai ordonna aux ouvriers de se replier. La première fois qu'il cria, ils ne l'entendirent pas — ou ne reconnurent pas sa voix. Ils se tenaient sur le remblai surélevé de leur côté de la palissade et tentaient d'empêcher l'ennemi de s'engouffrer par une brèche de deux mètres de long — l'œuvre d'un projectile qui avait touché le sommet de l'enceinte. La pierre était encore là, bien sûr, et c'était maintenant l'obstacle principal pour les hallebardiers. Tandis qu'ils essayaient de l'escalader, les ouvriers les frappaient avec des masses et des pioches, assénant des coups à deux mains sur les épaulières et les casques. Au lieu de résonner comme un marteau sur une enclume, le bruit des impacts était terne et sourd.

Temrai répéta son ordre ; les hommes lui obéirent et refluèrent de la brèche. De l'autre côté, les hallebardiers étaient bien décidés à profiter de cet inexplicable repli : ils se poussaient des mains et des épaules et luttaient pour s'engouffrer dans l'ouverture. Tandis qu'ils s'infiltraient petit à petit, Temrai regagna les rangs et ordonna de sortir les arcs.

Quand il arriva à « Encochez ! », une trentaine de soldats avait franchi la brèche ; davantage encore à « À mon commandement ! » et « Tirez ! » Le premier rang décocha à moins de quinze mètres de ses cibles.

Par chance, Temrai avait rappelé à ses hommes de viser bas, car à une telle distance, les traits continuent à prendre de l'altitude. Malgré son avertissement, un quart des flèches partirent trop haut, mais le reste suffit à régler le problème des hallebardiers qui étaient entrés : ils se ratatinèrent comme du papier dans le feu et s'effondrèrent en formant un tapis d'obstacles sous les pieds des camarades qui les suivaient. La volée suivante engorgea davantage la brèche ; les Impériaux s'enfonçaient maintenant jusqu'aux genoux dans une pile de cadavres et de corps agités de spasmes ou se tordant de douleur — un amas trop enchevêtré pour y glisser un pied et pas assez stable pour le poser dessus. Pourtant, ils continuaient à arriver, chaque vague mise à l'épreuve avant d'être jetée au rebut. La poignée d'Impériaux qui réussit à franchir cet obstacle fut soumise au test suivant tandis qu'elle se précipitait en haut de la pente pour attaquer la ligne d'archers. Et ceux qui avaient résisté aux flèches échouèrent face aux coups des grands marteaux qui tourbillonnaient dans les airs avant de s'abattre avec la force d'un projectile de trébuchet.

Temrai n'avait rien d'autre à faire que de rester immobile et regarder ; ce faisant, il songea à la chute de Périmadeia, à la porte — guère plus large que la brèche de la palissade — qui s'était ouverte pour laisser ses hommes entrer. Nul rang d'archers ne l'attendait de l'autre côté à ce moment-là, juste l'obscurité et les rues désertes. Personne ne s'était présenté pour mettre son courage à l'épreuve. Mais maintenant, il était coincé entre le marteau et l'enclume — les projectiles de trébuchets passaient encore en sifflant au-dessus de sa tête pour aller s'écraser sur le flanc de la colline en soulevant des nuages de poussière. Il se sentit un peu plus détendu.

Quand le capitaine ennemi donna l'ordre de repli, la brèche avait été comblée ; pas avec du bois récupéré de l'autre côté du camp, mais avec de l'acier solide agglutiné pêle-mêle en une pile compacte.

Voilà qui nous épargne cette corvée, songea Temrai. *Nous n'aurions pas fait mieux.*

Il fit une pause et pensa à la prise de Périmadeia. Il se demanda si ses hommes se seraient pressés à travers une brèche pour se précipiter au-devant de la mort comme les Impériaux l'avaient fait.

Mais nous n'en avons pas eu l'occasion. On ne peut pas comparer ces deux épreuves.

Il secoua la tête et fit signe aux équipes d'ouvriers de revenir consolider l'ouvrage et réparer les dégâts.

— Je te l'avais dit, dit-il à Heurrai. (Ce dernier avait fait partie des mécontents pendant le conseil de guerre.) Donne-leur une occasion et ils seront peut-être assez idiots pour la saisir.

Heurrai resta silencieux. Ce qu'il venait de voir l'avait mis mal à l'aise. Temrai pouvait le comprendre ; en d'autres temps et d'autres lieux, un tel spectacle l'aurait dérangé, lui aussi. Mais il avait évolué depuis, il avait comblé les faiblesses de ses défenses. Et maintenant, il se demandait si Bardas Loredan avait ressenti la même chose quand il avait repoussé l'attaque contre Périmadeia avec ses bombes incendiaires, quand les flammes avaient dansé sur la rivière incombustible. Le moment était propice à des analyses intéressantes, au partage des expériences qui mènerait au partage des sentiments — Temrai se sentit comme un apprenti à côté de son maître.

— Ils reviendront, annonça quelqu'un.

Un projectile de trébuchet s'abattit alors quelques mètres plus loin, écrasant un soldat et broyant la jambe d'un autre. Le suivant ne fit que soulever un peu plus de poussière tandis que Temrai remontait le chemin à la tête de ses hommes. Une équipe d'ouvriers était déjà à l'œuvre pour réparer les dégâts.

— Ça ne fait aucun doute, répondit-il lorsqu'il eut repris son souffle. Et quand ils reviendront, nous aurons de nouveau l'occasion de partager nos expériences. Ne t'inquiète pas. Je sais ce qui va arriver.

Bardas n'avait pas espéré que la première vague d'assaut reviendrait. Il s'agissait davantage d'un essai, d'un test, d'une épreuve. Ils avaient passé la deuxième série, et il n'en attendait pas moins d'eux. Pendant les combats, il avait vérifié l'efficacité des ponts mobiles sur le terrain et constaté avec plaisir qu'ils remplissaient leur rôle. Il était satisfait.

Il demanda aux deuxième et troisième batteries de viser une nouvelle partie de la palissade tandis que les autres concentraient leurs tirs sur la brèche déjà existante. Puis il ordonna aux hallebardiers et aux piquiers de former une colonne avec la cavalerie sur les flancs, hors d'atteinte. Les arbalétriers avaient subi trop de pertes pour être très utiles sur le terrain, il les relégua donc à l'arrière-garde et appela les archers pour les remplacer. Il n'avait pas une très haute opinion des archers impériaux — enfin, pas ceux qui se trouvaient sous son commandement en tout cas. Ils étaient armés d'arcs de soixante-dix livres taillés dans une seule pièce de bois — très inférieurs aux arcs lourds et composites des hommes des plaines. Au sein de l'armée, ils étaient loin d'occuper une place prépondérante — ils étaient le morceau de salade qui décore un plat. Cela agaçait Bardas. S'il en avait fait la demande, le bureau des Provinces lui aurait fourni quelques-uns des meilleurs archers de la planète — armés d'arcs droits, composites, à double courbure — spécialité du Nord —, renforcés par des câbles — spécialité du Sud ; des archers à pied ou à cheval, en armure légère ou lourde, combattant en francs-tireurs ou en groupe, à découvert ou abrités par des pavois. Et au lieu de cela, il se retrouvait avec des arbalétriers et des chasseurs de lapin qui ne risquaient guère de lui être d'une utilité quelconque. Mais c'était sans importance. Il était tout à fait capable de s'en tirer avec ce qu'il avait sous la main.

Il laissa une heure aux batteries pour percer des brèches dans la palissade, mais vingt minutes leur suffirent. Il leur donna donc l'ordre de concentrer leurs tirs sur les machines de guerre ennemies. La poussière se révéla une alliée inattendue. Il aurait très bien pu se passer d'elle aussi, mais elle favorisa son plan. Tandis que les servants des trébuchets changeaient les angles de tir et visaient leurs nouvelles cibles, Bardas ordonna de sonner le début de l'attaque. En avançant, les hallebardiers se mirent à chanter, et Bardas s'aperçut que les paroles incompréhensibles ne le gênaient plus.

Cette fois-ci, il essaya une tactique différente : au lieu de laisser les fantassins lourds s'engouffrer dans les brèches, il envoya quelques compagnies de francs-tireurs installer des pavois. Comme prévu, les archers de Temrai étaient là pour s'opposer à l'attaque, mais ils se retrouvèrent face à des boucliers de cuir en guise de cibles. Leurs homologues impériaux ripostèrent à travers des meurtrières ou en se penchant sur les côtés. Ils ne réalisèrent pas d'exploits, mais Bardas n'y tenait pas tant que cela. Le but de la manœuvre consistait à pousser l'armée du roi Temrai à décocher le plus de flèches possible — des flèches qui se planteraient dans les pavois sans faire de victimes. Il savait que chaque homme des plaines transportait vingt-cinq traits dans le dos, assez pour maintenir un tir nourri pendant trois minutes. Ensuite, il leur faudrait compter sur le ravitaillement des entrepôts enterrés en haut de la colline et descendre par le chemin criblé de trous dans un nuage de poussière. Une fois les trois minutes écoulées, les archers ennemis ne représenteraient plus une menace sérieuse — à condition que Temrai soit suffisamment aveugle pour ne pas deviner ses intentions, bien entendu.

Mais Temrai respecta son rôle à la lettre, comme s'ils avaient répété ensemble pendant des semaines. Les pavois formaient un mur où s'écrasaient les flèches ; Bardas les avait améliorés : le cuir tendu était renforcé par d'épais rouleaux de paille tressée — fournis par l'empire pour fabriquer des cibles de tir et conçus par des spécialistes pour arrêter un nombre infini de traits. Quand la pluie de flèches se fit moins drue et plus sporadique, Bardas lança un ordre : le mur de boucliers s'ouvrit et les piquiers avancèrent.

Ils formèrent une véritable muraille de lances, aussi dense que le sous-bois d'une forêt non entretenue. Les archers des plaines continuèrent à décocher, mais leurs traits n'allaient pas très loin ; c'était pis que de tirer à travers un enchevêtrement de ronces. Il n'y eut qu'une vingtaine de mètres à franchir et les piques arrivèrent au contact. Les hommes des plaines essayèrent de s'enfuir, mais ils en furent empêchés par leurs lignes arrière, elles-mêmes paralysées par les chariots de ravitaillement suivis des renforts qui descendaient par le chemin. Ils pouvaient encore se serrer un peu, mais l'espace était très limité ; les premiers rangs refluèrent pour échapper à la muraille de piques — comme des enfants qui jouent à éviter la vague venue s'échouer sur la plage —, mais ils se retrouvèrent vite bloqués contre leurs camarades de derrière. Aussi serrés que des flèches dans un tonneau, ils n'avaient aucune échappatoire ; ils ne purent que regarder les pointes se rapprocher et les transpercer.

Certains soldats des premiers rangs furent tués sur le coup, d'autres restèrent empalés, encore vivants, comme des morceaux de viande sur les brochettes que les Fils du Ciel mangeaient avec du riz et des poivrons. La puissance de la charge fut assez forte pour les soulever de terre — frétillants comme des poissons sur un harpon —, car les piquiers étaient eux aussi poussés par leurs lignes arrière qui continuaient à avancer. Les Impériaux s'entassaient contre leurs camarades des premiers rangs et étaient si serrés qu'ils auraient été incapables de baisser leurs lances s'ils l'avaient voulu. Les longs manches en frêne et en pommier plièrent comme des arcs sous le poids de la viande embrochée, mais ayant passé les épreuves avec succès et répondant aux critères les plus sévères de l'empire, ils ne cédèrent pas — pas plus que les hommes empilés dessus. Le deuxième rang ennemi rejoignit le premier sur les piques, comme une doublure cousue à un vêtement. Quelques manches se brisèrent, mais trop peu pour influer sur le cours des événements. Une fois les deux premières lignes empalées, la progression s'interrompit : les morts et les blessés embrochés firent office de gambison ou de matelassage pour leurs camarades de la troisième ligne. Ils absorbèrent la poussée plus qu'ils s'y opposèrent ou la dévièrent — le rembourrage du gambison sert à amortir et à dissiper le choc de l'impact afin de gêner le cheminement de la lame. L'élan des piquiers faiblit comme les volées de flèches quelques instants plus tôt. La manœuvre arrivait à son terme, il était temps de passer à la suivante.

Pendant ce temps, Temrai avait décelé une nouvelle possibilité. Il se tenait sur le chemin et observait la masse compacte du carnage en contrebas quand la progression de l'ennemi s'interrompit. De part et d'autre des hampes de frêne, les soldats des deux camps se fixèrent à travers le nuage de poussière, comme des voisins de chaque côté d'une haie. Temrai se tourna vers l'homme qui se tenait près de lui — un chef de section du nom de Lennecai — et tira sur sa manche.

— Ils sont coincés, dit-il.

— Quoi ?

— Ils sont coincés, répéta Temrai. Ils ne peuvent plus bouger, comme nous. Fais-moi dégager le chemin et fais descendre six compagnies d'archers.

Pour nettoyer le passage, on poussa les chariots hors de la piste défoncée pour les jeter en contrebas. La plupart dévalèrent la pente en faisant des tonneaux et se désagrégèrent en rebondissant contre la paroi de la colline. Quelques-uns atterrirent comme des projectiles de trébuchet au milieu de la foule compacte, d'un côté comme de l'autre des manches de frêne. Lennecai fit aligner ses archers sur deux rangs et leur ordonna de faire front — un ordre intelligent dans la mesure où la majorité avait une vue bien dégagée sur les piquiers qu'ils surplombaient. Instinctivement, les soldats impériaux levèrent les yeux en entendant les premières flèches siffler dans les airs. Ils les virent hésiter avant d'amorcer leur descente et s'abattre sur eux comme la pluie un jour de vent. Serrés comme des épis de blé dans un champ, ils n'avaient aucun espoir de les éviter et n'eurent d'autre choix que de rester immobiles et les observer. Les soldats visés n'étaient pas seulement ceux du premier rang, ni même ceux des trois premiers : les archers pilonnaient l'intégralité de la colonne, de la première à la dernière ligne.

Tandis que les hommes mouraient ou étaient transpercés, la pression exercée par les piques s'affaiblit comme la tension dans la corde d'un pont quand la haussière principale est rompue. La masse des soldats commença à fléchir, telle une plaque d'acier sous les coups de marteau. À l'autre extrémité des hampes, la poussée des hommes des plaines obligea les Impériaux à reculer. Tandis qu'ils cédaient du terrain, le poids considérable des paquets de viande empalés devint trop lourd à supporter. Les piques s'abaissèrent, arbres qu'on abat dans une forêt touffue et qui s'écrasent sur les broussailles avant de s'y enchevêtrer.

Ce serait le moment idéal pour lancer une contre-attaque, songea Temrai.

Elle se déclencha quelques instants plus tard : les survivants du troisième et du quatrième rang de ses troupes se frayèrent un chemin à travers les cadavres pour reprendre l'offensive à coups de cimeterre. Le succès fut mitigé — ils n'avaient pas assez de place pour attaquer de taille, pour ramener l'arme au-dessus de leur tête et frapper de haut en bas. De toute façon, les casques et les épaulières des piquiers étaient assez résistants pour supporter les coups peu appuyés donnés avec la seule force du bras et du poignet. Les hommes des plaines ne purent que trancher quelques doigts, oreilles et nez — en bûcherons qui élaguent un arbre tout juste abattu.

— Il est sur le point de commettre une erreur, dit Bardas à haute voix.

Les piquiers cédaient du terrain et refluaient. Les guerriers de Temrai les suivaient, profitant d'une occasion à laquelle ils ne s'attendaient pas. Bardas dépêcha deux messagers, le premier aux sergents des hallebardiers et le second aux servants des machines de guerre.

Temrai comprit, lui aussi, mais avec un temps de retard. Quand il devina ce qui allait suivre, la situation lui échappait déjà : ses hommes jaillirent par les brèches afin de poursuivre les piquiers. Ils subirent aussitôt un tir d'enfilade de la part des archers de Bardas postés de chaque côté. Le choc de la première volée tirée à courte distance les stoppa net tandis qu'ils s'effondraient comme du blé sous la faux d'un moissonneur. Avant qu'ils puissent faire demi-tour pour regagner leur camp, les hallebardiers surgirent pour les tailler en pièces. Les messagers de Temrai arrivèrent à temps pour empêcher d'autres hommes de sortir, mais on ne pouvait plus rien faire pour ceux qui étaient à l'extérieur. Quand le dernier fut tué, les équipes d'ouvriers avaient commencé à colmater les brèches avec des débris. La deuxième occasion de Bardas se résuma à peu de chose : les trébuchets ne réussirent qu'à toucher deux fois les archers alignés sur le chemin avant que Temrai les fasse se replier.

Les Impériaux récupérèrent leurs ponts mobiles et se retirèrent en bon ordre, sans intervention des machines de guerre ennemies, endommagées et réduites à l'impuissance. Quand le groupe d'attaque eut regagné le camp, les servants réglèrent leurs trébuchets sur les mesures précédentes, bloquèrent les volants et reprirent le bombardement du chemin et des emplacements des machines de guerre.

— Dans l'ensemble, expliqua Bardas, nous nous en sommes mieux sortis qu'eux. Nous avons fait davantage de morts, nous les avons obligés à tirer beaucoup de flèches pour rien, et il y a l'effet sur le moral compte tenu de notre avantage à la fin. De plus, nous avons appris une autre leçon sur le combat rapproché à l'intérieur de la forteresse, et nous l'avons apprise lors d'un coup d'essai, pas pendant l'assaut principal. Leur seul motif de satisfaction, c'est d'être encore là — et on ne peut pas dire que ce soit un progrès. (Il soupira et s'il vit les blessés affalés sur les chariots devant l'espace réservé aux chirurgiens, il ne fit pas la moindre remarque.) Il nous reste un long chemin à faire, mais nous approchons de notre but. Après tout, Périmadeia n'a pas été bâtie en un jour.

— Quoi ? Moi ? (Gorgas eut l'air choqué.) Jamais de la vie ! Je me demande bien pourquoi je ferais une chose si stupide !

L'émissaire demeura impassible.

Peut-être qu'ils appartiennent à une race élevée dans ce seul dessein, songea Gorgas. *Ou bien, peut-être qu'on leur tranche les nerfs des joues et des mâchoires quand ils sont enfants, que ça fait partie de l'apprentissage sans fin de la diplomatie.*

— Je ne fais que répéter ce qu'on nous a appris, dit l'émissaire. On nous a affirmé que la rébellion a été initiée par vos hommes et sur vos ordres. Mais vous vous entretenez de ce point avec moi, pas avec vingt mille hallebardiers ; cela devrait vous donner une idée de la foi que nous accordons aux rapports de l'informateur concerné.

Gorgas éclata de rire comme si l'émissaire venait de raconter une histoire drôle.

— Eh bien, dit-il, à moins que vous me disiez la provenance de ce rapport, je ne suis pas vraiment en position de faire des commentaires. Je suppose qu'il n'est pas impossible que les fauteurs de troubles dont vous parlez aient fait partie de mes hommes — dans le sens où ils ont travaillé pour moi à un moment ou à un autre ; mais quoi qu'ils aient pu faire, ce n'était certainement pas sur mes ordres. Loin de là ! (Il fit une courte pause avant de reprendre.) Après tout, je ne suis peut-être pas un génie, mais je ne suis pas assez idiot pour me lancer dans une bataille contre l'empire pour une bande de marchands qui ne m'ont jamais accordé la moindre faveur. Ce serait du suicide. Est-ce que je peux vous proposer quelque chose à manger ?

L'émissaire le fixa, sidéré, avant de secouer la tête.

— Non, je vous remercie. Je suis désolé de vous avoir importuné. Bien entendu, s'il vous arrivait d'apprendre quelque chose sur les responsables de…

— C'est évident ! Je serais heureux de pouvoir montrer que le Mesoge tient beaucoup à devenir un serviteur loyal et efficace de l'empire. Je ne me trompe pas si je dis que nous sommes la première nation à nous joindre à vous de son plein gré, n'est-ce pas ?

— J'ai peur de ne pas pouvoir répondre à cette question, dit l'émissaire. (Il se leva en frottant son manteau avec énergie pour le débarrasser des mousses et des moisissures de feuilles.) Une dernière chose avant mon départ : auriez-vous par hasard eu des nouvelles de votre sœur ou de votre nièce ? Nous avons reçu des informations assez inquiétantes sur leur possible enlèvement.

— Vraiment ? s'exclama Gorgas. Je vous jure que ça fait un petit moment que je n'ai pas de nouvelles de l'une ni de l'autre. J'avais d'ailleurs l'intention d'écrire à Niessa sous peu. Je vais voir si je peux apprendre quelque chose à ce sujet.

— Je vous remercie, dit l'émissaire d'un ton grave, les yeux ostensiblement rivés sur la hache posée en travers des cuisses de Gorgas. Je vais vous laisser retourner à vos occupations.

— Je faisais des montants de porte, déclara Gorgas. Ça me fait mal au cœur d'abattre ce vieux chêne — je me souviens encore que j'y grimpais quand j'étais enfant —, mais il est bel et bien mort. Il est préférable de le couper maintenant plutôt que d'attendre qu'il tombe sur un toit par une nuit venteuse. Et rien ne vaut le chêne pour les montants de porte.

— J'en suis persuadé, répondit l'émissaire. (Un membre de son escorte lui tint l'étrier et il monta en selle avec une certaine raideur.) Je vous remercie de m'avoir accordé votre temps.

— C'est toujours un plaisir, répondit Gorgas.

Quand l'homme et sa suite eurent disparu, Gorgas avait presque terminé son travail. Il décida donc de l'achever avant de rentrer. Il avait déjà entaillé les trois côtés du tronc afin de déterminer dans quelle direction il s'abattrait ; il ne lui restait plus qu'à s'attaquer au dernier quart et atteindre le point où la mince partie centrale ne serait plus capable de supporter la terrible force du poids de l'arbre. Une simple pression de la main suffirait alors à le faire tomber.

Le chêne s'abattit comme prévu, à peu près où il l'avait souhaité, et Gorgas s'accorda un moment de repos et de satisfaction. Il s'appuya sur sa hache et écouta le léger clapotement des gouttes d'eau tombant des feuilles du grand orme derrière lui. Il avait plu toute la nuit, mais la matinée avait été agréable et fraîche. S'il y avait un parfum qui lui rappelait la ferme familiale, c'était bien la douce fragrance suivant une averse.

Quel dommage qu'il ne puisse pas rester un peu plus longtemps, mais il avait à faire à l'intérieur de la maison avant de se remettre au travail — et celui-ci avait attendu trente ans, une heure de plus ou de moins ne ferait pas beaucoup de différence. Il posa la hache contre l'orme et rentra d'un pas lent.

Elles étaient là, comme d'habitude : elles se fixaient de part et d'autre de la pièce obscure comme deux chiens. Pourquoi sa sœur et sa nièce tenaient-elles autant à faire la tête ? Il ne comprenait pas, mais il avait l'impression qu'il était inutile de les obliger à se réconcilier : cela ne ferait qu'aggraver la situation.

— Quelqu'un est venu demander de vos nouvelles, aujourd'hui, annonça-t-il. (Aucune des deux femmes ne réagit.) Un type du bureau des Provinces qui m'a laissé entendre que vous aviez peut-être été… Enlevées, je crois que c'est le terme qu'il a employé. Par conséquent, vous feriez mieux de rester à l'intérieur un peu plus long-temps — juste au cas où il aurait laissé un espion dans les parages. (Les deux femmes protestèrent avec colère.) Je suis désolé, mais je n'ai pas besoin de problèmes supplé-mentaires, être surpris en votre compagnie, par exemple — enfin, pas avant que j'aie eu le temps de régler cer-taines choses.

Il s'assit et tira la carafe de cidre vers lui. Il n'y avait rien de mieux qu'abattre un arbre pour déclencher une soif salutaire.

— Je crois que nous allons suivre cette idée d'enlève-ment. Voilà ce qui s'est passé : vous avez été capturées par des pirates qui m'ont fait parvenir une demande de rançon. J'ai fait semblant de marcher : j'ai payé pour vous récupérer et je les ai pris en chasse avant de leur régler leur compte. Quand quelqu'un vous propose un mensonge aussi plausible, il serait impoli de ne pas en profiter.

Aucune des deux femmes ne prononça le moindre mot. Gorgas but son verre à petites gorgées et sourit ; il lui avait fallu un moment pour se réhabituer au goût du cidre brut fait maison, mais c'était ce genre de saveur qui s'imposait à vous peu à peu : déplaisante, mais dou-cement familière.

— Avant tout, poursuivit-il, je ne veux pas de remue-ménage avant que Bardas ait battu Temrai. Ça ne devrait plus être long maintenant, alors nous ne devons pas faire de vagues. Ce maudit Impérial cherchait aussi à se ren-seigner là-dessus, mais ils ne peuvent rien prouver, bien sûr.

Niessa se tourna et le regarda.

— Mais au fait, qu'est-ce que c'est que cette histoire ? On m'a dit que tu avais envoyé des soldats sur Île.

— Qui t'a dit ça ? demanda Gorgas.

Niessa fronça les sourcils.

— Un des sergents qui sont venus ici l'autre fois. Le grand avec des cheveux roux...

Gorgas hocha la tête.

— Je vois de qui tu parles.

— Il a pensé que j'étais déjà au courant de tout, continua Niessa. J'espère que mes paroles ne vont pas lui causer d'ennuis.

— Son erreur est compréhensible, dit Gorgas. Après tout, il n'y a pas si longtemps, c'était encore toi qui leur donnais des ordres, pas moi. Ce n'est pas grave. Je vais m'occuper de cette histoire.

Cette dernière phrase ne laissait pas entrevoir un avenir très encourageant pour le sergent roux — que Niessa avait dû convaincre de parler. Mais la sœur de Gorgas n'avait pas l'intention de changer de sujet.

— Alors, qu'est-ce que tu as manigancé ? demanda-t-elle. Tu ne devrais pas jouer avec la politique et le pouvoir. Tu n'es pas un politique, et tu n'as vraiment pas beaucoup de pouvoir.

Gorgas grimaça un sourire.

— C'est comme couper un arbre. Il suffit de savoir où les choses vont tomber. Sans mon intervention, ce sont leur général et les troupes stationnées sur Île qui auraient écrasé Temrai. Ils auraient juste laissé Bardas s'occuper des survivants — ce qui n'aurait arrangé personne. J'ai donc pris mes précautions pour que la flotte ne parte pas à la date prévue.

— Tu as fait ça ? demanda Iseutz avec un sourire. Oh ! j'en suis certaine. Et comment as-tu procédé ?

— C'était facile, répondit Gorgas. J'ai fait le tour de quelques marchands îliens que je connais et je les ai convaincus qu'ils pouvaient soutirer davantage d'argent au bureau des Provinces. Je pensais que ce serait beaucoup plus difficile que ça l'a été. Pour un peuple soi-disant commerçant, ils sont aussi naïfs qu'au jour de leur naissance. (Il s'interrompit un instant avant de poursuivre.) Bien sûr, je savais que les Impériaux risquaient de faire ce qu'ils ont fait : annexer Île et s'emparer ainsi des navires. Mais ça ne me dérangeait pas : je pensais que

Bardas rattraperait Temrai sur un terrain découvert, pas qu'il devrait le déloger d'une forteresse. Alors, quand les Impériaux sont passés à l'action, j'ai envoyé quelques hommes à moi sur Île pour fomenter des troubles — ce qu'ils ont fait, que les dieux les bénissent. Maintenant, Bardas a le champ de bataille pour lui tout seul. Les choses ont mieux tourné que je m'y attendais, en fait.

Il y eut un moment de silence. Niessa secoua la tête avec mépris.

— Je viens de songer à quelque chose, dit Iseutz. Est-ce que tu es vraiment sûr que Bardas a envie d'être celui qui rapportera la tête de Temrai au préfet ? Que c'est si important pour lui ? Pour ce que tu en sais, il était très heureux de mener sa petite vie tranquille sur les frontières, bien à l'écart des batailles.

— Ne sois pas idiote, Iseutz, répliqua Gorgas. Je connais Bardas, pas toi. Quand une occasion se présente, il fait de son mieux pour la saisir — il est comme ta mère et moi à cet égard. Je suppose que c'est un trait de famille. Regarde ce qu'il est parvenu à faire depuis qu'il s'est engagé : il a pris Ap' Escatoy pour les Impériaux et il commande maintenant une armée en campagne. Il a l'occasion de venger une terrible défaite et de redorer le blason de l'empire. Ils devront le nommer préfet après ça. Ce sera l'apogée de sa vie. Et je ne crois pas non plus que ça le dérange de régler ses comptes avec Temrai, même si ce n'est pas ce que j'appelle une personne vindicative — contrairement à certaines. (Il lança à Iseutz un regard chargé de sous-entendu.) Non, Bardas a quelque chose que le reste d'entre nous n'a pas : un sens moral très strict. Il voudra que Temrai soit puni, pas par esprit de vengeance ou parce que cela lui fera plaisir, mais parce qu'il sait que c'est un devoir. Et il ne se sentira pas à l'aise tant que ça ne sera pas accompli, qu'*il* ne l'aura pas accompli.

— Et tu as pris des mesures pour t'assurer qu'il en aura l'occasion.

— C'était bien le moins que je pouvais faire, répliqua Gorgas. Je me serais senti coupable si j'étais resté les bras croisés. Et puis, c'était si facile à la fin. (Il s'interrompit.) Bien ! Assez parlé de ça. Je dois écrire des lettres. L'une de vous a-t-elle vu Zanoras ? Je veux qu'il aille faire un petit tour à Tornoys pour moi.

Iseutz haussa les épaules.

— Zanoras, c'est lequel ? Je les confonds, tous les deux.

Gorgas la regarda avec désapprobation.

— Très drôle. Je suppose donc que tu ne l'as pas vu. Eh bien, si tu le croises, dis-lui que je suis dans mon bureau.

Le « bureau » de Gorgas était une pièce étroite donnant sur l'arrière de la maison. À l'origine, il s'agissait d'un séchoir-fumoir où les jambons étaient suspendus au-dessus de petits tas de braises de brindilles de chêne ; mais Clefas et Zanoras avaient cessé de fumer de la viande et utilisaient l'endroit comme débarras. Gorgas avait fait rejointoyer la pièce et changer le chaume du toit, puis il avait fait installer une porte et une fenêtre. Il envisageait de bâtir un séchoir-saloir beaucoup plus grand de l'autre côté de la cour quand il aurait terminé de réparer la barrière et restauré le bûcher et le hangar à charrettes. Mais cela devrait encore attendre un peu.

À l'intérieur, il y avait un bureau plutôt joli, avec un plan incliné à hauteur de la poitrine, car Gorgas était vieux jeu et préférait écrire debout. Un bras mobile soutenait un porte-lampe, un second était percé d'un trou destiné à accueillir un encrier et supportait un plateau pour les couteaux à tailler les plumes, la cire pour les sceaux, la pierre à aiguiser, la pierre à encre, une boîte à sable et tous les autres accessoires plus ou moins importants que les gens qui écrivent souvent ont tendance à accumuler. Sous le plan incliné, il y avait une tablette télescopique montée sur deux bras repliables — ses dimensions étaient parfaites pour recevoir un tableau de comptable avec un porte-jeton creusé sur le côté. Inutile de préciser que le meuble avait été fabriqué à Périmadeia, une centaine d'années plus tôt ; la cire d'abeille avait donné au bois une patine sombre et chaude. Au milieu de la partie supérieure, on avait gravé la devise : « DILIGENCE — PATIENCE — PERSÉVÉRANCE », ce qui laissait deviner qu'il s'agissait d'une commande d'un membre de l'ordre de Shastel. Gorgas gardait de son enfance des souvenirs très nets de ce meuble, mais il aurait été incapable de dire comment son père l'avait acquis. Ce dernier l'avait utilisé comme table de coupe pour fabriquer et tailler les empennages de flèche, comme en témoignaient les centaines de rainures sur le plan de travail. Quand il l'avait récupéré dans un tas de vieux meubles à jeter, dans le grenier à moitié en ruine, Gorgas avait prévu de l'habiller de cuir ou de le couvrir de fines lamelles de chêne de Colleon ; mais en fin de compte, il avait changé d'avis, refusant d'effacer la moindre trace que son père avait laissée derrière lui.

La veille, il avait pris et taillé une plume d'oie rayée de gris, il n'avait donc aucun besoin de l'affûter de nouveau, mais il le fit tout de même avec le petit couteau dont la lame était devenue aussi fine qu'une feuille après des décennies de bons et loyaux services. D'aussi loin qu'il se souvienne, cet outil avait toujours été dans la maison, mais sa mère s'en servait à la cuisine pour dépouiller et découper les animaux. Il repoussa le couvercle articulé de l'encrier ; il avait fabriqué ce dernier lui-même, mais c'était Bardas qui avait réalisé le rabat et la petite charnière en cuivre ; il avait utilisé des morceaux récupérés sur la boucle verte et cassante d'un fourreau d'épée trouvée dans le lit d'une rivière. Il plongea la plume dans l'encre et commença à écrire. La lettre était très courte, rédigée sur un minuscule bout de parchemin trois fois gratté. Quand il l'eut séchée avec du sable, il la roula serrée et la glissa dans un cylindre de laiton plus fin que le fût d'un trait. Il passa alors une main sous le bureau et en tira une flèche.

Il s'agissait d'une flèche standard de l'armée impériale dotée d'une pointe en aiguille à section en diamant et à longue base profondément fichée dans le bois. Il arracha la tête sans beaucoup d'effort et inséra le cylindre aussi loin que possible dans la cavité. Il attrapa ensuite un sachet de cuir en haut du plan incliné et l'ouvrit. Il le tapota pour faire tomber quelques cristaux marron dans la paume de sa main et les transféra dans une petite écuelle en cuivre posée sur le bureau — un plateau de balance dont le double était perdu depuis longtemps. Gorgas prit le couteau et s'entailla légèrement au-dessus du poignet, puis il inclina le bras afin que le sang coule dans le petit récipient. Quand les cristaux en furent recouverts, il enveloppa la coupure d'une bande de tissu et cracha avec soin dans l'écuelle jusqu'à ce que la proportion de salive soit à peu près égale à celle de sang. Il ajouta enfin une grosse pincée de sciure contenue dans un parchemin plié qu'il avait glissé dans sa manche.

Il tira le bras de lampe vers lui et tint le plateau au-dessus de la flamme tout en mélangeant la mixture avec le manche du couteau pour dissoudre les cristaux de colle, obtenus à partir de cuir macéré. Quand la consistance fut satisfaisante, il prit une grosse goutte du mélange avec le bout de l'auriculaire et en badigeonna l'extrémité du fût — où la pointe se fichait. Il remit cette dernière en place et s'assura que l'ensemble était aligné, puis il entoura le joint d'une solide ficelle tressée avec des tiges d'ortie et utilisa le restant de colle pour en fixer les bouts.

Il ne restait plus qu'à marquer la flèche. Il replongea la plume dans l'encrier et écrivit tant bien que mal « celle-ci » entre les plumes à angle droit de l'empennage et celles de l'extrémité. Les lettres étaient minuscules et anguleuses comme celles d'un clerc. Il posa alors le trait sur le rebord de la fenêtre pour laisser la colle sécher.

Il avait encore du courrier à rédiger et il s'y affairait lorsque Zanoras entra — sans frapper, comme à son habitude.

— Tu voulais me voir ? demanda-t-il.

Gorgas leva les yeux.

— Ah ! te voilà. Rends-moi service : prends un cheval et va à Tornoys.

— Quoi ? Aujourd'hui ?

— Oui. Aujourd'hui. Va à la taverne *Charité et Chasteté* — je suppose qu'il est inutile de te dire où c'est — et demande le capitaine Mallo, qui va à Ap' Escatoy. Donne-lui ces lettres et cette flèche…

— Qu'est-ce qu'il va faire avec une seule flèche ?

— Contente-toi de t'assurer qu'elle lui parvient, répondit Gorgas sur un ton tel que Zanoras écarquilla les yeux. Une fois que tu auras fait cela… (Gorgas plongea la main dans sa poche.) Tu prendras un verre à ma santé, mais pas *avant* d'avoir rempli ta mission — sous aucun prétexte. (Il lui tendit deux pièces d'argent dont Zanoras s'empara aussitôt sans un mot.) Tu as compris ?

Son frère hocha la tête.

— La jument a perdu un fer, dit-il.

— Quoi ? Quand ça ?

Zanoras haussa les épaules.

— Avant-hier.

Gorgas soupira.

— D'accord. Prends mon cheval, et essaie de ne pas lui coincer un sabot dans un terrier de lapin. Nous remettrons un fer à la jument à ton retour.

Zanoras fronça les sourcils.

— J'ai plein de choses à faire en ce moment.

— D'accord ! *Je* m'occuperai de la jument. Maintenant, mets-toi en route. Et souviens-toi : le capitaine Mallo, qui part pour Ap' Escatoy, au *Charité et Chasteté*. Tu crois que tu te souviendras ?

— 'Videmment.

Après son départ, Gorgas s'appuya contre le bureau

et prit une mine renfrognée. S'il existait une personne capable de rater une mission si simple, c'était bien Zanoras. D'un autre côté, le fait qu'il se rende à Tornoys pour s'enivrer au *Charité et Chasteté* était la chose la plus naturelle du monde — une routine vieille de vingt ans, un spectacle si coutumier qu'il passerait presque inaperçu.

Avant de quitter le bureau, Gorgas s'arrêta dans l'embrasure et leva les yeux — comme il le faisait toujours — vers l'arc maintenu par deux chevilles au-dessus de la porte. Il était aussi impressionnant que magnifique. C'était l'arme que Bardas avait fabriquée pour lui, comme il avait jadis fabriqué le couvercle de l'encrier, la petite boîte à sable en cuivre et la règle pliable trois-pièces en buis. L'arme ne l'avait jamais quitté où qu'il aille. Elle s'était brisée à Périmadeia pendant son séjour dans la Cité, mais il avait gardé les morceaux ; des années plus tard, il l'avait fait réparer par le meilleur facteur d'arcs de la ville — avec de la colle de première qualité à base de vessie de poisson et de minuscules agrafes en argent, si petites qu'on les distinguait à peine. Au même moment, il avait fait fabriquer un étui rigide en or et en argent pour s'assurer que l'arme ne se briserait plus jamais.

Chapitre 19

Bardas espérait pousser Temrai à lui offrir une ouverture ; il poursuivit donc le bombardement pendant trois jours avec les mêmes angles de tir. Il décrivit la situation aux membres de son état-major en leur disant qu'ils allaient « planer l'ennemi ». Ses officiers ne virent absolument pas de quoi il parlait, mais ils comprirent le raisonnement sous-jacent. L'obstacle majeur restait la différence d'effectif entre les deux armées ; mais s'ils obligeaient Temrai à faire une sortie peu judicieuse, ils auraient une chance de tuer assez d'hommes pour ramener le rapport de force à un niveau acceptable. C'était de la pure logique impériale, et les officiers l'approuvaient sans réserve.

Cependant, l'armée du bureau des Provinces commençait à ressentir la fatigue de la campagne. Un tiers des hallebardiers et des piquiers devaient rester de garde vingt-quatre heures sur vingt-quatre — au cas où Temrai lancerait une attaque de nuit ; un autre tiers étaient occupés à plein-temps à l'exploitation des carrières et au transport des pierres jusqu'aux trébuchets — et ces ressources diminuaient beaucoup plus vite que Bardas l'avait imaginé. Il avait dû mobiliser également deux détachements de cavalerie pour aider les servants des machines de guerre. Les soldats étaient écœurés par cette dépréciation de leur statut tandis que les artilleurs se plaignaient amèrement de ces « cavaliers avec deux mains gauches » qui faisaient « plus de mal que de bien ». Les trébuchets eux-mêmes commençaient à tomber en pièces à la suite de leur utilisation ininterrompue et Bardas s'aperçut que son armée manquait cruellement de bois et de corde — deux matériaux impossibles à trouver dans la région. Il avait déjà donné l'ordre de démonter les tours de sièges construites depuis peu afin de récupérer la matière première — ce stock se révélerait sans doute inutile maintenant, mais le cuir de protection pourrait être employé à la fabrication de nouveaux pavois dès qu'il pourrait libérer quelques charpentiers de la maintenance des machines de guerre.

Il était heureux que Theudas soit là pour l'aider : Bardas avait pléthore de soldats, mais peu de clercs compétents — et la majeure partie de son travail semblait se résumer à établir des tableaux de service et des emplois du temps, à répartir le matériel et à mettre à jour les manifestes des entrepôts ; le genre d'activités qu'il était capable de faire contraint et forcé, mais que Theudas paraissait apprécier.

— Ne vous inquiétez pas pour cela, lui dit le jeune homme. Si je peux vous aider à tuer Temrai avec un carnet et un tableau de comptable, considérez-le comme mort.

Puis il se lança dans un résumé rapide de la dernière rixe au couteau entre les chefs charpentiers des batteries six et huit. La querelle portait sur la possession de l'ultime tonneau de clous à tête carrée numéro six encore plein.

— Règle cette affaire, le coupa Bardas avec un frisson.

— Sans problème, répondit Theudas sur un ton joyeux.

Bardas sourit.

— C'est agréable de constater que tu as finalement trouvé ta voie. Tu étais un apprenti facteur d'arcs plutôt minable.

— Ah bon ? (Theudas haussa les épaules.) Enfin, tout le monde est doué pour quelque chose.

Deux hommes se rencontrèrent à la périphérie du dépôt de ravitaillement impérial d'Ap' Escatoy, dans une remise proche de cet ensemble de bâtiments tentaculaire. Il faisait sombre. Ils ne se connaissaient pas.

Ils s'observèrent pendant un court moment comme deux chats, puis l'un d'eux glissa la main dans son manteau et en tira un paquet enveloppé de tissu.

— Livraison spéciale ? demanda-t-il.

— Ouais. C'est moi. (Le second tendit la main pour attraper le paquet.) J'espère que tu connais sa destination parce que moi, je l'ignore.

— C'est marqué dessus. (Le premier pointa son doigt sur un bout de papier attaché à la ficelle mince et grossière qui maintenait le tissu sur l'objet enveloppé.)

— Ah oui ? répondit l'autre en fronçant les sourcils. Et qu'est-ce que ça dit ?

— Comment je le saurais ? Je ne sais pas lire.

L'autre soupira.

— Donne-moi ça. (Il tâta le paquet avec curiosité.) On dirait qu'il contient un bâton. Tu as une idée de ce qu'il y a à l'intérieur ?

— Non.

— T'es vraiment fasciné par ton travail, toi, pas vrai ?

— Quoi ?

— Rien.

Le lendemain matin, quelqu'un vola un cheval à l'écurie des courriers en utilisant une fausse demande de réquisition. On estima qu'il était parti en direction de la zone de conflit et personne ne se donna la peine de le poursuivre ; néanmoins, une note fut ajoutée à la main courante de manière que l'affaire ne soit pas oubliée.

Temrai avait perdu l'habitude de garder les yeux ouverts. Ce n'était plus très utile ces derniers jours — et combien de jours cela faisait-il ? Il n'en avait pas la moindre idée. Il n'y avait plus rien à voir en dehors des nuages de poussière qui, de toute façon, vous encrassaient les yeux et vous aveuglaient au point qu'il valait mieux les fermer et faire confiance à vos autres sens pour trouver votre chemin. D'un autre côté, son ouïe était devenue un instrument de haute précision si bien qu'il était capable de prévoir le point de chute d'un projectile rien qu'au sifflement de son vol. La méthode était sûre à quatre-vingt-dix-neuf pour cent ; son seul échec fut le rocher qui s'écrasa sur le chemin à quelques mètres de lui et projeta une quantité phénoménale de pierres et de débris sous laquelle Temrai se retrouva enterré.

C'est curieux, je pensais qu'il fallait d'abord mourir.

Il ouvrit les yeux, mais il n'y avait rien à voir. Il était incapable de bouger, ses mains, ses jambes ou sa tête, rien du tout. Il arrivait à peine à respirer et cela lui demandait tant de concentration et d'énergie qu'il devait y consacrer toute son attention. Mais tout irait bien : on viendrait le dégager d'ici à une minute ou deux.

À condition, bien entendu, qu'on sache où il se trouvait — et qu'il avait été enseveli. Maintenant qu'il y pensait, il réalisa qu'il n'y avait aucune raison qu'un membre du clan ait vu la colline s'effondrer sur lui ; à cause de la poussière, c'était déjà un exploit de parvenir à distinguer ses propres mains devant son visage. Temrai se demanda le temps qu'il leur faudrait pour remarquer son absence ; et même s'ils s'en apercevaient tout de suite, la réaction logique n'était pas : « Hé ! Temrai est introuvable, il a dû être enterré vivant quelque part. » Il songea au nombre de fois où il était parti à la recherche de quelqu'un, ne l'avait pas trouvé et avait renoncé avec colère en se disant que la personne en question devait se cacher.

— Ne t'inquiète pas, dit une voix à côté de lui. Ils nous repéreront. Nous devons juste être patients et nous efforcer de garder notre calme.

Temrai fut surpris, mais heureux. Il ne se rappelait pas

avoir aperçu quelqu'un près de lui avant l'effondrement de la colline — mais à cause de la poussière, cela n'avait rien de surprenant.

— Tu vas bien ? demanda-t-il.

Un éclat de rire lui répondit.

— Je ne me suis jamais senti mieux. J'*adore* être coincé dans un trou sous quelques tonnes de terre. Ça m'aide à me relaxer.

La voix était familière — très familière, même —, mais Temrai ne parvint pas à l'identifier. En fait, elle était si familière qu'il aurait été embarrassant de demander : « Excuse-moi, mais tu es qui ? »

— Tu peux bouger un peu ? demanda-t-il.

— Non, répondit la voix. Et toi ?

— Pas vraiment.

Temrai réalisa qu'il entendait l'autre homme aussi distinctement que s'ils étaient assis l'un en face de l'autre sous une tente. Comment cela était-il possible ? Peut-être que la voix humaine se propageait très bien dans la terre. Il n'en savait pas assez dans ce domaine pour se forger une opinion.

— On devrait peut-être crier ou faire quelque chose, dit-il. Pour qu'ils s'aperçoivent qu'on est ici.

— Économise ton souffle, répondit la voix. Tu ne ferais que consommer de l'air pour rien. Je te le répète, ne t'inquiète pas pour ça. Ils viendront nous déterrer. Ils le font toujours.

La dernière remarque était étrange, mais Temrai était trop préoccupé pour s'y attarder.

— À ton avis, d'où vient l'air ?

— Et comment je le saurais ? Estime-toi heureux qu'il vienne de quelque part. Et de ne pas souffrir d'une de ces peurs irrationnelles des espaces confinés — quoique je ne sache pas trop ce qu'il y a d'irrationnel à avoir peur des espaces confinés. Je me rappelle qu'une fois je me suis retrouvé coincé dans un tunnel avec un type qui était comme ça. Les dieux seuls savent comment, mais il avait réussi à contrôler sa phobie pendant des années; pourtant, quand le plafond de la mine nous est tombé sur la tête, la terreur a soudain resurgi et s'est emparée de lui. D'ailleurs, il en est mort. Il a eu si peur que son cœur s'est arrêté de battre. Désolé, ce n'est pas une histoire très encourageante, mais elle illustre bien ce que je disais : le plus important, c'est de garder son calme. Tu sens quelque chose ?

— Hein ? Euh, non. Enfin, rien d'inhabituel. Tu pensais à quoi ?

— À de l'ail, répondit la voix. C'est sans doute mon imagination. Merde, mes jambes sont en train de s'engourdir. Rien ne vaut quelques tonnes de déblais pour te couper la circulation sanguine.

Temrai sentit que les muscles de sa poitrine étaient fatigués de soulever le poids de la terre à chaque inspiration.

— Écoute, pourquoi on ne se mettrait pas à crier ? Je préfère tenter ma chance et risquer d'étouffer plutôt que de rester à ne rien faire.

— Je t'en prie, fais donc, répondit la voix sur un ton indulgent. Après tout, on ne sait jamais, ça pourrait marcher. Excuse-moi si je ne me joins pas à toi, mais je suis très occupé à continuer de respirer et je ne voudrais pas perdre le rythme.

Temrai essaya de crier, mais le cri produit fut pitoyable — quelque chose qui ressemblait à un miaulement de chat et, en plus, de la terre lui entra dans la bouche. Il réussit à en recracher la plus grande partie et avala le reste. L'effort le laissa exténué.

— À ta place, je n'insisterais pas, lui conseilla la voix. Soit on nous trouve, soit on ne nous trouve pas. Accepte donc le fait que tu ne puisses rien y faire, pour une fois. Détends-toi. Essaie de méditer un peu.

— Méditer ?

— Je ne plaisante pas. Je connaissais un philosophe qui m'a appris comment faire. En fait, il faut oublier son corps ; tu dois te convaincre qu'il n'existe plus. Bien sûr, cet homme estimait que tout reposait sur la fusion de ta conscience avec le flot du Principe, mais tu n'as pas à t'embarrasser avec toutes ces histoires si tu n'en as pas envie. Je m'en sers pour m'endormir quand je suis nerveux.

— Je vois, dit Temrai sur un ton dubitatif. Mais je ne pense pas que ce soit une bonne idée de s'endormir maintenant. On pourrait oublier de respirer, ou quelque chose comme ça.

— Tu n'es pas obligé de t'endormir, c'est juste une des options. Tu peux aussi t'en servir pour supporter la douleur, par exemple si tu es allongé quelque part avec une jambe cassée.

— Je vois, répéta Temrai. Et comment tu fais ça, alors ?

La voix éclata de rire.

— C'est difficile à expliquer. C'est assez simple une fois que tu as compris le truc, mais c'est compliqué de décrire le processus avec des mots. Tu dois te convaincre que ton corps n'est plus vraiment là. C'est plus facile de procéder partie par partie. En général, je commence par les pieds et je remonte.

Temrai se rappela avoir pensé :

Non, je ne crois pas que je vais essayer son truc.

Et l'instant suivant, une vague de panique l'envahit et reflua très vite quand il réalisa qu'il était désincarné. Pourtant, l'expérience était agréable, voire exaltante. Il respirait, mais il ne sentait plus le poids écrasant de la terre sur sa poitrine, ni la douleur, ni la sensation angoissante de se trouver quelque part en particulier — cela devait être pénible, d'être à un seul endroit en même temps ; il se souvint vaguement de cette sensation et se demanda comment il avait pu la supporter si longtemps…

— Ça va mieux ?

— Beaucoup mieux, répondit-il. Il faudra que je vérifie si je peux le refaire quand on sera sorti de là.

— Comment tu te sens ?

— Comme une tête. Une tête sans corps. Mais c'est bien. En fait, c'est mieux. Merci.

— De rien. C'est un des trucs les plus utiles que j'aie appris au cours de ma vie plutôt mouvementée.

— Ah bon ? (Temrai n'aurait su dire s'il avait les yeux ouverts ou fermés.) Je crois que je pourrais me faire à l'idée de n'être qu'une tête.

La voix éclata de rire. Elle lui rappelait bien quel qu'un — au point que cela en devenait presque angoissant.

— Fais attention à tes souhaits. Tu ne sais jamais qui pourrait t'entendre. C'était la maxime préférée de mon père. C'était un homme très superstitieux par certains côtés. Ce n'est pas que ça lui ait réussi, bien sûr, mais ça, c'est une autre histoire.

Temrai eut le sentiment désagréable qu'il connaissait le propriétaire de cette voix, mais c'était impossible… Enfin, c'était possible, mais très improbable.

— Excuse-moi, dit-il, mais qui… ?

Il entendit alors des bruits au-dessus de lui. Il se sentit réintégrer son corps — un corps maladroit et douloureux — comme un enfant qui tombe d'un arbre. Il y avait des voix lointaines et étouffées, le bruit du métal s'enfonçant dans le sol, puis le tintement d'une pelle contre la pierre. Il essaya de crier et s'aperçut que sa bouche était remplie de terre — il était incapable de proférer le moindre son.

— Temrai ? demanda quelqu'un. Oui ! C'est lui ! Il est ici. Je crois qu'il est mort.

— On verra plus tard. Par tous les dieux ! Je me passerais volontiers de cette putain de poussière.

Ils durent procéder avec prudence, de peur de le blesser ou de lui briser un os avec leurs pioches et leurs pelles. Pendant un long moment, Temrai ne vit rien — bien qu'il soit convaincu que ses yeux étaient ouverts. Il n'avait jamais connu pire migraine.

— Tout va bien ! Il est en vie ! cria quelqu'un. (Un

projectile de trébuchet s'écrasa alors non loin de là et une onde de choc impressionnante se propagea dans le sol.) Allons-y doucement, maintenant. Il a peut-être des fractures. Temrai ? Est-ce que tu m'entends ?

— Oui, répondit Temrai en crachant ses mots avec des kilos de terre. Et s'il te plaît, cesse de hurler. J'ai très mal à la tête.

Des hommes le sortirent et l'allongèrent sur une planche. Il était incapable de contrôler ses bras et ses jambes, il les laissa donc pendre de chaque côté du brancard improvisé.

— Est-ce qu'il y avait quelqu'un avec toi ? demanda quelqu'un.

Temrai essaya de sourire.

— Je ne crois pas, répondit-il.

Mais il se trompait. Avant d'être évacué, il entendit les hommes crier.

— Par ici ! Vite ! Il est encore en vie !

— Qui est-ce ? demanda-t-il.

Un brancardier répercuta la question d'une voix retentissante.

— C'est l'espion, répondit quelqu'un. Comment il s'appelle déjà ? Dassascai. Tu sais, le neveu du cuistot.

Temrai fronça les sourcils.

— Qu'est-ce qu'il a dit ?

— Il a dit que c'était Dassascai, répéta le brancardier. Tu sais, le…

— L'espion. Je sais, oui. (Temrai eut l'air décontenancé.) Eh bien, s'il n'avait pas été là… C'est curieux, j'aurais juré qu'il s'agissait de quelqu'un d'autre.

— Tu n'avais pas dit qu'il n'y avait personne avec toi ?

— Je me suis trompé. Écoute, assure-toi qu'on prenne soin de lui, d'accord ?

On prit soin de lui, comme il convenait de faire avec celui qui avait apparemment sauvé la vie du roi — bien qu'à première vue il était assez difficile de comprendre de quelle manière. On le dégagea avant de le ramener à sa tente. Il ne souffrait d'aucune fracture et il serait sur pied en un rien de temps.

Il y avait néanmoins quelque chose d'étrange, un détail sur lequel personne ne s'attarda : lorsque les sauveteurs le sortirent de terre, Dassascai tenait une flèche, une flèche avec une pointe en aiguille, comme celles qui équipaient l'armée impériale. Et quand on essaya de la lui prendre, il s'y agrippa comme si sa vie en dépendait.

Un seul navire. Pas d'armada ni de flottille, pas d'horizon couvert de voiles. Juste un petit sloop rudimentaire à gréement carré qui pénétrait tant bien que mal dans le Drutz après une escarmouche avec une des bourrasques si courantes en cette saison. Il amenait l'émissaire du bureau des Provinces sur Île.

Sur le quai, on avait organisé une démonstration de force pour l'accueillir : un peloton de la toute jeune Garde civile ; un second de la Défense et Sécurité du Territoire — une association encore plus récente mise en place par les propriétaires de bateaux ; et enfin, un ramassis d'assassins, de voleurs et de cambrioleurs — par définition — engagés par la guilde des marchands-marins. Les trois détachements rivaux restaient tranquilles et immobiles, fixant le navire qui entrait dans le port ou leurs homologues avec dégoût et méfiance. Le Premier citoyen Venart Auzeil était vêtu d'une longue robe de velours rouge qui descendait jusqu'au sol et d'un gigantesque chapeau à bord large de même couleur. Il avait refusé tout net de porter la prétendue couronne fabriquée pour lui à partir de fil d'or entrelacé et de quelques bouts de fourrure de lapin récupérés on ne savait où. Il tira avec nervosité sur une manche trop large et se demanda à quoi rimait tout cela. Il était encadré par Ranvaut Votz, représentant les propriétaires de bateaux, et un certain Jeslin Perdut, représentant la guilde. Les deux hommes regardaient avec obstination devant eux de peur de croiser le regard de l'autre et de devoir reconnaître sa présence. Enfin, il y avait un orchestre — qui se résumait à deux flûtistes, un violoniste, un joueur de rebec et une jeune fille avec un triangle. Venart n'avait pas la moindre idée d'où ils avaient surgi, mais ils semblaient si enthousiastes qu'il n'eut pas le cœur de leur demander de partir.

Le sloop se dirigea vers le quai et un homme éberlué lança un bout avant de se replier précipitamment vers la poupe. Son expression suggérait que la démonstration de force était un franc succès — peut-être même un peu trop éclatant. Venart s'en aperçut et, dans l'espoir de rassurer les visiteurs, il se tourna vers le joueur de rebec.

— Jouez donc quelque chose ! grommela-t-il.

L'orchestre entama aussitôt et de concert : *Jamais plus ne reverrai-je ma douce* — un choix exprimé par la majorité des musiciens — et *Le Chien du fabricant de saucisses* — le morceau préféré du violoniste et de la jeune fille au triangle. Le contrepoint obtenu fut frappant, mais peu à même de rassurer les inquiets.

— Oh ! par tous les dieux ! grommela Ranvaut Votz à voix haute — confirmant ainsi les suspicions de Venart : l'orchestre était une initiative de la guilde. Dis-leur de cesser ce vacarme avant qu'il soit interprété comme une déclaration de guerre.

Venart ne voulait pas qu'on le voie prendre parti pour un camp, mais il transforma la suggestion en ordre — soutenu par la pleine majesté de sa charge et à grand renfort de gestes frénétiques. Quand le bruit cessa, un Fils du Ciel d'une taille et d'une finesse étonnantes sortit de la petite cabine du navire. Il se dirigea avec lenteur vers la proue, s'arrêta et resta là avec un air impatient.

— Une passerelle, vite ! siffla Venart.

Quelqu'un en apporta une — il s'agissait en fait d'une longue planche utilisée pour vider le poisson, mais il n'y avait rien de plus approprié dans les environs — et l'émissaire débarqua.

— Je suis le colonel Tejar, annonça-t-il avec un infime

mouvement de tête en direction de Venart. Je suis ici au nom du préfet d'Ap' Escatoy et je souhaiterais m'entretenir avec la personne faisant office de chef.

Il fallut à Venart un moment pour réaliser que c'était à lui de répondre. Il avait déjà rencontré des Fils du Ciel, il avait même parlé avec certains, mais il n'en avait jamais vu d'aussi grand, anguleux ou solennel.

— C'est moi, couina-t-il en regrettant amèrement d'avoir coiffé cet immense chapeau dont le bord retombait sur son œil gauche. Je suis Venart Auzeil. Le Premier citoyen.

Le Fils du Ciel le regarda.

— Je vous remercie d'être venu m'accueillir, dit-il. Pouvons-nous commencer les négociations ? Nous avons beaucoup de points à régler.

— Bien sûr, répondit Venart.

Un instant plus tard, il trottait derrière l'émissaire tel — par exemple — le chien d'un fabricant de saucisses après son maître. Par chance, le Fils du Ciel semblait savoir où il allait. Ce n'était pas le cas de Venart.

— Parlez-vous au nom de l'Association des propriétaires de bateaux ? demanda l'homme par-dessus son épaule.

— Oh oui ! le rassura Venart en faisant deux bonds pour ne pas se laisser distancer.

Il n'avait jamais vu des jambes aussi longues de toute sa vie.

— Ainsi qu'au nom de la guilde des marchands-marins ?

— Euh, oui. Bien sûr.

— Bien, dit l'émissaire. La présence de leurs représentants ne sera donc pas nécessaire durant les négociations. Je suppose qu'ils en sont conscients.

— Pardon ? Oh oui !

Hors d'haleine, Venart fit passer le message aux personnes concernées. Par chance, leurs jambes étaient encore plus courtes que les siennes et il ne resta pas assez longtemps à leur hauteur pour entendre leurs réactions.

Il ne savait toujours pas où ils allaient, mais il avait l'impression que la question serait déplacée. Il était un peu inquiétant que l'ennemi connaisse les routes d'Île mieux que le Premier citoyen, mais il y avait quelque chose de positif à en tirer : en classant l'information comme importante, il s'en souviendrait la prochaine fois qu'il se sentirait enclin à sous-estimer ces gens-là.

Ils s'arrêtèrent. Pour être plus précis, l'émissaire s'arrêta devant *Les Quatre Blasons de Vertu* et attendit le Premier citoyen. Venart n'avait pas mis les pieds dans cette taverne depuis la fin de son adolescence et il avait le sentiment désagréable qu'il en avait été banni à vie — mais peut-être confondait-il avec *La Vertu Irréprochable*, rue de la Transhumance.

— J'ai pris la liberté de louer une salle de réunion, annonça l'émissaire. Grâce à un intermédiaire, bien entendu. J'espère que ces dispositions ne vous dérangent pas.

— C'est parfait, dit Venart, à bout de souffle. Après vous, je vous en prie.

L'entrée d'un Fils du Ciel dans la taverne des *Quatre Blasons* provoqua une agitation et une inquiétude considérables que la présence du Premier citoyen ne calma en rien. Mais le colonel Tejar connaissait visiblement son chemin : il traversa la salle sans hésitation, monta un petit escalier, franchit le palier et parcourut un couloir. La porte était ouverte et il y avait un plateau de nourriture ainsi qu'une carafe de vin sur la table.

Impressionnant, s'avoua Venart. *Mais c'est sans aucun doute une erreur tactique. S'ils se livrent à une telle démonstration de force, c'est qu'ils veulent me persuader qu'ils sont bien plus puissants qu'en réalité.*

— Ça m'a l'air parfait, dit-il avant de s'asseoir sur la chaise qui semblait la plus confortable des deux.

— Bien, dit le colonel Tejar. (Il s'installa tant bien

que mal sur la seconde et tira une tablette de cire de sa manche.) Souhaitez-vous entamer les négociations par une déclaration ou des questions, ou pouvons-nous en venir tout de suite à nos propositions ?

— Allez-y, dit Venart.

Et il pensa :

Il a peut-être organisé tout ça pour être sûr de semer les deux autres. Parce qu'il se sait assez intelligent pour me manœuvrer, mais il avait des doutes sur Votz et le représentant de la guilde. Tant que je me souviens de cela, je devrais être capable de m'en sortir.

— J'ai pris la liberté de préparer un accord de principe, poursuivit le colonel en tirant un petit cylindre de cuivre de son autre manche. Si vous aviez l'amabilité de bien vouloir y jeter un coup d'œil...

Venart ne put s'empêcher d'admirer la magnifique écriture de ce peuple. Même pour un document purement fonctionnel comme celui-ci, ils avaient pris la peine d'enluminer la première lettre avec trois couleurs et une pointe de feuille d'or.

« Objet : Île sera associée à l'empire en tant que protectorat.

» Objet : un Protecteur impérial demeurera en permanence sur Île.

» Objet : une garde d'honneur permanente sera assignée au service du Protecteur. Elle ne devra pas excéder trois cents soldats.

» Objet : les frais liés à l'entretien du Protecteur et de sa garde seront répartis à égalité de parts entre Île et le bureau des Provinces.

» Objet... »

— Excusez-moi, dit Venart. Qu'est-ce que c'est qu'un Protecteur ?

Le regard du colonel glissa le long de son nez pour se poser sur son interlocuteur.

— C'est un officier impérial qui a la tâche de résider dans les protectorats de l'empire.

— Ah ! merci.

« Objet : le Protecteur sera consulté sur toutes les questions concernant de près ou de loin les relations entre Île et l'empire — que ces questions relèvent de la politique publique, de l'association ou de la guilde.

» Objet : lors de ces consultations, le Protecteur devra approuver officiellement lesdites politiques. Son approbation sera publiée comme le seront les décisions prises.

» Objet : dans l'hypothèse où les deux parties ne parviendraient pas à un accord sur lesdites décisions, la question sera soumise à une assemblée composée à parts égales de personnel impérial et de responsables des différents corps représentatifs d'Île. »

Une idée intelligente : s'ils veulent nous empêcher de faire quelque chose, ils feront entrer les deux autres factions en jeu pour qu'elles y opposent leur veto.

« Objet : l'empire et Île seront liés par un traité de défense mutuelle et de soutien militaire en temps de guerre. »

Et ils récupèrent ainsi notre flotte.

« Objet : lors des transactions commerciales, les seuls poids et mesures autorisés seront ceux spécifiés par l'officier responsable du bureau des Provinces.

» Objet : Île et l'empire devront signer un traité d'extradition sans restriction tel qu'il est proposé par les services du bureau des Provinces. »

Et il y avait encore bien des objets qui, mis bout à bout, ressemblaient à une reddition totale et abjecte — mais avec les honneurs. Le Premier citoyen aurait dû se sentir comblé.

— Excusez-moi, dit Venart.

— Oui ?

— Ce n'est qu'un simple détail, mais vous n'avez pas précisé ici que le traité d'extradition n'aurait aucune valeur rétroactive. Voulez-vous rajouter ce point ou préférez-vous que je m'en charge ?

Le colonel fronça les sourcils.

— Ce n'est pas une condition habituelle des traités d'extradition du bureau des Provinces.

Alors, il n'est pas difficile de deviner qui vous voudrez extrader en premier.

— Mais c'est une condition habituelle chez nous, dit Venart.

— Vraiment ? Je ne savais pas que vous aviez des traités d'extradition encore en cours.

Tout à fait exact.

— Nous avons des arrangements, mentit Venart. Des habitudes juridiques prises au fil des années. Vous voyez, des décisions fondées sur la jurisprudence et ce qui s'ensuit.

Et s'il me demande le nom d'une personne que nous avons extradée au cours des six derniers siècles, je serai bien obligé de reconnaître qu'il n'y en a eu aucune.

— Je vois. (Le visage de l'émissaire était dépourvu de la moindre expression.) Afin de gagner du temps, nous devrions peut-être laisser les détails des termes du traité à plus tard. Il serait dommage de compromettre l'élan qui nous pousse vers un accord en attachant trop d'importance à des points isolés. (Il jeta un regard au-dessus de la tête de Venart.) Après tout, nous n'avons pas à rédiger un document définitif ici et aujourd'hui.

— Bien sûr.

Venart lut le reste du document, mais n'y comprit pas grand-chose. En définitive, les Îliens n'avaient pas vraiment le choix.

— Une dernière chose, dit-il en roulant la feuille. Je suppose que la question n'a pas encore été envisagée, mais je pense qu'elle vaut la peine d'être posée. Avez-vous une idée de la personne que le bureau des Provinces a l'intention de nommer comme Protecteur ? Si, par hasard, nous en avions entendu parler, cela rassurerait un peu les gens…

— Eh bien, en fait, il se trouve qu'une recommandation a été faite. Et oui, il s'agit d'une personne que vous connaissez sans doute. C'est le capitaine Bardas Loredan.

Venart fit de son mieux pour rester impassible.

— Je connais le colonel… enfin, le capitaine Loredan, dit-il. Je l'ai rencontré pendant le siège de Périmadeia.

L'émissaire hocha la tête.

— Je sais. Cela a été un des facteurs pris en compte lorsque nous avons fait cette recommandation. Et puis, le capitaine Loredan connaît la région et les problèmes afférents — il mérite sans aucun doute une promotion après sa campagne dans les plaines et cette affaire d'Ap' Escatoy. Le bureau des Provinces le tient en très haute estime. Vous pouvez être sûr que notre recommandation sera entendue — à condition, bien sûr, que vous soyez prêts à accepter ces propositions.

Venart inspira un grand coup.

— Dans le principe — enfin, comme base de départ pour les négociations. Il est certain qu'il y a quelques détails…

— C'est évident. (L'émissaire se leva.) Mais pour le moment, auriez-vous l'obligeance de signer le document que je vous ai remis ?

— Le signer ? (Venart eut l'air médusé.) Mais il me semblait que nous étions d'accord sur le fait que certains points…

L'émissaire sourit presque.

— C'est tout à fait exact. Mais je pense que ce serait une bonne chose d'avoir un document signé, ne serait-ce que pour temporiser. Sinon, je ne peux pas vous garantir avec assurance que la politique du bureau des Provinces dans cette région demeure statique indéfiniment. (Il tourna la tête et regarda par la fenêtre.) Étant donné que cet accord devrait être soumis à une ratification officielle du coordinateur régional, nous pouvons affirmer sans risque que les termes de ce projet ne sont pas nécessairement gravés dans la pierre — si vous me pardonnez cette expression. Mais pour le moment, ma priorité est de protéger votre position autant que la mienne.

Venart hésita. Il savait identifier une menace lorsqu'il en entendait une. Mais cette proposition, ces négociations ne pouvaient avoir qu'une seule signification : les Impériaux ne se sentaient pas en position de force. Pour eux, une telle démarche dénotait un profond désespoir. Ils étaient prêts à tout pour régler une série de problèmes afin de mieux se concentrer sur les autres.

— À propos de cette histoire d'extradition…

L'émissaire se retourna et le regarda droit dans les yeux. C'était comme fixer trop longtemps le fond d'un puits.

— Je peux vous assurer personnellement que nous aurons de plus amples occasions de discuter les différents points à tous les niveaux avant qu'ils soient appliqués.

Bardas Loredan, pensa Venart. *Eh bien, il arrive un moment où un homme doit croire en quelque chose.*

— Soit, dit-il.

Ses mains tremblèrent un peu quand il déboucha le cylindre de cuivre. Il avait mal remis le papier en place et il ne parvenait pas à le retirer. Il batailla un moment avec avant que l'émissaire se penche vers lui, lui prenne l'objet et sorte le document sans la moindre difficulté.

— Avez-vous de quoi écrire ? demanda-t-il.

— Hein ? Ah oui ! (Venart fouilla dans ses poches, puis dans la petite sacoche accrochée à sa ceinture.) C'est-à-dire… Ah si ! J'ai trouvé.

Il sortit le petit nécessaire à écriture qu'Athli Zeuxis lui avait donné, bien des années auparavant. Il contenait une plume, une pierre à encre, un canif rassemblés dans une jolie petite boîte en cèdre. Il humidifia la pierre avec un peu de vin, la frotta pour obtenir de l'encre et signa le document.

Quand Temrai se sentit un peu mieux, il ordonna une sortie massive.

— Tu as changé d'idée, lui fit-on remarquer.

— Oui, répondit-il.

D'une certaine manière, les membres de l'état-major s'étaient résignés à suivre les ordres à la lettre et ils ne prirent pas la peine de s'interroger sur ses motivations. Ils n'auraient pas réagi davantage s'il leur avait annoncé que ces changements étaient motivés par les conseils de voix mystérieuses qu'il était le seul à entendre. Ils avaient reçu l'autorisation de passer à l'action et n'en demandaient pas plus.

Avec Temrai et Sildocai blessés, le commandement général avait été confié à Peltecai dont le grade officiel était maréchal de cavalerie. C'était un homme digne de confiance, mais anxieux. Il s'inquiétait de s'inquiéter, et comme il avait conscience que son anxiété pouvait entraîner des hésitations et mener à un désastre, il délégua son autorité à de nombreux officiers en se réservant le droit d'annuler leurs ordres s'il le jugeait nécessaire. Il décida ensuite de la tenue d'un conseil de guerre.

Cette décision se révéla peu probante. Selon lui, la frustration du bombardement avait rendu l'état-major imprudent et il se résolut donc à faire preuve de fermeté et à empêcher ses subordonnés de se lancer dans des actions irréfléchies. D'un autre côté, il n'avait aucun plan concret dans la mesure où il avait délégué sagement l'aspect tactique à ses lieutenants. Mais le temps ne s'était pas arrêté pour autant et, à moins de décider quelque chose dans les plus brefs délais, il serait bientôt trop tard pour lancer une attaque de jour. Il ne resterait alors plus que la solution d'une attaque de nuit. Peltecai était tout à fait conscient des dangers d'être poussé à une opération aussi risquée sans plan ni préparatifs adéquats ; il décida par conséquent de passer sur-le-champ à l'offensive avec toutes les troupes mobilisables.

Il demanda quelles étaient les forces disponibles et quand il comprit les véritables implications de sa question, la moitié de la matinée s'était déjà écoulée. Il n'avait pas la moindre intention de mener une attaque cruciale dans la chaleur de la mi-journée ; il désigna donc une unité sur trois pour garder le camp et demanda aux autres de se préparer à l'assaut.

À ce moment, Temrai envoya un message pour s'enquérir des raisons de ce retard. Passablement énervé, Peltecai répondit qu'ils étaient sur le point de se mettre en route et prit la tête de la colonne — s'il présentait des défauts en tant que commandant, le manque de courage n'en faisait certes pas partie. Il était déterminé à mener ses soldats à la bataille en étant en première ligne, pour montrer l'exemple.

Cette décision se révéla malheureuse : quand la grande charge de cavalerie arriva à portée des archers ennemis — faibles et peu motivés —, une poignée d'hommes furent abattus et tombèrent de cheval avant d'être piétines et réduits en pièces par les cavaliers qui les suivaient.

Et parmi eux se trouvait Peltecai.

À ce point des événements, personne n'avait la moindre idée de la nature du plan ou du fonctionnement supposé de la chaîne de commandement. Tandis que les cavaliers des plaines s'écrasaient tête baissée contre la muraille de piques ennemies, ils étaient donc passés en mode classique : *tuons autant d'hommes que possible avant de nous replier.*

Le principe fonctionna très bien — au début, du moins. Dès les premiers jours du conflit, Temrai savait qu'ils affronteraient sans doute les masses compactes de piquiers en armure et il avait estimé qu'il n'y avait qu'une seule manière de les combattre : les archers à cheval devaient décocher leurs traits à bout portant afin d'obliger l'ennemi à rompre les rangs, puis ses troupes devraient élargir les brèches à coups de hache et de cimeterre en chargeant aveuglément pour provoquer la panique. Une fois ce résultat obtenu, la formation serrée et massive des Impériaux causerait leur propre perte. C'était la seule manière de les vaincre.

À cent mètres de distance, les archers à cheval partirent donc en avant de la cavalerie lourde et se scindèrent en deux lignes avant de charger droit sur les formations de piquiers. La première volée fut décochée à trente-cinq mètres, chaque homme tirant en passant sur un point précis de la ligne ennemie. Le mur de piques s'effondra à deux endroits tandis que les morts et les blessés chancelaient et s'écroulaient sur leurs camarades de derrière ; ils essayaient de s'accrocher à ceux qui étaient autour d'eux et les entraînaient dans leur chute. Dès que les archers à cheval se furent repliés, la colonne de cavaliers lourds se scinda en son milieu et les deux groupes s'enfoncèrent dans les plaies de la ligne ennemie. La clef de la victoire reposait sur la pénétration : s'ils pouvaient s'engouffrer assez loin dans la masse des piquiers, ils ne rencontreraient pas la moindre résistance. Au sol, leurs adversaires n'auraient pas suffisamment de place pour abaisser leur pique ou tirer leur épée. Les cavaliers couperaient leurs rangs comme une cisaille une plaque d'acier, en utilisant la tension du matériau pour atteindre leur but. Pendant ce temps, les archers à cheval resteraient à l'écart et tireraient d'aussi près que possible sur le reste de la formation ennemie dans l'intention de les pousser à charger — ce qui entraînerait de nouvelles failles dans leurs lignes. S'ils réalisaient cet objectif, les réserves de cavaliers lourds entreraient en lice ; si nécessaire, elles seraient suivies par l'infanterie.

Le début de la bataille fut très prometteur : les troupes de tête s'enfoncèrent profondément dans les lignes impériales en deux points — comme une flèche avec une pointe en aiguille transperçant un plastron. Pourtant, une fois à l'intérieur de la formation ennemie, les hommes des plaines s'aperçurent qu'il y avait un problème : leurs adversaires ne pouvaient pas faire grand-chose contre eux, mais leurs propres cimeterres, légers et tranchants, n'étaient pas à même de traverser des armures aux normes impériales. Les cavaliers frappèrent de toutes leurs forces et abattirent leurs armes jusqu'à ce que leurs minces lames soient émoussées, les muscles de leurs poignets et de leurs avant-bras déchirés par le choc de l'impact qui leur remontait dans les os. C'était comme battre une enclume avec un marteau alors qu'elle a été conçue dans le seul dessein de résister à cela. Tout le monde était dans l'impasse.

Mais les impasses ne perdurent jamais très longtemps pendant une bataille, il se passe toujours quelque chose et, en général, quelque chose qui n'est pas le fait d'une décision réfléchie. Tandis que les cavaliers lourds martelaient en vain l'enclume, leurs homologues impériaux — tenus en réserve, ce qui était une erreur comme Bardas Loredan le reconnut plus tard — se précipitèrent pour les affronter. Ils se heurtèrent aux archers à cheval qui se replièrent en bon ordre pour éviter la confrontation, mais ces derniers estimèrent mal le temps qui leur restait. En désespoir de cause, ils décochèrent une volée aussi fournie que possible étant donné les circonstances. Obéissant aux instructions en vigueur, ils visèrent les chevaux plutôt que les cavaliers et eurent beaucoup plus de succès qu'on aurait été en droit d'espérer. Le premier rang ennemi s'effondra dans un fatras de bruit et de poussière et le second ne put s'arrêter à temps. Il sauta ou piétina les chevaux à terre, entrant dans la mêlée comme un chariot fou qui vient s'écraser contre un mur. Étonnés, mais enthousiasmés, les archers à cheval rangèrent leurs arcs pour attraper leurs cimeterres avant de charger — et constatèrent qu'ils avaient le même problème que leurs camarades de la cavalerie lourde : il leur était impossible de transpercer les armures de l'ennemi. Ils avaient compté balayer leurs adversaires grâce à l'élan de leur charge, mais en fait, ils durent ralentir avant de s'arrêter en réalisant à leurs dépens que leurs cottes de mailles et leurs protections en cuir bouilli n'étaient pas une panacée. Ces dernières empêchaient certes les épées impériales de quatre livres de trancher leur chair, mais prévenaient mal les fractures et les chocs. À ce moment, les trois détachements ennemis qui suivaient le premier — et qui venaient seulement de le rejoindre — contournèrent leurs flancs et leur coupèrent toute retraite. Puis ils entreprirent de tailler les hommes des plaines comme une haie trop touffue.

Le capitaine du sixième détachement de réserve, un certain Iordecai, prit conscience de la situation et lança une charge. Par un manque d'attention criminel, les Impériaux ne le virent pas arriver avant qu'il soit trop tard pour s'écarter. Les soldats de Iordecai étaient une des rares unités de lanciers de l'armée de Temrai et ils n'eurent aucune difficulté à transpercer les armures épaisses. L'assaut renversa l'équilibre de la bataille : le capitaine impérial paniqua et pensa qu'il avait été attiré dans un piège. Il essaya de se replier avec son unité, mais elle était trop engagée pour décrocher. Les soldats entreprirent donc de se frayer un chemin *manu militari* à travers les archers à cheval — et firent un excellent travail. Mais alors qu'ils venaient de franchir les rangs adverses, leurs flancs et leur arrière-garde furent enfoncés par une autre unité de lanciers qui avait suivi celle de Iordecai.

À cette étape, le reste de l'arrière-garde des troupes de Temrai vit que les lanciers étaient sur le point de remporter cet affrontement, mais pas la mêlée au sein de la formation impériale. Elle décida de saisir l'occasion et chargea les piquiers — qui n'étaient plus inquiétés par les archers à cheval et avaient eu le temps de se réorganiser un peu. L'arrière-garde — qui n'était pas composée de lanciers — arriva donc au contact, mais constata qu'elle était attendue par une barrière de piques baissées et qu'il était trop tard pour ralentir.

Bardas Loredan se tenait au sommet d'une colline basse derrière le camp. Lui non plus ne distinguait pas bien la formation de piquiers, mais il avait une vue imprenable sur la bataille des cavaliers. Il décida que sa seule chance d'éviter un désastre était d'engager ses hallebardiers contre les lanciers en espérant qu'ils arriveraient à temps. Ses hommes firent de leur mieux, mais l'exploit était pour ainsi dire irréalisable. Quand ils contournèrent enfin les piquiers, l'infanterie ennemie s'était déployée sur leur chemin et manœuvrait pour attaquer leurs flancs. Dans l'état, il semblait tout à fait inutile de ralentir et le capitaine des hallebardiers mena donc sa colonne au pas de course pour charger le centre de la ligne ennemie. Le résultat fut spectaculaire : ils coupèrent les rangs adverses en deux et isolèrent complètement une aile. Cela leur fut d'une grande aide : ils avaient maintenant la liberté d'accrocher la formation et de poursuivre leur attaque sur trois côtés. Leur erreur fut de ne pas remarquer les deux unités de cavalerie lourde qui n'avaient pas réussi à s'enfoncer dans le détachement de piquiers et qui s'étaient retirées de la bataille en attendant une meilleure occasion.

Les cavaliers lourds n'étaient pas assez nombreux pour causer des dégâts irréparables, mais ils fauchèrent bon nombre d'Impériaux. Les hallebardiers avaient un point faible à l'endroit où les épaulières se bouclaient : un coup en travers des lanières exposées desserrait les plaques de l'armure qui pendaient alors mollement et gênaient les mouvements des bras ; de plus, cela laissait toute l'épaule et le côté du cou vulnérables. Il n'y eut pas beaucoup de morts, mais de nombreux blessés tandis que les cimeterres ricochaient sur les angles des chapels de fer des hallebardiers et tranchaient les tendons du cou et des clavicules. Quand les Impériaux réussirent à se retourner pour faire face, ils eurent néanmoins l'avantage : l'élan des cavaliers permit aux pointes des hallebardes de pénétrer les cottes de mailles et la chair avec beaucoup plus d'aisance que le pouvait un bras humain. Mais en termes de rapport de pertes, le succès revint dans l'ensemble aux hommes des plaines.

La bataille échappait maintenant à tout contrôle. Même si les deux camps avaient coopéré avec un esprit amical et enthousiaste, il aurait été bien difficile de désengager les différentes unités des deux armées au point de permettre une retraite générale. Il ne restait donc que deux options envisageables : se battre jusqu'à l'annihilation totale d'un adversaire ou rompre le combat et se replier dans un ordre très relatif.

Pendant un moment, il sembla par malheur que la première solution allait l'emporter. Les cavaliers des plaines étaient bloqués contre les piquiers et lentement écrasés sur leurs flancs ; coincés au milieu de la bataille, les lanciers avaient perdu l'avantage de l'élan et de la vitesse, ils se contentaient surtout d'abattre leur cimeterre sur les armures bosselées et déformées — mais toujours impénétrables — de leurs adversaires. Il y avait maintenant assez de hallebardiers morts ou à terre pour permettre à leurs camarades de se retourner et de brandir leur arme au nez des hommes des plaines. Si l'affrontement continuait sur cette lancée, les Impériaux finiraient par l'emporter tôt ou tard et il ne resterait sur le champ de bataille que quelques centaines de survivants — tout au plus — avec la tâche surhumaine d'enterrer les cadavres.

Mais les Impériaux paniquèrent — ce qui était sans doute la meilleure chose qu'ils avaient à faire étant donné les circonstances. Le catalyseur fut un jeune chef de section du nom de Samzai qui lança toutes ses forces dans une violente attaque contre ce qu'il crut être la garde d'honneur de Bardas Loredan — et qui était en fait l'escorte de cavalerie des trompettes et autres musiciens. Il fallut néanmoins reconnaître qu'ils étaient vêtus et équipés avec un rare apparat et, d'autre part, ils s'étaient mêlés aux piquiers, l'erreur était donc compréhensible. Samzai ne survécut pas à l'offensive ; il s'effondra en frappant avec sa hache à un rang de son objectif — et quand on tira son corps des piles de cadavres, on s'aperçut que sa cotte de mailles avait été transpercée dix-sept fois. Néanmoins, les survivants de son unité se taillèrent un chemin à travers les piquiers et tuèrent suffisamment de membres de l'escorte pour arriver à portée de bras des musiciens. À ce moment, quelqu'un cria que Bardas Loredan était mort.

Une tête — dont on n'identifia jamais le propriétaire — fut hissée sur une pique et les hommes des plaines — y compris ceux qui recevaient des coups mortels sans pouvoir se défendre — se mirent à hurler de joie comme si une décision importante venait d'être prise. La première réaction fut juste un moment d'hésitation, une certaine inquiétude liée au fait qu'il se passait quelque chose, mais que personne ne savait quoi. Puis les piquiers impériaux commencèrent à refluer, à lâcher leurs armes — quand il y avait assez de place pour cela — et à chercher un moyen de sortir de cette cohue pour gagner un terrain dégagé. Tandis que la principale unité d'infanterie vacillait et s'éparpillait, la cavalerie se retrouva soudain avec suffisamment d'espace pour manœuvrer. Un bref regard par-dessus l'épaule en direction des piquiers qui se repliaient suffit à convaincre les cavaliers impériaux que quelque chose s'était très mal passé et les poussa à suivre le mouvement. Tandis que la panique se répandait, la retraite gagnait en précipitation. Les hommes qui reculaient jusque-là à pas mesurés et en faisant face à l'ennemi se retournèrent et s'enfuirent en courant — ne prêtant plus la moindre intention à leurs adversaires, sinon dans leur capacité à entraver leur fuite. La bataille sembla tomber en morceaux, comme un fragile panier en osier qui laisse échapper son contenu sur le sol.

Deux détachements de cavalerie lourde des plaines s'engagèrent à la poursuite des piquiers. Ils furent interceptés par une force impériale égale en nombre, taillés en pièces et dispersés. Cette défaite tempéra les ardeurs des soldats de Temrai et leurs envies de profiter de cet avantage : ils se replièrent vers la forteresse sans perdre une seconde. De leur côté, les Impériaux se calmèrent un peu lorsqu'on leur annonça que Bardas Loredan était encore vivant — une nouvelle communiquée par Bardas Loredan en personne qui arriva à cheval pour essayer de comprendre ce qui avait bien pu se passer. Ils poursuivirent néanmoins leur repli vers le camp. Il est toujours difficile de savoir comment réagir quand on est chassé du champ de bataille — surtout si le fameux champ de bataille est maintenant désert. Bardas n'essaya pas d'en tirer de leçon et ce fut peut-être une sage décision. Il retourna à sa tente, demanda le rapport des pertes et convoqua l'état-major. Il avait une somme de travail considérable devant lui : s'occuper de l'organisation des brancardiers et des enterrements, s'assurer qu'un maximum de blessés apercevrait au moins un médecin avant de mourir, poster des sentinelles et vérifier que le camp était à l'abri de nouvelles attaques.

La récupération des blessés demanda une journée entière. Bardas envoya un émissaire pour négocier la trêve habituelle et les officiers des deux parties concernées par l'opération arrivèrent à un accord raisonnable : chaque équipe nettoierait son côté du champ de bataille et remettrait à l'autre les blessés ennemis à peu près soignés. Il fut plus difficile de trouver un arrangement sur le sort du nombre impressionnant de cadavres dont il fallait se débarrasser avant qu'ils deviennent un danger sanitaire pour tout le monde. Les hommes de Temrai devaient être brûlés alors que les Impériaux devaient être enterrés. Un compromis était donc hors de question. Les négociateurs de Bardas suggérèrent de procéder chacun son tour : ils arpenteraient le champ de bataille en premier, récupéreraient leurs morts et se retireraient pour que leurs homologues fassent de même. Mais les émissaires de Temrai s'y opposèrent arguant du fait qu'ils devraient attendre toute une journée — ce qui n'était pas très souhaitable si le soleil se décidait à sortir. Ils proposèrent donc que des équipes de récupération des deux camps travaillent côte à côte, mais les Impériaux refusèrent : selon eux, il y avait trop de risques pour qu'un incident éclate, les esprits étant susceptibles de s'échauffer et d'entraîner des accrochages. Pourquoi ne pas diviser le champ de bataille en deux comme auparavant et faire chacun deux piles de cadavres, les siens et ceux des autres ? Le temps passait et les envoyés de Temrai acceptèrent à contrecœur. L'arrangement faillit tourner court quand il s'agit de déterminer la ligne de démarcation — la plupart des soldats des deux camps avaient péri du côté impérial et les négociateurs de Bardas estimèrent que le plus gros du travail leur reviendrait. Ils proposèrent de diviser le champ de bataille dans le sens de la longueur. Les hommes des plaines refusèrent, mais acceptèrent d'avancer la limite de leur zone de cent cinquante mètres. Ils prendraient donc en charge la plupart des morts du combat impliquant la cavalerie tandis que les Impériaux s'occuperaient des victimes des affrontements autour de la formation de piquiers. Tout le monde tomba enfin d'accord et les équipes de fossoyeurs s'alignèrent. Un envoyé de Bardas fit alors remarquer à son homologue que leurs armées venaient de se battre pour gagner du terrain et que, maintenant, ils se battaient pour en céder autant que possible à l'ennemi. L'émissaire des hommes des plaines trouva la réflexion d'un goût douteux et déposa une plainte officielle — plainte qui fut ignorée.

On récupéra les cadavres — ainsi qu'un maximum d'armures, de flèches, de chevaux et d'armes destinés à être réemployés — et quand le champ de bataille fut nettoyé, il fut enfin possible de faire le décompte des points et d'annoncer le vainqueur. On s'aperçut que le résultat était très serré : en se basant sur le nombre de soldats ennemis tués, Temrai était perdant, mais en pourcentage de morts sur les forces totales engagées, il avait un petit avantage. En examinant les pertes de cavaliers et de fantassins — et en partant du principe que les premiers étaient plus importants que les seconds —, Bardas menait d'une courte tête ; mais ce type de chiffrage était discutable, car les fantassins lourds lui étaient plus utiles que les cavaliers et il en avait perdu plus que Temrai. Et puis les trois quarts de l'armée de Temrai étaient en théorie composés de cavaliers, ce qui rendait ce système de calcul parfaitement caduc. La bataille n'avait pas cherché à faire avancer le front et personne n'avait gagné ou perdu un pouce de terrain, la progression n'était donc pas un critère valable pour déterminer le vainqueur. La dernière catégorie reconnue — les objectifs remplis — était tout aussi inutile : quand on y réfléchissait un peu, personne ne pouvait indiquer avec précision les buts de l'adversaire — ou même s'il en avait eu. Si cela avait été le cas, personne ne les avait atteints et les deux armées avaient donc perdu — ce qui était complètement ridicule.

Chapitre 20

— Pour l'amour des dieux ! cria Venart. Est-ce que tu vas arrêter ce vacarme infernal ?

Les coups de marteau cessèrent.

— Tu m'as dit quelque chose ?

Venart fit un pas en avant. L'atelier était sombre et plutôt lugubre, la seule lumière provenait d'une forge dans l'ombre.

— Je t'ai demandé si tu allais… Est-ce que tu pourrais faire un peu moins de bruit ? J'essaie de travailler.

Dousor Posc, le voisin immédiat des Auzeil, s'écarta de la porte du fourneau. Il portait un tablier de cuir et tenait un grand marteau.

— Moi aussi, répondit-il.

— Hein ?

D'un mouvement de tête, Dousor désigna la forge et l'enclume qui se trouvait à proximité.

— Tu crois que je fais ça pour mon plaisir ?

Venart fit un pas dans l'atelier et regarda autour de lui.

— Excuse-moi de te poser cette question, dit-il, mais qu'est-ce que tu fais exactement ? La dernière fois que je suis venu ici, c'était un entrepôt de fromage.

— Eh bien, maintenant, c'est une armurerie. (Dousor essuya la sueur de son front d'un revers de sa main gantée.) Je n'arrive pas à vendre le moindre fromage et,

627

brusquement, tout le monde veut acheter une armure; comme j'ai hérité d'un stock de billettes de fer il y a une dizaine d'années — en règlement d'une mauvaise dette —, je me suis dit que j'allais en fabriquer. Tu comprends?

— Je vois, répondit Venart. J'ignorais que tu avais des talents d'armurier.

Dousor fronça les sourcils.

— Je n'y connais rien, mais d'ici peu, je saurai. Après tout, ça ne peut pas être si difficile que ça, pas vrai? Tu fais rougir le métal à la forge, tu lui tapes dessus avec un marteau pour l'amincir, et puis tu lui retapes dessus encore une fois pour lui donner la forme que tu veux. De toute façon, j'ai acheté un livre sur le sujet. Et si tu as un livre, tu peux tout apprendre.

— Eh bien…

Venart ne sut pas très bien quoi répondre. Dousor tenait un très gros marteau et c'était le genre d'homme qui s'emportait facilement.

— Tu t'es lancé dans une entreprise courageuse, Dousor, mais est-ce que tu penses qu'il te serait possible de faire ça ailleurs? C'est que j'ai travaillé toute la nuit sur les minutes du Conseil et…

— Où ça?

— Pardon?

Dousor agita son marteau avec impatience.

— Où me suggères-tu d'aller travailler? Dans la rue? À moins que je balance tous mes meubles et transporte cette putain d'enclume chez moi pour transformer mon salon en atelier de forgeron. Alors?

La migraine de Venart empira.

— Écoute, ça m'est vraiment égal tant que tu fais un peu moins de bruit. J'ai beaucoup de choses très importantes à…

— Faire un peu moins de bruit? répéta Dousor. Tu veux dire, marteler un peu plus doucement? Tu crois que je vais transformer ces putains de billettes de fer en plaques en les effleurant avec mon marteau ? Cesse de m'emmerder, Ven. Et puis, tu devrais m'être reconnaissant.

— Je te demande pardon ?

— Je participe à l'effort de guerre. Je fournis du matériel. Je contribue à protéger Île et à maintenir notre unique héritage culturel. Je trouve ton attitude des plus douteuses : le Premier citoyen qui entrave l'effort de guerre pour de basses raisons de confort personnel.

Venart réfléchit un moment.

— Écoute, dit-il. Et si je te déniche un joli petit atelier et que je le mette à ta disposition — vers le Drutz, par exemple, dans un des anciens entrepôts où la douane conserve les marchandises dont les taxes n'ont pas été acquittées. Tu pourrais y taper aussi fort qu'il te plairait et je pense que personne ne le remarquerait.

Dousor fronça les sourcils.

— Quoi ? Et te payer un loyer, espèce d'enfoiré ? Alors que j'ai un atelier à moi qui convient très bien ? Est-ce que j'ai l'air d'un abruti ?

— D'accord, dit Venart. Ce serait une location à titre gracieux. Allez, Dousor. Le bruit fait grimper Triz aux rideaux.

Dousor secoua la tête.

— Je n'y peux rien. Il m'a fallu des jours pour agencer cet endroit et y installer le matériel et tout le reste. Et maintenant, tu veux que je démonte tous ces trucs qui pèsent des tonnes et que je les transporte sur la moitié d'Île ?

— J'enverrai quelqu'un te donner un coup de main. (Venart soupira.) À mes frais, bien entendu.

— Mais il y a encore un problème, insista Dousor. Le temps que je vais perdre pendant le déménagement, le coût du transport...

— Combien ?

— Pardon ?

— Combien veux-tu que je te donne ? demanda

Venart avec lenteur. Pour que tu transportes tout ton matériel au Drutz et que tu nous fiches la paix ? C'est bien là que tu veux en venir, n'est-ce pas ?

Le front de Dousor se rida.

— Je trouve tes paroles assez offensantes, Ven. Nous sommes voisins depuis des années, ton père était encore parmi nous. En fait, j'ai toujours estimé que nous étions amis. Mais maintenant que tu es Premier citoyen, voilà que tu crois que tu peux faire irruption chez les gens et leur donner des ordres...

— Vingt-cinq ? Cinquante ?

Dousor éclata de rire.

— Ne te fous pas de moi, dit-il. Il faut tenir compte du retard que va prendre la production. Cette demande d'armures ne va pas durer éternellement, tu sais. Cet engouement pour le matériel militaire va bientôt s'essouffler. Si je suis en retard et que je lambine, je vais rater le coche. Et toi, tu viens me dire de tout laisser tomber...

— Cent soixante-quinze !

— Pas question. N'espère même pas que j'examine ta proposition à moins de trois cent vingt-cinq.

— Trois cent vingt-cinq ? Tu es... !

En guise de réponse, Dousor ramassa son marteau et commença à aplanir une billette de fer sur l'enclume. Elle avait refroidi depuis longtemps, mais il ne sembla pas le remarquer. Avant que Venart ait le temps de se faire entendre de nouveau dans ce vacarme, Vetriz fit irruption dans l'atelier, écarta son frère sans ménagement et saisit Dousor par le poignet.

— Toi, dit-elle. Tu vas me cesser ce boucan ! (Dousor la fixa.) Ne commence pas ! Grâce à toi et à tes coups de marteau sans interruption, j'ai une migraine à me taper la tête contre les murs. Il faut que ça cesse ! Tu as compris ?

Dousor avait sans doute l'intention de lui expliquer, comme il l'avait fait avec Venart, qu'il participait à

630

l'effort de guerre et qu'il s'acquittait d'un devoir patriotique, mais il décida en fin de compte de s'abstenir — peut-être parce que Vetriz avait attrapé une paire de pinces de l'autre main, des pinces dont les mâchoires étaient portées au rouge étant donné qu'il les avait oubliées au bord de la forge. La jeune femme les tenait maintenant à deux centimètres de sa barbe.

— Bon ! bon ! lâcha-t-il. J'arrêterai dès que ton frère et moi nous serons mis d'accord sur le montant de la compensation.

Vetriz le regarda droit dans les yeux.

— Ne t'inquiète pas, dit-elle. Nous ne voulons pas d'argent. Et maintenant, emballe tous tes outils ridicules et le reste de ton matériel pendant que Venart te trouve un chariot !

Par la suite, il n'y eut plus le moindre tapage venant de la maison voisine et Venart put se remettre au travail. Mais même sans les échos du marteau contre l'acier, il était difficile de rester concentré. Les différentes parties du traité revues par le bureau des Provinces étaient formulées en des termes si ambigus qu'elles pouvaient signifier n'importe quoi, rien du tout, voire les deux en même temps.

— Il va falloir que tu en parles à quelqu'un, dit Vetriz. Dis-le-lui, Athli. On ne peut pas préparer un traité de paix avec l'ennemi sans en parler à personne.

— J'ai informé le Conseil, répliqua Venart avec humeur. Et les propriétaires de bateaux. Et la guilde. À qui veux-tu que j'en parle encore ?

— Tu en as parlé aux grosses huiles, remarqua Athli. Et tu leur as fait promettre de garder le secret. Ce n'est pas du tout la même chose.

– Tu crois qu'ils sont capables de garder ça pour eux ? Allons ! (Venart se laissa aller à un petit sourire las.) Raconter quelque chose à Ranvaut Votz et lui faire promettre de n'en parler à personne ? C'est la manière la plus efficace du monde pour diffuser une information.

Je pense que même les habitants de Colleon sont au courant, maintenant.

— D'accord, dit Athli. Mais tu ne nous en as pas parlé à *nous*, les Îliens. Ce qui veut dire que les gens s'agitent dans tous les sens. Ils sont paniqués parce qu'ils ne savent pas ce qui se passe. Tu sais ce qu'a dit Eseutz Mesatges lorsqu'elle a appris la nouvelle ? Elle est sortie pour acheter douze caisses d'épées et douze tonneaux de pièces d'armure en se fondant sur le principe que, quand les armes et les armures seront confisquées, le gouvernement devra payer des compensations. Et elle pense que la différence entre la valeur marchande et le montant des dédommagements permettra de faire un bon profit. Tu ne peux pas laisser les gens continuer à agir ainsi, ou nous allons plonger dans le chaos.

Venart cligna des yeux.

— Je ne suis pas responsable du comportement des personnes comme ton amie Eseutz. Je compte juste garder le secret jusqu'à ce que nous ayons le temps de régler les maudites clauses de ce traité. Et je ne veux pas le faire tout de suite, pour des raisons évidentes.

— Elles le sont peut-être pour toi, dit Vetriz. Aurais-tu l'obligeance de bien vouloir éclairer ma lanterne ?

— C'est simple. (Venart posa le parchemin, qui s'enroula de lui-même.) Si je peux temporiser jusqu'à ce que Bardas en ait fini avec Temrai, c'est avec lui que nous traiterons et pas avec un de ces enfoirés sournois de Fils du Ciel. Alors ? Est-ce que vous avez une meilleure solution à me proposer ? Si c'est le cas, j'aimerais bien l'entendre. Une partie d'échecs diplomatique contre ces gens me dépasse de loin, et à moins de pouvoir tirer notre épingle du jeu, nous sommes dans les ennuis jusqu'au cou. À moins que vous n'ayez pas lu cette clause d'extradition ?

Ni Vetriz ni Athli ne trouvèrent d'arguments à lui opposer. L'évocation de Bardas Loredan les avait quelque peu décontenancées.

— Je vais considérer votre silence comme une approbation, d'accord ? Quoique je ne sache pas trop depuis quand je dois obtenir votre accord pour régler les affaires d'État. C'est déjà assez difficile d'empêcher Votz et ce cinglé de la guilde d'entrer ici sans que vous vous liguiez vous aussi contre moi.

Athli sembla réfléchir à tout autre chose.

— Soit, dit-elle. Mais enfin, Venart, essayer de se montrer plus intelligent que le bureau des Provinces n'est pas très… Eh bien, pas très intelligent. En agissant ainsi, tu joues sur leur terrain.

Venart hocha la tête.

— C'est vrai, mais au moins, j'en suis conscient. Tu te rappelles ce que père nous disait, Triz ? « Si on sait en profiter, la force de l'autre peut se révéler sa plus grande faiblesse. » Ils savent très bien qu'ils m'ont embrouillé. Ce que je dois faire, c'est trouver un moyen de continuer à patauger jusqu'à ce que Bardas Loredan remporte cette maudite guerre. Regardez la situation sous cet angle et je pense que vous comprendrez mon point de vue.

Athli se leva.

— J'espère que tu sais ce que tu fais. N'oublie pas que la politique, c'est plus compliqué que négocier un contrat pour l'achat d'un lot de sardines.

Venart grogna.

— Tu crois que je l'ignore ? dit-il. Je suis bien conscient que tout cela me dépasse. Je n'ai pas la moindre idée de ce que je fais et on ne devrait même pas me confier la gestion d'un stand de fruits de mer, alors je ne vous parle pas du sort d'une nation. Ce n'est pas parce que quelque chose est vrai que c'est forcément utile.

Athli posa une main sur l'épaule de Venart, puis sortit. Elle traversa la cour pour gagner la petite pièce qui lui servait de bureau. Elle n'avait pourtant pas grand-chose à faire : les affaires étaient au point mort et elle n'avait aucun moyen de communiquer avec la banque centrale de Shastel — elle n'aurait d'ailleurs rien eu à leur dire si cela avait été possible. La situation était assez déprimante : tout ce qu'elle avait accompli grâce à la chance, un travail acharné et un don naturel semblait se désagréger et lui glisser entre les doigts.

Peut-être. Certaines personnes quittaient Île, elle le savait. Les premières avaient fait preuve de discrétion : elles avaient affirmé qu'elles partaient acheter de la nourriture à l'étranger ; elles avaient entassé autant d'affaires que possible à bord de leurs navires et quitté le Drutz au petit matin pour ne jamais revenir. Aujourd'hui, les émigrants ne prenaient même plus la peine de mentir. D'un point de vue plus rationnel, il était surprenant que si peu de gens aient adopté la solution la plus raisonnable. Bien entendu, il en était allé de même à Périmadeia, sauf que seule une poignée de pessimistes incurables avait vraiment cru à la chute de la Cité. Elle en avait fait partie et, maintenant, il était temps de reprendre la route de l'exode. Elle partirait sans honte ni regrets, emmenant avec elle tous les amis qui choisiraient de la suivre, avec calme et méthode, comme... Eh bien, comme Niessa Loredan quand elle avait abandonné Scona.

Elle se remémora les événements avec le recul d'un historien et décida qu'effectivement elle avait un jour ressenti quelque chose pour Bardas Loredan. Quelque chose de très fort. De l'amour ? Ce mot ne convenait pas, il était trop vague. Elle avait travaillé avec lui ; elle avait fait de son mieux pour le protéger quand les horreurs de son métier avaient commencé à le rattraper. Elle avait été là pour lui ; l'inquiétude l'avait rongée chaque fois qu'il avait posé un pied dans la salle d'un tribunal, mais elle ne l'avait jamais montré — persuadée qu'elle le connaissait et le comprenait mieux que quiconque. Aujourd'hui, elle pouvait affirmer sans mentir qu'elle ne l'aimait pas, bien que cela ne l'empêche pas de penser sans cesse à lui — mais le passé était le passé et elle était dans le présent, et elle avait préservé la chance de Bardas jusqu'ici, jusqu'à ce qu'ils arrivent là où ils en étaient maintenant. Elle avait toujours su instinctivement qu'il survivrait tant qu'elle tiendrait à lui. D'une certaine manière, elle avait protégé sa vie à sa place, elle l'avait gardée dans un solide coffret en bois renforcé de bandes d'acier et verrouillé à double tour tandis que le corps de Bardas errait de par le monde et commettait des actes violents et irrévocables. Après tout, elle était banquière ; il lui avait laissé sa vie et sa chance en dépôt, il les lui avait confiées. Elle les avait sauvées de la chute de Périmadeia et gardées tandis qu'il essayait de trouver un but à son existence à Scona. Il lui avait confié son apprenti et son épée une première fois, puis une seconde quand il avait perdu ses derniers espoirs et ses rêves dans le Mesoge, quand il l'avait renvoyée. Et voilà ; aujourd'hui, il allait arriver sur Île où elle avait monté son entreprise de dépôts de fonds et de conseiller commercial. Il était temps de lui restituer ses biens, de présenter les comptes et de dégager sa responsabilité. Elle laisserait tout ici, dans l'état où il était en droit de le trouver, affranchi de tous frais et bien tenu. Elle mettrait un terme au contrat et elle partirait.

Certains clients causent plus de soucis qu'ils en valent la peine.

Mais une question demeurait en suspens : que devrait-elle emporter avec elle ? La réponse était simple : son bureau, son tableau de comptable, quelques affaires de rechange, un petit coffre de livres et tout l'argent liquide qu'elle pourrait rassembler dans le temps imparti.

Le spectacle de son frère gémissant sur ses documents ne tarda pas à lasser Vetriz et elle partit dans sa chambre.

C'était une jolie pièce. Le mobilier comprenait un lit confortable, un fauteuil plutôt pompeux et imposant avec des pieds et des accoudoirs sculptés, un miroir en bronze et en ivoire qui donnait à sa peau un superbe

teint doré et assez flatteur, trois coffres remplis de vêtements et une coiffeuse en bois de rose incrusté de lapis-
lazuli et de nacre — elle l'avait achetée à Colleon, au
grand dam de Venart qui avait été obligé de jeter par-
dessus bord un plein tonneau de harengs séchés au soleil
afin de libérer assez de place pour le meuble. Il y avait
aussi une lampe en argent — sur un socle tourné en syco-
more aussi grand qu'elle —, une boîte à livres avec cade-
nas, un casier avec sept paires de chaussures, un petit
tabouret avec un siège brodé, deux authentiques tapisseries de Shastel — la première était attribuée à Mavaut,
mais la seconde était beaucoup plus jolie —, un bureau
avec un tableau de comptable réversible en échiquier et
un jeu de belles pièces en os et en corne, une carafe
d'eau en bronze estampé venant d'Ap' Elipha — un
cadeau de son père quand elle avait six ans et voulait
surtout une maison de poupée. Il n'y avait que des objets
ravissants et solides qui définissaient sa vie. Le sol était
de marbre poli — glacé en hiver, mais d'une fraîcheur
agréable l'été —, et la chambre donnait sur la cour.

Et c'était à peu près tout.

Vetriz s'allongea sur le lit. Une petite sieste l'aiderait
peut-être à dissiper la migraine qu'elle sentait poindre
derrière ses yeux. Elle enfouit la tête dans l'oreiller et…

— Bonjour, dit-elle. Je ne pensais pas vous revoir si
vite.

— Je ne suis pas encore ici, répondit-il.

— Ah !

Elle l'observa avec attention. Il semblait plus vieux —
certes, il fallait s'y attendre : il *était* plus vieux —, mais il
n'avait pas beaucoup changé. Pour une raison étrange, il
portait une tenue d'escrimeur, comme la première fois
qu'elle avait posé les yeux sur lui dans la salle d'audience
de Périmadeia. D'ailleurs, c'était précisément là qu'il
était. Il se tenait au centre du sol carrelé de dalles noires
et blanches, comme un jeton représentant une certaine

somme sur un tableau de comptable. Elle se demanda quelle valeur il pouvait avoir.

— Et comment vont les choses pour vous, au fait ?

— Oh ! pas si mal que ça, répondit-elle sans réfléchir.

Elle s'aperçut qu'elle se tenait aussi au milieu de cet étrange échiquier, assez près pour qu'il lui porte une botte. La pointe acérée de son épée de justice — une authentique Spe Bef — était suspendue juste sous son menton. Elle estima sans savoir pourquoi que les lignes noires représentaient les unités pleines.

Je vaux donc dix alors qu'il ne vaut que cinq, songea-t-elle. *Non, ce n'est pas possible.*

— Que se passe-t-il ? demanda-t-elle.

— L'épreuve va commencer, répondit-il.

Et ils se retrouvèrent dans un atelier couvert de chaume, sombre et sentant l'humidité. Ils se tenaient de chaque côté d'un établi où reposait un arc. Il s'agissait d'un arc composite, si elle avait bien compris ; une arme fabriquée à partir de tendons, de corne, d'os et de choses dans ce genre. Les différents matériaux étaient assemblés par de la colle bouillie, élaborée avec de la peau et du sang. L'arc était maintenu par une espèce d'étau en bois avec, au milieu, une barre graduée à angle droit.

— C'est un appareil à courber, expliqua-t-il. Il permet d'exercer une pression et une tension. Et maintenant, voyons un peu jusqu'où cet ustensile va plier avant de casser.

… Et ils se retrouvèrent dans une cave avec un haut plafond et un sol en pierre. Ils se tenaient désormais à côté d'une pile de morceaux d'armure, de membres humains.

— Une épreuve, dit-il, ou plutôt, une mise à l'épreuve.

Il lui prit la main avec gentillesse, presque avec tendresse, et la posa doucement sur l'enclume. Puis il leva l'énorme marteau et l'avertit :

— Ça risque de faire un peu mal.

— Une petite seconde, l'interrompit-elle. Je suis certaine que c'est à la fois très important et indispensable, mais pourquoi moi ?

Il sourit.

— Comment le saurais-je ? Je ne fais que travailler ici. C'est aux Fils du Ciel que vous devriez poser cette question. Ils doivent connaître la réponse.

Cette remarque lui sembla curieuse.

— Quel rapport ont-ils avec tout cela ? Car enfin, ils n'avaient rien à voir avec cette histoire au début.

Il fronça les sourcils.

— C'est vrai. Tenez-moi ça une seconde, vous voulez bien ? C'est important que vous le gardiez prêt.

Il prit la main de Vetriz et la retourna paume en l'air avant d'y déposer une tête — la tête d'un jeune homme qui avait à peu près l'âge de Vetriz.

— C'est le roi Temrai, expliqua-t-il. C'est lui le plaignant.

— Ah bon ? Et je suppose que vous êtes l'accusé.

Il fronça de nouveau les sourcils.

— Je n'en suis plus très sûr. Enfin, tout cela ne dépend plus de moi maintenant, que les dieux en soient remerciés.

Il reprit le marteau et l'abattit en utilisant son dos et ses épaules pour augmenter la force du coup. La tête résonna avec un écho aussi clair et pur que celui d'une enclume.

— Ah ! dit-il. C'est bon. Elle a passé l'épreuve. Maintenant, voyons un peu. (Il tendit le bras et en attrapa une seconde derrière l'enclume.) Vous connaissez celui-ci, bien entendu ?

(Elle acquiesça tandis qu'il disposait la tête de Gorgas Loredan sur sa paume.) Il ressemble à notre père. Moi, je tiens de ma mère. On dit que j'ai le même nez.

Sous les coups de marteau, le crâne se fendit et se désagrégea comme une bûche pourrie. Mais Bardas avait légèrement manqué sa cible et l'outil se démancha.

— J'ai décapité ce maudit ustensile, dit-il avec

humeur. Mais bon ! ce n'est pas très grave. J'en ai un de rechange.

Il tira alors son épée large, l'ancienne et superbe Guelan qu'Athli lui avait gardée pendant un temps. Vetriz sentit la pointe aussi acérée qu'une aiguille s'appuyer contre sa gorge.

— Bien, continuons.

Elle réalisa alors que tous les spectateurs de la salle d'audience avaient les yeux braqués sur elle ; des milliers de personnes étaient entassées dans la galerie du public : des hommes des plaines, des Périmadeiens, des Sconiens, des Shastelliens, des habitants d'Ap' Escatoy, des Îliens — les gens que Bardas avait tués au cours de toutes ces années. Ils étaient venus le voir combattre. Elle se vit en compagnie de Ven en haut de la galerie du fond — où elle s'était assise bien des années auparavant. Elle ressentit le besoin de se faire signe, mais se retint.

— Que voulez-vous que je fasse ? demanda-t-elle.

— Et comment le saurais-je ? C'est vous la plaignante.

Elle secoua la tête et sentit la pointe de l'épée lui entailler la gorge.

— Je ne vois pas pourquoi. Et pour commencer, je ne comprends pas pour quelles raisons je me retrouve mêlée à toute cette histoire. C'est juste parce que je peux… eh bien, voir ces choses que les autres sont incapables de voir ? Je sais qu'Alexius pensait que, d'une manière ou d'une autre, je provoquais certains événements, mais…

— Vous ne devriez pas croire en tous ces trucs du Principe, dit-il. Si vous voulez mon avis, ça ne fait que créer des complications inutiles. Demandez donc à Gannadius, la prochaine fois que vous le verrez. Non, c'est une question de cause. Laissons donc la culpabilité et le blâme en dehors de tout cela, ce ne sont que des lubrifiants. Ce que je veux vraiment savoir, c'est qui a commencé toute cette histoire ? Lui ou moi ?

— Lui ?

— Gorgas. (Il abaissa son épée et la posa sur l'enclume, à côté de l'arc.) Passons les événements en revue. Si Gorgas n'avait pas tué mon père, est-ce que j'aurais quitté la ferme familiale au moment où je l'ai fait ? Et est-ce que je me serais engagé sous les ordres d'oncle Maxen pour causer ensuite la chute de Périmadeia ? Je laisse les autres cités en dehors de ça pour le moment, Scona, Ap' Escatoy, Île et ce joli petit modèle réduit de Périmadeia construit par Temrai en personne, elles ne sont que la suite. Si Gorgas n'avait pas fait ce qu'il a fait, est-ce que nous serions encore à la ferme, à réparer les portes et à labourer le champ de six arpents ? Ou bien serais-je quand même parti ? Il ne fait aucun doute que tout se résume à cela. Ce sont sans doute les questions les plus importantes qui aient jamais été posées.

Elle hocha la tête.

— Si Gorgas a causé tout cela, alors c'est sa faute…

— Il ne s'agit pas de faute, l'interrompit-il. J'avais l'habitude de penser à cette affaire en termes de faute, mais depuis que je vis avec ces gens (d'un mouvement de menton, il désigna les Fils du Ciel assis dans leurs sièges réservés du premier rang), je ne pense plus qu'en termes de cause. Si Gorgas a commencé tout cela, il est donc la cause. Si c'est moi qui ai tout commencé, alors je suis la cause. Qu'est-ce que vous en pensez ?

— Je ne sais pas, avoua Vetriz. Désolée.

— Pour ma part, je pense que c'est lui. Ça tombe sous le sens. Dans la famille, c'est lui qui agit, lui qui est plein de dynamisme et d'énergie. Mais d'un autre côté, c'est moi qui provoque les conséquences de ses actes. Si le Principe n'était pas une chimère, ce serait logique.

Elle le regarda.

— Que va-t-il se passer ? demanda-t-elle.

— Vous n'avez pas besoin que je vous le dise.

Et il disparut dans son oreiller.

Elle se redressa d'un coup et ouvrit les yeux. Elle se sentit très mal à l'aise, comme la nuit où elle avait permis à Gorgas Loredan d'entrer dans sa chambre. Elle avait la même impression de ne plus s'appartenir. S'il y avait une signification à ce phénomène, elle devait peut-être chercher dans ce sens — sauf qu'elle ne voyait pas en quoi son « faux pas » avec Gorgas Loredan avait pu entraîner quoi que ce soit ou forcer un événement à se produire. Elle pensa à Niessa Loredan — qui affirmait qu'elle pouvait contrôler le Principe avec l'aide d'un ou deux spontanés —, la personne qui l'avait enfermée et retenue à Scona pendant un certain temps. Cette période de captivité ne semblait pas avoir eu de répercussions majeures. Vetriz songea que Bardas avait raison, que le Principe n'était rien d'autre qu'un conte de fées pour expliquer la marche du monde, comme ces histoires tordues pour justifier que le soleil se lève à l'est ou que la lune décroît. S'il existait vraiment, il ressemblait à une énorme machine, une espèce de gigantesque laminoir comme celui qu'elle avait vu à Périmadeia lors de sa première visite ; un cylindre monumental qui tournait lentement en avalant des blocs de fer pour les transformer en plaques avant de les recracher de l'autre côté. Et si vous ne faisiez pas attention, si vous vous penchiez au-dessus des rouleaux, ils pouvaient attraper votre manche et vous laminer.

Mais cette image ne convenait pas non plus. Elle était beaucoup trop simpliste.

Vetriz se leva et réalisa au même moment que son pied gauche était tout engourdi. Elle claudiqua jusqu'à la coiffeuse et se regarda dans le miroir. Le reflet de son visage était lisse et doré, comme un souvenir précieux et incertain.

En fin d'après-midi, Bardas Loredan reçut une visite. Quand l'étranger l'eut convaincu qu'il était bien celui qu'il affirmait être, ils s'assirent et s'entretinrent dans la tente pendant plus d'une heure.

— Vous ne me paraissez pas très surpris, dit l'homme lorsqu'ils eurent terminé de parler affaires.

— Non, je ne le suis pas. C'est d'ailleurs curieux, parce

que je devrais l'être. Mais ce n'est pas le cas. Tout cela me semble être un développement tout à fait logique de la situation.

— Ah bon? Eh bien, c'est vous qui voyez, pas moi. Au fait, l'horaire vous convient-il?

Bardas hocha la tête.

— Tout à fait. Si je vous demandais pourquoi vous faites cela, est-ce que vous me répondriez?

— Non.

Le visiteur s'en alla et Bardas fit ses préparatifs. Il convoqua une réunion d'état-major, expliqua la situation, ignora les protestations et donna ses ordres. Puis il regagna sa tente.

Encore enveloppée de sa peau de daim huilée, la Guelan était appuyée contre le lit; l'épée large que son frère lui avait laissée comme cadeau juste avant la chute de Périmadeia. Périmadeia était tombée parce que Gorgas avait ouvert les portes à l'ennemi, mais cela n'enlevait rien au fait que la Guelan était une arme de qualité. Sa lame était plus courte que celle de la plupart des autres épées à deux mains, avec un pommeau lourd et le meilleur équilibrage qu'il ait jamais vu. Il défit les nœuds du paquet et la tira de son étui.

Dans la mesure où cela était possible, elle lui parut encore plus légère que par le passé quand il la souleva; peut-être parce que trois ans à creuser dans les mines avaient fortifié les muscles de ses bras et de ses poignets, et que, dans l'armée impériale, il avait pris l'habitude de manier les glaives, hallebardes et bardiches à deux mains — des armes parmi les plus lourdes qui soient. Il passa le doigt sur le fil de la lame pour en éprouver le tranchant et ferma les yeux.

Un peu plus tard, il enfila son armure — dont il ne remarquait même plus le poids —, glissa la Guelan dans le passant de sa ceinture et serra le fourreau avec une sangle. Puis il demeura assis pendant une heure dans l'obscurité, s'attendant à entendre des voix qui, une fois n'était pas coutume, restèrent silencieuses. Pourtant, une odeur d'ail et de coriandre parvint d'un coin du camp ; les deux condiments étaient souvent employés par les cuisiniers pour masquer le goût de la chair avariée.

Au même moment, de l'autre côté de la palissade de la forteresse, Temrai tendit son assiette et un homme y déposa une fine galette blanche remplie de viande épicée ; le serveur sourit et se remit à couper le cuissot en tranches à l'aide d'un long couteau à lame étroite.

Quand ce fut l'heure, on vint chercher Bardas. Comme il l'avait ordonné, les piquiers et les hallebardiers avaient barbouillé leurs armes et armures de boue pour empêcher les rayons de lune de se refléter sur l'acier. Il n'avait pas eu besoin de suivre ses propres instructions : l'armure que le Fils du Ciel Anax avait fabriquée pour lui était devenue terne et légèrement brunâtre à cause de la rouille. Après avoir quitté le cercle de lumière des feux du camp, les soldats se retrouvèrent dans l'obscurité complète. Mais maintenant, ils pouvaient faire le chemin les yeux fermés.

Temrai termina son repas, se leva et marcha sans se presser jusqu'à la chaleur des feux de forge où les armuriers réparaient les cottes de mailles endommagées. Ils commençaient par chauffer les nouveaux anneaux jusqu'à ce qu'ils deviennent rouge terne, puis ils en aplatissaient les extrémités et les perçaient de petits trous ; ensuite, ils les enfilaient à l'emplacement voulu, les refermaient avec des pinces et enfonçaient un rivet avant de le marteler sur un pavé. C'était l'endroit le plus chaud de la forteresse maintenant que les nuits se faisaient fraîches. Le travail ne demandait pas de talent spécifique, pas aux yeux d'un homme qui avait jadis gagné sa vie en fabriquant des lames d'épée dans l'arsenal d'État de Périmadeia. L'acier passait simplement du gris terne au rouge sang. Pourtant, Temrai resta un moment à observer les armuriers sans penser à rien de particulier, si ce n'est que ce serait pratique si on pouvait réparer la chair et la peau aussi facilement qu'une armure, en les chauffant, les attendrissant et les martelant — mais l'idée ne valait pas vraiment la peine d'être essayée.

Le pont tournant était retenu par des cordes et gardé par des sentinelles, mais à la faveur de l'obscurité, les hommes de Bardas traversèrent la rivière à la nage sans un bruit — après un certain temps, il est facile de se repérer dans le noir. Puis ils tranchèrent la gorge des gardes en se fiant à l'odeur et au toucher. Bardas espéra que ses soldats avaient remercié leurs victimes après coup. Avec précaution, ils firent pivoter le pont en silence.

Temrai regagna sa tente où Lempecai, le facteur d'arcs, l'attendait. Il avait collé une nouvelle couche de tendons sur l'arme du roi pour la raidir un peu plus et l'avait remise dans l'appareil à courber. La colle avait pris son temps pour sécher, comme d'habitude, mais le résultat justifiait l'attente. Temrai attrapa l'arc et constata qu'il semblait le bander plus facilement bien qu'il ait été renforcé. Il complimenta Lempecai pour son travail.

Bardas en personne prit la tête de la première compagnie pour traverser le pont. Ce n'était pas par orgueil ou fierté qu'il voulait être le premier à entrer dans la forteresse, il était plutôt poussé par un certain sentiment de continuité : Theudas et lui avaient été les derniers à quitter Périmadeia. Son ancien apprenti était d'ailleurs à ses côtés, vêtu d'un casque et d'une brigandine empruntés quelque part et un peu trop étroits pour lui. Bardas s'était préparé au stress de l'attente, mais à peine eut-il posé le pied sur la rive qu'il aperçut un mince reflet aussi pointu que la lame d'un couteau de chasse à proximité de l'entrée. L'éclat le força à fermer les yeux.

Bardas Loredan, le Ravageur de Cités.

Quand il les ouvrit de nouveau, il remarqua que les portes n'étaient plus closes. Il hocha la tête en direction des soldats qui le suivaient et pénétra dans la forteresse.

— Comme promis, dit l'homme en s'écartant.

— Merci.

— De rien.

Il ne fallut pas longtemps pour que l'alarme soit donnée, mais à ce moment-là, Bardas remontait déjà le chemin à la tête de trois compagnies de hallebardiers tandis que le reste de son armée affluait et se répandait à la base du plateau rocheux. Les hommes des plaines furent pris complètement par surprise — quelqu'un s'était occupé des sentinelles des portes — et ne surent pas comment réagir. Les défenseurs — sans armure — se précipitèrent vers les armes en faisceaux ou coururent dans la direction opposée, mais la rangée de piques noires de terre les rassembla comme un troupeau de moutons.

Les hommes de Bardas avaient atteint le sommet du plateau sans rencontrer la moindre résistance quand les cris et les hurlements en contrebas attirèrent leur attention. Les Impériaux savaient où aller et quoi faire. Une compagnie se dirigea vers le camp principal tandis que les deux autres le contournaient de chaque côté en suivant la palissade afin de repousser les ennemis en fuite. Quand les hallebardiers apparurent à la lumière des feux, les hommes des plaines se ruèrent sur eux comme une vague qui se brise sur les rochers et reflue vers la mer.

Comme il se devait, Bardas Loredan fut le premier à faire couler le sang. Son adversaire fut un grand homme fin vêtu d'un simple casque et agitant un cimeterre comme un chaman une amulette. Bardas trancha d'abord la main qui tenait l'arme, puis fit tourner son poignet. Il ramena la Guelan en arrière et porta un coup de taille un peu prétentieux au cou. Son adversaire tituba et s'effondra sur le dos. Et Bardas le remercia. Sa victime suivante se présenta avec une lance et un couvercle de chaudron en guise de bouclier de fortune. Bardas feinta haut et frappa bas. Il sentit le choc de son arme contre le tibia de l'homme avant d'attaquer d'estoc. Sa lame s'enfonça dans la cage thoracique. Une petite torsion du poignet dégagea l'épée et Bardas fut prêt à accueillir le suivant — dont le cimeterre ricocha sur son épaulière gauche avant que la Guelan lui tranche le cou et la clavicule. L'homme tomba et Bardas enjamba son corps en marmonnant des remerciements sans enthousiasme tandis qu'il jaugeait son prochain adversaire — un garçon armé d'une hallebarde volée à l'armée impériale. Bardas avait appris à respecter cette arme, quelle que soit la personne qui la maniait. Il observa la lame en effectuant deux petits pas sur le côté et se fendit pour toucher le cœur en passant par l'angle du coude. Il remercia le jeune homme tandis que son cadavre glissait le long de son épée pour s'effondrer au sol. Il inclina alors un peu la tête vers la droite pour éviter une attaque portée de taille avec un gros marteau ; son propriétaire ressemblait à un forgeron : solidement bâti et chauve. Bardas regarda l'arme partir sur le côté, exposant l'aisselle de son adversaire.

La meilleure façon de toucher le cœur, c'est de passer par l'aisselle.

Pourtant, au lieu de baisser son épée pour que le cadavre glisse le long de la lame et la libère, il la poussa violemment vers la droite pour gêner un homme avec une longue hache — le candidat suivant aux épreuves de résistance. Surpris, le guerrier para et perdit sa garde ; Bardas se pencha en arrière et porta une petite attaque de taille qui éventra son adversaire. Tandis que ce dernier restait pétrifié de terreur et de douleur, il l'acheva d'un coup à la tête qui lui fendit le crâne. Puis il le remercia.

L'ennemi décochait maintenant des flèches à une distance assez courte pour mettre à l'épreuve les armures impériales. Mais Bardas avait prévu cette éventualité. Au sommet du plateau entouré d'une palissade, encombré de tentes et de cadavres, il n'y avait pas assez de place pour appliquer une tactique de harcèlement en évitant le corps à corps. D'un geste, il commanda la charge et les hallebardiers se mirent en mouvement. Certains tombèrent, mais pas assez pour modifier l'équilibre des forces. Le premier archer que Bardas tua leva son arme pour parer le coup d'estoc ; la Guelan rebondit sur le bois couvert de tendons, mais Bardas fit pivoter son épée et frappa les cuisses de son adversaire ; ce dernier tomba à genoux et présenta sa tête à bonne hauteur pour la frappe suivante. Une flèche se planta dans le canon d'avant-bras droit de Bardas, mais s'arrêta avant d'atteindre la peau. Il fit une pause pour l'arracher et tendit son épée — comme la pelle à poussière quand il balayait les copeaux de son établi — pour laisser un homme s'empaler dessus. Le candidat suivant avait dégainé son cimeterre et le brandissait dans un semblant de garde, mais Bardas avait trop d'années d'escrime derrière lui pour y prêter attention. Il lui abattit son épée sur la tête et écrasa le casque, forçant l'homme à tomber à genoux. Il lui asséna alors un coup de pied au visage et l'acheva en le transperçant de sa lame.

Et c'est Bollo avec son gros marteau qui remporte l'épreuve, pensa-t-il tandis qu'il murmurait des remerciements silencieux. Et il fut prêt à accueillir le prochain, puis le suivant, et celui d'après.

Il aperçut alors Temrai blotti au milieu d'un petit groupe d'hommes à moitié nus. Le jeune roi avait enfoncé son casque sur sa tête et enfilé une paire de genouillères, mais ces dernières lui glissaient le long des jambes, car les sangles n'étaient pas assez serrées. Bardas sourit et marcha vers eux ; mais avant qu'il puisse se mettre au travail, un homme le dépassa en courant, un homme imposant vêtu d'un casque et d'une brigandine, un homme qui agitait une hallebarde en hurlant au plus fort de sa voix.

— Theudas ! cria Bardas.

Mais le garçon ne l'écouta pas. Il fondit sur Temrai comme une flèche. Un homme des plaines se fendit vers lui avec sa lance ; Theudas remarqua qu'il avait été touché seulement quand il s'arrêta, bloqué par la barre transversale de l'arme. Il tenta de se tourner et de frapper, mais le manche de bois était trop long et il lui était difficile d'atteindre son adversaire. Il essaya néanmoins deux fois avant de s'effondrer. Un autre homme lui enfonça la pointe de son arme dans l'oreille — il avait perdu son casque, trop petit pour lui — et Theudas ne bougea plus.

Ce n'est pas ainsi que ça doit se passer, pensa Bardas.

Et il essaya d'ouvrir les yeux, mais ils l'étaient déjà.

Le groupe de Temrai recula, faisant son possible pour s'enfoncer à l'intérieur du camp — où il y avait davantage de corps à interposer entre le roi et la Guelan. Bardas les suivit sur quelques mètres avant de réaliser ce qui l'intriguait depuis un moment : l'ennemi était beaucoup moins nombreux que prévu. Ne devait-il pas y avoir là toute la nation du peuple des plaines jusqu'au dernier individu ? Certes, il faisait sombre, mais il n'avait aperçu que quelques centaines d'hommes.

Il comprit alors.

Très intelligent, pensa-t-il. *Mais j'aurais quand même dû le prévoir.*

Il était maintenant trop tard. En bas du plateau, quelqu'un lança une sorte de signal et les soldats de l'armée des plaines surgirent de leurs cachettes, des tentes et des chariots, des fosses de stockage et des tranchées. Ils portaient des hallebardes et des lances — copiées sur le modèle impérial, on ne pouvait imaginer plus flatteur — et ils restaient en formation serrée. Ils s'interposèrent entre les Impériaux et le chemin, coupant ainsi toute possibilité de retraite. Les derniers guerriers à demi nus s'enfuirent à toutes jambes ; Bardas se demanda si on les avait informés du piège et de leur rôle d'appâts.

Si j'avais conçu ce plan, je ne les aurais pas prévenus.

Les rangs des hommes des plaines avancèrent et se déployèrent pour compléter l'encerclement — les sergents instructeurs de l'empire n'auraient pas fait mieux. Pendant ce temps, des renforts montaient par le chemin, menés par Iordecai, l'homme qui avait obligeamment ouvert les portes de la forteresse.

Cela n'augurait rien de bon : les piquiers qui avaient envahi la base du plateau avaient dû être repoussés ou tués.

Moi et mes idées sur la répétition de l'histoire, songea Bardas avec regret. *On dirait que je vais avoir ce que je voulais.*

Ses poignets et ses avant-bras étaient douloureux à force de tenir l'épée et de ressentir les chocs qui remontaient le long de la lame et se communiquaient d'un os à l'autre — en un sens, l'armure teste aussi la résistance du marteau. La sueur perlait sur son front et lui coulait sur le visage pour descendre vers le gorgerin en l'aveuglant au passage. Il ferma les yeux.

Et maintenant, qu'est-ce que je fais ?

Mais personne ne se manifesta pour lui répondre. Une odeur se dégageait d'une marmite abandonnée sur un feu de camp tout proche. Une odeur de coriandre.

Je ne pensais pas que ça serait aussi difficile, songea Temrai tandis que ses gardes le poussaient à l'écart. *Je croyais que la victoire suffirait, mais le simple fait de savoir qu'il est ici...*

Il chassa à grand-peine l'image de son esprit : Bardas Loredan marchant vers lui, l'épée à la main. Il ne pouvait rien faire de plus pour empêcher sa vessie de le trahir. Temrai ne savait pas trop comment il avait reconnu son vieil ennemi ; après tout, ce n'était qu'un homme en armure avec une mentonnière qui lui cachait le bas du visage. Mais il avait su que c'était lui.

— Où est Sildocai ? demanda-t-il.

— Avec les renforts, répondit quelqu'un. Iordecai fait monter le gros des troupes. Une fois qu'ils entreront dans la danse, ce sera l'enclume et le marteau.

Qu'importe ! songea Temrai.

Il semblait incapable d'enchaîner des pensées rationnelles. Elles étaient aussi fuyantes qu'une truite serrée dans la main.

— Parfait, dit-il. Et comment est la situation en bas ? On a des nouvelles de Gollocai et de ses hommes ?

— D'après les dernières, tout allait bien. (Temrai ne voyait pas le visage de son interlocuteur et il ne reconnut pas sa voix.) Le reste de l'armée s'est replié sur le camp, et les Impériaux n'ont pas la moindre chance de s'échapper d'ici. Ce n'est plus qu'une question de temps, maintenant.

Temrai frissonna.

— Faites au plus vite. Et quoi que vous fassiez d'autre, assurez-vous de ne pas *le* rater. C'est *compris* ?

— Bien sûr. Tu le veux vivant ?

— Par tous les dieux ! Surtout pas ! Je le veux aussi mort que possible. Je veux savoir qu'on lui a coupé la tête avant de m'en approcher d'un pas.

Quelqu'un éclata de rire en pensant qu'il s'agissait d'une plaisanterie.

— Au fait, dit un autre soldat, ce môme qui a fait une attaque suicide tout à l'heure, tu le connaissais ? (Personne ne dit rien et la voix continua.) Je l'ai reconnu. C'était le neveu de Loredan. Tu sais, celui qui était arrivé de je ne sais où avec le sorcier.

— Ce n'était pas le neveu de Loredan, remarqua quelqu'un. En fait, je ne crois pas qu'ils aient eu un lien de parenté.

— Theudas Morosin, dit Temrai.

— C'est ça ! Enfin bref, c'était lui.

— C'est bien, lâcha Temrai. Et maintenant, sortez-moi d'ici.

La ligne des pointes de lance se rapprocha en rangs serrés, cherchant à tâtons des articulations et des ouvertures dans les armures impériales : l'intérieur du coude, l'espace entre le plastron et le gorgerin, entre le gorgerin et le casque, l'intérieur de la cuisse ou encore l'aisselle. De leur côté, les hallebardiers se battirent comme de beaux diables — l'enclume teste la résistance du marteau ; ils écrasèrent les casques, fracassèrent les os et tranchèrent les vaisseaux sanguins sous la solide peau de cottes de mailles. Mais la ligne ennemie avait accumulé de l'élan, de la vitesse ; elle franchit les cadavres et les mourants comme une vague submergeant les galets sur une plage. Les haches et les marteaux fendirent casques et armures comme une grive brise la coquille d'un escargot ou un homme ouvre des huîtres lors d'un repas de fête. Si Anax avait été encore en vie pour entendre le déroulement de la bataille, il aurait pu le deviner au seul bruit des coups : l'écho cristallin de la lame sur une solide cuirasse, les claquements moins nets sur des protections plus rudimentaires et le craquement humide sur la chair à nu. L'affrontement se déroulait surtout dans l'obscurité désormais ; les hommes de Bardas se battaient dos aux feux de camp et masquaient la lumière. Il n'est pas très important de voir lorsque les ennemis sont tout autour de vous, à peine à une longueur de lance.

Tandis que les hommes des plaines se pressaient autour de lui comme une galerie qui s'effondre, Bardas frappa de taille et parvint à se dégager. Son casque avait disparu depuis longtemps, les rivets de son gorgerin et de ses épaulières avaient été coupés par les coups de hache glissant sur les parois convexes de son armure ; les plaques d'acier pendaient maintenant aux fichets et aux sangles. Son gantelet droit était si déformé par les frappes qu'il avait assénées que les lamelles métalliques avaient plié et s'étaient coincées — et il s'en était donc débarrassé à la première occasion. Derrière lui et de chaque côté, des corps et des membres humains pleuvaient. Il taillait et tranchait la chair avec l'art d'un cuisinier préparant un banquet tandis que les coups de ses ennemis ne faisaient que planer sa peau d'acier. Cette bataille dans l'obscurité ressemblait à celles qu'il avait livrées par le passé, un travail difficile et monotone, comme repousser la glaise avec les pieds pour évacuer les gravats de la paroi qu'on creuse. Pourtant, il était ébahi par la richesse des bruits et des odeurs, un vrai festin pour les sens : les effluves douceâtres du sang et ceux, plus piquants, de l'acier ; les exhalaisons capiteuses de la sueur, de l'ail et de la coriandre dans le dernier souffle d'un homme qui s'abattit contre lui ; et tout ce récital de musique impériale composée à la forge des épreuves.

Son adversaire portait un casque démodé formé de quatre plaques retenues par des sangles. Bardas para son coup de lance et ne perdit pas de temps en subtilité — une attaque de taille au-dessus de l'épaule pour toucher la tempe. Mais tandis que l'homme s'effondrait, il réalisa que le bruit n'était pas bon ; il y avait un léger défaut dans les tintements secs de la Guelan. Il n'eut pas le temps de s'attarder sur la question : il enjamba sa victime et para un coup de hallebarde — ce qui lui laissa une ouverture sur le côté d'un chapel de fer volé à l'armée impériale. Il frappa et son épée se brisa en deux, une main et demie au-dessus des quillons.

Oh non ! Pas encore ! pensa-t-il en lâchant la garde.

Un homme se dirigea vers lui avec une lance et Bardas n'avait plus rien pour parer le coup. Il se tourna donc de côté et utilisa le profil de son plastron pour détourner l'attaque. Puis il tendit le bras gauche et enfonça son gantelet dans le visage de son adversaire. Il vit le sang sourdre le long des balafres occasionnées par le bord des lamelles d'acier, aussi rectilignes que les sillons d'un champ bien labouré. Cela le fit penser à ses frères. Clefas était un expert avec une charrue, mais il était paresseux ; Gorgas était presque aussi doué, mais lui était toujours prêt à se mettre au travail. Malgré sa blessure, l'homme resta debout et ramena son arme en arrière pour frapper de nouveau ; le coup allait toucher, mais Bardas réussit à saisir le manche à hauteur de la douille de la lame et à l'écarter. Il essaya de ne pas lâcher, mais les bords tranchants de la pointe glissèrent dans sa paume et à la base de ses doigts quand son adversaire tira soudain son arme en arrière.

Et voilà ! Rien n'est indestructible. Les manières d'échouer sont juste infinies.

Il lâcha prise et eut à peine le temps de frapper du pied la rotule de l'homme. Cette fois-ci, le guerrier tomba, mais Bardas ne put récupérer la lance assez vite pour conclure dans les règles de l'art : il se contenta de lui écraser son talon sur le visage. D'autres adversaires se dirigèrent vers lui et il était désarmé. Quel dommage ! Il avait percé les trois quarts des rangs ennemis — la strate géologique — et il distinguait maintenant l'obscurité immobile au-dessus des ombres en mouvement. Mais sans arme, il n'était qu'une enclume. Il recula pour avoir la place de se retourner et se mit à courir.

La tâche n'était pas aussi facile qu'elle aurait dû l'être. Les grèves et les cuissards de son armure étaient déformés et grippés et la charnière de sa genouillère gauche était si tordue qu'il lui serait impossible de l'ôter sans la découper en petits morceaux — à condition qu'il sorte de ce guêpier en vie. Mais même sans sa carapace de métal, il ne serait pas allé très loin avant de trébucher et de tomber.

Il se reçut mal et se cogna la tête. Quand il ouvrit de nouveau les yeux, il vit l'obstacle : un chariot de ravitaillement avec un plateau élevé et une suspension presque inexistante. Il n'avait aucun besoin de preuves pour savoir qu'il resterait incapable de se relever pendant un bon moment. Il s'aplatit donc sur le ventre et rampa tant bien que mal sous le véhicule.

Il était si fatigué qu'il ferma un instant les yeux.

… Et il fut de retour dans les mines, comme d'habitude. Mais en dépit de l'obscurité totale, il vit un wagonnet abandonné et, en dessous, un jeune garçon qui le fixait avec un visage reflétant toute la peur du monde. Il s'agissait de Temrai, bien sûr, mais aussi de Theudas — qu'il avait tiré de sous un chariot pendant la chute de Périmadeia.

— Pourquoi as-tu peur de moi, Theudas ? demanda-t-il.

Mais le garçon resta immobile et silencieux.

— Il est là !

Bardas ouvrit soudain les yeux et là, il aperçut de nouveau le visage de Temrai. Le jeune roi était sur le champ de bataille, à une vingtaine de mètres de lui.

— Par ici ! hurla-t-il. Sous le chariot ! Vous le voyez ? Tuez-le, par tous les dieux ! Tuez-le tout de suite !

Et ils avancèrent vers lui, trois hommes des plaines armés de piques et de cimeterres, des membres de la garde personnelle de Temrai. Quand ils furent tout proches du chariot, ils cherchèrent à le harponner sous le plateau comme quelqu'un voulant récupérer une pièce sous une table. Bardas se contorsionna pour s'éloigner, mais une pointe lui fendit la joue tandis qu'il rampait à reculons — il avait appris la manœuvre dans les mines. Il arriva enfin de l'autre côté du chariot, qui le protégea de ses poursuivants. Il se releva en s'appuyant sur la roue arrière et se mit à courir. Il jeta un coup d'œil par-dessus son épaule et les aperçut escalader le véhicule. Ils le pourchassaient avec une conscience professionnelle qu'il n'avait pas vue depuis la guerre de Maxen. Il n'était alors qu'un jeune homme qui venait enfin de muer pour acquérir sa nouvelle peau ; il avait poursuivi un groupe d'hommes des plaines en fuite dans le sinistre et bruyant cauchemar de l'obscurité tandis que, tout autour, les feux le reniflaient et grognaient après lui comme des gardiens du paradis.

Il est temps d'envisager quelque chose d'intelligent à faire.

Il ralentit soudain, attendit que le premier poursuivant l'ait presque rattrapé et s'accroupit alors brutalement. L'homme des plaines le percuta et passa par-dessus son épaule dans un enchevêtrement de bras et de jambes ; Bardas se releva et frappa rapidement le deuxième au visage avec son dernier gantelet. Il sentit le nez de son adversaire se briser et l'échec des cartilages se transmettre à ses propres os via l'acier. Une expression hilarante se dessina sur les traits du malheureux : un vague mélange de terreur et de stupeur. Bardas s'empara alors de son cimeterre et lui trancha le cou.

Maintenant qu'il était de nouveau armé, le troisième homme ne l'inquiétait plus. Il para le coup de pique distraitement avant de lui sectionner l'oreille gauche. Puis il ramena le cimeterre à l'horizontale et lui ouvrit la gorge. Il n'avait pas l'habitude de manier ce genre d'arme ; la lame courbe n'était pas conçue pour l'estoc, la poignée était trop courte pour sa main et le grand pommeau plat lui irritait le poignet. Pourtant, elle avait de nombreux avantages par rapport à rien du tout. Il s'accorda une demi-seconde pour décider de la suite des événements, puis il retourna à petits pas vers l'endroit où il avait vu Temrai.

Deux optimistes se mirent sur son chemin, mais pas pour très longtemps. Temrai semblait avoir pris racine ; il avait les yeux écarquillés comme un lapin et même dans la lueur rougeoyante des feux de camp, son visage était aussi pâle que celui d'un cadavre. Bardas n'était plus qu'à quelques mètres de lui maintenant. Le cimeterre d'un garde rebondit sur son brassard gauche et l'agresseur reçut ses remerciements. Il ne restait que deux guerriers entre Bardas et le roi. La mort de Temrai ne résoudrait rien, bien sûr ; elle permettrait sans doute de gagner la guerre, mais c'était le cadet de ses soucis. En revanche, elle rétablirait un peu l'équilibre des événements. Et puis, il n'avait rien de mieux à faire. Il para en haut à droite, poignet tourné et lame inclinée vers le bas. Il enchaîna avec un coup sec juste sous le menton. Un autre problème réglé. Il marmonna ses remerciements.

Ce fut alors qu'il vit quelque chose qui lui fit oublier jusqu'à l'existence de Temrai, de la guerre et des schémas de l'histoire. Il vit une échappatoire.

Ce n'était qu'une brèche minuscule entre le dernier soldat d'un rang et le premier du suivant. Elle se refermait à toute vitesse, mais s'il était assez rapide, il avait une chance de s'y glisser et de redescendre le chemin sans devoir se battre à chaque pas.

— Rattrapez-le ! cria quelqu'un — sans doute Temrai.

Une flèche ricocha sur sa cubitière gauche avant de repartir vers la ligne qui avançait. Il faillit perdre l'équilibre deux fois — la première en marchant sur la main d'un cadavre qu'il n'avait pas vu, la seconde en trébuchant sur le bord d'un cratère creusé par un projectile de trébuchet. Par chance, le poids de son armure lui donna assez de vitesse pour corriger ses erreurs et poursuivre sa course. Il rebondissait presque sur le sol, comme un marteau sur une enclume. En fin de compte, il dut pousser un homme pour forcer le passage et amputer un bon morceau d'épaule à un autre, mais il réussit. Il avait atteint le chemin.

Ce dernier était bien entendu dans un état pitoyable après des jours de bombardement ininterrompu. Le sol friable se déroba sous son poids et, soudain, il se retrouva glissant sur le dos le long de la pente. Il parvint à ralentir en enfonçant ses talons dans les amoncellements de terre et vira pour s'écarter du bord et du vide. Il profita de son élan pour se relever d'un bond et se remettre sur le chemin. Par la suite, il modéra son allure — ses poursuivants firent de même, cela n'avait donc pas d'importance. Il percuta alors un imbécile d'homme des plaines qui n'avait pas eu le temps de s'écarter et le projeta dans le vide.

Je suis vraiment le roi des maladroits ! pensa-t-il en se redressant tant bien que mal. *Un vrai danger public, il faut bien le reconnaître.*

Au pied du plateau, il y avait des piles confuses de cadavres, comme des sacs de sable empilés pour empêcher l'eau d'entrer dans une maison. Il dut s'arrêter et soulever ses jambes avec une main. Cela permit à deux poursuivants de le rattraper, mais ils ne vécurent pas assez longtemps pour le regretter. En bas, la bataille continuait, mais il y avait trop de cadavres sur le sol pour autoriser des manœuvres organisées. Le spectacle rappela à Bardas certaines régions des plaines où les touffes de chiendent vous empêchaient presque de faire un pas. Les combattants se frayaient un passage dans ce chaos pour atteindre leurs ennemis et échangeaient des coups sans se déplacer.

Les portes étaient bien sûr fermées et barricadées par des poutres disposées en travers. Cependant, Bardas aperçut une voie dégagée pour accéder à la rampe menant au chemin de ronde qui longeait l'intérieur de la palissade. Il se mit en route d'un pas lourd, repoussa quelques attaques sans conviction et grimpa le plan incliné avec lassitude. Ne voyant personne en haut, il appuya son cimeterre contre le mur de rondins et entreprit de défaire son armure.

Il est plus facile de sortir d'une armure de plaques que d'y entrer : quand une boucle était coincée ou tordue, il n'avait qu'à trancher la sangle. Il venait juste de se débarrasser du plastron et commençait à scier la lanière du canon d'avant-bras lorsqu'il entendit des cris tout proches. Une dizaine d'hommes des plaines étaient sur la rampe et le montraient du doigt. Ils hélèrent un autre groupe qui tentait de les rejoindre en traversant le champ de bataille. Bardas jura tout bas et poursuivit sa tâche — se coupant au passage quand la lame ripa sur un rivet. Quand ses ennemis le rejoignirent, il était enfin débarrassé de son encombrant fardeau.

Ils s'arrêtèrent soudain et le dévisagèrent au bout de leurs lances. La peur qui les accompagnait était si palpable qu'il aurait presque pu la toucher ; il était certain que s'il claquait des mains et criait, au moins deux d'entre eux s'enfuiraient à toutes jambes. Il ne leur en voulait pas : au milieu de ce qui serait sans doute la plus grande victoire militaire de leur peuple, on leur avait ordonné de courir après la défaite, l'humiliation et une mort inévitable.

— Ne vous inquiétez pas, leur lança-t-il avec bonne humeur. Je n'ai pas le temps de m'arrêter.

Il bondit alors à pieds joints et agrippa le haut de la palissade. Il effectua un rétablissement et resta un moment assis à califourchon ; puis il passa sa seconde jambe de l'autre côté et sauta. Il plongea dans la rivière les fesses en avant et provoqua un « plouf » assez comique accompagné d'une grande gerbe d'eau.

Le choc et l'épuisement le rattrapèrent à mi-chemin du camp et il s'affala sur le sol, incapable du moindre mouvement. L'ivresse ressentie en s'échappant du piège commençait à s'évanouir. Il ne pensait plus qu'à ses jambes trop lourdes et à ses genoux douloureux. Il resta allongé une demi-heure, les yeux fermés. Si quelqu'un l'avait découvert ainsi, il aurait cru qu'il s'agissait d'un cadavre. Il n'y avait plus rien à voir au-delà de ses paupières, plus rien n'existait en dehors de son corps éreinté et endolori.

La pluie se mit à tomber. Quand il fut trempé jusqu'aux os et presque aveuglé par l'eau qui lui coulait dans les yeux, il songea qu'il y avait des tentes dans le camp — et des endroits un peu plus confortables pour se reposer. Se relever ne fut pas une mince affaire : cela exigea la coordination d'un ensemble de manœuvres complexes que son corps ne semblait plus capable d'accomplir. La pluie étant particulièrement froide, il réussit quand même à enchaîner les différentes opérations. Il partit vers le camp, boitillant et traînant une cheville foulée à un moment indéterminé de la nuit.

Le lit paraissait merveilleusement confortable, mais il était trop loin. Il s'affala sur une chaise et laissa sa tête retomber contre sa poitrine. Personne ne semblait avoir remarqué son retour — une vraie bénédiction. Il aurait sans doute une quantité insupportable de problèmes à régler — et Theudas ne serait plus là pour l'aider —, mais il n'eut pas le courage de s'y atteler tout de suite. Il ferma les yeux et savoura l'obscurité bien que la douleur de ses muscles et de ses articulations soit trop présente à son esprit pour le laisser dormir. Il commençait néanmoins à sombrer dans une torpeur annonciatrice de sommeil quand il sentit quelque chose lui piquer la nuque. Il s'agissait peut-être d'une épine ou d'un éclat d'armure, mais il sut que ce n'était pas le cas.

— Il y a quelqu'un ? demanda-t-il.

— Il y a moi.

La voix était familière.

— Qui est là ?

— Moi. Iseutz Hedin. La fille de Niessa. Tu te souviens de moi ?

— Bien sûr, répondit Bardas sans faire un geste. Comment es-tu arrivée jusqu'ici ?

— Comme tout le monde, en bateau. Nous avons eu un vent arrière tout le long du trajet, le voyage a donc été court, mais excitant. Mais je vois bien que cela ne t'intéresse pas vraiment, alors je vais te tuer et ce sera terminé.

— Attends une petite minute, dit Bardas. (La peur l'empêchait d'articuler distinctement : il parlait comme un homme à moitié saoul.) Je n'arrive pas à me rappeler, est-ce que nous avons déjà évoqué ce problème ? J'aimerais bien savoir pourquoi tu me détestes autant.

— C'est simple : tu as gâché ma vie.

— Soit, dit Bardas. Mais notre duel a été loyal. Tu m'aurais tué si je n'avais pas…

— Je ne parle pas de ça, l'interrompit Iseutz. C'est vrai que me trancher les doigts, ça n'a pas vraiment stimulé l'amour que je te portais, mais comme tu l'as dit, notre duel était loyal. Ce n'est pas pour ça, et tu le sais très bien.

Bardas sentit la douleur dans ses mains affaiblies par l'épuisement et la terreur.

— Alors, tu m'en veux toujours parce que j'ai tué ton oncle… (Il ne parvint pas à se rappeler son nom. Quelque chose Hedin. Il avait manqué de finesse en révélant qu'il l'avait oublié.) C'est vrai ? Après toutes ces années ?

— Oui.

— Oh ! mais ce duel était loyal, lui aussi. Allons, tu as été avocate de justice pendant un moment, toi aussi. Je dois avouer que je ne vois pas la différence.

Il entendit Iseutz expirer par le nez. Cette situation ne lui était que trop familière : les lames dans l'obscurité, l'incapacité à voir ses ennemis, les sons et les odeurs comme seuls points de repère — et oui, elle avait mangé quelque chose d'aromatisé à la coriandre il y avait peu.

— Tu ne vois pas la différence, dit Iseutz. Ça ne me surprend pas. Tu devrais essayer d'écouter les autres quand ils te parlent. J'ai dit que j'allais te tuer parce que tu avais gâché ma vie. Car c'est bien ce que tu as fait.

Il avait oublié un symptôme de la peur : la manière dont elle sature le reste de votre esprit, comme l'huile d'une lampe renversée sur une pile de papiers.

— Je suis désolé, mais je ne vois pas le rapport. La Cité serait quand même tombée, que je l'aie tué ou pas. Ta vie aurait quand même été bouleversée. Et puis, la barbe ! Si tu aimes tant les jeux de logique, essaie celui-ci : si je n'avais pas tué ton oncle, est-ce que tu te serais trouvée dans cette ruelle la nuit où Périmadeia est tombée ? Parce que si la réponse est « non », tu aurais été tuée par les hommes des plaines. J'ai *sauvé* ta putain de vie, tu t'en souviens ? Est-ce que ça ne compte pour rien ?

— Tu ne m'as pas vraiment rendu service.

Sa peur ne se calma pas, bien au contraire. Il y a des femmes hystériques et armées d'un couteau qui jurent qu'elles vont vous tuer, mais qui se contentent de vous parler. Elles n'inspirent pas la peur aux hommes capables de se frayer un chemin à travers une armée ennemie à la pointe de l'épée et en pensant à autre chose. Mais Bardas avait bel et bien peur d'Iseutz. Il parvenait à peine à parler et à contrôler sa vessie. Après tout, elle était sa nièce, et s'il y avait une part de vérité dans l'hérédité, sa situation était loin d'être rassurante.

— Je ne comprends rien à ton raisonnement, dit-il. Pourquoi est-ce que tu ne m'expliques pas au lieu de jouer aux devinettes ?

— Soit. Je vais t'expliquer. (Elle augmenta la pression de la lame sur sa nuque.) C'est vraiment très simple, je t'assure. C'est ta faute si je suis comme ça. (*Écoute un peu le mépris qu'elle a réussi à mettre dans ce petit mot.*) Tu as fait de moi ce que je suis aujourd'hui, oncle Bardas. À ta décharge, je dois reconnaître que tu es un sacré artisan. Tu as transformé mon cousin Luha en arc et moi en une autre arme. Tu as fait de moi une Loredan. Merci *beaucoup* !

La bouche de Bardas se remplit d'une substance répugnante. Il l'avala.

— Soit un peu honnête. C'est ta mère qui est responsable de ça, pas moi.

— Oh ! c'est elle qui a commencé — c'est la raison pour laquelle elle n'est pas fiable. Mais je m'étais éloignée d'elle et j'étais sur le point de devenir une Hedin quand tu t'en es mêlé. C'est la raison pour laquelle je vais te tuer.

— Je vois, dit Bardas. Mais est-ce que ma mort ne va pas te transformer un peu plus en ce que tu ne veux pas être ?

— Non, répondit Iseutz. Car les Loredan ne se tuent pas entre eux. Prenons oncle Gorgas : tu as assassiné son fils et il t'a pardonné. Tu as eu l'occasion de te débarrasser de moi, mais tu ne l'as pas fait. Mère pouvait me faire disparaître à tout moment, mais elle ne l'a pas fait. Ça fait partie de nos traditions familiales. (Elle éclata de rire.) Plus j'y pense, plus je suis convaincue que je vais te rendre service. Allons, oncle Bardas, pourquoi donc voudrais-tu rester en vie ? Si j'avais la moitié de ce que tu as fait sur la conscience, le manque de sommeil finirait par me tuer. Ta vie doit vraiment être horrible. Déjà que la mienne n'est pas terrible — et elle a à peine commencé.

— Comment peux-tu dire ça ? répliqua Bardas. Conséquences mises à part, je ne vois pas une seule chose que je n'aie pas faite avec les meilleures intentions du monde.

— Tu aurais mieux fait de t'abstenir de cette réflexion, compte tenu des circonstances.

— Tu crois ? (Bardas se retint à grand-peine pour ne pas trembler comme un chien sortant d'une mare, mais l'effort demandé était énorme.) Ce n'est pas mon avis. Tu n'as pas vraiment l'intention de me tuer sinon tu l'aurais fait depuis longtemps.

— Tiens donc ? répondit Iseutz.

Et elle enfonça sa lame.

Après coup, Bardas songea que cet épisode — cette modeste victoire tactique calculée avec soin — rattrapait toutes les erreurs de la journée. En la provoquant avec adresse, il avait au moins deviné quand le coup partirait. Cela lui permit d'incliner brusquement la tête en avant et sur le côté — il avait encore cette horrible estafilade sur la nuque, mais ce n'était pas assez grave pour en mourir. Simultanément, il poussa de toutes ses forces avec les pieds pour que le dossier de la chaise frappe sa nièce au plexus — enfin, à l'endroit où il estimait que son plexus se trouvait. Il profita de son élan pour se jeter à terre, roula et tendit la main vers le nécessaire d'écriture de Theudas posé à même le sol. Ses doigts se refermèrent là où le couteau à tailler les plumes devait se trouver — à condition que personne n'y ait touché. Après trois ans dans les mines, c'était devenu une seconde nature, un geste plus facile à réaliser dans l'obscurité, guidé par ses doigts et ses souvenirs, qu'en pleine lumière guidé par ses yeux. La garde se nicha dans sa paume et le lancer ne fut que la continuation du même geste ; l'économie de mouvements était essentielle sous terre. Il entendit l'impact et le hoquet de douleur — un mauvais signe : si elle pouvait encore gémir, cela signifiait qu'il avait raté son coup. Mais sa main était déjà partie en direction du cimeterre qu'il avait laissé sur la table des cartes.

— Oncle Bardas, non…, dit-elle.

Et puis il entendit le craquement spongieux de l'acier taillant la chair et les tendons, le tranchant de la lame compresser les tissus et les déchirer.

— Merci, dit-il machinalement.

Il attendit un moment — il fallait toujours compter jusqu'à dix avant de se remettre à bouger, une autre leçon importante qu'il avait apprise dans les mines. Il abaissa le cimeterre, se leva et tendit la main pour chercher la lampe et le briquet à l'aveuglette.

Quand la lumière éclaira enfin l'intérieur de la tente, Iseutz était morte — trancher la jugulaire est assez répugnant, mais c'est rapide. On lisait de la peur dans les yeux de la jeune femme, sans doute parce qu'elle avait réalisé à la dernière seconde qu'après tout elle n'avait pas envie de mourir — Bardas avait souvent observé ce phénomène. Sa bouche était ouverte et elle avait lancé sa dague ; mais dans l'obscurité, bien entendu, il ne pouvait pas avoir remarqué ce détail. Le couteau à tailler de Theudas lui avait fendu la joue ; la blessure était impressionnante, mais sans gravité, comme celle qu'elle lui avait infligée. Il resta debout et l'observa un moment. Une Loredan de moins. Bien.

Ainsi va la vie, pensa-t-il. *Ainsi va la vie. Et mainte-nant, il y a un cadavre de jeune fille dans ma tente.*

Comme il fallait s'y attendre, elle était tombée en travers de son lit et les draps et le matelas étaient gorgés de sang. Il décida de dormir sur la chaise.

Il était loin des combats, dans un havre de paix et de tranquillité. Il avait l'impression que la poussière et le bombardement constant des trébuchets l'accompagnaient depuis le jour de sa naissance.

Il se souvint de cet endroit qu'il avait découvert quand il était enfant — il avait alors une dizaine d'années. Toute la famille était partie pour la journée en entendant une vague rumeur à propos d'oies qui se seraient posées dans les zones inondées. Ils n'avaient pas trouvé le moindre volatile, bien entendu, mais ils avaient quand même découvert des fraises sauvages et quelques champignons — que son oncle affirmait comestibles. Comme c'était souvent le cas en de telles occasions, ils avaient davantage de nourriture en partant qu'en revenant, mais ce n'était pas le plus important. Personne ne l'aurait jamais exprimé en ces termes, mais le but de cette expédition était surtout de s'éloigner un moment du reste du clan, un acte symbolique de séparation. À sa connaissance, ils étaient la seule famille à pratiquer ce rituel, considéré par les autres comme une excentricité pittoresque. D'ailleurs, personne ne leur avait jamais demandé la permission de les accompagner.

Il se souvint de la grotte — enfin, le mot « grotte » était peut-être exagéré : ce n'était qu'une crevasse sous un rocher, un endroit assez grand pour qu'un enfant de dix ans puisse s'y faufiler et imaginer qu'il habitait dans une *maison*, un de ces étranges abris immobiles dans lesquels les ennemis vivaient quand ils n'étaient pas occupés à être des ennemis.

Il s'en souvenait à cause de ce curieux sentiment de sécurité qu'elle lui procurait. Les murs étaient en pierre et en argile, pas en feutre. Un jour, avait-il pensé, il aimerait bien habiter dans une *maison*. Il avait réalisé ce souhait des années plus tard, jusqu'à ce que les ennemis — d'autres ennemis et pourtant les mêmes — atteignent Ap' Escatoy et jettent sa demeure dans leur crevasse.

Il s'en souvenait aussi parce que, pendant cette excursion loin du clan, les ennemis avaient attaqué le camp. Ce fut le jour où ils assassinèrent la mère de Temrai et éparpillèrent la majorité du troupeau, causant ainsi la famine qui tua une grande partie de son peuple l'hiver suivant. Il se souvenait de son retour au camp, du spectacle des lambeaux de feutre brûlants, encore accrochés aux poteaux calcinés et claquant au vent ; des corps abandonnés à même le sol parce qu'ils étaient si nombreux que leur crémation aurait nécessité toute une journée de travail. Il fronça les sourcils, superposant cette image du passé à ce qu'il venait de voir.

Il avait été le témoin de bien des choses au cours de sa vie et ses souvenirs étaient plus vifs qu'il l'aurait souhaité. Mais c'est le rôle d'un espion : il observe et se souvient, et ensuite, il fait ce qu'on lui demande de faire.

La brèche était encore là — il n'y avait aucune raison qu'il en soit autrement. Elle était plus petite que dans ses souvenirs, mais encore assez grande pour lui offrir un refuge pour le reste de la nuit et un endroit où travailler. Il attacha son cheval au buisson d'épineux — toujours là, lui aussi, mais il était presque mort aujourd'hui. Puis il défit sa sacoche de selle et s'enfonça dans le tunnel obscur.

L'amadou s'enflamma au troisième essai ; dehors la pluie avait commencé à tomber. Il alluma sa lampe et le petit réchaud à huile qui avaient appartenu à son oncle. La flamme tremblota de manière inquiétante, mais il avait assez de lumière et de chaleur pour travailler avec précision. Il n'en demandait pas plus.

Il sortit la viande du sac et l'examina. Puis il plongea la main dans la sacoche et y chercha la petite boîte en bois contenant le mystérieux trésor que son oncle chérissait plus que tout : un couteau de chasse à lame étroite.

Réfléchis à deux fois, mais coupe d'un seul geste, pensa-t-il.

Il choisit alors le point de la première incision.

Il fallait procéder par étapes. Il attrapa le couteau de la main droite, comme un rasoir ; puis il glissa son index gauche sous l'épiderme afin de faciliter la tâche tandis que la lame souple et tranchante le détachait des os. Il avait déjà accompli ce genre de travail, déjà assisté à ce genre d'opération à de nombreuses reprises — et bien sûr, il avait un certain talent naturel et héréditaire. Pourtant, il s'agissait là d'une pièce exceptionnelle et il serait beaucoup plus simple d'éviter les erreurs plutôt que de les réparer par la suite.

L'articulation était difficile à écorcher à cause des courbes et des angles. Son oncle avait effectué des travaux plus délicats au cours de sa vie ; il était si doué pour ce genre de tâche que les gens lui ramenaient leurs trophées de chasse les plus prestigieux, leurs cerfs, loups et renards les plus précieux pour qu'il les transforme en capes, en tapis et en couvertures. Enfant, son neveu n'avait jamais compris l'intérêt d'avoir une couverture avec une tête, mais il avait toujours trouvé le spectacle fascinant : la manière dont l'épiderme se décollait de l'os, à la fois inchangé et pourtant différent. Son esprit immature avait souvent spéculé sur la relation intime entre la peau et ce qu'elle recouvrait, comment elle faisait partie d'un tout, mais pouvait être ôtée avec tant de facilité. Ses pensées en avaient entraîné d'autres sur la nature de la réalité interne et externe, sur ce qui se cache sous les reliefs d'une surface, sur la façon dont cette surface protège, englobe et masque son contenu. Le paradoxe du cuir bouilli l'avait toujours amusé : c'était une matière épaisse, du cuir de bœuf souple qui, une fois écorché, était maintenu dans de la cire en ébullition et modelé pour produire une armure presque aussi efficace que ses homologues métalliques — car contrairement aux plaques d'acier, le cuir bouilli garde en mémoire la forme qu'on lui a donnée. Il avait rêvé de faire bouillir un homme dans de la cire jusqu'à ce que sa peau devienne une armure que nulle lame ne pourrait pénétrer. Mais quel intérêt de protéger l'extérieur en tuant l'intérieur ? Personne n'accepterait jamais de se prêter à une telle expérience et la théorie restait donc à confirmer.

Il continua à peler et à racler jusqu'à ce que toute la peau ait été retirée en un seul morceau. Il se retrouva alors avec deux matériaux différents : l'épiderme et les os. Il leva les yeux : l'eau frémissait dans la marmite et il y jeta donc les seconds afin de bouillir la viande et les tissus encore accrochés dessus — la dernière étape serait le blanchiment et le polissage. Puis il étendit la dépouille et plongea la main dans sa sacoche de selle pour attraper ce dont il avait besoin : du sel, des herbes et un pot de miel. Il appliqua une épaisse couche du premier sur la partie à vif de la peau ; ensuite, il saupoudra les herbes dessus et roula l'épiderme aussi serré que possible, comme une lettre ; enfin, il brisa le sceau autour du bouchon du pot, l'ouvrit et noya le rouleau de peau sous le miel. Il referma le récipient et fit fondre un peu de cire à la chaleur de la lampe afin de le sceller de nouveau.

Il s'accorda une minute de répit pour récupérer de l'effort de concentration autant que du travail manuel — la tâche avait été assez difficile, exigeant une dextérité et une force exceptionnelles dans les doigts. Il rampa jusqu'à l'ouverture de la brèche, tendit les mains sous la pluie et les lava avant de les essuyer sur une touffe de chiendent. Il ne restait plus qu'à nettoyer le couteau — son oncle lui avait fait jurer sur ce qu'il avait de plus sacré de ne jamais le laisser rouiller.

Une fois que ça a commencé, tu peux tout aussi bien le jeter : il te sera impossible de le ravoir.

Pendant un moment, il pensa au travail qu'il venait

d'accomplir, puis il s'allongea sur le dos, étendit les jambes et sombra dans le sommeil.

— Gannadius.

Il s'assit, la tête encore embrumée de sommeil. La pièce était si sombre qu'il était incapable de dire s'il avait les yeux ouverts.

— Alexius ? demanda-t-il.

Et Alexius sortit des ténèbres pour s'asseoir sur le bord du lit.

— Excuse-moi. Est-ce que je t'ai réveillé ?

— Je suppose. Mais ce n'est pas grave. Comment te sens-tu ?

Alexius le regarda en fronçant les sourcils.

— Comme un mort.

— Excuse-moi, j'ai posé la question par simple réflexe. Je sais bien que tu es… Excuse-moi, ajouta-t-il sans conviction.

— Ce n'est rien, dit Alexius. J'ai toujours pensé qu'on gagnait en philosophie ce qu'on perdait en diplomatie. Si tu avais rejoint le corps diplomatique plutôt que les rangs de l'ordre, imagine un peu le nombre de guerres passionnantes que tu aurais pu provoquer.

Gannadius fit claquer sa langue.

— J'ai remarqué quelque chose. Tu es devenu encore plus grincheux et sarcastique depuis ton trépas.

— Tu crois ? (Alexius eut l'air préoccupé.) Oui, maintenant que tu le dis, je pense que c'est exact. Mais je n'y avais pas fait attention avant que tu le mentionnes. Je suppose que c'est dû à la fréquentation de ta délicieuse personnalité et de ton humeur réjouie chaque fois que je dois te parler. Et donc, en toute logique, mon attitude doit aussi atteindre un degré de désinvolture étonnant. Je ne m'en plains pas : j'ai toujours pensé que ma conversation était un peu trop aride et fade.

— Je suis ravi d'avoir pu t'aider. Et maintenant…

— Oui, oui, le message. (Alexius réfléchit un

moment.) Je ne sais pas trop comment le présenter sans paraître horriblement mélodramatique. Adieu.

— Oh, lâcha Gannadius. Que s'est-il passé ?

— Le désordre dont nous sommes responsables s'est enfin résorbé. Le cours des événements a repris le bon chemin — quoique je ne sois pas certain que « bon » soit le terme le plus approprié. Iseutz Hedin est morte. Bardas l'a tuée il y a quelques minutes.

— Oh ! répéta Gannadius. Et en quoi cela change-t-il la situation exactement ? Je suis désolé, mais je n'arrive pas à voir le lien.

Alexius soupira.

— Je constate que végéter parmi l'élite intellectuelle de l'ordre de Shastel n'a pas beaucoup amélioré ton raisonnement inductif. Voyons un peu. Tu pourrais dire que le Principe a fait valoir ses droits, ou qu'il a repris son propre cours — si nous prenons l'analogie de la rivière, que je n'ai jamais beaucoup aimée. Si nous choisissons celle de la roue, je dirais qu'il a complété sa révolution et qu'il est maintenant retourné à sa position initiale — bien que cette image ignore fort à propos le fait qu'il est resté déconnecté pendant un moment.

— La malédiction.

— Par tous les dieux ! Encore ce mot ! Cette diversion, ou déflexion — ou devrais-je dire excentricité ? Pour ma part, considérant l'ensemble des événements, j'opterais plutôt pour une maudite et stupide erreur. (Il secoua la tête.) Quoi qu'il en soit, le problème a été résolu. En un sens, nous sommes retournés au point où nous devrions être si nous ne nous en étions pas mêlés. Sauf, bien entendu, que c'est loin d'être le cas : la cité qui a résisté n'est pas Périmadeia, mais une forteresse quelque part dans les plaines. Bardas n'a pas réussi à la prendre, et ce n'est pas lui, mais Iseutz qui a été tuée. Et, bien sûr, la roue a fait un tour supplémentaire et a avancé sur une certaine distance, ce qui implique que des gens ont été mêlés à cette affaire alors qu'ils n'auraient pas dû l'être.

Mais c'est terminé, et c'est le principal. Maintenant, il ne te reste plus qu'à relater les événements dans une étude. (Il fit une courte pause.) Je ne voudrais pas paraître désagréable, mais, à ta place, je m'attellerais à la tâche avec un collaborateur — juste pour obtenir l'objectivité qui fait toute la différence. Que penses-tu de cette maudite surdouée qui était ton étudiante ? Cette fille…

— Machaera ? (Gannadius secoua la tête.) Elle a changé de cursus l'année dernière. Elle est en stratégie commerciale maintenant — et elle s'en tire fort bien.

— Vraiment ? Quel dommage ! (Alexius soupira.) Eh bien, tu trouveras bien quelqu'un, je pense. Et tu ne pourras pas commencer ce travail avant que tout se soit apaisé, alors…

— Qu'entends-tu par « apaisé » ? l'interrompit Gannadius.

Alexius fit un geste vague de la main.

— Que les événements se soient calmés d'eux-mêmes, qu'ils se soient stabilisés. Tu verras. (Il se leva.) Eh bien, mon vieil ami, voici un de ces moments extrêmement gênants que nous essayons tant d'éviter ; ce fut une joie de travailler en ta compagnie et j'ai eu grand plaisir à être ton ami — même si cela a eu des répercussions plutôt catastrophiques pour des centaines de milliers de personnes. Il serait agréable de se dire que nous nous rencontrerons peut-être de nouveau un jour, mais je dois avouer que mon interprétation du Principe ne me porte pas à l'envisager comme une hypothèse sérieuse. (Il fit une grimace.) Je sais que je vais paraître aussi protocolaire que lugubre, mais ni toi, ni moi ne sommes du genre à faire de grands discours émouvants. Et c'est sans doute regrettable.

Gannadius hocha la tête.

— Tu vas me manquer. Je suppose que je devrais être soulagé que toute cette affaire soit enfin terminée. Mais ce n'est pas le cas : les événements ont vraiment tourné à la catastrophe, et c'était *notre* faute…

— En partie seulement. Nous n'avons pas fait les gens comme ils sont ni causé les problèmes qui sont à la source de tout. En un sens, tout cela serait quand même arrivé ; parce que c'est arrivé… (Il s'interrompit soudain, se gratta la tête et sourit d'un air contrit.) Tu sais, j'avais espéré que la mort m'apporterait une vision plus claire de ces événements, mais je crains que cela n'ait pas été le cas. Je n'ai jamais compris vraiment le Principe, et rien n'a changé.

— Il y avait deux options, aussi valides l'une que l'autre, dit Gannadius avec lenteur. Nous avons fait un choix. Mais ce qui est arrivé est arrivé.

— Si tu raisonnes à partir de l'analogie de la rivière — que je n'ai jamais beaucoup aimée. Mais je ne vois pas comment faire correspondre ce raisonnement avec l'analogie de la roue.

— À moins d'envisager le Principe comme un arbre à cames plutôt que comme une roue, remarqua Gannadius.

— Je te demande pardon ?

— C'est juste quelque chose que j'ai entendu. Je ne trouve pas cela très concluant, moi non plus. (Il inspira un grand coup.) Est-ce que nous pouvons nous serrer la main, nous étreindre ou quelque chose de ce genre ? Je ressens un certain besoin d'exprimer ces adieux physiquement…

Alexius réfléchit un instant.

— Je peux te donner l'impression d'avoir eu un échange physique, dit-il, mais cela ne te laissera qu'un souvenir incertain. Cependant, il serait impossible de prouver qu'il n'a pas eu lieu.

— Et tout aussi impossible de prouver qu'il a eu lieu, répliqua Gannadius avec un sourire. Et souviens-toi, nous sommes des philosophes, des scientifiques. Nous ne pouvons pas vivre sans preuves.

— Très bien dans ce cas. Au revoir, Gannadius.

… Qui s'aperçut alors qu'il était réveillé et qu'il venait de faire un rêve.

C'était comme un lendemain de grande fête, d'anniversaire ou de mariage ; ils se sentaient à la fois euphoriques et éreintés, et ils n'avaient pas la moindre envie de nettoyer le camp dévasté. Par malheur, un minimum de remise en ordre serait nécessaire avant qu'ils puissent aller se coucher : une fouille approfondie pour découvrir d'éventuels survivants ennemis, par exemple — sans parler de leurs propres blessés.

— Iordecai, occupe-toi d'organiser des équipes de recherche, dit Sildocai. Lissai, Ullacai, vérifiez les défenses, juste au cas où ils lanceraient un nouvel assaut. J'ai du mal à les imaginer en train de faire ça, mais ce serait un plan brillant d'un point de vue tactique : nous attaquer au moment où nous avons relâché notre vigilance. Pajai, je veux que tu prennes vingt hommes et que tu t'assures que le corps de Loredan ne se balade pas quelque part sur la rivière — on ne sait jamais, un coup de chance.

— D'accord, répondit quelqu'un. Et qu'est-ce que tu vas faire, toi ?

— Mon rapport à Temrai, évidemment, répliqua Sildocai en grimaçant un petit sourire. Et d'ailleurs, est-ce que quelqu'un l'a aperçu ? Je l'ai bien vu se diriger vers sa tente, mais c'était au moment où on éliminait les dernières poches de résistance près des enclos à bétail. (Personne n'avait d'information plus récente, il haussa donc les épaules et poursuivit.) Je pense qu'il doit se reposer dans sa tente ; après tout, il n'a pas encore tout à fait récupéré du coup qu'il a reçu quand il a été enseveli.

En traversant le camp, il constata qu'il y avait des feux allumés partout où il posait les yeux. Les bûches empilées avec soin avaient été trempées par la pluie et on utilisait donc des manches de hallebarde et des bottes impériales comme combustible. Tous les hommes qu'il aperçut se déplaçaient du pas lent et sans enthousiasme des personnes qui ont les os fatigués et de gros paquets de boue collés aux chaussures. Il savait ce qu'ils ressentaient, mais il était encore un peu étourdi par la victoire. Quel dommage que cela demande plus de temps à nettoyer qu'une défaite !

Les femmes et les enfants étaient sortis de leurs abris et faisaient de leur mieux pour aider. Ils retiraient les chemises et les bottes aux cadavres des hallebardiers, rassemblaient des brassées de flèches, ramassaient les corps et la manne inattendue d'objets en bon état qu'il ne fallait pas laisser perdre. Des enfants faisaient rouler des casques par terre et riaient, tout excités d'être encore debout à une heure si tardive ; ils débordaient d'énergie après un séjour forcé si long dans les tentes. Sildocai vit une petite fille s'arrêter et fixer le cadavre d'un enfant avec un air songeur — la victime avait dû sortir de son abri pendant le combat et se retrouver mêlée aux soldats ; elle était à moitié enfoncée dans la boue et la fillette l'examinait sans émotion apparente. Plus loin, de l'autre côté du plateau, quelques hommes essayaient de rassembler les chevaux qui s'étaient échappés ; ils couraient à toute vitesse et effectuaient des glissades impressionnantes. L'un d'eux avait un bandage saturé de sang autour de la tête, mais il lui fallait récupérer ses bêtes — elles étaient son gagne-pain, après tout. Sildocai baissa les yeux et s'aperçut qu'il venait de marcher sur une main.

Ah ! pensa-t-il. *Tout sera sans doute remis en ordre dès demain, quand les trébuchets reprendront leur bombardement. Mais ce soir, nous pourrions au moins dormir un petit peu, nous l'avons mérité.*

Il remarqua alors qu'il mourait de faim — et il y avait de grandes chances qu'il ne soit pas le seul dans ce cas. Mais cela aussi devrait attendre. Est-ce que quelqu'un avait pensé à apporter un repas à Temrai ?

Le rabat de la tente était ouvert et de la lumière s'échappait de l'intérieur. Il frappa contre le poteau, mais personne ne répondit. Il dormait peut-être. Sildocai se baissa et entra.

Temrai était sur sa chaise — ou, du moins, son corps y était. On l'avait décapité et sa tête avait disparu.

Chapitre 21

— Je vous en prie, ne prenez pas cette décision comme une rétrogradation, dit le Fils du Ciel, les yeux rivés deux ou trois centimètres au-dessus du sommet du crâne de Bardas. Ce n'est pas du tout le cas. Comme je vous l'ai dit un peu plus tôt, nous sommes très satisfaits de vos performances. En dernière analyse, la guerre est un succès. Vous avez peut-être perdu une bataille, mais vous avez négocié une paix en des termes que j'aurais estimés acceptables si vous l'aviez gagnée. (Il fit une courte pause.) Après tout, personne ne s'attendait à ce que vous les tuiez *tous*.

Bardas hocha la tête.

— Je vous remercie.

— Je vous en prie. Nous sommes conscients que vous avez pris le commandement de cette armée dans des circonstances difficiles, que vous ne pouviez pas diriger les troupes avec la compétence d'un général expérimenté et que les hommes des plaines se sont révélés des adversaires étonnamment ingénieux, tenaces et offensifs. Vous n'êtes pas le seul commandant qu'ils aient vaincu. En fait, vous avez obtenu des résultats bien meilleurs que nous l'espérions.

— C'est très aimable de votre part.

— Pas du tout. Et voilà pourquoi je n'ai pas eu la moindre hésitation pour vous recommander à ce nouveau poste. Après tout, rares sont les hommes avec une expérience telle que la vôtre dans le domaine des opérations de sape. Nous ne pensons bien entendu pas que la situation à Hommyra durera aussi longtemps que le siège d'Ap' Escatoy ; une fois les galeries principales achevées, nous estimons qu'il ne s'agira plus que d'une affaire de mois.

Bardas hocha la tête.

— C'est une bonne nouvelle.

— Et ensuite… Eh bien… (Le Fils du Ciel fit un *vrai* sourire.) Je suis certain qu'il y aura toujours un poste pour un sapeur de premier ordre. Je pressens de grandes choses dans votre avenir — à condition que vous remplissiez votre part du marché.

La rencontre avait été étrange, presque comique. Les deux hommes s'étaient traités avec une courtoisie exagérée, comme si la moindre nuance déplacée était susceptible de déclencher sur-le-champ une pluie de flèches à laquelle répondrait une charge désespérée de cavalerie. Le capitaine Loredan avait accueilli le roi Sildocai avec tout le respect qui lui était dû — un respect détaillé avec soin par le protocole du bureau des Provinces : un général ennemi est supérieur à votre subalterne immédiat, de même rang que vous, mais doit être considéré comme inférieur ou égal à votre supérieur direct lorsqu'on aborde des relations diplomatiques. Le capitaine Loredan avait présenté des condoléances officielles pour la mort du roi Temrai ; le roi Sildocai l'avait remercié pour sa compassion et avait exprimé le souhait que leurs deux nations puissent dorénavant travailler ensemble et dans un esprit de coopération à un accord mutuel satisfaisant. Le marché était le suivant : les clans devaient quitter les plaines, se diriger vers le nord — dans les régions officiellement dénommées « Terres sauvages » — et ne jamais revenir. Il fut conclu avec tellement de rapidité et de facilité qu'à un moment les deux parties se demandèrent

si elles ne lisaient pas les mêmes notes. Quand ils se séparèrent, ils étaient presque amis.

— Bien entendu, poursuivit le Fils du Ciel, nous
n'avons jamais eu l'intention de vous envoyer sur Île.

— Ah bon ? dit Bardas d'une voix laissant entendre
que le sujet ne présentait guère qu'un intérêt intellec
tuel.

— Tout à fait. Cela aurait été perçu comme une
concession — presque une faiblesse. Non, Île doit être
menée avec — pardonnez-moi — fermeté et intransi-
geance pour traverser le difficile processus de transition.
Le territoire en lui-même n'offre bien entendu guère
d'intérêt. Je pense d'ailleurs que, le moment venu, nous
l'amalgamerons à une des autres sous-préfectures ; nous
équilibrerons le niveau de population et nous envisage-
rons sérieusement de le transformer en base navale.
Mais compte tenu de la conjoncture, il est impératif de
sécuriser la flotte avant tout. Si nos diverses et malheu-
reuses expériences sur le terrain des opérations nous ont
appris une chose, c'est que nous ne pouvons plus nous
permettre de négliger notre puissance maritime.

Il me parle exactement comme si j'étais l'un des leurs,
réalisa Bardas. *Un subordonné, bien sûr, mais ce nous
inclut tout le monde, moi compris.*

— Je comprends, dit-il. Comme vous l'avez dit, c'est
impératif.

Le Fils du Ciel offrit avec magnanimité de lui resser-
vir un peu de vin. Bardas avait remarqué qu'ils aimaient
beaucoup cela, peut-être parce que ce comportement
illustrait bien qu'ils étaient les serviteurs de l'empire, ou
parce qu'ils estimaient les étrangers incapables de servir
à boire sans agiter la lie.

Il remercia son hôte d'un hochement de tête poli.

— En fait, continua le Fils du Ciel, je me suis aperçu
au cours de mes discussions avec le chef rebelle qu'il était
plus habile que je m'y attendais — je dois reconnaître

que j'ai fait montre d'une petite erreur de jugement. (Ses fines lèvres firent la moue.) Enfin, « habile » n'est pas tout à fait le terme qui convient. C'est plutôt ce curieux mélange de ruse et de bêtise qui caractérise les habitants des nations mercantiles. J'ai remarqué qu'ils ont souvent le don incroyable de comprendre les motivations au niveau d'un individu — alors qu'ils sont dépassés par des problèmes à plus grande échelle dont la solution nous paraîtrait évidente. (L'ombre d'un sourire glissa sur ses lèvres.) Et donc, il fallait passer par l'approche personnelle et user de crédulance — un tel mot existe-t-il ? Je me le demande — pour le convaincre que nous vous enverrions là-bas, vous, une personne en qui il pourrait avoir confiance et qu'il pourrait manipuler. Bien sûr, il a été idiot de fonder toute sa stratégie sur une assurance hypothétique, la vague déclaration d'une possible intention future. La remarquable faiblesse que j'ai identifiée chez les marchands, c'est que, en dépit de leur façade cynique, ils meurent d'envie de faire confiance à quelqu'un. Il a été facile de l'amener à croire en moi : ces gens ne peuvent pas s'empêcher de croire en ceux qui les effraient.

Bardas sourit comme s'il partageait la plaisanterie.

— Que va-t-il lui arriver ? Au chef des rebelles, je veux dire.

Le Fils du Ciel le regarda du coin de l'œil.

— Oh ! il sera extradé, jugé et condamné. Après tout, il faut bien que nous équilibrions nos comptes. Par chance, notre système d'audit permet à un homme d'assumer la responsabilité de tout un pays. C'est à la fois humain et efficace — et cela simplifie la vérification des bilans économiques. Ainsi, le roi Temrai a payé pour son peuple, maître Auzeil et ses sbires paieront pour le leur. Nous pouvons clore ces deux comptes et nous occuper des suivants. (Il parlait désormais avec une extrême lenteur, presque comme un homme pris de boisson — mais jamais un Fils du Ciel ne se laisserait aller à tant de vulgarité.) De la même façon, nous pouvons mettre fin à notre engagement dans le Mesoge — aussi pénible qu'inutile — d'un simple trait de plume en bas d'un bilan comptable.

Bardas resta parfaitement immobile.

Ils avaient lu ses lettres, bien entendu. C'était une mesure habituelle quand un officier était soumis à une enquête en raison d'un comportement insatisfaisant ou suspect.

Il avait reçu le message en question à un moment inopportun — il essayait de remédier au chaos causé par les tableaux de service qu'il avait lui-même établis.

— Pas maintenant ! s'était-il écrié.

Puis il avait remarqué l'expression de l'homme qui le lui apportait. Ce dernier avait le cœur au bord des lèvres.

— Qu'est-ce que c'est que ça ? avait-il demandé.

— Une lettre pour vous, avait répondu l'homme. Et ça. (Il avait pointé du doigt un grand récipient en terre tenu par un autre soldat à la mine affligée.) Nous avons gardé l'homme qui les a apportés au poste de garde.

Bardas avait hoché la tête.

— Parfait. (Il se demandait ce qui se passait.) Donnez-moi la lettre et posez cette jarre sous ma tente. J'en ai pour une minute.

En fait, il lui avait fallu une bonne demi-heure pour réorganiser le tableau de service et, une fois la tâche achevée, il avait complètement oublié la missive. Le soir, il avait enfin réussi à se ménager une heure de repos et s'était assis. Il avait alors remarqué le récipient près de sa chaise et s'était souvenu de son origine.

Le sceau était brisé — certes, mais il en avait désormais l'habitude —, il le reconnut pourtant : c'était celui de la banque Loredan. Par conséquent, seules deux personnes pouvaient en être l'expéditeur, et il imaginait mal Niessa lui envoyant une lettre — et à plus forte raison un cadeau.

Cher Bardas,

Puisque tu lis cette missive, c'est que tu as remporté la bataille. Toutes mes félicitations ! Bien, et maintenant, revenons un peu en arrière.

Quand j'aurai terminé la rédaction de cette lettre, je la confierai à mon agent dans le camp de Temrai. Cela fait un moment qu'il travaille pour moi. Son rôle consiste à garantir que rien n'arrive à Temrai avant que tu lui mettes la main dessus et à s'assurer — pour le meilleur ou le pire — qu'il ne s'échappe pas. Si tu parviens à le tuer, eh bien, tant mieux, tu ne liras pas cette missive ; s'il parvient à te filer entre les doigts, eh bien, il n'ira pas loin.

Je ne pouvais pas faire moins. Je sais combien il est important pour toi de remporter cette victoire. Ta carrière et ton avenir en dépendent. Ça n'a pas été une partie de plaisir, je peux te l'assurer. D'abord, ils voulaient envoyer une gigantesque armée, ce qui signifiait que tu n'aurais pas eu ta chance. On ne pouvait pas accepter ça, pas vrai ? Par chance, j'ai réussi à organiser une petite diversion. Les Îliens sont vraiment des idiots cupides : je n'ai eu qu'à leur suggérer de renégocier le contrat et demander davantage d'argent, et cela a suffi. Par la suite, bien sûr, ils sont allés trop loin et se sont fait annexer. Je peux te dire que je me suis senti un peu bête quand j'ai appris la nouvelle. Par chance, j'avais encore le temps d'envoyer quelques-uns de mes hommes sur place afin de provoquer une jolie petite rébellion. C'était risqué, mais ça a marché. J'avais le sentiment que ça réussirait parce que, vois-tu, je sais que cette guerre t'était destinée, et que rien ne pourra se mettre en travers de ta route cette fois-ci.

J'espère que tu apprécieras mon cadeau. Tu fabriques des objets pour moi depuis que nous sommes enfants — tu as toujours été le plus habile de tes mains. Tu sais bien que je ne suis pas fichu de faire quoi que ce soit de mes dix doigts alors, j'ai demandé à ce petit malin de Dassas-cai de se charger du travail à ma place. Étant à la fois

cuisinier et assassin, il devrait s'en être tiré avec les hon-
neurs. Et si ce n'est pas le cas, eh bien, c'est l'intention qui
compte.

Comme toujours,
Ton frère aimant,

Gorgas.

Bardas roula la lettre, puis il découpa la cire autour du col de la jarre, dégagea le couvercle et sortit ce qui se trouvait à l'intérieur.

Il crut d'abord qu'il s'agissait d'une tête de cochon, pareille à celles qu'il redoutait quand il était enfant — son père et Gorgas les considéraient comme des mets de choix. Le problème était d'extraire le crâne sans abîmer le cuir ; il fallait ensuite le sécher avec du sel et le remplir de bonnes choses : des clous de girofle, du quatre-épices, du basilic, des grains de poivre rouges et noirs de Colleon, du macis, de la cannelle, du cumin, des abricots secs et du gingembre. Puis on le faisait mariner dans du miel domestique liquide et transparent, presque blanc. Même enfant, Bardas avait été intrigué et dégoûté par le contraste entre cette douce et délicieuse odeur intérieure et l'aspect grotesque, cadavérique de l'extérieur. Il se demanda qui avait pu imaginer une combinaison si bizarre. Comme il était un fils obéissant, il avait toujours fait semblant de manger sa part avec enthousiasme ; il avait essayé de se concentrer sur l'odeur irrésistible et le goût riche et doucereux — après tout, il n'est pas nécessaire de regarder ce qu'il y a dans son assiette pendant un repas, il suffit de tendre son couteau et de couper.

La recette était identique. Il imagina Gorgas écrivant les différentes étapes de la préparation avant de les envoyer à son cuisinier avec l'instruction formelle de ne pas chercher à les améliorer. Son frère avait un don en matière de cuisine et une capacité extraordinaire à apprécier la nourriture. Il attachait beaucoup de soins aux détails — en fin de compte, il aurait fait un excellent

Fils du Ciel. Mais ce n'était pas une tête de cochon qui se balançait au bout de la chevelure poissée de miel que Bardas tenait entre ses doigts. Réduite et déformée — sans doute par la dessiccation du sel —, c'était la tête du roi Temrai.

Du miel coulait comme des larmes dorées sur les joues ridées et blettes ; les paupières étaient fermées sur des orbites vides, mais Bardas savait tout ce que des yeux clos étaient capables de voir. La bouche était cousue avec un tendon finement entortillé qui avait, à un ou deux endroits, déchiré le fin matériau des lèvres tandis que la peau se contractait et se rétrécissait. C'était doux et élastique au toucher, comme un sac en cuir, comme les ballons qu'ils avaient l'habitude de fabriquer avec une vessie bourrée de paille, ou les délicieux gâteaux dont sa mère farcissait une panse de mouton. Sous le vernis blanc doré, la peau était pâle et marbrée comme de la nacre.

C'est vraiment curieux, pensa Bardas. *C'est vraiment curieux et ennuyeux que les fabricants d'hommes placent la solide armure du crâne derrière un visage si fragile. Ce serait sans aucun doute mieux dans le sens contraire : l'os résistant et uniforme devrait protéger les traits caractéristiques et vulnérables qui distinguent un individu des autres. De ce point de vue, au moins, les artisans de la forge des épreuves ne commettent pas d'erreurs aussi grossières.*

Les traits de Temrai étaient mous, mal définis, et pourtant secs et flétris. Son visage semblant à la fois très jeune et très âgé. Dans ses traits, Bardas reconnut le garçon qui s'était caché sous un chariot non loin de là ; il vit aussi le vieillard qu'il serait devenu — la rivière ou la roue, à moins que vous préfériez l'analogie de l'arbre à cames. Il réfléchit un instant au processus de conservation — sécher les chairs : c'était une tentative pour assécher le cours d'eau et arrêter la roue, pour trouver le moyen d'empêcher la chute inéluctable de la cité condamnée ou de tuer l'homme frappé par une malédiction. Un adepte du Principe serait peut-être enclin à en tirer une théorie — comme s'il était nécessaire de recycler une fois de plus les matières premières.

— Il est un peu tard pour s'en inquiéter, remarqua Anax, penché au-dessus de son épaule. Et puis, c'est cette capacité de transformer les choses qui nous rend humains — enfin, qui fait de nous les humains que nous sommes. (Il éclata d'un petit rire sifflant.) Tu sais quoi, une fois séchée et bien capitonnée, elle pourrait te servir de porte-casque.

— Allez-vous-en.

— Tu es juste en rogne parce que tu n'as pas eu l'occasion de lui présenter tes remerciements, répliqua Anax. Et dire que dans les mines, tu étais le premier à râler parce qu'on ne voyait jamais le visage de son ennemi.

Bardas fronça les sourcils.

— Je ne l'ai jamais considéré comme tel. Et pour tout dire, je ne l'ai jamais considéré comme un être humain.

— Je crains qu'il soit un peu tard pour changer d'avis, remarqua Anax sur le ton *je te l'avais bien dit*. Parce que ça n'est plus humain, c'est juste un objet. Cela finit par arriver à tout le monde, bien sûr ; ces chairs inhumaines poussent petit à petit sur nous, un peu comme les arbres en fait — mais dans l'autre sens : chez nous, la partie vivante est à l'intérieur et la morte à l'extérieur. Au fait, et l'armure que je t'ai fabriquée ? Ce n'était pas une véritable œuvre d'art ?

— En effet.

— C'est tout ce que tu as à dire : « En effet » ? Tu as vu comment elle a passé les épreuves de résistance ? Tu es assis là sans une égratignure et tout ce que tu trouves à dire c'est : « En effet ».

Bardas sourit.

— Ah ! mais ce n'était qu'une guerre. Elle n'a jamais dû affronter Bollo et son gigantesque marteau.

Anax sourit. Bardas ne le vit pas, mais il sut qu'il souriait.

— Mon fils, rien sur terre n'est assez fort pour passer cette épreuve. C'est comme ces lutteurs de foire qu'on voyait dans le temps ; règle numéro un : Bollo gagne toujours. Ce qui est amusant, c'est de voir combien de rounds tu pourras tenir contre lui.

— Amusant ?

— Faute de mot plus approprié.

Un peu plus tard, Bardas se rendit au poste de garde.

— Cet homme qui m'a apporté une lettre, est-ce qu'il est encore ici ?

On lui annonça que oui, il était encore ici.

— Très bien. Vous lui avez demandé son nom ?

Bien entendu, lui répondit-on. Il affirmait se nommer Dassascai. Il n'en avait pas fait secret. Apparemment, il espérait une grosse récompense.

— Un peu qu'il va avoir une grosse récompense, répliqua Bardas. Trouvez deux hommes et un drapeau blanc, emmenez-moi ce Dassascai en haut de la colline et livrez-le au roi Sildocai. Je vous suggère de bien le tenir, car il risque de renâcler. Vous emporterez aussi cette jarre et cette lettre. Et ensuite, si j'étais à votre place, je ne m'attarderais pas.

Le Fils du Ciel se laissa aller contre le dossier de sa chaise.

— Par simple curiosité, demanda-t-il, qu'y avait-il dans cette jarre ?

— La victoire, répondit Bardas avec un faible sourire. Ou du moins, quelque chose qui a permis d'obtenir le même résultat qu'une victoire. Vous pourriez dire que c'était une sorte d'arme secrète.

— Je vois. (Le Fils du Ciel haussa un sourcil.) Comme le liquide incendiaire que vous avez utilisé pendant le siège de Périmadeia ?

— Pas tout à fait, répondit Bardas. Mais il est vrai que ça se présentait aussi en récipients de terre. Je vous prie de m'excuser, je commence à dire tout ce qui me passe par la tête. (Il se caressa le menton comme s'il réfléchissait à quelque chose.) Et donc, quand dois-je partir ?

— Dès que votre remplaçant sera ici. Un peu plus tard dans la journée ou bien demain matin. Vous devez vous présenter à lui dès son arrivée. Il s'agit du colonel Ilshel. Il est encore jeune, mais assez prometteur. Nous plaçons de grands espoirs en lui. Il supervisera le retrait de l'ennemi et l'escortera jusqu'aux montagnes. Cette mission ne devrait poser aucune difficulté.

— Très bien, dit Bardas, impassible.

Ses traits restèrent figés comme s'il était déjà mort et confit.

— Alors, vous avez déjà emprunté les chariots du service des dépêches ? demanda le conducteur.

Bardas hocha la tête.

— Deux fois.

L'homme sembla impressionné.

— Vous devez être quelqu'un d'important dans ce cas. Comment vous vous appelez ?

— Bardas Loredan.

— Bardas… Attendez, ça me dit quelque chose. Ap' Escatoy ! C'est vous le héros !

Bardas hocha la tête.

— C'est ça.

— Putain de dieu ! s'exclama le conducteur. Ce n'est pas tous les jours que j'ai l'occasion de transporter un héros. Dites-moi, à quoi ça ressemblait *vraiment* ?

— C'était surtout ennuyeux. Avec quelques intermèdes d'extrême violence.

L'homme éclata de rire.

— Oh ! ils disent tous ça quand vous leur demandez ce qu'ils ont fait pendant la guerre. Vous n'avez pas le droit

deux jours en direction de Rhyzalia ; et moi, je n'irai pas plus loin. Je pense que vous devrez prendre le chariot qui assure la liaison avec Torrene — un des conducteurs est mon beau-frère, alors demandez au vôtre s'il connaît un type du nom de…

L'homme n'eut pas le temps de décliner son identité. Il s'interrompit soudain, resta assis bien droit et tomba du véhicule.

Oh non ! Ça ne va pas recommencer ! songea Bardas.

Il essaya de saisir les rênes, mais elles étaient encore entortillées autour des poignets du conducteur. Ce dernier fut traîné à terre jusqu'à ce que le chariot ralentisse et s'arrête. Derrière Bardas, sur le râtelier, il devait y avoir une arbalète — équipement officiel des gardes des dépêches —, mais elle n'était pas à sa place. Son cimeterre était avec ses affaires, quelque part avec le reste de la cargaison. Dans une telle situation, il était inutile de combattre. Il ne lui restait qu'une seule option : la retraite. Il fit glisser ses fesses sur le banc et tendit les mains pour attraper les rênes. Par malheur, il perdit l'équilibre et tomba. La dernière chose dont il se souvint, ce fut la roue avant droite qui se précipitait à sa rencontre…

Bardas ?

— Anax ?

Non, Alexius. Je me suis arrêté pour vous dire adieu.

— Oh ! s'exclama Bardas. Vous nous quittez donc ?

Enfin. Maintenant qu'elle est morte, le problème est plus ou moins réglé.

— Qui est morte ? Vous parlez de ma nièce, Iseutz ?

Non, de quelqu'un d'autre. Je ne sais pas si vous vous souvenez d'elle. Vetriz Auzeil. Elle était impliquée, indirectement.

Il n'y avait pas moyen de déterminer quel était cet endroit. Il était sombre, silencieux et sentait mauvais.

— Je crois me souvenir que vous m'aviez parlé d'elle.

Et il m'est arrivé de la rencontrer avec son frère. C'étaient des amis d'Athli Zeuxis.

Il fut sur le point de rajouter quelque chose, mais se retint.

Eh bien, je sais que vous êtes un sceptique, alors je ne vais pas entrer dans les détails. Je pense qu'elle était une sorte de spontanée, mais je ne sais pas dans quelle mesure elle a influé sur la situation. Cependant, il ne fait aucun doute qu'elle l'a fait, sinon sa mort n'aurait pas mis fin à ce chapitre, si je puis m'exprimer ainsi. Enfin, voilà, il semblerait que ce soit fini.

— Eh bien, tant mieux. (Bardas décida finalement de poser la question.) Et est-ce que par hasard... Vous sauriez ce qu'il est advenu d'Athli, à la fin ?

À la fin, je ne sais pas trop. Elle a joué un certain rôle pendant la dernière attaque contre Shastel, mais je n'ai jamais découvert si elle avait réussi à s'échapper ou non. Il y a une petite référence sur elle dans un des débats de la guerre de Colleon, mais elle n'est pas très probante. Il pourrait s'agir de la première guerre de Colleon — qui a eu lieu avant la chute de Shastel...

— Alors, ce n'était pas sa tête, accrochée à ces portes ?

Pas celles d'Ap' Escatoy. Je suppose que c'est à elles que vous faites référence. Non, la troisième était celle d'une certaine Eseutz Mesatges. Il y a eu confusion d'identité : ils ont cru qu'il s'agissait de votre nièce Iseutz, vous comprenez. Pour être honnête, il faut bien avouer que c'est un nom assez peu courant.

— Je n'ai jamais entendu parler d'elle, dit Bardas. Merci. Je me sens un peu mieux maintenant que je sais qu'Athli s'est échappée.

Eh bien... Enfin bref. Je vous rencontrerai de nouveau, bien sûr, mais c'est la dernière fois que vous me voyez en tant qu'Alexius. Je ne devrais pas être ici en ce moment, mais...

— Je reviens tout de suite, dit Gorgas. Tu ne peux pas imaginer combien je me suis amusé depuis que je t'ai retrouvé. Tu étais dans le cirage et j'étais persuadé que je t'avais tué. J'en pissais dans mon froc. Ensuite, j'ai viré tout ce qu'il y avait dans ce chariot, je t'ai chargé à bord et j'ai foncé tout droit vers l'endroit où j'avais laissé le navire. Et alors, voilà que je perds une putain de roue…

Bardas fronça les sourcils. Il crut se souvenir d'une conversation qu'il avait eue quelques instants plus tôt. Pourtant, il ne s'agissait pas de roue, mais d'arbre à cames. Cela n'avait aucun sens.

— Alors, après avoir abandonné le chariot, j'ai dû te porter sur au moins trois kilomètres — mon frère, tu as grossi depuis que je te baladais sur mes épaules dans la cour de la ferme ; bon ! je t'accorde que tu n'avais que trois ans à l'époque. Et bien sûr, j'étais mort de peur à l'idée de te secouer et que ton état empire. Les blessures à la tête sont très sensibles, tu sais. Tu peux provoquer toutes sortes de dommages si tu ne fais pas attention. Par tous les dieux ! Je peux t'assurer que c'est seulement une fois que nous avons été à bord de ce bateau que je me suis inquiété d'éventuels poursuivants. Mais par chance, il ne semble pas y en avoir. (Son ton devint plus joyeux.) Et voilà, nous sommes en chemin. Tu sais, c'est comme dans le temps.

— Pourquoi tu as arrêté le chariot ?

— Oh ! pour… Mais pour te sauver, évidemment. Tu ne crois quand même pas que j'allais rester les bras croisés et les laisser te faire passer en cour martiale ? Tu as peut-être foi en la justice impériale, mais ce n'est pas mon cas.

À Ap' Escatoy, les têtes de trois prétendus rebelles attestaient la validité de cet argument.

— Ils n'allaient pas me faire passer en cour martiale, dit Bardas. Ils m'envoyaient à ma nouvelle affectation. À Hommyra, se rappela-t-il.

Gorgas éclata de rire.

— Cet endroit n'existe pas, espèce d'imbécile. Allons, tu devrais connaître l'empire maintenant. Pour chaque échec, il doit y avoir un officier responsable. Hé ! c'est aussi bien que tu aies un grand frère qui prenne soin de toi ; tu n'es pas capable de te débrouiller tout seul.

— Mais le conducteur... Il en avait entendu parler. Il me semble.

— Eh bien voyons ! Écoute, qui préfères-tu croire : l'empire ou ta propre chair et ton propre sang ? Non, cette fois-ci, c'est reparti. Mais ça va être différent. Je te le promets.

Bardas avait très mal à la tête.

— Nous rentrons chez nous ? Dans le Mesoge ?

— Tu veux dire que tu ne sais... ? (La voix de Gorgas se fit très douce.) J'ai peur d'avoir de mauvaises nouvelles à t'apprendre. Le Mesoge a disparu.

— Disparu ? Mais c'est *impossible* ! Comment pourrait-il disparaître ?

— Excuse-moi, j'ai mal choisi mes mots. D'accord, je ne vais pas y aller par quatre chemins. La ferme a été détruite, Bardas. C'est eux qui l'ont fait. Le bureau des Provinces.

— Mais de quoi est-ce que tu parles, Gorgas ?

Gorgas resta silencieux un moment.

— Ils ont envoyé une compagnie d'archers, dit-il enfin. Au beau milieu de la nuit, comme tu t'en doutes. Ils ont encerclé la ferme, barricadé les portes de l'extérieur et mis le feu au chaume du toit. Je me suis réveillé en crachant mes poumons. Je me suis précipité à la fenêtre et j'ai failli prendre une flèche. C'était l'enfer, Bardas. Il y avait de la fumée partout et on ne voyait rien de rien. Le toit en feu s'effondrait par pans entiers avec les poutres et tout le reste. J'ai essayé de les tirer de là, j'ai vraiment essayé. Mais Clefas était déjà mort — la fumée l'avait tué pendant son sommeil. Zanoras avait reçu la moitié du toit sur le dos ; il était coincé ; il hurlait tandis qu'il brûlait vif et je ne pouvais rien faire...

693

544. James Bowles : *Deux dames sérieuses.*

545. Paul Bowles : *Réveillon à Tanger.*

546. Hervé Guibert : *Mauve le vierge.*

547. Louis-Ferdinand Céline : *Maudits soupirs pour une autre fois.*

548. Thomas Bernhard : *L'origine.*

549. J. Rodolfo Wilcock : *Le stéréoscope des solitaires.*

550. Thomas Bernhard : *Le souffle.*

551. Beppe Fenoglio : *La paie du samedi.*

552. James M. Cain : *Mildred Pierce.*

553. Alfred Döblin : *Voyage babylonien.*

554. Pierre Guyotat : *Prostitution.*

555. John Dos Passos : *La grande époque.*

556. Cesare Pavese : *Avant que le coq chante.*

557. Ferdinando Camon : *Apothéose.*

558. Pierre Drieu La Rochelle : *Blèche.*

559. Paul Morand : *Fin de siècle.*

560. Juan Marsé : *Le fantôme du cinéma Roxy.*

561. Salvatore Satta : *La véranda.*

562. Erskine Caldwell : *Toute la vérité.*

563. Donald Windham : *Canicule.*

564. Camilo José Cela : *Lazarillo de Tormes.*

565. Jean Giono : *Faust au village.*

566. Ivy Compton-Burnett : *Des hommes et des femmes.*

567. Alejo Carpentier : *Le recours de la méthode.*

568. Michel de Ghelderode : *Sortilèges.*

569. Mercè Rodoreda : *La mort et le printemps.*

570. Mercè Rodoreda : *Tant et tant de guerre.*

571. Peter Matthiessen : *En liberté dans les champs du Seigneur.*

572. Damon Runyon : *Nocturnes dans Broadway.*

573. Iris Murdoch : *Une tête coupée.*

574. Jean Cocteau : *Tour du monde en 80 jours.*

575. Juan Rulfo : *Le coq d'or.*

576. Joseph Conrad : *La rescousse.*

577. Jaroslav Hasek : *Dernières aventures du brave soldat Chvéïk.*

578. Jean-Loup Trassard : *L'ancolie.*

579. Panaït Istrati : *Nerrantsoula.*

580. Ana Maria Matute : *Le temps.*

581. Thomas Bernhard : *Extinction.*

582. Donald Barthelme : *La ville est triste.*

Composition IGS.
Impression CPI Firmin Didot
à Mesnil-sur-l'Estrée, le 19 mars 2010.
Dépôt légal : avril 2010.
Numéro d'imprimeur : 98911.

ISBN 978-2-07-039920-8/Imprimé en France.